Le Piège
Amoureux

Le Piège amoureux
Par Mark Fisher

© Copyright 1994 Les Presses d'Amérique
Une division de l'Agence littéraire d'Amérique
50, rue St-Paul Ouest, bureau 100
Montréal (Québec) H2Y 1Y8
Téléphone: (514) 847-1953
Télécopieur: (514) 847-1647

Illustration de la page couverture:
La Banque d'Images

Montage de la page couverture:
Impact Communication-Marketing

Composition et montage:
Publinnovation enr.

Correction d'épreuves:
Magalie Blein, Jean-Pierre Le Grand,
Geneviève Garceau et Nathalie Girard

Distribution exclusive:
Québec Livres
2185, Autoroute des Laurentides
Laval (Québec)
H7S 1Z6

Dépôt légal: 4ᵉ trimestre 1994

ISBN: 2-921378-46-9

MarK Fisher

Le Piège Amoureux

SUSPENSE

LES PRESSES D'AMERIQUE

1

Elle achevait d'emballer le cadeau de son amant. Il ne lui restait plus qu'à mettre le ruban. Elle le noua avec dextérité, de ses mains fines et longues, puis le frisa et posa enfin la longue boîte devant elle, sur la table, à côté de deux flûtes et d'une bouteille de champagne, qui attendait au frais dans un seau. L'effet était réussi. Patricia rayonnait de bonheur. Il faut dire que ce n'était pas une journée ordinaire mais son trentième anniversaire de naissance. Et son amant, enfin libre, allait commencer à vivre avec elle le week-end suivant, après deux ans d'une tumultueuse liaison.

Au début, ils partageraient son appartement, malgré son exiguïté. C'était un modeste trois pièces, situé dans la partie la moins belle de Santa Monica. Grâce à son talent et son ingéniosité, elle avait pourtant réussi à lui donner un certain cachet, même si les meubles provenaient de bazars ou de marchés aux puces. Les murs étaient tapissés d'affiches d'écrivains qu'elle admirait: Virginia Woolf, Agatha Christie, Ernest Hemingway, sans compter quelques acteurs, dont Robert Redford et Mel Gibson — son préféré.

Puis, dès qu'ils en auraient les moyens, ils déménageraient dans un plus grand appartement, dans un quartier plus cossu, qui sait, peut-être Beverly Hills, si le roman qu'elle s'efforçait de faire publier — elle l'avait terminé deux mois avant — devenait le best-seller dont elle rêvait...

La sonnerie de la porte retentit.

— Diable! Déjà Jack!

Elle n'avait même pas eu le temps de rafraîchir son maquillage ni de vérifier sa coiffure. En allant répondre, elle se regarda en hâte dans le long miroir du salon. C'était une femme plutôt jolie mais qui n'avait jamais su se mettre en valeur. Mince, les cheveux châtains, son visage était illuminé par de grands yeux bleus qui dénotaient une nature sensible, mais qui étaient pour ainsi dire cachés derrière de lourdes lunettes à monture noire.

Pour cette occasion spéciale, Patricia avait décidé de porter un chemisier à paillettes dorées, acheté évidemment chez un fripier — un neuf eût été hors de prix ! — et un simple pantalon noir, le sommet du chic, de nos jours, comme chacun sait! Le chemisier était décolleté, peut-être un peu trop, mais Jack l'adorait, presque jusqu'au fétichisme. Et elle avait rarement regretté de l'avoir revêtu, si bien qu'elle s'enhardit et détacha un bouton de plus, découvrant plus profondément ses seins. La sonnerie retentit à nouveau. Patricia se pressa vers la porte, avec la délicieuse arrière-pensée que son amant lui arracherait peut-être son chemisier comme la dernière fois qu'elle l'avait porté.

Ce n'était pas Jack mais plutôt monsieur Kaplan, le propriétaire de l'immeuble. Patricia était en retard de plus d'une semaine, dans le paiement de son loyer, et son propriétaire commençait à en avoir vraiment assez de la tolérer. C'était un tout petit homme, très maigre, à l'oeil vif et un peu pervers. A cause de sa petite taille, il avait développé une fierté exagérée qui avait quelque chose de ridicule. Il s'enorgueillissait de posséder cet immeuble plutôt minable où habitait Patricia, et croyait vraiment faire l'envie de tous ceux qu'il côtoyait.

Il s'habillait avec un mauvais goût consommé, portant orgueilleusement de sempiternels souliers blancs et une énorme chaîne en or dont il ne se départissait jamais. Cela eût sans doute déparé ses grosses bagues qui brillaient de toute la fausseté de leur éclat. Tout endimanché — comme pour une occasion spéciale ou une garden-party — il arborait fièrement ce jour-là un complet aussi blanc que ses chaussures.

Patricia s'efforça de lui sourire, même si elle lui était pour ainsi dire allergique et n'avait pas l'argent du loyer, que Jack devait justement lui apporter. Il avait insisté. Comme il habiterait chez elle, il paierait le loyer. Elle avait apprécié cette attention. Cette contribution l'aiderait à joindre les deux bouts car malgré de petits boulots occasionnels de serveuse ou de vendeuse, elle n'arrivait pas et devait continuellement s'endetter pour continuer à exercer le métier, au fond très coûteux, voire luxueux, de romancière. Et puis c'était de la part de Jack un signe d'engagement, une manière de dire qu'entre eux deux, c'était vraiment sérieux.

— Avez-vous l'argent? demanda Kaplan sans préambule.

Elle n'eut pas le temps de répondre car sa voisine d'en face, madame Flemming, parut dans l'embrasure de sa porte. Cette quinquagénaire devait peser plus de cent kilos, et on aurait dit qu'elle possédait un radar sentimental. Elle s'en servait pour repérer la présence du propriétaire, dont elle était follement amoureuse, son grand rêve étant de devenir «madame la propriétaire». Dans ses bras ronds et criblés de cellulite, elle tenait un gros chaudron de sauce à spaghetti fumante.

— Monsieur Kaplan, dit-elle pour être certaine qu'il la verrait et qu'il ne s'éloignerait pas sans la saluer.

Il se tourna vers elle. Il eut peine à dissimuler son agacement. A ses yeux, madame Flemming était une vraie teigne, dont les intentions à son endroit n'étaient que trop évidentes. Mais comme elle était aussi une bonne locataire, qui payait rubis sur l'ongle tous les premiers du mois, il ne voulait en rien la contrarier. Il parvint à esquisser un sourire, de ses dents plutôt irrégulières, dont une incisive était sertie d'un petit diamant de trois carats — sa grande fierté.

— Venez me voir après, dit madame Flemming. Je vous ai préparé une bonne petite sauce pour vos pastas.

Il avait horreur de sa «petite sauce» et la foutrait encore une fois à la toilette dès qu'il rentrerait chez lui. En outre, il avait un appétit d'oiseau. Alors elle pouvait bien se le mettre où il pensait son chaudron, et se faire mariner l'arrière-train pour soulager ses hémorroïdes chroniques.

— Oui, oui, je n'y manquerai pas. C'est gentil de votre part.

Elle gloussa de plaisir et rentra. Kaplan se tourna à nouveau vers Patricia:

— Alors, vous avez l'argent?

— Je... pas encore. J'attends mon fiancé. Il doit arriver d'une minute à l'autre.

Cette histoire de fiancé parut louche au propriétaire et il fronça les sourcils, visiblement sceptique. Tentait-elle encore de l'endormir pour gagner du temps?

— Je pourrai vous donner le chèque si vous revenez dans... disons, une demi-heure.

— Pas de chèque. Les deux derniers que vous m'avez faits étaient sans provision, protesta vigoureusement le propriétaire en frappant le cadre de la porte de son poing. Je veux du *cash*.

Il frotta le pouce et l'index de la main droite d'un geste caractéristique, et esquissa le sourire de l'homme sûr de son fait, qui ne s'en laisse jamais «passer une», découvrant à nouveau son diamant solitaire dans toute sa splendeur.

— Et je vous préviens, j'en ai par-dessus la tête de vos retards continuels. Si je n'ai pas l'argent aujourd'hui, je vous expulse!

— Vous allez l'avoir, c'est promis, dit Patricia.

Elle refermait la porte lorsque sa chienne Cléo — qu'elle appelait parfois Lili — vint la frôler. Ce sympathique mélange de basset et d'épagneul, qui avait déjà quinze ans, tenait une forme surprenante pour son âge. Comme chaque fois qu'elle voulait obtenir quelque chose de sa maîtresse, Cléo haussa les sourcils d'un air piteux, écarquillant de grands yeux dont l'expression avait quelque chose d'humain tant les émotions qui y défilaient étaient variées.

Patricia la regarda et lui sourit avec tendresse. Elle ne savait guère lui résister puisque Cléo était sa compagne depuis son adolescence. Elle ne la voyait plus comme un animal car elle avait depuis longtemps accédé au statut de membre à part entière de la famille.

— Quoi tu veux, ma belle fille? Quoi tu veux? Tu as faim? demanda-t-elle dans ce langage enfantin qu'elle utilisait généralement avec cette vénérable bête pourtant plus que centenaire, du moins en années humaines.

Cléo agita vigoureusement la queue et s'élança en direction de la cuisine. Patricia la regarda. Comme elle aimait sa démarche encore joyeuse et jeune! Pourtant, Cléo était pour ainsi dire une grand-mère, du reste miraculeusement épargnée par les rhumatismes et autres vicissitudes canines.

Patricia la suivit à la cuisine. Elle lui servit, au pied du frigo, son repas favori: des pâtes et de petits morceaux de poulet. Bien sûr, ce n'était pas très conventionnel et ce n'était pas vraiment de la nourriture pour chiens. Mais Cléo y était habituée. Depuis plusieurs années, Patricia lui donnait des restes de table, malgré les avis répétés du vétérinaire. Cléo se mit à manger avec entrain. Patricia s'attarda à la regarder manger. Elle l'adorait. Avec ses défauts. Ses caprices. Ses toquades. Mais aussi sa sincérité. Sa fidélité. Elle ne se souvenait pas d'une seule fois où Cléo ne l'avait pas accueillie avec de grandes démonstrations de joie.

Sur la porte du frigo était collé un article que Patricia avait découpé dans le *Los Angeles Times*. Elle le parcourut une fois de plus. Il l'avait tellement emballée la première fois. Il narrait la vie d'une excentrique septuagénaire de Malibu, qui, une fois devenue veuve — et multimillionnaire du même coup! — avait consacré sa vie aux chiens, refusant systématiquement les nombreuses propositions de mariage qu'elle n'avait pas manqué de recevoir, vu sa fortune colossale. Au reporter du *Los Angeles Times* qui lui demandait pourquoi elle ne s'était jamais remariée, elle avait répondu ironiquement: «Un homme ne sert qu'à une chose: devenir riche. Comme c'est chose faite, je peux maintenant m'occuper de ma véritable passion: les chiens!»

Patricia laissa Cléo terminer son repas, et retourna au salon, où elle regarda l'heure.

Déjà sept heures dix! Pourquoi donc Jack était-il en retard de plus d'une demi-heure, lui qui était habituellement d'une ponctualité maniaque.

C'était d'autant plus embêtant qu'elle avait accepté une invitation de ses parents à un souper de famille au cours duquel aurait lieu — outre une petite fête d'anniversaire — la présentation officielle de son «fiancé».

La sonnerie du téléphone retentit. Ce devait être Jack. Elle s'empressa de décrocher. C'était sa mère.

— Oui, maman, dit Patricia. Bien sûr, maman. Jack est un peu en retard. Mais nous ne devrions pas tarder. A tout de suite.

Elle raccrocha. Elle eut un moment de vague à l'âme. Cela lui faisait toujours un drôle d'effet de parler à sa mère. Comme s'il y avait entre elles un conflit, une rivalité jamais résolue. Comme si sa mère ne l'acceptait pas vraiment, entièrement. Patricia avait l'impression qu'elle devait toujours lui prouver quelque chose. Toujours faire attention pour ne pas être prise en défaut.

Quand Jack arriva enfin, quinze minutes plus tard, Patricia était si angoissée — et si soulagée — qu'elle lui sauta au cou comme s'il venait d'échapper à un terrible accident. Elle le serra longtemps dans ses bras. Il lui semblait attendre ce moment depuis une éternité. Elle avait l'impression qu'elle ne l'avait jamais tant aimé, que sa passion pour lui atteignait un tel sommet, qu'il n'y avait rien au-delà. Elle respira le parfum de son eau de toilette, qui l'enivrait. Elle aimait vraiment tout de lui.

Après deux ans, le trouble physique qu'il lui avait inspiré dès le premier jour ne s'était pas fané. On aurait dit qu'elle avait vécu pour lui des coups de foudre à répétition. Il était si séduisant, avec ses cheveux blonds — qui tranchaient sur sa veste taupe et sa chemise noire — et ses yeux bleus, des yeux brumeux qu'elle ne se lassait pas de contempler et dont elle n'arrivait pas à percer le mystère.

Elle admira sa bouche, sa bouche sensuelle, d'un rouge sombre, sa bouche audacieuse, qui tant de fois l'avait ravagée, qui tant de fois lui avait fait la preuve délicieuse et troublante que chaque partie de son corps était digne d'amour, voire de vénération.

Car contrairement à bien des hommes pour qui les femmes ne sont au fond que le commode déversoir d'un égoïsme faussement érotique, Jack aimait vraiment les femmes — et leur corps — d'une manière presque maladive, obsessive. Il leur vouait un culte. C'est ainsi qu'il s'était attaché toutes ses compagnes, les rendant quasiment compulsives, «droguées» de lui.

Toutes, invariablement, lui avaient un jour ou l'autre, à leur propre surprise, réclamé des fantaisies, des gestes qui au début les avaient choquées. Il était en effet assez *kinky*, pervers à ses heures. Et il aimait le danger. Il avait fait l'amour à Patricia dans des endroits plus invraisemblables les uns que les autres: restaurants, musées, ascenseurs et même toilettes publiques.

Une fois de plus, Patricia se sentait envahie par ce trouble qui s'emparait d'elle dès qu'elle sentait le corps de Jack contre le sien. Son eau de toilette, de Paco Rabanne, lui montait à la tête, lui faisait tourner les sangs.

Mais Patricia reprit ses esprits, non sans difficulté, et fit entrer Jack.

— On est un peu en retard, dit-elle sans vouloir l'accuser.

— J'ai été pris, je...

Elle souriait malgré tout. Au fond, elle se fichait de ce retard. Jack était là maintenant, et c'est ce qui comptait. Il donnait un sens à toute chose, une qualité particulière à tout ce qu'elle vivait. Au début de leur liaison, elle avait eu peur de ce vertige où l'on s'ouvre sans réserve à l'autre. Mais elle n'avait pas regretté cet abandon.

— Je sais, dit Jack, qui cherchait ses mots. J'aurais dû t'appeler, mais tu sais ce que c'est...je...je n'ai même pas eu le temps de t'acheter un cadeau...

Elle fut surprise car il tenait sous un bras une grosse enveloppe brune, qu'elle avait tout naturellement prise pour un cadeau, enveloppé de manière fruste, il est vrai, mais ce n'était pas le genre de Jack de se formaliser avec pareils détails.

— Oh, ce n'est pas grave. Ce n'est vraiment pas grave, dit-elle.

Radieuse, elle souriait, se moquant éperdument de cette négligence.

— C'était dans le hall, sous ta boîte aux lettres, expliqua Jack en lui remettant l'enveloppe.

Elle se douta tout de suite de quoi il s'agissait, regarda l'enveloppe qu'il venait de lui remettre et vit, à l'adresse de retour, que c'était son manuscrit qu'un nouvel éditeur venait de refuser, le vingt-et-unième en fait. Cela ne fit que lui confirmer ce qu'elle commençait à penser depuis quelques mois. Elle était une ratée. Elle ne possédait aucun talent. Vingt et un éditeurs ne pouvaient pas tous se tromper en même temps. Et puis elle avait compris que de toute manière, même si son roman avait eu la moindre valeur, il lui fallait des contacts, des relations, un agent et une immense dose de chance, toutes choses qui lui faisaient cruellement défaut. Elle sentit monter en elle un petit mouvement de cafard qu'elle réprima aussitôt. C'était jour de fête, après tout. Elle aviserait plus tard. Elle se contenta de jeter l'enveloppe sur un fauteuil.

— Ce n'est pas facile, dit Jack, qui avait perçu sa subtile et brève déception car elle lui avait tout naturellement parlé de ses difficultés, pour ne pas dire de ses déboires dans sa longue quête d'un éditeur.

— Je suis sûr qu'un éditeur va finir par me donner ma chance.

— Moi aussi, dit-il, plus par politesse que par conviction véritable.

Il y eut un bref silence, puis Patricia, qui avait tout à fait repris sa bonne humeur, déclara:

— On va prendre un verre en vitesse...J'ai mis du champagne au frais. Est-ce que tu ouvrirais la bouteille?

— Bien sûr!

Il fit sauter le bouchon sans enthousiasme, un peu ennuyé que Patricia se fût donné tant de mal pour ce petit tête-à-tête. Il le fut d'ailleurs encore plus lorsqu'il vit, sur la table, près du seau à champagne, le cadeau joliment emballé. Il versa le champagne et tendit une flûte à Patricia. Il la trouva plus belle que d'habitude tout à coup. Troublante, même. Cela le chagrina.

Elle était si pure, si spontanée! C'était une bonne personne, qui ne paraissait pas avoir été touchée par la décadence qui fleurissait à Hollywood. Comme si elle venait d'un autre lieu, d'une autre époque, et avait su préserver l'innocence de l'enfance. C'était cela sans doute qui était le plus émouvant chez elle. Cette transparence, qui tranchait tant avec la dissimulation, le calcul, la fausseté de la plupart des êtres qu'il fréquentait. Mais cette pureté même ne donnait-elle pas à son amant un vertige, une tentation cruelle: celle de la froisser comme une rose trop parfaite? Ne tue-t-on pas toujours ceux qui nous aiment? Ils burent une première gorgée de champagne.

— A nous deux, dit Patricia.

— A nous deux, répéta Jack machinalement.

Patricia posa immédiatement son verre, prit le cadeau et le tendit à Jack:

— Je t'ai acheté un petit quelque chose...

— Tu n'aurais pas dû, dit-il, tu n'aurais vraiment pas dû... Tu me mets mal à l'aise, surtout que j'arrive ici les mains vides...

— Qu'est-ce que ça peut bien faire! Tu as toute la vie maintenant pour me faire des cadeaux.

Il sourit, découvrant des dents étincelantes. Son sourire ravageur éclairait de manière surprenante son visage, habituellement sombre, et le rajeunissait de dix ans. Il déballa le cadeau. Il avait vraiment la tête ailleurs, car lorsqu'il vit la jolie cravate de soie milanaise que lui avait achetée Patricia, il eut de la difficulté à trouver les mots pour la remercier:

— Tu n'aurais pas dû...Elle a dû te coûter une fortune...

— Mais non...Est-ce que tu l'aimes, au moins?

— Elle est absolument magnifique. C'est de la soie, hein?

— Oui...

Jack rangea la cravate dans la boîte, en prenant bien son temps, lui qui, dans la hâte caractéristique de l'homme d'affaires absorbé dans ses projets, n'avait habituellement aucune patience pour ces petits gestes du quotidien. Il s'accrochait à cet acte banal, pour gagner du temps. Puis il ne put plus reculer.

— Mon avocat m'a annoncé une très mauvaise nouvelle, cet après-midi. Je ne peux pas divorcer, enfin pas tout de suite. L'arrangement prénuptial que ma femme avait signé n'est pas valable. Selon la loi, elle a droit à la moitié de tout ce que je possède.

Complètement estomaquée, Patricia ne disait rien. Le sol se dérobait sous ses pieds.

— Ca veut dire que... que tu ne pourras pas venir vivre ici?

— Non, je suis vraiment désolé, dit-il avec un plissement des lèvres.

Il lui tapota l'épaule, dans un geste paternel qui n'avait rien de passionné.

— Ma femme m'a mis au pied du mur... Si je pars, elle entame des procédures de divorce...Et à cause de la compagnie, j'ai presque tout mis à son nom...

Les yeux de Patricia s'embuèrent. Jack ne pouvait faire autrement. Il était pris, traqué. Elle ne pouvait tout de même pas lui demander de se ruiner pour venir vivre avec elle. C'eût été un sacrifice insensé. D'ailleurs de quoi auraient-ils vécu? Avec ses petites piges à gauche et à droite comme correctrice d'épreuves, son travail occasionnel comme serveuse ou comme vendeuse dans une librairie, elle ne gagnait presque rien. Et lui n'avait guère de succès avec sa nouvelle compagnie. La récession le frappait durement, comme la plupart des autres hommes d'affaires.

— Je comprends, dit Patricia.

— Il va aussi falloir qu'on cesse de se voir...en tout cas pour un temps, reprit Jack. J'ai le couteau sur la gorge. Si je fais le moindre faux pas, ma femme... Elle me surveille, elle épie mes moindres gestes, elle est folle... Elle est capable de tout... Un moment, j'ai même craint le pire... Je la crois capable de tuer...

Il se tut alors, et attendit une réaction de Patricia. Mais elle était encore sous l'effet du choc. Il reprit:

— Elle n'est rien pour moi... Dès que la compagnie va mieux, je la plaque définitivement... Je ne lui pardonnerai jamais ce chantage odieux... Elle n'est pas capable de se comporter en adulte... Elle va payer pour ça... C'est avec toi que je veux faire ma vie... C'est toi que j'aime. Je te demande seulement...

Patricia n'écoutait plus. Encore une fois, elle pénétrait dans ce monde douloureux qu'elle connaissait trop bien. Cette histoire, elle la savait par coeur, comme si elle l'avait écrite. Et cette réplique, quelle banalité! Voilà, il venait à nouveau de lui faire le coup! Une fois de plus, elle se faisait plaquer. Par un homme marié. Qui lui préférait sa femme. Au moment même où sa vie commençait enfin, après des années d'attente, de solitude.

Bien sûr, Jack était placé devant un choix difficile, il avait beaucoup à perdre. Mais elle, comme elle aurait consenti aisément — d'un coeur léger même — le sacrifice de tout ce qu'elle possédait! Car la seule chose qu'elle possédât vraiment, sa seule richesse, n'était-ce pas son amour?

Elle s'assit, pour mieux encaisser le choc. Les larmes aux yeux, elle ne disait rien. Elle ne protesta pas. Elle ne demandait pas d'explications. Elle ne cherchait pas à se battre. Elle connaissait trop bien la chanson des maîtresses éconduites, qu'on ménage en évoquant les retrouvailles après des séparations supposément provisoires. Elle regardait Jack, sans haine, sans reproche, noble dans sa souffrance. Et son regard devint bientôt insupportable à son amant. Il aurait préféré un éclat, une dispute. Par contraste, il se sentait petit, calculateur.

— Dis quelque chose au moins... eut-il la muflerie de protester dans son désarroi.

Mais Patricia ne dit pas un mot.

— Je crois que... Je vais y aller maintenant... dit Jack.

Dans un mouvement de distraction égoïste, il faillit prendre la cravate mais se ravisa.

— Je... Je ne peux... Je te rappelle.

Et il sortit. Pour Patricia, tout s'effondrait d'un seul coup. Ses rêves d'une vie nouvelle. Avec l'homme qu'elle aimait. Qui était tout pour elle. Elle eut envie de hurler sa douleur. Mais elle suffoquait. Comme une noyée, elle revoyait sinon toute sa liaison, du moins les grands moments: leur rencontre, leur première nuit d'amour, si passionnée, les vacances — les seules — qu'ils avaient passées ensemble. Soudain, son désespoir se transforma en rage, en révolte.

Elle poussa les flûtes de champagne, la bouteille, le seau; tout tomba au sol et se brisa en mille éclats. Elle réserva le même sort à la boîte à cadeau, puis à la cravate, qu'elle lança contre la porte. Elle se sentait stupide, ridicule, humiliée d'avoir fait ce présent à Jack qui, lui, avait complètement oublié son anniversaire. Puis, vidée, elle se laissa glisser contre le mur, près de la porte. Au fond, même si elle n'avait pas voulu se l'avouer, elle avait été celle qui donnait. Et Jack avait été celui qui recevait.

Bien sûr, ce n'avait pas été un amour entièrement à sens unique. Mais il y avait toujours eu un déséquilibre. Elle avait tenté de se le cacher, se disant qu'il était marié, et que dès qu'il deviendrait libre, les choses se rétabliraient et qu'il pourrait donner la pleine mesure de son amour. Mais cela n'était jamais arrivé, et elle se sentait lésée parce qu'elle venait de perdre deux ans de sa vie.

Son amant précédent l'avait d'ailleurs laissée dans des circonstances similaires.

Un homme marié lui aussi, qu'elle avait aimé follement pendant trois ans, qui l'avait bercée de promesses et qui l'avait abandonnée à la dernière minute, pour reprendre la vie commune avec sa femme, tombée enceinte de lui. Alors qu'il lui avait juré ne plus faire l'amour avec elle depuis des années! La belle affaire! Elle avait été flouée. Jack aussi lui avait probablement menti et continuait sans doute de coucher avec sa femme.

Patricia aperçut son reflet dans la glace du salon, et ses trente ans tout neufs lui parurent infiniment lourds. Elle se trouvait moche, quelconque, fade, avec son ridicule, son inutile rimmel qui avait coulé sur ses joues. Tout à coup, il lui semblait qu'elle n'avait plus beaucoup de temps devant elle. Parce qu'elle devait repartir à zéro. Elle avait l'impression qu'elle n'avait rien accompli, qu'elle ne possédait rien, sinon des dettes. Ni maison, ni voiture,— une chose impensable à Hollywood! — ni emploi. Et romancière, ne l'était-elle pas seulement dans son imagination?

Un sentiment de dégoût succéda bientôt à son angoisse de se retrouver seule, les mains vides, à trente ans. Elle se sentait salie, au plus profond de son être. Une vulgaire prostituée, voilà ce qu'elle était! Bonne simplement pour assouvir les plus basses passions des hommes, pour les faire rigoler, les amuser, les distraire de la monotonie conjugale. Jamais capable de leur inspirer les nobles sentiments qui conduisent au mariage. Etait-elle destinée à être toute sa vie un second violon? La femme qu'on amène au lit mais pas à l'autel?

Quelle erreur faisait-elle donc avec les hommes? Les aimait-elle trop ouvertement, trop passionnément au point qu'ils sentaient qu'ils pouvaient faire d'elle ce qu'ils voulaient et ne lui donner que des miettes? Une fée lui avait-elle jeté un sort au berceau, dont elle ne pouvait se libérer? Elle n'avait pas la lèpre pourtant. Et sans être une beauté extraordinaire, elle n'était tout de même pas un laideron. Bien des femmes beaucoup moins ravissantes qu'elle s'étaient non seulement mariées bien avant elle mais avaient été demandées en mariage à de nombreuses reprises.

Son chemisier décolleté qu'elle trouvait si délicieusement provocant quelques minutes auparavant lui sembla criard, vulgaire. Elle se mit à le déchirer. Elle en arracha tous les boutons, découvrant sa poitrine, et l'ayant retiré, se mit à en battre les murs, de toutes ses forces, comme pour exorciser le mauvais sort qui la poursuivait, comme pour éliminer tout ce qu'il pouvait y avoir de séduisant dans sa personne.

Puis elle s'arrêta, étourdie, épuisée, laissa tomber son chemisier en loques, et s'effondra. Elle sanglotait. Elle prit la cravate que Jack ne porterait jamais. «Jamais», ce mot résonnait dans son esprit aussi douloureusement que le mot «toujours» qu'on conjugue malgré soi avec amour, même si on est désabusé, si on n'y croit plus tout à fait. Maintenant c'était «jamais» le mot clé. Le mot qu'elle devait lier à Jack. Qui jamais plus ne serait son amant, qui jamais plus ne ferait vibrer sa chair, son coeur, sa tête, lui qui l'avait toujours traitée comme une femme, au lit et hors du lit. Et elle se frotta la joue avec la cravate mouillée de larmes, à la recherche d'une tendresse à jamais perdue.

Cléo, qui, avec l'âge, faisait de plus en plus souvent des siestes, se réveilla du petit roupillon qu'elle avait piqué après avoir mangé et revint de la cuisine d'un pas joyeux, les moustaches encore pleines de traces de son festin. Elle comprit tout de suite, en voyant sa maîtresse, que quelque chose n'allait pas et elle vint se frotter contre elle. Patricia la flatta, un instant distraite de son chagrin.

— Tu es une bonne fille, hein! Cléo? Nous, on ne s'abandonnera jamais. On sera toujours ensemble. Pour la vie. Hein! Cléo?
Cléo se mit à la lécher tendrement. On frappa à la porte. Patricia sursauta. Tout de suite un espoir la traversa, et une grande joie l'habita. Jack revenait, parce qu'il avait changé d'idée, parce qu'il avait compris qu'il ne pouvait pas, qu'il ne pourrait jamais vivre sans elle, et qu'il préférait tout perdre, sa maison, son argent, tout. Ensemble, ils

pourraient tout reconstruire, tout regagner, et cette perte leur paraîtrait insignifiante.

Elle se leva d'un bond, et s'apprêtait à ouvrir lorsqu'elle se rappela qu'elle était à moitié nue. Elle passa en vitesse un peignoir et ouvrit la porte, prête à sauter au cou de Jack. Mais ce n'était que son propriétaire, monsieur Kaplan. Il tendit simplement la main et dit:

— Mon argent.

— Oui. Je l'ai.

— Alors si vous l'avez, donnez-le moi.

— C'est que...

Elle fit l'erreur d'ouvrir un peu trop la porte, et le propriétaire vit l'état lamentable du living-room, avec les flûtes, la bouteille de champagne brisés, le papier d'emballage et la boîte à cadeau qui jonchaient le plancher.

— Qu'est-ce qui s'est passé? demanda-t-il en fronçant les sourcils.

— Rien, dit Patricia, une petite fête, c'est tout.

— Vous appelez ça une petite fête, hein? Je vais vous dire comment j'appelle ça, moi. C'est du vandalisme! Vous êtes une sauvage. Et vous avez peint mes murs en rose sans me demander mon autorisation!

L'air découragé, furieux, il faisait de grands gestes en direction des murs que Patricia avait effectivement peints en rose et pêche. Comment ferait-il pour relouer cet appartement à un homme, quand il aurait expulsé Patricia? Aucun ne souffrirait pareil décor, et il devrait encore débourser parce que mademoiselle avait eu des goûts particuliers!

— Je ne vous aime pas, mademoiselle Wood. Vous êtes tous les mêmes, les artistes. Vous ne foutez rien de vos journées, vous vivez dans les nuages pendant que nous on nettoie la merde que vous laissez derrière vous. Je ne sais pas pourquoi j'ai accepté de vous prendre comme locataire, mais je sais une chose: si je n'ai pas mon argent immédiatement, je vous expulse!

Il fallait bien qu'elle lui dise la vérité maintenant.

— Je n'aurai pas l'argent avant demain. Il y a eu un petit contretemps.

Elle voulut l'attendrir en lui disant ce qui au fond n'était que la vérité:

— Mon ami et moi... nous nous sommes séparés.

Il réfléchit un instant. Ne se payait-elle pas sa tête à nouveau? Cherchait-elle simplement à gagner du temps? Aurait-elle vraiment l'argent demain? Une lueur de désir alluma alors ses yeux. Certes, il n'aimait guère Patricia comme locataire à cause de ses retards continuels, mais maintenant qu'elle était devenue une femme seule, sait-on jamais? Ne s'était-elle pas mise en peignoir pour une bonne raison? Ne voulait-elle pas lui indiquer subtilement qu'elle était prête à lui accorder ses faveurs en échange de sa clémence, voire d'une réduction de loyer? Bien sûr, il était très près de ses sous, et même carrément radin. Mais Patricia était jeune, fraîche, attirante. Et lui était veuf depuis deux ans, n'ayant pas réussi, malgré de nombreux efforts, à faire une seule conquête, si ce n'est celle, bien involontaire, de la grosse madame Flemming qui l'horripilait.

Patricia perçut l'éclat lubrique dans le regard de monsieur Kaplan et eut l'impression de lire dans ses pensées. Elle eut un mouvement de recul, que Kaplan vit bien et qui le froissa. — Depuis deux ans, il était pour ainsi dire passé maître dans l'art de lire les refus des femmes.— Il ne crut pas bon de pousser plus loin une éventuelle tentative de séduction et, s'étant raidi, dit seulement:

— Si je n'ai pas mon argent cette semaine, vous vous chercherez un nouveau logement.

Et il repartit sans attendre la réponse de Patricia, se dépêchant pour éviter l'incontournable madame Flemming qui viendrait sûrement lui demander s'il avait aimé sa petite sauce.

Cette fois, Patricia était coincée. Il lui fallait trouver de l'argent. Et rapidement. Sinon, elle serait expulsée. Et la manière de trouver un nouvel appartement lorsqu'on n'a pas un sou en banque et qu'on est sans emploi stable!

Elle se rappela qu'elle devait aller chez sa mère. Quelle humiliation en perspective! Elle qui devait présenter son ami à sa famille! A la place, elle leur annoncerait qu'ils venaient de rompre. Ne pouvait-elle pas se décommander? Ils comprendraient sûrement. Mais c'était délicat. Sa mère lui avait sans doute préparé quelque chose de spécial pour son anniversaire. Et puis, côté pratique, ses parents étaient les seules personnes susceptibles de lui prêter de l'argent. Elle en devait déjà à la plupart de ses amis, qui étaient d'ailleurs aussi fauchés qu'elle.

Elle passa en vitesse le premier chemisier qui lui tomba sous la main. Il n'allait pas très bien avec son pantalon, mais elle se moquait éperdument de son élégance. Pourquoi être coquette? Pour plaire à qui? A un autre homme qui lui briserait le coeur comme tous ceux qu'elle avait connus? Elle se regarda dans la glace du salon, près de la porte d'entrée. Quel gâchis!

Elle n'avait pas le temps de se remaquiller. Elle prit un kleenex et répara de son mieux les dégâts. Maintenant, elle n'avait plus personne à séduire de toute manière. Elle était redevenue une femme seule. Cette malédiction prendrait-elle fin un jour? Quelle prière devait-elle donc adresser au ciel pour qu'il la délivre de ce supplice, elle qui n'aurait rien souhaité autant que d'être entourée, d'aimer et d'être aimée, d'avoir une famille, une vraie vie, quoi! Juste avant de partir, elle regarda la table maintenant vide, qu'elle avait si gaîment préparée, les débris de verre scintillant tristement sur le plancher, parmi la boîte à cadeau, le papier froissé et l'inutile cravate. Et elle pensa que son trentième anniversaire ne ressemblait pas du tout à ce qu'elle avait prévu. Le lendemain, elle rentrerait dans le rang, comme elle aurait dû le faire depuis longtemps. Elle renoncerait à son rêve de devenir romancière, de vivre de sa plume.

2

Le lendemain matin, alors qu'elle parcourait les petites annonces dans le journal, l'une d'elles attira tout de suite son attention. Elle l'encercla en rouge. La Blackwell Corporation, une grosse firme dont elle avait vaguement entendu parler, cherchait une secrétaire possédant une bonne connaissance du traitement de texte. Elle décida de s'y rendre sur-le-champ.

En arrivant au siège social de la société, dans le centre-ville de Los Angeles, elle fut très impressionnée par l'aspect moderne et luxueux de l'immeuble. C'était peut-être un peu froid ces masses de verre et de métal, mais d'un chic indéniable. Elle s'informa à la réception.

— Le service du personnel?

La réceptionniste la considéra avec une certaine circonspection, l'air de se dire que si elle se présentait pour un emploi, ses chances étaient minces, du moins si on en jugeait par la manière dont elle était vêtue. Malgré tous ses efforts pour être à la hauteur, Patricia n'était visiblement pas arrivée à de très bons résultats. Comme la réceptionniste n'était tout de même pas là pour évaluer les candidats, elle lui donna l'information:

— Huitième étage. L'ascenseur est ici à votre gauche, ajouta-t-elle avec un geste de la main.

Et, en dodelinant de la tête, elle regarda Patricia se diriger vers l'ascenseur. Franchement, certaines n'avaient vraiment pas le tour de se vendre! Enfin, au moins elle était polie, elle l'avait remerciée. Elle lui souhaita néanmoins bonne chance intérieurement: malgré sa gaucherie et sa timidité évidentes, cette jeune femme était sympathique, derrière ses grosses lunettes.

Devant la porte de l'ascenseur en métal ciselé, un homme d'une quarantaine d'années, à l'élégance raffinée, attendait en compagnie d'une très belle femme de trente-cinq ans. Il s'agissait de Richard Stone, un des vice-présidents de la Blackwell — en fait le bras droit de William Blackwell lui-même. Et si Julie Landstrom, avec qui il bavardait en ce moment, occupait des fonctions moins bien définies dans la compagnie, elle n'en était pas moins très influente: elle était la maîtresse en titre de Blackwell, séparé de sa femme depuis des années.

Patricia fut impressionnée par la beauté un peu froide de Richard Stone. Très grand, les cheveux blonds, il faisait penser à une version raffinée de son ancien amant, Jack, en moins trouble, plus léger. Il portait avec beaucoup de décontraction un complet Armani anthracite, qui accentuait la blondeur de ses cheveux. Son charme fit rougir Patricia. Elle n'osa même pas rêver à ce que pouvait être une relation avec un pareil homme, si stylé, si classique. De toute manière, il n'était pas vraiment son genre. Elle aimait les hommes un peu plus artistes, moins conventionnels. Et cet homme n'était visiblement pas très fantaisiste. Elle ne l'imaginait même pas en jeans.

Leurs regards se croisèrent, et elle baissa aussitôt les yeux. Elle avait rarement vu des yeux si bleus, si intenses. La porte de l'ascenseur s'ouvrit. Avec une politesse toute naturelle, Richard Stone invita Julie Landstrom et Patricia à le précéder. Il sourit à Patricia mais son sourire avait quelque chose de froid, de détaché, comme s'il voyait à travers elle. Il faut dire qu'il paraissait très absorbé dans sa conversation avec Julie Landstrom. Ils parlaient à voix basse, comme s'ils craignaient les indiscrétions.

Pour ne pas les gêner, Patricia se plaça dans le coin opposé de l'ascenseur. Et sans trop savoir pourquoi — peut-être parce que c'était vraiment la première fois qu'elle se trouvait dans une grande boîte — par curiosité donc, elle observa Julie Landstrom à la dérobée. Comme elle était maquillée avec soin! Et quelle élégance! Aucun détail ne clochait. Rien n'avait été laissé au hasard.

On l'aurait dit sortie directement de la revue *Elle*, ou de *Vogue*. Un joli tailleur rouge, des bas de nylon également rouges — rouge sur rouge: une combinaison très réussie que Patricia n'avait jamais vue avant — et de fins escarpins en cuir d'Italie de même couleur, qui devaient valoir au bas mot quatre cents dollars, presque autant qu'elle payait pour un mois de loyer! Et des bijoux raffinés. Tous en or. Montre, collier, bagues et boucles d'oreille. Une vraie princesse!

Patricia regarda ses propres souliers, tout élimés, achetés à rabais elle ne se souvenait même plus quand. Tout à coup, elle eut l'impression qu'elle allait s'enfoncer dans le plancher de l'ascenseur. D'ailleurs, c'était peut-être ce qui pouvait lui arriver de mieux. Elle ne s'était jamais sentie aussi complexée, diminuée. Pourtant, ces gens-là paraissaient très aimables, parfaitement civilisés. Ils ne l'avaient même pas regardée de manière désobligeante, ou critique. Mais leur simple façon de s'habiller, de se tenir, de converser était un «statement», une affirmation en soi. Ce qu'ils proclamaient, sans le dire, c'était qu'ils n'étaient pas du même milieu qu'elle. Ils faisaient partie d'un monde à part, auquel elle n'avait pas accès.

Elle se fit des reproches. Pourquoi diable avait-elle encerclé cette petite annonce dans les journaux? C'était bien elle! Toujours aussi irréfléchie, impulsive. Etait-ce pour cette raison qu'elle n'arrivait jamais à rien et qu'elle n'avait pas réussi à faire publier son roman? Parce que, même si elle se croyait très forte, elle ne se servait pas assez de sa tête. Elle se fiait trop à son coeur. N'était-ce pas une erreur fatale à Hollywood?

Elle s'impatientait. Si cet ascenseur pouvait arriver à destination! Sa gêne fut encore plus grande lorsqu'elle se rendit compte que Julie Landstrom semblait l'observer avec attention. On aurait dit qu'elle la connaissait ou qu'elle l'avait déjà vue quelque part.

Au bout d'un moment, elle poussa même discrètement Richard Stone du coude, lançant un regard significatif en direction de Patricia, comme pour attirer son attention sur elle. Ils n'échangèrent aucune parole mais Patricia aurait juré (devenait-elle un peu paranoïaque?) qu'ils entretenaient un dialogue silencieux. A n'en point douter, ils se moquaient d'elle. En tout cas ils se demandaient sûrement ce qu'elle faisait là, attifée de la sorte. Jamais Patricia n'avait autant senti le poids de sa pauvreté.

Ses idées se brouillaient. A quel étage devait-elle se rendre déjà? Elle rajusta ses lunettes, et consulta le journal qu'elle avait emporté avec elle. Elle retrouva l'annonce qu'elle avait encerclée en rouge. Mais l'information ne s'y trouvait pas. Julie Landstrom nota son affolement:

— Est-ce que je peux vous aider? demanda-t-elle, de la voix la plus aimable du monde.

— Je... C'est idiot, je viens pour l'emploi qui est annoncé... Et j'ai complètement oublié à quel étage je dois me rendre.

— C'est au huitième. Si vous voulez me suivre, je vais dans la même direction.

Patricia fut impressionnée par la gentillesse de cette femme, qui, à première vue, ne lui avait pourtant pas semblé très sympathique. Elle l'avait trouvée artificielle, trop composée, comme si elle cherchait à impressionner coûte que coûte. Mais peut-être était-ce la règle dans cet univers. Elle-même devait paraître bien fade, avec son maquillage plus que discret et ses vêtements très quelconques.

L'ascenseur s'arrêta au huitième étage. Laissant Richard Stone monter jusqu'aux étages de la direction, Julie Landstrom conduisit Patricia jusqu'au bureau du recruteur.

— Bonne chance, dit-elle. Et ne vous laissez pas intimider. C'est le dernier des cons.

Diable, plutôt sympathique, cette jeune femme! pensa Patricia. En tout cas, elle n'avait pas la langue dans sa poche. Et elle s'était tout de suite montrée coopérative. Complice même. Patricia éprouva un vague sentiment de culpabilité. Elle l'avait vraiment mal jugée. La prochaine fois, elle se méfierait de sa première impression.

La porte du directeur était ouverte. Patricia frappa timidement de crainte de le déranger car il était absorbé dans une conversation téléphonique. Il n'entendit pas Patricia qui hésita avant de frapper à nouveau car il ne parlait pas, il hurlait presque:

— La prochaine fois, j'espère que vous ne me ferez pas perdre mon temps. Vous m'avez envoyé assez d'incompétentes sans diplôme et sans expérience. Si vous pensez que je n'ai que cela à faire! Je croyais que vous étiez une agence sérieuse.

Il raccrocha bruyamment. Il paraissait furieux. Patricia qui se sentait vraiment dans ses petits souliers frappa encore une fois, et comme le directeur n'entendit pas davantage, elle se racla la gorge. Levant les yeux, il l'aperçut enfin. Il ne parut avoir aucune réaction. Etait-ce une technique qu'il avait apprise dans ses cours du soir pour impressionner les candidats, pour éprouver leur sang-froid?

— Je... je suis venue pour le poste... dit Patricia avec un large sourire.

— Votre nom? demanda le directeur du personnel, un quadragénaire affligé d'une calvitie galopante.

— Patricia Wood.

Sans rien dire, le directeur consulta la liste des rendez-vous de la journée.

— Vous m'avez bien dit Wood? Patricia Wood?

— Oui.

— Vous ne figurez pas sur la liste. Avez-vous pris rendez-vous?

— Non, je... J'ai vu la petite annonce dans le journal, dit-elle en montrant l'édition du *L.A. Times.*

Elle esquissa un large sourire, comme pour le séduire. Il la considéra un instant, de pied en cap, et n'eut pas l'air très impressionné. Elle était vraiment mal fagotée et manquait de classe. Après un instant d'hésitation, il regarda sa montre.

— Bon, dit-il. Vous avez de la chance. J'ai l'impression que la candidate qui devait se présenter ne viendra pas. De toute manière, son retard la condamne. La ponctualité est ici une règle absolue. Si vous voulez bien vous asseoir.

Petit clin d'oeil de la chance, se dit Patricia. Elle se félicita intérieurement de s'être présentée sans rendez-vous. Son audace la servirait peut-être. Elle s'empressa de s'asseoir. La ronde des questions commença immédiatement.

— Avez-vous une lettre de recommandation?

— Non, dut avouer Patricia.

— Avez-vous de l'expérience?

— Non.

Le directeur la regarda avec un scepticisme à peine dissimulé. Cela commençait mal. Une débutante. Et qui n'avait plus vingt ans, même si elle était encore jeune. Qu'avait-elle pu faire tout ce temps? Avait-elle voyagé? Pris de la drogue? Eu des enfants? Il nota quelques mots sur une grande feuille de papier où il évaluait toutes les candidates.

— Quel âge avez-vous mademoiselle...Wood?

— Trente ans.

Il nota son âge, non sans une certaine surprise. Il lui aurait plutôt donné vingt-trois ou vingt-quatre ans, vingt-cinq au plus. Cela ne faisait qu'aggraver son cas. Pourquoi cette vocation tardive?

— Avez-vous apporté votre diplôme de secrétaire?

Un diplôme? Dans son inexpérience du marché du travail, de la «vraie» vie, elle n'avait jamais pensé qu'il fallait avoir un diplôme pour être secrétaire. D'ailleurs, des diplômes, elle n'en avait aucun sauf un diplôme d'études collégiales, sans grande valeur. Elle avait abandonné ses études universitaires très tôt pour se consacrer à sa vocation de romancière, métier qui, comme chacun sait, ne s'apprend à aucune école si ce n'est celle de la vie.

— Non, dit Patricia.

— Quand vais-je pouvoir le voir?

— Je... C'est-à-dire que je n'ai pas de diplôme... Mais j'ai beaucoup d'expérience.

— Vous venez de me dire que vous n'aviez pas d'expérience.

— Pas comme secrétaire, mais je connais très bien le traitement de texte.

— Vous avez suivi un cours?

— Non. J'ai appris par moi-même. Je suis romancière.

Elle aurait pu lui annoncer qu'elle venait de la planète Mars, cela ne l'aurait pas étonné davantage. Il fronça les sourcils, et sa bouche se plissa en une moue de découragement, presque de pitié. Franchement, les gens étaient culottés. Romancière? C'était la meilleure, celle-là. Il en avait vu de toutes les couleurs depuis qu'il était directeur du personnel. Mais romancière, là... Sans expérience. Sans diplôme.

Il eut envie de refermer immédiatement le dossier et de la remercier avec l'habituel: «*Don't call us we'll call you!*» Il ne lui posa la question suivante que par habitude, car son idée était déjà faite.

— Vous tapez combien de mots à la minute?

— Je ne sais pas. Enfin, je suis assez rapide, je peux...

— Bon, je crois que j'ai suffisamment d'informations. Je dois vous dire que vous ne correspondez pas tout à fait au profil de l'employée que nous cherchons. Mais on ne sait jamais si un poste s'ouvre qui correspond davantage à vos aptitudes, dit le directeur du personnel en refermant la chemise dans laquelle il avait consigné les notes concernant Patricia.

— Je comprends, dit Patricia.

Elle se sentit tout à coup stupide. Honteuse même. Secrétaire. Elle n'avait aucune expérience. Pourquoi s'était-elle mise dans pareille situation? Mais soudain, comme mû par une force singulière, le directeur se leva, l'air fort embarrassé.

— Madame Landstrom! Que me vaut l'honneur? Je...bafouilla-t-il.

— Comment trouvez-vous la nouvelle candidate que je vous ai envoyée? demanda Julie.

Le directeur comprit qu'il avait failli gaffer. Il se félicita intérieurement de ne pas avoir envoyé promener Patricia rapidement, comme il avait eu l'impulsion de le faire.

Le directeur bégaya un début de réponse. Il ne savait réellement pas sur quel pied danser.

— Eh bien, j'ai pris quelques notes et...

— Je crois personnellement qu'elle est parfaite, l'interrompit Julie Landstrom. Qu'en pensez-vous?

— En effet... C'est... C'est de loin... la meilleure candidate que j'aie vue cette semaine.

— J'étais sûre que nous serions du même avis. Quand commence-t-elle?

— Eh bien, j'avais pensé... Demain...

— Pourquoi pas aujourd'hui? Le poste est libre, non?

— Mais oui, je suis idiot. Je ne sais pas pourquoi j'ai dit demain. Aujourd'hui est une excellente journée, ajouta-t-il avec un sourire à la fois complaisant, tout en ajustant nerveusement ses lunettes.

Julie Landstrom décocha un clin d'oeil complice à Patricia — qui était émerveillée non seulement de décrocher le poste mais d'avoir trouvé une alliée — et se retira sans lui laisser le temps de la remercier.

— Vous avez d'excellents amis ici, dit le directeur. Je ne savais pas... Vous auriez dû me dire que vous aviez une recommandation... Madame Landstrom est la...

Il avait failli dire la «maîtresse». C'était un secret de polichinelle, mais mieux valait se montrer prudent et en dire le moins possible, ce qui — il l'avait appris à ses dépens dans le passé — est la meilleure règle de conduite en affaires.

— ... elle est le bras droit de monsieur Blackwell, reprit le directeur. Je... vais vous montrer votre nouveau bureau, si du moins vous êtes prête à commencer aujourd'hui.

— Avec plaisir.

Il la conduisit dans une grande salle où travaillaient une cinquantaine d'employées. Il lui présenta sa voisine de bureau, Jessica Edward. Cette rousse dégourdie de vingt-cinq ans, plus piquante que jolie, travaillait comme secrétaire en attendant de faire autre chose, peut-être actrice ou mannequin. Au fond, elle voulait surtout mener la grande vie, sans savoir au juste comment y arriver, et elle en était venue à la conclusion que le plus simple serait d'épouser un homme riche.

— Enchantée, dit-elle en serrant énergiquement la main de Patricia.

Elle regardait le directeur du personnel avec un mépris à peine dissimulé. Il incarnait tout ce qui lui répugnait dans ce travail: le côté sérieux, officiel, minable du petit rond de cuir. Elle se mit à mâcher sa gomme un peu plus fort, d'une manière qui n'avait rien de discret. Elle en mâchait presque toujours, même si on l'avait souvent avertie, mais comme ce n'était pas dans la convention collective et que son poste n'était pas compromis...

— Tu as autre chose à nous dire, Mel?

Elle l'appelait ainsi ironiquement, même si, dans sa disgrâce physique, il ne ressemblait en rien au célèbre acteur Mel Gibson, à qui elle faisait allusion.

Un sourire de séducteur manqué fleurit ses lèvres, et il se rengorgea avec fierté. Il fit un clin d'oeil plein de promesses à Jessica, puis retourna à son bureau.

— Fesses d'échalote! jeta Jessica en le regardant s'éloigner.

Elle se tourna alors vers Patricia, qu'elle avait visiblement adoptée sur-le-champ, et ajouta:

— Pauvre con, il ne se rend même pas compte que je me paye sa tête lorsque je lui dis qu'il ressemble à Mel Gibson!

Elle chiquait de plus belle maintenant, comme absorbée dans quelque pensée indéchiffrable.

— Tu aimes Mel Gibson? demanda Patricia.

— Si je l'aime? J'ai vu au moins vingt fois, en slow motion, la scène où il se fait retirer les balles de revolver qu'on lui a tirées dans les fesses. Je pense que s'est vraiment le plus grand acteur du vingtième siècle.

— Moi aussi, dit Patricia.

Encore un peu embarrassée par la nouveauté des lieux, Patricia s'assit à son bureau.

— Tu travaillais où avant?

— Nulle part... je...

Elle avait toujours des hésitations lorsqu'elle devait avouer son véritable métier, comme si c'était une honte, un crime presque, ou peut-être tout simplement parce qu'elle n'était pas une romancière connue ni même publiée.

— Je suis romancière, je n'ai jamais travaillé... Enfin jamais un vrai travail... C'est juste en attendant, mais je n'avais pas le choix. L'argent...

— Moi aussi, c'est provisoire. Ce que je veux vraiment faire dans la vie c'est devenir millionnaire et faire le tour du monde.

Elle avait dit cela très sérieusement. Patricia la regarda, ne sachant pas trop quoi répondre. Plaisantait-elle? Comme si elle avait lu dans sa pensée, Jessica se mit à rire. Les deux femmes n'eurent pas le temps de poursuivre cette première conversation. Un des directeurs des ventes arriva, complètement catastrophé.

— Jessica, il faut absolument que tu me tires du pétrin. Le salaud de vendeur que nous avons congédié hier est parti en essayant de tout bousiller. Il ne nous reste plus que cette disquette. Toutes les informations sur un de nos plus gros clients sont dessus. Et personne ici n'est foutu de la lire. Je peux te faire confiance?

Elle n'avait jamais pu blairer ce directeur, qui s'aspergeait d'eau de Cologne bon marché et se croyait irrésistible parce qu'il avait fait quelques conquêtes au bureau. Il draguait Jessica depuis son entrée à la Blackwell. Il avait juré de l'épingler un jour à son tableau de chasse, mais elle avait juré précisément le contraire, et comme c'est elle qui avait le dernier mot, il y avait régulièrement des étincelles entre eux.

Elle ne fit rien, ne bougea pas, comme si elle n'avait pas compris ou qu'elle voulait lui signifier qu'il les dérangeait, Patricia et elle. Elle le regardait avec un demi-sourire ironique. Il lui tendit la disquette.

— Tu n'as pas l'air de comprendre, reprit-il. J'ai vraiment besoin de savoir tout de suite ce qu'il y a sur cette disquette, sinon je suis mort.

— Et qu'est-ce que nous allons faire quand vous serez mort?

— Je ne sais pas si tu te rends compte de ce que tu es en train de faire. Je peux te faire renvoyer en cinq minutes.

Elle ne répondit pas, demeurant tout à fait imperturbable, se contentant de sourire comme s'il n'avait rien dit. Elle chiquait tranquillement, paraissant en tirer des ravissements subtils dont elle était la première surprise. Son calme ne fit évidemment qu'irriter davantage le directeur.

Jessica souleva le bras, regarda sa montre, et dit d'une voix blanche:

— Cinq minutes, hein?

— Ecoute, je reviens dans dix minutes.

Il jeta la disquette sur la table de travail de Jessica et retourna dans son bureau vitré d'où il pouvait regarder Jessica à longueur de journée ce qui ne manquait pas d'agacer la jeune femme car il la dévisageait souvent avec insistance.

— C'est ça. Retourne dans ta cage, Casanova!

Et elle ajouta, comme pour elle même:

— Directeur de mes fesses, il nous prend tous pour des esclaves. Méfie-toi, ajouta-t-elle en se tournant vers Patricia qui avait été surprise et amusée par le petit échange qui venait de se dérouler. Si tu es trop gentille, ils abusent immédiatement.

Elle prit la disquette et l'examina, embêtée, l'air de se demander ce qu'elle en ferait. Elle s'était fait embaucher quelques mois auparavant en trafiquant son curriculum vitae, dans lequel elle prétendait posséder une formation en informatique, ce qui était absolument faux, car elle était très moyenne voire carrément nulle avec les ordinateurs.

Sans grande conviction, elle introduisit la disquette dans l'ordinateur et fit sans succès quelques commandes. Elle se tourna vers Patricia:

— Tu y connais quelque chose, toi, à ces foutues machines?

— J'ai un ordinateur... Je peux essayer.

Jessica lui céda sa place et, non sans émerveillement, la regarda pianoter rapidement sur le clavier. Patricia essaya au moins sept ou huit commandes, mais sans résultat. Elle était bien embêtée de décevoir sa nouvelle collègue.

— Ce n'est pas grave, dit Jessica. Il ira se faire foutre avec sa disquette.

Mais Patricia, qui n'avait pas encore renoncé, fit une autre tentative, qui fut la bonne.

— Ouh! s'exclama gaîment Jessica, en faisant du poing le geste circulaire rendu célèbre par Arsenio Hall.

Patricia ne dit rien, se contentant de sourire modestement. Mais en se levant pour retourner à sa place, elle se sentit tout à coup très mal. Jessica le remarqua et lui demanda, inquiète:

— Il y a quelque chose qui ne va pas?

— Je ne me sens pas très bien, avoua Patricia avec un sourire embarrassé. Où sont les toilettes?

— Viens, dit Jessica, je vais t'accompagner.

Lorsque les deux femmes arrivèrent à la salle de bains, Patricia s'appuya sur le comptoir et se mit à pleurer. Jessica ne savait quoi faire ni quoi dire devant cette crise de larmes inattendue.

— Un homme? tenta-t-elle

— J'étais sûre qu'il m'aimait, dit Patricia.

Soudain, dans le bureau, toute la douleur de la séparation s'était abattue sur elle, comme à retardement. Un sentiment d'irréalité l'avait envahie. Plus rien n'avait eu d'importance pour elle, si ce n'est qu'elle avait été abandonnée par un homme qu'elle avait follement aimé pendant deux ans. Elle ne disait plus rien maintenant. Elle n'en avait pas la force.

Jessica lui prit la tête et la serra contre elle. Elle lui tapota le dos affectueusement.

— Ne pleure pas, dit-elle. Ils n'en valent pas la peine.

Et c'est ainsi que naquit l'amitié entre ces deux femmes si différentes. Elles retournèrent à la salle commune où travaillaient une cinquantaine d'autres secrétaires. Un silence soudain se fit. C'est que

Richard Stone, le vice-président de la Blackwell Corporation, venait de faire son entrée dans la salle, ce qui était presque un événement en soi car ses bureaux se trouvaient à l'étage supérieur, — comme ceux de toute la haute direction — et il venait rarement sur cet étage.

Comme il était extrêmement beau, riche, et encore célibataire à quarante ans — et de surcroît le dauphin de Blackwell — la plupart des secrétaires libres rêvaient de lui mettre le grappin dessus. Mais il était si impénétrable, si inaccessible que plusieurs avaient renoncé. Pourtant, on ne lui connaissait ni fiancée ni liaison sérieuse. On le voyait rarement plus de trois ou quatre fois avec la même femme. Il semblait avoir l'ennui facile, et préférer la variété. A moins qu'il ne cherchât un parti vraiment avantageux, une riche — et jeune — héritière, la fille d'un industriel ou d'un homme politique, car il avait la réputation d'être un homme extrêmement ambitieux et son ascension rapide au sein de la Blackwell en était une preuve.

Jessica s'empressa de prévenir sa collègue:

— C'est Richard Stone qui arrive. Fais semblant de travailler.

Patricia ne fut pas vraiment sûre de comprendre, mais comme Jessica avait l'air très sérieuse, — et tout énervée à la vérité — elle fit mine de se plonger dans un gros rapport qu'elle devait saisir à l'ordinateur, tâche ennuyeuse s'il en est, surtout pour elle qui n'avait utilisé son ordinateur que pour écrire son roman, ou des nouvelles à ses débuts. Richard Stone approchait, et on entendait les secrétaires le saluer respectueusement, timidement. Il répondait la plupart du temps par un simple sourire ou un petit hochement de tête.

Dans les petits bureaux fermés disposés tout autour de la salle commune et dont la plupart des fenêtres étaient vitrées, les employés occupant des postes plus importants que les secrétaires — petits commis, directeurs-adjoints, chefs de service sans envergure — s'excitèrent eux aussi à la vue du vice-président et se mirent à chercher des prétextes pour venir le saluer ou lui demander conseil, question de se faire remarquer par lui. Qui sait, une promotion dépendait parfois d'un détail en apparence insignifiant, un contact personnel avec un des hauts dirigeants, une bonne impression laissée à la suite d'un commentaire judicieux, d'une question intelligente, ou même d'une bonne blague.

Inutile de dire que cela créa toute une surprise dans la salle lorsque Richard Stone, qui marchait toujours d'un pas vif, ralentit près du bureau de Patricia et s'arrêta. Il la salua avec un large sourire.

— Madame Landstrom m'a dit que vous aviez finalement été embauchée.

— Oui, réussit à articuler Patricia, impressionnée par son magnétisme et sa prestance.

— Elle est un vrai génie avec les ordinateurs, se permit de dire Jessica.

— C'est vrai? demanda-t-il avec un sourire enjôleur dont elle n'aurait pas pu dire cependant s'il était ironique, ce qui ne fit qu'augmenter son malaise.

— Je... Je connais quelques trucs comme ça. La base, quoi, dit modestement Patricia.

— Madame Landstrom m'a dit beaucoup de bien de vous, reprit-il.

Elle rougit, abaissa les yeux.

— Mais j'oublie de me présenter. Richard Stone.

Il lui tendit la main avec beaucoup de grâce. Patricia lui tendit la sienne. Elle se sentit devenir toute molle. Il ne la lui rendit pas, ce qui frappa tout de suite Jessica qui, fantaisiste, se mit à le chronométrer discrètement. Patricia n'osait pas protester, mais elle trouvait un peu curieux que Richard Stone lui serrât si longtemps la main.

— J'espère que vous allez vous plaire à la Blackwell Corporation, dit-il en continuant de tenir sa main. C'est une grande famille.

— Je n'en doute pas, dit Patricia.

Deux cadres supérieurs attendaient poliment en retrait, documents à la main, que Richard Stone ait terminé pour venir le consulter. Ils étaient presque fébriles, comme s'il y avait une urgence internationale. Ce qui du reste était peut-être le cas, vu l'étendue des activités de la Blackwell Corporation. Richard Stone remarqua leur présence. Il décocha à Patricia une oeillade complice, avec un haussement d'épaules résigné. Il aurait bien aimé prolonger cette charmante conversation, faire plus ample connaissance, mais ces deux raseurs l'attendaient.

— Bon, je... je... Ecoutez, il y a une petite fête ce soir au Courthouse Club... Des anciens de la faculté, et quelques directeurs du bureau. Si vous n'avez rien à faire... Ce serait sympathique de pouvoir vous expliquer la politique de la maison dans un décor moins formel...

— Je ne sais pas, je... dit Patricia surprise de cette invitation.

— En tout cas, dit-il l'invitation est lancée.

Il lui rendit enfin sa main et alla retrouver les deux directeurs qui l'attendaient impatiemment.

Jessica, qui regardait toujours sa montre-bracelet, releva enfin la tête et dit:

— Quatorze secondes!

— Quatorze secondes?

— Oui. Quatorze secondes. Je n'en reviens pas! Il a tenu ta main pendant quatorze secondes. Je n'ai jamais vu ça. D'ailleurs, il ne parle presque jamais aux secrétaires. Même sa secrétaire ne parle pas aux autres secrétaires. Cette conne a trop de classe pour nous.

Les autres secrétaires, tout aussi éberluées, regardaient avec un mélange d'envie et de curiosité cette nouvelle secrétaire qui avait fait mouche dès le deuxième jour avec le don juan de la place. En fait ce qui venait d'arriver les dépassait. Pourquoi le beau Richard Stone avait-il remarqué — et même invité — cette fille qui n'avait l'air de rien? Qui n'était même pas directrice. Et sûrement pas riche, sinon elle ne se serait pas contentée d'un petit poste de secrétaire à trois cents dollars par semaines! D'accord, elle n'était peut-être pas laide mais ce n'était tout de même pas Kim Bassinger ou Michelle Pfeiffer!

Jessica se rendit compte de la surprise générale et de la curiosité que suscitait Patricia — qui était d'ailleurs embarrassée de se retrouver ainsi le centre d'intérêt bien malgré elle — et elle se tourna vers les autres et leur demanda:

— Vous voulez sa photo, ou quoi?

Il y eut quelques murmures de protestation, qui ne firent qu'accroître la gêne de Patricia mais les secrétaires se remirent bientôt à travailler sans entrain.

— Te rends-tu compte? demanda-t-elle.

— Me rendre compte de quoi?

— C'était Richard Stone, le bras droit de Blackwell. C'est le célibataire le plus recherché en ville.

Jessica le regarda s'éloigner après qu'il se fût pour ainsi dire débarrassé des deux raseurs qui avaient sollicité son attention.

— Et regarde-moi ces fesses! Je ne connais que Mel Gibson qui en ait de plus belles, encore que les siennes, je ne les ai vues qu'au cinéma!

Patricia eut un sourire. Son amie Jessica avait vraiment son franc parler. Elle se replongea dans le dossier qu'elle venait d'abandonner, comme si rien ne s'était passé. Jessica n'en revenait pas.

— Mais qu'est-ce que tu fais? Es-tu complètement folle?

— Mais... Je travaille, quoi? Je pensais qu'on m'avait engagée pour ça.

— Tu es capable de travailler après ce qui vient d'arriver?

— Ecoute. Il est venu me souhaiter la bienvenue, parce que je suis nouvelle. C'était gentil de sa part, mais c'est tout.

— Mais tu ne comprends rien! Il ne nous parle jamais, à nous, les secrétaires. C'est évident qu'il a eu le coup de foudre pour toi. Et il t'a invitée au Courthouse Club. Tu es folle si tu n'y vas pas.

Le soir, après le travail, les deux femmes se retrouvèrent à l'appartement de Jessica.

— C'est trop tôt, dit Patricia. Je ne me sens pas prête. Je viens juste de me séparer.

— C'est toujours trop tôt ou trop tard. Alors mieux vaut que ce soit trop tôt. Parce que trop tard, eh bien! c'est trop tard, justement.

Patricia hésitait encore à accepter cette invitation de Richard Stone, loin d'être convaincue qu'elle était bien sérieuse. C'était tout au plus une formule de politesse. Richard Stone ne devait même plus y penser à l'heure qu'il était. Et puis Patricia n'était pas du tout d'humeur à entreprendre une nouvelle liaison. La veille, en rentrant chez elle, elle avait d'ailleurs fait une autre crise de larmes, en pensant à Jack.

— J'ai besoin de me retrouver, expliqua Patricia.

— Tu vas te retrouver seule, oui, si tu continues à penser comme ça. Une autre femme va lui sauter dessus. Je te dis que c'est l'occasion du siècle. Il est beau, célibataire, riche. Qu'est-ce que tu veux de plus?

— Je n'ai pas envie de me lancer dans une autre histoire tout de suite. Je veux me concentrer sur ma carrière.

— Ta carrière de secrétaire?

— Non, mon roman. Je veux voir ce que je peux faire d'autre pour essayer de le faire publier. Il doit bien y avoir un moyen.

— Mais justement. Il peut t'aider, lui. Il est riche, influent. Il connaît tout le monde. A Hollywood, ce n'est pas ce que tu fais qui compte, c'est qui tu connais. Et avec qui tu couches.

Jessica avait touché un point sensible, sans le savoir. Si Richard Stone pouvait aider Patricia à faire publier son roman, il l'intéressait peut-être. Il avait été si gentil avec elle au bureau.

Elle venait d'enfiler une robe noire, au décolleté audacieux. Elle se regarda à nouveau dans l'immense glace qui couvrait presque tout un des murs de la chambre à coucher du luxueux appartement de Jessica, dans le Vieux Hollywood, un appartement qu'elle n'aurait jamais pu s'offrir avec son salaire de secrétaire.

C'était en fait un cadeau de départ d'un vieil homme marié, dont elle avait été la maîtresse pendant quelques mois. Il avait payé le loyer jusqu'à la fin du bail, deux jours avant d'être emporté par un violent infarctus, d'ailleurs survenu à peine une heure après avoir quitté, affligé d'étourdissements, le lit trop excitant de Jessica qui, sans le savoir, l'avait probablement tué.

— Tu es parfaite... dit Jessica. Le seul problème, c'est le soutien-gorge.

Effectivement le soutien-gorge blanc de Patricia dépassait et il était beaucoup trop visible.

— Qu'est-ce que je fais? demanda Patricia.

— Tu l'enlèves.

Patricia, qui n'avait jamais porté une pareille robe, se fia au jugement de sa copine. Elle dégrafa le soutien-gorge et le fit prestement glisser par une manche. Elle se regarda à nouveau dans la glace. La robe lui allait comme un gant.

— Tu ne trouves pas que c'est un peu trop sexy? demanda Patricia.

— Non, non, les hommes ne sont pas des lumières. Il leur faut des évidences.

Patricia demeurait sceptique, examinant toujours son reflet dans la glace.

— Il me semble que ce n'est pas moi...

— Non, non, tu es parfaite. Tu vas faire chier toutes les autres femmes, dit Jessica le plus sérieusement du monde.

Elle fronçait les sourcils à la recherche du petit détail qui cloche, comme un peintre devant sa toile. Son visage s'éclaira enfin.

— Tu es parfaite. Le seul problème, ce sont tes cheveux.

Elle s'approcha de Patricia et défit ses cheveux, qui étaient attachés à la nuque.

Puis, prenant une brosse, elle les plaça en les laissant tomber sur les épaules de Patricia. Elle parut contente du résultat.

— Voilà, dit-elle, c'est beaucoup mieux comme ça.

Le téléphone sonna. Jessica l'ignora. Au troisième coup, Patricia se tourna vers son amie, qui paraissait complètement absorbée. N'entendait-elle vraiment pas le téléphone?

— Veux-tu que je réponde? demanda Patricia.

— Non, non, dit Jessica, d'un ton détaché.

Le téléphone continuait de sonner. Patricia était de plus en plus intriguée. Pourquoi diable Jessica ne répondait-elle pas?

— C'est peut-être important... dit Patricia.

Sans rien dire, en continuant d'examiner la toilette de Patricia avec une grande attention, Jessica recula lentement vers le téléphone, qui se trouvait sur la table de chevet. Elle souleva le récepteur et le raccrocha aussitôt, puis revint vers Patricia sans le moindre commentaire comme si elle venait de faire la chose la plus naturelle du monde. Patricia haussa les sourcils. Décidément, Jessica était une vraie excentrique. Elle ne faisait rien comme tout le monde.

— Tu es parfaite, dit-elle. Le seul problème, ce sont les lunettes. As-tu des lentilles?

— Non, dit Patricia.

— Ce n'est pas grave, dit Jessica.

Elle était revenue auprès de Patricia et lui retira ses lunettes sans même lui demander son avis.

— Regarde. Tu es superbe.

Patricia se regarda dans la glace. Mais comme elle était myope, le miroir ne lui renvoya qu'une image très floue.

— Oui, bon, je te crois sur parole. Je ne vois rien.

Jessica recula de quelques pas, pour avoir une meilleure vue d'ensemble, un sourire de satisfaction fleurissait ses lèvres très rouges, qui tout à coup se tordirent en une grimace:

— Merde, dit-elle, j'allais oublier les souliers. Tu ne peux pas porter des souliers pareils. Tu as l'air d'un vrai canard. Attends.

Elle disparut dans son immense penderie, et revint, l'air illuminé, avec d'élégants souliers à talons aiguilles, très hauts.

— Enfile-moi ça, dit-elle, juste au moment où le téléphone se remettait à sonner.

Obéissante, Patricia se débarrassa de ses vieux souliers et chaussa les nouveaux. La pointure était parfaite, mais elle ne se sentait pas très à l'aise. Elle chancela un peu. Elle qui portait en général des espadrilles ou des souliers à talons plats, ayant toujours considéré que des talons aiguilles, ce n'était vraiment pas son genre. Elle avait l'impression d'être juchée sur des échasses.

Jessica avait à nouveau reculé jusqu'au téléphone mais cette fois-ci, elle répondit.

— Oui, dit-elle.

Puis après trois secondes de silence, elle dit:

— Non.

Et elle raccrocha. C'était sans doute une des plus brèves conversations téléphoniques à laquelle Patricia eût assisté dans toute sa vie. Elle regarda Jessica, d'un air intrigué. Cette dernière nota son étonnement:

— C'est l'homme d'affaires. Je le fais mariner.

3

Elle venait d'entrer au Courthouse Club. La boîte était déjà très animée même s'il était seulement onze heures. Comme elle avait suivi le conseil de Jessica, Patricia n'avait pas remis ses lunettes. Elle avançait avec prudence, inconfortable dans ses souliers à talons aiguilles, et déjà contrariée par l'atmosphère enfumée. Ce qu'elle distinguait du décor lui paraissait lugubre et prétentieux, surtout à cause de ces toges et perruques d'un autre âge qui étaient fixées aux murs, comme des fantômes du passé. Ce n'était vraiment pas son milieu.

Le bar était surtout fréquenté, comme son nom le laissait deviner, par des membres de la profession juridique mais aussi par des hommes d'affaires et des femmes à la recherche de l'homme de leur vie : avocat ou juge. Le pied gauche de Patricia tourna dans sa chaussure et elle faillit trébucher comme une véritable idiote. Elle venait de se remettre d'aplomb lorsqu'un jeune avocat, manifestement imbu de lui-même, lui demanda:

— Harvard?

Elle ne comprit pas tout de suite ce qu'il voulait dire, puis se rappela que non seulement elle se trouvait au Courthouse Club, mais qu'il s'agissait d'une réunion d'anciens étudiants de droit.

— Non, se contenta-t-elle de répondre.

— Yale? reprit le jeune avocat.

— Non.

Il parut déployer un énorme effort de concentration puis, le visage illuminé par sa trouvaille:

— Oxford alors?

— Non. Alcatraz. Meurtre au premier degré contre la personne de mon avocat qui me harcelait sexuellement. Quinze ans. Libérée après sept ans pour bonne conduite.

Elle avait dit cela d'un seul trait, le plus sérieusement du monde.

— Ah, je vois, dit l'avocat, qui riait jaune et ne savait plus que penser.

Manifestement, elle se payait sa tête. Patricia n'ajouta rien, se contentant de le regarder avec un large sourire, sûre qu'elle l'éloignerait.

— En...Enchanté. Je...dit-il.

Il fit mine d'avoir reconnu quelqu'un derrière elle, leva le bras en sa direction, l'appela, puis s'excusa auprès de Patricia:

— On se revoit plus tard.

— Oui, c'est ça. A plus tard.

Elle s'assit, commanda un verre de vin blanc, et dans sa nervosité, elle le vida sur-le-champ, sans vraiment s'en rendre compte. Le barman la regarda avec un sourire amusé.

— Je vous sers la même chose, mademoiselle ?

Elle parut surprise de sa question, puis constata que son verre était vide.

— S'il vous plaît.

Le barman s'exécuta. Cette fois-ci, elle prit un peu plus son temps. Elle sentit néanmoins une bouffée de chaleur lui monter à la tête. Elle avait bu trop rapidement. Sa nervosité s'estompa un peu. Elle observa les clients assis au bar, juste assez longtemps pour conclure qu'aucun d'eux ne l'intéressait, et même qu'ils lui étaient tous systématiquement antipathiques. Il y avait des années qu'elle ne fréquentait plus les boîtes, véritables «meat market» à ses yeux, si bien qu'elle ne tarda pas à se demander ce qu'elle faisait là et se promit de ne pas rester plus d'une heure.

Elle cherchait vaguement à apercevoir Richard Stone lorsqu'un quinquagénaire l'aborda, voyant en elle une proie facile, qui tenterait sûrement d'autres requins s'il n'agissait pas tout de suite. Assez bien de sa personne, grand, la tête haute, presque rejetée vers l'arrière, il avait pourtant quelque chose qui clochait.

— Vous êtes seule, mademoiselle?

Elle ne répondit pas, se contentant de le regarder.

— Je vois que vous n'êtes pas très bavarde, dit-il en découvrant des dents trop régulières — et éclatantes — pour être vraies: une réussite de la chirurgie californienne!

Agacée, elle détourna la tête, et attendit qu'il se lasse, qu'il comprenne qu'il ne l'intéressait pas. Comme pour se donner une contenance, ou pour l'intimider, — ou montrer qu'il avait le sens de l'humour — l'avocat éclata d'un grand rire sonore et rejeta la tête vers l'arrière, en un geste d'ailleurs imprudent. Redevenu sérieux, il poursuivit:

— Je vais résumer la situation. Vous êtes jeune et belle. Moi, je suis avocat et riche. Et j'ai envie de vous faire jouir toute la nuit. Marché conclu?

Patricia ne disait toujours rien, mais elle se tourna vers lui, sidérée par sa muflerie, qu'il prenait pour de l'audace. Elle se rendit alors compte de ce qui clochait chez lui. Il portait une perruque, qui, malgré le soin infini qu'il semblait porter à sa personne, venait de se déplacer, à cause de son éclat de rire excessif. Déjà un peu éméchée, Patricia fut prise d'un fou rire instantané.

Inquiet, l'avocat se regarda aussitôt dans le miroir du bar. Sa perruque s'était déplacée et lui donnait un air ridicule. Il voulut la rétablir mais elle glissa davantage, découvrant presque complètement sa calvitie. Patricia redoubla de rire. Pour éviter de se ridiculiser plus longtemps, l'avocat battit en retraite vers les toilettes. Pour calmer son fou rire, Patricia vida à nouveau son verre. Le barman, qui avait assisté à la scène, lui décocha un sourire complice et renouvela sa consommation sans la consulter, en disant:

— C'est offert par la maison.

Elle prit une gorgée et fut reprise à nouveau par son fou rire. Elle ne revenait pas du grotesque de la situation. De plus, peu habituée à l'alcool, elle commençait à être un peu ivre. Le dieu de l'amour... chauve! Qui s'était retiré aux toilettes la queue entre les jambes, comme un chien honteux!

Un couple qui passait près d'elle s'arrêta. La femme, une blonde sulfureuse, d'une quarantaine d'années au décolleté si plongeant qu'il découvrait presque complètement ses seins, des seins minuscules de fillette, tirait sur un long porte-cigarettes. Visiblement soûle, peut-être même droguée — ou les deux à la fois — elle s'appuyait tant bien que mal sur son partenaire, un jeune homme d'à peine vingt-cinq ans, qui avait l'air vraiment décadent.

— On a l'air de s'amuser ferme, Cendrillon, dit-elle à Patricia.

Et elle se mit à la regarder comme un homme regarde une femme.

Ou un morceau de viande. Elle retira un de ses longs gants de soie et lui toucha l'épaule, comme pour évaluer le grain de sa peau.

— Hum, du vrai satin. Tu avais raison, mon lapin. Il faut se la faire absolument. Vous...

Un énorme hoquet d'alcool l'interrompit.

— Vous...Vous avez envie d'un petit trio, ma biche? Oh, rien de sale. Entre nous seulement. Pas d'animaux.

Patricia était bouche-bée. Jamais on ne l'avait abordée de la sorte. Elle n'arrivait pas à trouver les mots pour répliquer.

— C'est vrai qu'elle est jolie, hein? Mais elle ne cause pas beaucoup.

La femme se pendit alors au cou de son jeune amant, qui avait les cheveux et les sourcils teints en blond, et portait une barbe de trois jours — pour avoir l'air d'un vrai animal. Elle l'embrassa goulûment. Puis s'interrompant tout à coup, elle le gifla.

— Allez, un petit effort. Tu m'embrasses comme si j'étais ta mère.

Elle se tourna alors vers Patricia:

— Tu en veux, hein? Ca se voit. Tu salives déjà. Viens, on crèche à deux minutes d'ici. A Malibu.

Patricia ne savait pas si elle devait rire ou se montrer outrée. Chose certaine, leur proposition ne l'intéressait pas du tout.

— Je vous remercie, j'attends quelqu'un.

— Mais on attend tous quelqu'un, ma pauvre biche. Il s'agit seulement de savoir avec qui. Avec nous, tu es tranquille au moins. On est des gens bien. Alors, tu viens les poser, tes fesses, sur le cuir de notre Rolls?

Patricia se détourna sans rien dire, l'air fermé. Elle les trouvait vraiment dégénérés.

— Une autre qui croit au père Noël. Allez, chou, donne-lui ta carte et on se barre. Dans six mois elle va se faire chier avec son avocat et elle nous rappelera en larmes.

Le jeune homme obéit et jeta sa carte sur le comptoir devant Patricia. La femme avait pris son amant par le bras et titubait. Elle sortit en disant:

— Je l'avais dit. Ce n'est pas un endroit bien tenu ici. Toutes des paumées.

Patricia se leva aussitôt, non pas pour suivre ce couple plutôt pervers, mais parce qu'elle en avait déjà assez. De toute manière, Richard Stone n'avait pas l'air d'être là. Il lui avait posé un lapin, ou il avait eu un contretemps. Elle prit vingt dollars dans son sac à main, et les jeta sur le comptoir.

Elle tourna les talons un peu brusquement et se sentit tout étourdie. Elle fit un faux pas. Comme lors de son entrée, son pied tourna dans sa

34

chaussure. Elle perdit l'équilibre et, dans sa chute, elle heurta le verre d'un client qui venait vers elle. Elle rougit violemment. Elle venait de reconnaître le client.

C'était nul autre que Richard Stone. Patricia bafouilla une excuse:
— Je suis désolée. Je...

Elle se sentait vraiment idiote. Quelle entrée en matière, en effet!
— Ce n'est rien, dit-il. L'important, c'est que vous soyez là.
— A la vérité, je partais.
— Déjà?
— Oui, je n'aime pas beaucoup cet endroit.
— Trop d'avocats chiants?
— C'est un pléonasme!

Il sourit. Elle avait de l'humour, et en tout cas du culot, pour une simple secrétaire. Elle lui plaisait déjà plus qu'il ne l'aurait pensé.

— Vous êtes certaine que je ne peux pas vous offrir un dernier verre?
— Je vous remercie.
— Est-ce que je peux au moins vous raccompagner?

Son insistance la flatta. Elle se rappela en outre que c'était un des hauts dirigeants de la Blackwell Corporation, et qu'un refus le contrarierait peut-être. Et puis, comme le lui avait fait remarquer Jessica, il pourrait peut-être l'aider pour la publication de son roman...Sans compter, qu'il ne lui restait même pas vingt dollars en poche, et qu'elle économiserait le prix d'un taxi. Ce serait toujours cela de gagné!

— Bon, d'accord, dit-elle.

Heureux qu'elle acceptât, il fit un geste nerveux au barman qui devait le connaître bien car il s'empressa de lui passer une bouteille de champagne frais et deux coupes. Il se dépêcha de suivre Patricia qui ne l'avait même pas attendu pour sortir. Il n'en revenait pas. Elle n'avait décidément rien à voir avec les autres secrétaires de la Blackwell Corporation, qui étaient à genoux devant lui. Aucune n'aurait osé le traiter de manière si cavalière.

— Tu pars déjà, Richard? lui demandèrent des amis avocats, étonnés de le voir quitter si tôt, lui qui était plutôt fêtard de nature et n'avait pas la réputation de briser les parties.

Il se contenta de faire un signe entendu en direction de Patricia.

A ce moment même, elle fit un nouveau faux pas, et, de crainte de finir par se fouler une cheville, elle retira ses escarpins, les ramassa et marcha nu-pieds jusqu'à la porte, ce qui fit sourire Richard.

Un de ses amis lui fit un clin d'oeil complice. La bouteille de champagne, la fille délurée qui, dans son impatience, se débarrassait déjà de ses souliers: le scénario était prévisible surtout dans le cas de Richard, un séducteur invétéré.

— Attention à ta vertu, lui lança non sans nostalgie une collègue qui avait déjà goûté à sa médecine et ne lui en voulait pas vraiment de l'avoir plaquée après la première nuit, puisqu'elle était mariée.

Il lui envoya un baiser à distance, qui la réconcilia tout à fait avec lui, même si ses lèvres esquissèrent un sourire triste. Comment pouvait-elle lui reprocher d'aller d'une conquête à l'autre? C'était l'éternel problème avec les hommes, d'ailleurs. Ceux qui étaient fidèles étaient ennuyeux. Et ceux qui étaient amusants étaient infidèles.

Richard retrouva Patricia à la porte. Appuyée contre le mur de la discothèque, les yeux fermés, ses souliers à la main, elle respirait à pleins poumons pour se dégriser. Richard en profita pour l'admirer. Elle n'était plus du tout la petite secrétaire timide et mal fagotée qu'il avait rencontrée la veille. Cette robe noire au décolleté plongeant lui allait à ravir et la rendait très sexy. Il faut dire qu'elle bombait la poitrine en prenant de grandes respirations. Comme elle paraissait avoir de jolis seins! Elle ouvrit alors les yeux, et s'aperçut qu'il fixait sa poitrine.

— Vous cherchez quelque chose?

Pris de court, il bafouilla une explication:

— Non, non. Je me demandais si vous alliez bien.

— J'ai chaud. On crevait là-dedans.

Ils marchèrent jusqu'au stationnement, arrivèrent à la voiture de Richard, une Mercédès décapotable de l'année, bleu nuit.

— Vous habitez Beverly Hills? demanda Patricia alors que Richard lui ouvrait galamment la portière.

— Oui, dit-il avec surprise. Comment... Comment saviez-vous?

— Robert Redford a dit que lorsqu'on habite un certain temps Beverly Hills, on se transforme en Mercédès.

Richard rit. Elle avait décidément de l'humour, même si c'était à ses dépens. Mais il était si peu habitué à ce traitement, que cela n'était pas sans lui déplaire. C'était un peu un défi.

Patricia prit place dans la voiture. Comme Richard n'avait pas laissé les fenêtres ouvertes et que la nuit était humide, on étouffait dans la voiture. Sitôt assise, Patricia ouvrit la fenêtre. Ce que voyant, Richard s'empressa d'actionner le toit électrique, non sans une certaine fierté, comme s'il s'agissait de l'invention du siècle. Il la regarda pour voir si elle était impressionnée.

— Les femmes font quoi en général, dans cette situation? Elles s'agenouillent devant vous ou elles se déshabillent sur-le-champ?

— Les deux.

— Je ne vous déçois pas trop?

— Non. Je préfère. Avec vous, je suis timide. Ce n'est pas tous les soirs qu'on rencontre la femme de sa vie.

Elle éclata bruyamment de rire et mit un long moment à s'apaiser. Elle le regarda, les larmes aux yeux. Elle avait pris la ferme résolution de ne pas s'en laisser imposer par lui, et même de le narguer. Il avait l'air trop sûr de lui, trop certain de son charme.

Il ne dit rien, dérouté. Rien ne paraissait marcher avec elle, ni la richesse ostentatoire, ni le romantisme. Peut-être au fond valait-il mieux tout simplement la raccompagner chez elle. Il n'en tirerait rien, en tout cas pas ce soir. Et il risquait de se ridiculiser. Après tout, il ne fallait pas oublier qu'elle était secrétaire à la Blackwell, et qu'elle irait peut-être raconter leur soirée à ses copines le lendemain. Il ne fallait tout de même pas risquer de ternir sa réputation avec une fille qui de toute manière n'en valait peut-être pas la peine.

— Où habitez-vous? demanda-t-il.

— Bel Air, dit-elle sans hésiter.

Plaisantait-elle? Bel Air, c'était le Beverly Hills de Beverly Hills! Malgré sa situation aisée, lui-même ne croyait pas pouvoir y habiter avant quelques années, tant les résidences y étaient dispendieuses, les plus modestes commençant à trois ou quatre millions au bas mot. Patricia était-elle entretenue par un homme riche, ce qui était monnaie courante à Hollywood, en tout cas dans le milieu qu'il fréquentait où le chic du chic était non seulement d'avoir plusieurs résidences — à Bel Air, Malibu, Aspen, sans compter un appartement à Central Park à New York et une maison sur la plage à Hampton — mais d'entretenir discrètement quelques maîtresses.

Patricia fournit une réponse à ses interrogations.

— Mais comme je suis en pleine rénovation, j'habite pour le moment Santa Monica.

— Ah, je vois. Où exactement? dit-il comprenant qu'elle plaisantait — le contraire eût été étonnant du reste car quelle secrétaire habitait Bel Air, et quelle résidente de Bel Air était secrétaire: une contradiction dans les termes...

— Vous savez, l'immeuble très chic au coin de Santa Monica Boulevard et de la 2ième Rue?...

— Oui, oui, je vois très bien...

— Eh bien, j'habite le taudis juste en face.

Il rit à nouveau. Il ne se rappelait pas s'être autant amusé avec une femme, même si elle avait l'air de se moquer complètement de lui. N'était-ce pas justement cela qui l'excitait, habitué qu'il était d'être abreuvé par les autres femmes de compliments et de regards langoureux?

Il lui tendit la bouteille et les coupes:

— Vous pouvez tenir cela?

— Bien sûr.

Il démarra, le sourire aux lèvres. Mais la Mercédès n'avait pas fait vingt mètres que Patricia jeta les deux coupes dans le stationnement du Courthouse Club.

— Alcoolique? demanda-t-elle.

Il ne répondit rien, vaguement inquiet que, dans le même mouvement, elle jetât à la rue une bouteille qu'il venait de payer plus de deux cents dollars. Décidément elle n'était pas très romantique, la petite secrétaire. Pourtant, elle n'avait pas cet air désabusé des demi-mondaines dont il avait fait une si grande consommation, surtout dans ses années folles. Regardant droit devant elle, comme si elle était seule à bord, elle posa les pieds sur le tableau de bord, se cala le plus confortablement possible dans sa banquette, ne se souciant pas le moins du monde de découvrir ses cuisses très longues. Elle fit sauter le bouchon de la bouteille avec une dextérité déconcertante et prit une grande rasade de champagne.

4

Accoudée sur la portière, les yeux fermés, Patricia laissait le vent la rafraîchir. Elle avait encore très chaud, parce qu'elle avait trop bu, et qu'elle ne supportait guère l'alcool. Richard conduisait un peu distraitement, ne cessant de se tourner vers elle. Elle était si belle, les cheveux flottant au vent, les cuisses fines, qu'il voyait presque entièrement tant sa jupe était remontée.

Non seulement avait-elle une poitrine ravissante, mais ses jambes étaient superbes! Et quelle nonchalance! Cherchait-elle à le provoquer? Ou au contraire se moquait-elle éperdument de sa présence, comme s'il n'était qu'un vulgaire chauffeur? Elle entrouvrit alors les yeux, et Richard craignit qu'à nouveau elle ne le surprit en train de l'admirer à son insu. Il s'empressa de lui demander:

— Qu'est-ce qu'une femme comme vous fait dans un bureau comme le nôtre? Vous avez l'air si... dégourdie, dit Richard.

— Vous n'engagez que des idiotes?

— Non, mais il me semble que vous avez tellement de potentiel...

— C'est un travail provisoire. Je suis romancière.

Tout s'expliquait! Son comportement audacieux, frondeur, son esprit mordant.

— Tiens... C'est amusant. Moi aussi je voulais devenir écrivain... Mais mon père, qui est avocat, tenait à ce que je suive ses traces. Il faut croire que je n'avais pas la vocation... Vous écrivez depuis longtemps?

— Trop.

— De la difficulté à terminer votre roman?

— Non. A trouver un éditeur.

— Vous avez un agent?

— Non.

— Vous n'avez pratiquement aucune chance de trouver un éditeur sérieux. Il faut absolument avoir un agent. Et un bon.

Il prit dans la poche intérieure de sa veste un minuscule magnétophone et dicta une note à sa secrétaire à qui il remettait les cassettes tous les matins:

— Jane. Appeler Ross Spiegel à New York. Essayer de planifier petit déjeuner numéro deux avec lui. Dites-lui que je dois le voir absolument. Très important.

Il marqua une brève pause et dit:

— Oh, Jane... N'oubliez pas d'arroser votre plante.

Il serra le magnétophone dans sa poche.

— Ross Spiegel est un des plus gros agents littéraires à New York. Sheldon. Clancey. Highsmith. Steel. Tous ses clients. Je lui parle de vous dès demain.

Même passablement éméchée, Patricia était assez lucide pour se rendre compte qu'elle tenait là une opportunité extraordinaire. Peut-être le petit coup de pouce du destin dont elle avait besoin. Jessica avait raison. Richard Stone était très influent et connaissait beaucoup de gens. Des gens qui comptaient, des gens qui pouvaient lui ouvrir des portes.

Mais après une rapide réflexion, elle résolut de ne pas changer d'attitude pour autant. Elle n'allait pas devenir obséquieuse ni complaisante pour une simple promesse qu'il ne tiendrait peut-être même pas! Et puis cet agent, qui lui disait qu'il le connaissait aussi bien qu'il le prétendait? Si ce n'était que du bluff, de la poudre aux yeux, pour mieux la séduire et arriver à ses fins, qui étaient évidentes? Comme elle ne disait rien, Richard reprit:

— Pouvez-vous me dire de quoi parle votre roman? Ca m'aidera à le vendre à Ross. Enfin, si vous voulez que je lui en parle...

— Je n'ai rien à perdre... Ou y a-t-il un prix à payer?

Ils se toisèrent un instant.

— Je suis partie d'un des plus grands mythes grecs, expliqua Patricia. Le complexe d'Oedipe.

— Intéressant. Et ça donne quoi?

— C'est l'histoire d'un jeune homme surdoué qui tue son père, couche avec sa mère, lui fait un enfant avec qui il a des relations incestueuses vingt ans plus tard et qui s'aperçoit un jour que sa mère n'est pas sa vraie mère, que son père n'est pas son vrai père, et que sa fiancée qu'il a d'abord cru être sa fille, ne l'est pas parce que sa mère — enfin la personne qu'il croyait être sa mère — l'a trompé avec un autre homme. Il rompt alors ses fiançailles parce qu'il découvre que sa fiancée est républicaine alors que lui est un démocrate convaincu.

— Du vrai Walt Disney, quoi?

— Oui, du Blanche Neige servi à la moderne.

Richard éclata de rire, puis redevenant plus sérieux:

— Je pense que je vais avoir de la difficulté à vendre ça. Pas assez de violence ni de sexe. Est-ce que vous pourriez me raconter l'histoire d'une autre manière?

— En fait, c'est l'histoire d'une petite fille qui raconte continuellement des histoires à ses parents et qui un jour est témoin d'un meurtre commis par un homme d'affaires très influent qui assassine sa femme pour pouvoir vivre avec sa maîtresse. Comme la petite fille a un passé psychiatrique, personne ne la croit. Mais elle a une preuve. Un objet compromettant qu'elle a trouvé sur les lieux du crime et qu'elle a caché. L'ennui, c'est que ni ses parents ni personne d'autre ne la croient sauf l'homme d'affaires qui a décidé de la faire éliminer.

— Ca, je pense que je peux le vendre. *Thriller* psychologique. Scandale politique. C'est bien. Très bien.

— Vous trouvez?

— Oui. Vraiment. Je suis impressionné. Je suis même flatté. Je suis peut-être en présence de la nouvelle Agatha Christie.

C'était une des premières fois qu'on la comparait à la célèbre romancière, dont elle avait lu presque toute l'oeuvre et à qui elle vouait une immense admiration. Et c'était la première fois qu'elle rencontrait un homme qui la prenait au sérieux comme auteur. Même Jack, qui pourtant l'encourageait, au fond n'avait jamais vraiment eu l'air de croire en elle, en son talent.

Lorsque, au cours des deux derniers mois, elle avait essuyé refus sur refus de la part des éditeurs, il avait l'air de dire: «Je te l'avais dit...» Comme s'il attendait juste que tous les éditeurs lui donnent la triste confirmation de ce qu'il pensait depuis longtemps, à savoir que même si elle n'était pas totalement dépourvue de talent, elle n'avait pas l'étoffe pour percer.

Elle n'eut pas le temps de le remercier ou de faire un commentaire car le téléphone cellulaire de la voiture sonna. Richard s'excusa pour répondre:

— Oh, Jane. Merci de m'appeler. J'ai cherché à te rejoindre toute la soirée.

Il dit en aparté à Patricia:

— C'est ma secrétaire. Ce ne sera pas long.

— Prenez tout votre temps.

Et elle but deux ou trois grandes gorgées de champagne, la dernière un peu brusquement d'ailleurs car elle en renversa et le liquide doré coula sur ses joues puis sur sa poitrine. Elle éprouva un petit frisson. Le champagne était encore très froid. Elle se mit à nouveau la tête dehors, par discrétion, mais fut néanmoins étonnée de l'attention qu'elle porta à la conversation de Richard, comme si elle éprouvait une absurde jalousie.

Le visage de ce dernier avait pris aussitôt une expression très concentrée, presque grave. Patricia, qui l'observait à la dérobée, fut frappée par l'intensité qui se dégageait de lui.

— Dieu le Père est furieux. Il faut absolument que nous mettions la main sur le dossier médical complet de madame Turner. Sinon nous sommes dans la merde totale. Sais-tu si son ancien psychiatre est... parlable?

Il attendit la réponse, puis:

— Bon, s'il n'entend pas raison, on va chercher quelque chose dans son passé. Il faut absolument trouver rapidement. On n'a pas beaucoup de temps avant que le scandale n'éclate. Sa soeur est devenue complètement hystérique. Je peux te faire confiance? Oui, bon merci encore d'avoir appelé. Ah oui, j'oubliais, dernier détail, les billets pour New York sont réservés? Bon, parfait!

Richard reposa le téléphone sur son support.

— Une urgence, expliqua-t-il.

— Votre patron m'a l'air d'un homme très exigeant.

— Il l'est. Mais en même temps c'est un homme remarquable. Infatigable. Engagé.

— Par qui? demanda Patricia ironiquement.

Richard éclata de rire et la regarda dans les yeux, comme pour la sonder. Il la découvrait. Et il avait l'air d'aimer ce qu'il découvrait. Il semblait tout à fait détendu maintenant et ne paraissait plus du tout penser à la conversation très sérieuse qu'il avait eue avec sa secrétaire.

Patricia lui tendit la bouteille de champagne. Il but une longue, très longue gorgée, comme pour la défier puis lui rendit la bouteille. Elle releva le défi et but elle aussi pendant de longues secondes, faillit s'étouffer, retira la bouteille et cracha involontairement la dernière gorgée. Elle avait éclaboussé le pare-brise, mais ne paraissait pas s'en formaliser. Richard reprit la bouteille et prit une autre gorgée.

De toute évidence, ils avaient tacitement décidé d'en finir au plus tôt avec cette bouteille. Lorsqu'il la lui rendit, elle était en effet presque vide. Richard souriait, découvrant ses belles dents, le menton mouillé de champagne. Constatant qu'il ne restait que quelques onces, Patricia vida la bouteille d'une ultime gorgée, puis la jeta à ses pieds. Elle s'accouda à nouveau sur la portière, pour avoir les cheveux bien au vent et dit:

— J'ai chaud, dit-elle. Est-ce qu'on peut avancer un peu?

Il parut surpris de sa requête, consulta le compteur de vitesse et constata qu'il roulait quand même à cent trente kilomètres heure, ce qui n'était pas négligeable. Bien sûr, ils avaient gagné depuis quelques minutes le Pacific Coast Highway, l'autoroute qui longe la côte, en direction de Santa Monica. Mais il n'allait tout de même pas passer pour un pleutre aux yeux de Patricia! Il appuya sur l'accélérateur. La voiture s'élança et l'aiguille grimpa à cent soixante.

— Pouvez-vous faire un petit effort encore? demanda Patricia.

«Franchement, elle est culottée!» pensa Richard. Cette fois, il allait lui montrer. Elle s'était assez payée sa tête, depuis le début de la soirée. Elle allait avoir la frousse de sa vie. Elle n'avait pas l'air de savoir ce qu'était une Mercédès sport. Ni qu'il était un conducteur hors pair, qui n'avait pas froid aux yeux.

Il regarda bien droit devant lui, se raidit légèrement, et poussa une pointe jusqu'à cent quatre-vingts kilomètres. Il était décidé, maintenant. Il ne ralentirait pas tant qu'elle ne le supplierait pas. On verrait bien qui avait des couilles, à la fin! Au lieu d'effrayer Patricia, cette vitesse vertigineuse paraissait la griser même si elle avait fini par rentrer la tête à cause de la force incroyable du vent. Elle avait rouvert les yeux, et elle riait comme une fillette. Elle voulait le pousser à bout? Eh bien! elle l'aurait voulu. Il atteignait la vitesse de deux cents kilomètres lorsqu'il entendit derrière lui la sirène d'une voiture de police. Il n'eut d'autre choix que de ralentir.

— Qu'est-ce qui se passe? demanda Patricia qui paraissait sortir d'un rêve.

Un sourire grimaçant aux lèvres, Richard expliqua:

— Un con de flic!

Patricia entendit effectivement la sirène de police qui se rapprochait. Richard se rangea. Puis, affichant un air plein d'assurance, comme s'il dominait parfaitement la situation, il tira son portefeuille de sa poche et, au lieu de vérifier s'il avait son permis et ses différents papiers, compta l'argent liquide qu'il avait sur lui. Ce petit examen le rassura, car il avait plus de huit cents dollars, ce qui était en fait son argent de poche — il ne sortait jamais avec moins de mille dollars sur lui, même s'il possédait à peu près toutes les cartes de crédit: American Express platine, Master Card, Visa Gold...

— Merde, tu as dépassé la limite de cent kilomètres! dit Patricia, le tutoyant pour la première fois.

Charmante! Elle était charmante! Cent kilomètres! Elle ne se rendait pas compte, ou quoi? Elle n'avait certainement pas le sens de la vitesse. Cent kilomètres, alors qu'il roulait à plus de deux cents! Il s'efforça de garder ses manières de gentleman, comme le font la plupart des hommes au cours d'une première soirée.

— Oui. J'ai dépassé la limite de cent kilomètres. Mais ne t'en fais pas, je cuisine ce con en moins de deux.

Lui aussi la tutoyait, puisqu'elle en avait pris la liberté. C'était plus sympathique d'ailleurs. Il ouvrit son portefeuille en direction de Patricia et ajouta:

— Comme disait Howard Hughes, «tous les hommes sont achetables». Il s'agit d'y mettre le prix.

Il ricanait, nerveux, impatient de faire une petite démonstration de son pouvoir. Il entendit alors la voix du policier amplifiée par un porte-voix:

— Arrêtez votre moteur immédiatement!

Richard obtempéra et lança un clin d'oeil amusé à Patricia, qui s'était assise de manière un peu plus convenable. Ce serait une simple formalité.

Le policier posa son porte-voix sur la banquette de sa voiture, mit sa casquette, sortit de son véhicule et se dirigea lentement vers la Mercédès, une grosse lampe de poche à la main. Agé de moins de vingt-cinq ans, la musculature imposante, il était frais émoulu de l'Académie de police. Arrivé à la voiture de Richard, il demanda, d'une voix sèche et autoritaire:

— Permis de conduire, s'il vous plaît.

— Il y a un problème, monsieur l'agent? demanda poliment Richard.

— Un petit problème, oui. Vous rouliez à 190 kilomètres dans une zone de 80.

Richard affecta de prendre la chose à la légère. Avec un sourire entendu il dit à l'agent, au lieu de présenter son permis de conduire :

— On règle ça sur place? Je n'aime pas la paperasse. C'est combien, cette contravention?

Et il ouvrit son portefeuille de manière ostentatoire devant le policier, qui le regarda d'un air fermé.

— Permis de conduire, s'il vous plaît, répéta-t-il stoïquement, comme s'il n'avait même pas entendu Richard.

Il ne comprenait rien, ce con! Richard tira deux billets de cent de son portefeuille, puis se ravisa, en prit un troisième et les glissa dans la poche de chemise du policier.

— Je suis un peu pressé. Prenez ça et on oublie tout, d'accord?

Le policier, l'air encore plus dur, prit les trois billets de cent dollars et les remit calmement à Richard en disant, d'une voix sans émotion:

— Si vous recommencez, je vous inculpe de tentative de corruption. Pour la dernière fois, votre permis de conduire.

— Ecoutez, dit Richard qui avait décidé de changer de tactique, je suis avocat.

— Moi, je suis officier de police.

Deux minutes plus tard, Richard, humilié, repartait avec une contravention de deux cent cinquante dollars. Il roula lentement, sans rien dire, un sourire embarrassé sur les lèvres, évitant d'affronter le regard de Patricia, qui se mordait les lèvres pour ne pas rire.

Il immobilisa la Mercédès sur une magnifique falaise au bord de la mer, — à Malibu — une falaise peu connue, peu fréquentée, dont le charme avait quelque chose de magique, de mystérieux. La lune était pleine, et ses reflets scintillaient sur la mer noire qui s'étalait au pied de la très haute falaise. Le vent soufflait doucement, chargé de l'odeur enivrante du large. Patricia et Richard avaient fait quelques pas silencieusement, puis s'étaient assis sur un banc de pierre construit il y a très longtemps à l'époque où un manoir, maintenant rasé, s'élevait sur les terres conduisant à la falaise.

— Pourquoi tout ça? demanda un peu brutalement Patricia, rompant le charme silencieux de cet instant parfait, du moins pour Richard.

— Qu'est-ce que tu veux dire?

— Tu le sais très bien. Le champagne. Le bord de la mer. Tes sourires. Tes regards. C'est absurde.

— Absurde?

— Oui. A combien de femmes avant moi as-tu fait le même cinéma?

— Mais...C'est différent avec toi. Je n'ai jamais rencontré une femme comme toi.

— Alcoolique, myope et pauvre.

— Vraiment alcoolique?

— Seulement quand je bois.

— Myope...

— C'est une question de point de vue...

— Et pauvre, ce n'est pas grave. Je suis riche. Ca fait une moyenne.

— Pourquoi ne t'es-tu jamais marié? Enfin, c'est ce qu'on dit au bureau.

— Je ne sais pas. J'attends peut-être la bonne personne.

Il la regarda droit dans les yeux, de son regard troublant et bleu. Elle éprouva une sorte de vertige, et comprit pourquoi il plaisait tant aux femmes. Si elle n'avait pas fait attention, elle se serait laissée entraîner, hypnotisée.

Une brise très douce continuait à souffler, les enveloppait. Patricia regardait la mer maintenant, infinie, noire, où brillaient les reflets d'argent de la lune. Sous le ciel étoilé, un instant, elle oublia tout ce qui venait de lui arriver, sa séparation avec Jack, ses ennuis de romancière, le harcèlement de son propriétaire, l'obligation nouvelle d'exercer un métier pour lequel elle ne se sentait aucun goût, aucune affinité. Elle était parfaitement présente, elle vivait entièrement l'instant présent, sans le filtre de son esprit. Une sorte de moment d'éternité. Parce que sa pensée s'était immobilisée. Pour la première fois depuis longtemps — après de longues journées, de longues semaines de lutte, de contrariété, — il y avait un peu de douceur dans la nuit, dans sa vie. Richard rompit le silence pour demander:

— Toi, tu n'as jamais été mariée?

— Non.

— Et...Tu es libre?

— Depuis deux jours.

— Deux jours?

Et il ajouta, d'une manière un peu maladroite, comme si c'était elle qui avait souhaité cette soirée, et qui lui faisait la cour:

— Tu ne perds pas de temps...

Elle le regarda, légèrement insultée, mais se contenta de répliquer:

— J'ai déjà perdu deux ans avec lui. Un autre homme qui était plus marié qu'il ne le disait.

Elle était triste tout à coup, remuée par l'évocation de sa récente rupture. Richard éprouva soudain une furieuse envie de l'embrasser. Il se pencha doucement vers elle, mais elle le repoussa de la main droite. Il ne se laissa pas décourager par cette son geste et enchaîna:

— On se connaît à peine, mais je sais maintenant pourquoi je ne me suis jamais marié. Tu me le demandais tout à l'heure. Je sais que tu es la femme de ma vie, et que sans le savoir je t'attendais. Je...

Elle ne répondit rien. Il s'attendait à une réaction de sa part. Il s'en inquiéta:

— Qu'est-ce que tu en penses?

— Je pense que tu es vraiment l'homme le plus superficiel que j'aie jamais rencontré.

— Je... je ne comprends pas.

Elle ne dit rien, persuadée au fond qu'il comprenait, qu'il n'avait pas besoin d'explications supplémentaires. Elle se tourna vers lui et le considéra, avec beaucoup d'attention, presque gravement. Soudain, elle fut submergée par une grande nostalgie. La première fois qu'elle avait vu Richard dans l'ascenseur, elle lui avait trouvé une certaine ressemblance avec Jack, et elle s'était dit qu'il était en quelque sorte une version plus raffinée, plus légère, moins passionnée de son ancien amant. Elle repensait à ce dernier. A leurs débuts, il l'avait séduite avec des paroles, avec des aveux similaires. Et il l'avait quittée pour retourner avec sa femme. L'amour n'était-il pas qu'une grande illusion, une absurdité? Elle se mit à pleurer. Richard crut que c'était à cause des grandes déclarations qu'il venait de lui faire.

Il se mit à lui caresser les cheveux, elle n'opposa aucune résistance. S'enhardissant, il lui embrassa les paupières, qu'elle avait abaissées, en penchant la tête, comme découragée. Le contact de ses lèvres sur ses paupières lui sembla d'une douceur infinie, un beaume qui la soulageait d'une peine très ancienne ou très récente, de sa rupture avec Jack, de toutes ses ruptures....

Maintenant, Richard lui léchait les joues, buvant pour ainsi dire ses larmes, tout en lui caressant la nuque. Elle se détendait, s'abandonnait de plus en plus, oubliant que cet homme n'était peut-être qu'un séducteur de bas étage, qu'il ne voulait que s'amuser avec elle, pour un soir.

Mais elle ne protestait pas. Il lui embrassa les lèvres, le cou. Il ne revenait pas de sa bonne fortune, surtout après avoir été rabroué toute la soirée. Excité par une passivité qui en d'autres circonstances l'aurait agacé, il lui embrassa les seins, il fit glisser les épaules de sa robe, découvrant tout à fait sa poitrine qu'il se mit à couvrir de baisers. Il perdait de plus en plus la tête.

Elle se laissait faire, pour ainsi dire immobile, peut-être absorbée dans ses sensations — ou sa peine — les yeux toujours fermés. Echauffé par la liberté qu'elle lui accordait, il se jeta à ses genoux, se plaça entre ses deux jambes, et se mit à lui bécoter doucement, savamment, les chevilles. Elle eut une première réaction, remua les pieds pour se défaire de ses souliers. Cet encouragement, si minime fût-il, lui fit l'effet d'un geste provocant tant il contrastait avec sa passivité du début.

Des frissons parcouraient tout le corps de Patricia, de ses pieds jusqu'à sa nuque. Les yeux toujours fermés, elle s'abandonnait à cette volupté subtile. Richard semait des baisers de plus en plus audacieux le long de ses jambes, remontant lentement vers le haut, vers l'intérieur de ses cuisses, là où la peau est si tendre. Il progressait lentement, inexorablement.

Ainsi commença pour elle le plus délicieux des supplices. Jack avait certes été un grand amant, mais jamais elle n'avait rencontré un homme qui faisait à ce point passer le plaisir de la femme avant le sien. Elle n'avait jamais vu cela, en tout cas jamais lors d'une première nuit où la plupart des hommes étaient pressés de se soulager, sans penser à leur compagne. La réputation de play-boy de Richard ne lui venait-elle pas de cet art si rare qu'il avait de faire perdre la tête aux femmes?

Elle l'attira à elle en lui disant d'une voix suppliante:

— Viens. Maintenant. Je n'en peux plus.

5

— Je suis vraiment la dernière des idiotes, dit Patricia à Jessica, qui était venue la rejoindre chez elle le samedi matin, deux jours après sa folle nuit d'amour avec Richard Stone.

Les deux femmes étaient assises sur le vieux canapé du salon, avec Cléo à leurs pieds. Patricia paraissait complètement déprimée.

— Aucune nouvelle de lui depuis jeudi. Disparu! Je me suis faite avoir!

— Quand un homme peut avoir du lait sans acheter la vache, il ne l'achète pas!

Malgré sa tristesse, Patricia ne put que rire de la boutade de sa copine. C'était à la fois tellement cynique et tellement vrai, du moins dans les circonstances.

— C'était bien, au moins? demanda Jessica.

— Il fait l'amour comme un dieu, le salaud. Il est infatigable.

— Merde, dit Jessica, qui avait l'air vraiment désolée. Si au moins c'était un éjaculateur précoce...

— Je n'aurais pas dû boire, aussi. J'étais complètement soûle.

— Dommage quand même, sembla conclure Jessica. Il est plein aux as.

Les deux femmes restèrent un moment sans parler, absorbées par ce chagrin. Cléo avait écarquillé les yeux et pris un regard triste, son regard «pitoyable» comme le qualifiait Patricia. Elle avait compris ce que sa maîtresse ressentait et, de toute évidence, compatissait à sa peine. On sonna alors à la porte. Patricia alla ouvrir. Quelle ne fut pas sa surprise de voir sur le pas de sa porte un livreur portant un énorme bouquet de roses rouges! De l'autre côté du couloir, sa grosse voisine observait la scène avec un mélange de curiosité et de jalousie.

— Mademoiselle Patricia Wood? demanda le jeune livreur.

— Euh, oui, c'est bien moi...

— Où dois-je les poser?

— Ici, dit Patricia en désignant la table de la salle à manger.

Le livreur, un blondinet de seize ans bouclé comme un chérubin, entra dans l'appartement et alla poser les fleurs sur la table. Il plut tout de suite à Jessica, qui pourtant préférait en général les hommes plus mûrs. Mais celui-là, elle le trouvait vraiment sympathique même si, à cet âge, ils avaient l'émoi facile — s'entend, rapide — au lit.

Elle lui fit un clin d'oeil et lui dit:

— Eh! poupée, tu finis à quelle heure?

Il rougit. Il ne savait trop quoi dire.

— Je... je finis à cinq heures, madame.

Jessica eut un air de dégoût et se tourna vers Patricia:

— Madame... Il m'appelle madame. Il est vraiment temps qu'on se marie, toutes les deux. Bientôt on va nous appeler grand-maman.

Embarrassé, le jeune éphèbe ne comprit pas la gaffe qu'il avait pu commettre et dit, pour se donner une contenance:

— Ce n'est pas tout.

Il fouilla dans une large sacoche de cuir — qu'il portait en bandoulière — et en tira une enveloppe et une petite boîte de velours, qu'il remit à Patricia. Elle lui donna un pourboire et il s'empressa de sortir, encore rouge.

— Appelle-moi quand tu auras dix-huit ans, lui lança Jessica.

— Euh, oui, madame...

Patricia s'empressa de humer le bouquet, et comme elle n'en avait jamais reçu ni vu d'aussi impressionnant, elle en compta rapidement les roses:

— Il y en a six douzaines. C'est dément! C'est sûrement Jack.

Et, comme elle réalisa que Jessica ne savait probablement pas de qui il s'agissait, elle ajouta:

— Mon ex... Je suis sûre qu'il a réfléchi et qu'il a décidé de venir s'installer ici. J'ai bien fait de me montrer indépendante.

— Ah ça! On ne l'est jamais assez! Plus tu es bitch, plus ils mangent dans ta main. Mais ouvre l'enveloppe, qu'on sache! ajouta Jessica.

— Quoique six douzaines de roses, dit Patricia pour elle-même, il y en a au moins pour 150$ et Jack a toujours été plutôt radin...

Sa curiosité piquée par cette réflexion, elle ouvrit avec empressement la lettre et prit connaissance de son contenu. Son visage prit une expression de surprise:

— C'est de Richard!

— Richard Stone? dit Jessica avec incrédulité.

Et elle lui arracha la lettre des mains. Elle la lut à haute voix, en même temps que Patricia, qui s'était approchée et se penchait sur son épaule:

«J'ai passé la plus merveilleuse nuit d'amour de ma vie. Et je n'ai cessé de penser à toi depuis. C'est la première fois que pareille chose m'arrive. Je n'ai jamais eu une aussi grande certitude. Tu es la femme de ma vie. Mon âme soeur. Aussi je te demande bien simplement: veux-tu m'épouser? Cela te paraîtra peut-être un peu rapide, puisque nous ne nous connaissons que depuis quarante-huit heures à peine et qu'à la vérité nous avons passé seulement quelques heures ensemble...Mais il me semble que je t'attendais depuis une éternité et maintenant chaque heure nouvelle que je passe sans toi m'est pénible... Avant, je supportais la solitude uniquement parce que je ne te connaissais pas encore... Je te le répète donc: veux-tu devenir ma femme? Tu peux prendre ton temps pour me répondre. Vingt-quatre heures. Quarante-huit heures même.

Je t'aime,

Richard.

P.S. Toutes mes excuses de ne pas t'avoir contactée plus tôt. Parti d'urgence à New York. Arrive demain. Si c'est oui, tu trouveras dans l'enveloppe le nécessaire pour acheter une robe de mariée et quelques vêtements pour notre voyage de noces.

P.P.S. Dans la boîte, quelque chose qui facilitera tes allées et venues...»

Et c'était tout.

— Il est fou! cria Jessica. Complètement fou! Il te demande en mariage!

Hébétée, Patricia ne manifestait aucune émotion. Seul un imperceptible sourire fleurissait ses lèvres.

— Regarde dans l'enveloppe, il y a un cadeau! dit Jessica tout énervée.

Mais comme Patricia ne réagissait pas assez rapidement pour elle, elle lui prit l'enveloppe et y découvrit un chèque, adressé à sa copine. En voyant le montant qui y était inscrit, elle écarquilla les yeux, abasourdie:

— C'est un chèque de 20,000$! Il est sauté!

— Tu veux rire? dit Patricia qui paraissait sortir d'un rêve.

— Non, je te le dis, vingt mille dollars! lui assura Jessica et elle lui mit le chèque sous le nez.

Patricia, incrédule, scruta le chèque, comme pour en vérifier l'authenticité. Mais tout paraissait conforme. Ce n'avait pas l'air d'un faux. Patricia n'en croyait toujours pas ses yeux. Elle n'en revenait pas. Un chèque de 20,000$ qui lui était adressé, à elle qui n'avait jamais eu plus de 500$ en banque!

— Pourquoi fait-il cela? dit Patricia.

— Mais parce qu'il t'aime, voyons! dit Jessica qui ne comprenait pas le manque d'excitation de son amie. Regardons ce qu'il y a dans la boîte, maintenant, enchaîna-t-elle.

Et, prenant à nouveau l'initiative, elle ouvrit la boîte.

— Des clés! Des clés de voiture!

Elle agita les clés devant Patricia, et, aussi excitée qu'une gamine, l'entraîna vers la fenêtre du salon.

— Une Volkswagen décapotable noire! Avec un toit taupe! s'exclama Jessica. Ma voiture préférée! Je ne peux pas le croire! Je ne peux tout simplement pas le croire!

Elle prit Patricia dans ses bras, l'embrassa, la fit tournoyer en une petite danse improvisée puis s'immobilisa pour lui demander avec un air faussement sérieux, comme une institutrice s'adressant à une élève dissipée:

— Il y a quelque chose que tu ne me dis pas... Qu'est-ce que tu lui as fait ce fameux soir?

— Rien, dit Patricia, je t'assure. Je l'ai envoyé promener toute la soirée.

— Viens, dit Jessica, allons essayer ta nouvelle voiture.

Les deux jeunes femmes coururent vers la porte comme de véritables écolières. Mais au moment de sortir, Jessica s'arrêta dans sa course:

— Le chèque! dit-elle. N'oublie pas le chèque!

En introduisant la clé dans la serrure de la portière, Patricia eut un instant d'hésitation. Pourtant, la clé tourna. C'était bien sa nouvelle voiture. Elle ne rêvait pas. Les deux femmes s'assirent dans la Volks, et Patricia fit démarrer le moteur.

— Il a vraiment eu le coup de foudre, dit Jessica. Te rends-tu compte? Un chèque de vingt mille dollars et une auto neuve. Tu as décroché le gros lot!

Patricia ne disait rien. Elle se rembrunit même. Jessica s'en aperçut:

— Mais qu'est-ce que tu as? On dirait que tu fais la gueule, tout d'un coup.

— Mais non, c'est seulement que... Je n'ai pas l'impression qu'il m'aime...Enfin, je veux dire, j'ai l'impression qu'il veut seulement m'acheter.

Jessica n'en revenait pas. Sa copine était-elle tombée sur la tête?

— Quand tu achètes quelque chose, c'est parce que tu l'aimes, non? objecta Jessica.

— Oui, en principe, mais...

— Ecoute! Est-ce que tu achètes quelque chose quand tu ne l'aimes pas? argumenta Jessica d'une voix très ferme, presque en colère. (Il y avait des limites tout de même à ne pas comprendre les beaux sentiments.)

— Non, évidemment.

— Alors s'il veut t'acheter, c'est parce qu'il t'aime! Tu devrais l'épouser.

Et, petit à petit, elle se laissait gagner par l'enthousiasme de Jessica. Tout ce qui lui arrivait était inattendu, certes. Mais elle devait admettre que c'était sinon romantique, du moins excitant. Un magnifique bouquet de roses — le plus impressionnant qu'elle eût jamais vu — un chèque de 20,000$, une voiture neuve, et surtout, une proposition de mariage. En fait, c'était la première fois qu'un homme lui demandait sa main. Jessica avait peut-être raison. Richard avait eu le coup de foudre. Il était fou d'elle. Et comme il était millionnaire, c'était sa manière à lui de prouver la sincérité de ses sentiments. En tout cas, il n'avait pas froid aux yeux, il plongeait. Tête première. Contrairement à tous les hommes qu'elle avait rencontrés jusque-là, qui hésitaient toujours à exprimer leurs sentiments et qui, souvent au dernier moment, avaient refusé de s'engager.

— Si j'accepte ses cadeaux, dit Patricia, il va considérer que j'accepte de l'épouser.

— Et après? Qu'est-ce que tu as à perdre? Si ça ne marche pas, tu divorceras, comme tout le monde.

— Je ne veux justement pas divorcer comme tout le monde.

— Tu ne divorceras pas comme tout le monde. Parce qu'une fois que tu l'auras épousé, tu ne seras plus jamais pauvre.

— Mais je me fous de l'argent! Je veux dire: je ne veux pas me marier pour l'argent. C'est important pour moi le mariage. Ce n'est pas une simple formalité, une simple transaction. Je veux savoir si je l'aime...

— Evidemment, si tu commences à compliquer les choses...dit Jessica.

Elle marqua une pause puis reprit:

— Moi, à ta place, je ne me poserais pas trop de questions. Marie-toi d'abord. Tu réfléchiras après. Une fois que tu seras mariée et riche, au lieu d'être pauvre et célibataire. Qu'est-ce que tu as à perdre?

— Et si je n'ai pas envie de l'épouser?

— C'est son problème, pas le tien.

— Je ne peux quand même pas flamber les 20,000$ comme ça.

— Il est millionnaire. Ce n'est rien pour lui. C'est comme 20$ pour toi.

— Je n'ai même pas 20$ en banque.

— Non, tu en as 20,000$ maintenant! Viens, dit-elle, allons faire du shopping.

Patricia plissa les lèvres. Elle découvrait vraiment un monde nouveau. Avec des lois différentes du sien où l'argent avait encore un sens. En tout cas un sens différent. Jessica avait peut-être raison. Elle pouvait encaisser le chèque sans se soucier de rien, et surtout sans s'engager. A Hollywood, cette somme rondelette pour elle, n'était rien, une bagatelle. Alors pourquoi reculer?

— Mon Dieu, dit Jessica. Tu ne te vois pas. On dirait que tu vas pleurer. Allez. Let's cry to the bank!

A demi convaincue, Patricia lança la voiture sur le chemin et Jessica, exaltée par cette petite victoire, fit exploser une grosse bulle de chewing gum.

Et, même si elle ne connaissait pour ainsi dire pas son futur mari et que tout se passait comme dans un conte de fées, lorsque, à leur rencontre suivante il lui fit sa demande en personne — à grand renfort d'une bague magnifique — elle céda, malgré les doutes qui lui restaient.

6

Il y avait une seule ombre au tableau dans le projet de mariage idyllique, c'est que Richard était violemment allergique aux chiens et qu'il avait manifesté le désir — avec beaucoup de ménagement et de délicatesse, il est vrai — que Patricia se séparât de Cléo. Du reste, la vie qu'ils mèneraient — faite de voyages nombreux — se prêterait mal à la servitude qu'impose un chien. Cet imprévu la désola infiniment. Se défaire de sa chère Cléo, qu'elle adorait depuis quinze ans! Elle chercha toutes sortes de solutions. Elle proposa à sa mère de la reprendre, mais celle-ci refusa. Cléo était beaucoup trop âgée maintenant. Sa soeur refusa également. Elle n'avait pas le temps de s'occuper d'un animal, ayant déjà deux enfants sur les bras, et en outre elle n'avait jamais aimé Cléo, qui du reste le lui rendait bien.

Patricia passa un coup de fil à tous ses amis, qui déclinèrent tous sa proposition. Elle passa une annonce dans les journaux, omettant volontairement de préciser l'âge de Cléo. Mais lorsque les rares personnes intéressées demandaient des précisions à ce chapitre, elles se ravisaient aussitôt. Qui voulait d'un chien centenaire même s'il était prétendument en parfaite santé?

Lorsqu'elle eut épuisé toutes les possibilités qui lui venaient à l'esprit, Patricia se sentit vraiment déprimée. Il ne lui restait plus d'autre choix que de porter Cléo à la fourrière municipale, triste sort de tous les chiens âgés ou malades. Elle n'allait tout de même pas laisser Cléo en liberté, pour qu'elle devienne un chien errant, elle qui avait toujours vécu dans un confort douillet. Elle était vieille maintenant, et elle ne survivrait sans doute pas longtemps à cette liberté sauvage, surtout dans les rues d'Hollywood.

C'était le mardi matin, à quelques jours de son mariage. Elle n'avait plus le choix maintenant. Elle avait attendu jusqu'à la dernière minute, car le lendemain, elle devait déménager dans sa nouvelle maison.

Elle était assise au salon, avec Cléo à ses pieds, et lui passait amoureusement, pour la dernière fois, sa vieille laisse usée par les ans. Des souvenirs lui revenaient en une grande vague de nostalgie. Elle se revoyait adolescente, ce jour ensoleillé du début de mai où, avec ses parents, elle était allée choisir la petite Cléo au *pet shop* du quartier. Cléo n'avait que trois mois, à l'époque. Elle n'était certes pas la plus vigoureuse ni la plus excitée de la joyeuse bande de compagnons qui partageaient son énorme cage. Mais tout de suite Patricia l'avait trouvée différente. Au lieu de s'exciter devant chaque nouveau visiteur et de lui faire des courbettes et des ronds de jambe (ou de patte) la jeune Cléo restait dans son coin, boudeuse. Son caractère était déjà formé avant même d'avoir atteint l'âge adulte. Peut-être trop souvent blessée dans son orgueil, préférait-elle ne plus quémander la pitié des clients. Patricia avait même cru un instant qu'elle était peut-être malade. Mais ce n'était pas le cas, elle était simplement capricieuse, l'avait informée le propriétaire. Ce trait de caractère, qui avait apparemment rebuté les autres clients, avait au contraire attiré Patricia. A la vérité, Cléo et elle s'étaient pour ainsi dire reconnues, mystérieusement. Car dès qu'elle avait vu Patricia, Cléo, sortant de son orgueilleuse réserve habituelle, s'était tout de suite dirigée vers elle, non seulement confiante, mais pour ainsi dire certaine qu'elle était en présence de sa future maîtresse.

A l'évocation de ces souvenirs, le regard de Patricia s'embua de larmes. Elle revoyait maintenant leurs courses folles dans les champs à l'occasion des vacances familiales. Leurs jeux à la maison, alors qu'elles couraient autour de la table! Les exploits de Cléo, aussi. Elle avait terrorisé un cambrioleur en se jetant courageusement sur lui. C'est à cette occasion que, pour la première fois, elle avait donné le spectacle de ce curieux tremblement que Patricia avait baptisé le *shake*, expression qui était restée.

Patricia sentait qu'en se défaisant de Cléo c'était toute une page de sa vie qu'elle tournait. Son adolescence, sa jeunesse... Elle allait se marier, sa vie de jeune fille était maintenant terminée, et la vie avait voulu, en une sorte de cruauté singulière, qu'elle marquât pour ainsi dire le coup de manière bien précise, en abandonnant sa chère Lili. Dans quelques heures, dans quelques minutes peut-être, elle retirerait à Cléo sa laisse pour une dernière fois. Une dernière fois, elle plongerait ses yeux dans les grands yeux tristes de Cléo. Et l'employé de la fourrière l'emmènerait dans l'antichambre de la mort. On la mettrait quelque temps dans une petite cage, avec d'autres condamnés.

Puis viendrait un homme vêtu d'un sarrau blanc, un homme distrait, qui aurait déjà expédié vers l'au-delà des dizaines de chiens. Il donnerait à Cléo l'injection fatale, qui l'endormirait pour toujours. Et puis on mettrait son petit corps froid dans un sac de plastique qu'on jetterait aux ordures.

— On a été heureuses ensemble, hein, ma belle face? dit Patricia. On s'est bien amusées, hein? Tu étais la plus belle. Tu as toujours été la plus belle. On avait toujours des choses à faire, des choses à se dire, hein, ma belle fille?

Elle se détourna alors de Cléo. Elle ne pouvait plus contenir ses pleurs. Cette séparation était trop cruelle. Elle essaya de refréner ses larmes pour ne pas attrister Cléo mais c'était plus fort qu'elle.

— Ca va bien aller, hein, ma Lili? Le monsieur va être très gentil avec toi. Il va seulement te donner une petite piqûre de rien du tout, et tu vas t'endormir. Ca ne te fera pas mal. Dis à maman que tu n'as pas peur, n'est-ce pas?

Cléo qui, mystérieusement — peut-être parce que les animaux sentent toujours l'approche de la mort par un instinct singulier, — avait l'air de comprendre ce qui l'attendait, hochait la tête et faisait les yeux les plus tristes du monde.

— Et puis tu vas voir, reprit Patricia, il y a un paradis pour les chiens. Tu vas avoir plein d'amis qui sont très gentils. Et tu vas pouvoir manger tout plein de chocolat. Il n'y aura pas de limite. Et tu ne seras pas malade même si tu en manges trop. Qu'est-ce que tu en penses, ma belle fille? C'est bien, hein? Et puis tu ne seras plus vieille...

Patricia s'efforçait de sourire maintenant, pour donner le change à Cléo. La brave bête fut dupe, croyant que sa maîtresse voulait l'emmener faire une promenade, ce qui en général la remplissait d'aise. Elle se mit à sautiller de joie et d'impatience. On aurait dit qu'elle avait oublié le pressentiment qui une minute avant l'assombrissait.

— Là-bas, tu vas redevenir comme quand tu étais ma petite fille. Tu vas pouvoir courir très vite. Tu ne seras jamais fatiguée. Et puis de là haut tu vas pouvoir continuer à voir maman et à veiller sur elle, comme un ange gardien...Et plus tard maman va venir te rejoindre et on sera ensemble pour toujours...

Cléo sautillait de joie, mais sa gaieté, dont la cause était fausse, attrista encore plus Patricia. C'était insupportable. Elle se pencha vers Cléo, qui la lécha affectueusement. Elle avait recommencé à pleurer. Parce que bientôt, tout serait fini. Lili ne serait plus de ce monde. Il n'y avait pas de paradis pour les chiens.

Patricia resta de longues secondes à étreindre Cléo sans rien dire. Jamais elle n'aurait cru que cette séparation serait si douloureuse.

Elle passa à la cuisine pour nourrir Cléo et aperçut l'article qu'elle avait découpé et affiché sur la porte de son frigo. Elle exultait. Elle avait enfin trouvé la solution! Elle ne serait pas obligée d'aller porter Cléo à la fourrière municipale. Elle la conduirait plutôt chez cette sympathique millionnaire amoureuse des chiens.

Cinq minutes plus tard, Patricia et Cléo roulaient, toit baissé, en direction de Malibu. Cheveux au vent, coeur léger, Patricia remerciait le ciel. La vie était quand même merveilleuse, extraordinaire, même s'il y avait parfois des passages difficiles. Ils arrivèrent bientôt au domaine de la vieille dame. C'était un immense manoir de style Tudor, perché sur une falaise. Une imposante grille en protégeait l'accès. D'innombrables chiens de toutes les races et de toutes les tailles couraient en toute liberté sur le domaine, sous l'oeil de deux gardiens. La scène remplit de joie le coeur de Patricia. C'était un véritable paradis pour chiens, et Cléo y serait sûrement heureuse, même si elle serait séparée de sa maîtresse.

Patricia immobilisa la voiture devant la grille du domaine, et un gardien en uniforme vint la trouver. Quinquagénaire grassouillet au teint de poupon, il avait l'air un peu simplet. Il était en outre nanti de tout petits pieds, et de toutes petites mains, ce qui lui donnait un air un peu ridicule. Il s'avança très lentement en direction du Cabriolet:

— Je peux vous aider? demanda-t-il.

— Je suis venue porter mon chien.

— Vous avez une lettre de recommandation?

— Non, j'ai lu un article la semaine dernière dans le journal au sujet de...

Elle ne se rappelait plus du nom de la propriétaire du domaine.

— Je regrette, madame, mais sans lettre, sans références, je ne peux rien pour vous. Désolé.

Il regarda en direction de Cléo et ajouta, en manière de conclusion:

— C'est un vieux chien de toute manière...

Il n'avait pas besoin de lui rappeler cette évidence. Cela attrista Patricia. Pour elle, Cléo était toujours restée jeune. Elle la voyait avec les yeux du passé. Elle était atterrée. Ses espoirs s'effondraient tout à coup. Cela voulait dire qu'elle devrait se résoudre à retourner à la fourrière municipale pour faire endormir Cléo. Elle qui était si heureuse d'avoir pensé à ce merveilleux refuge de chiens! Déçue, elle n'insista pas.

Elle regarda derrière elle avant de reculer. Heureusement, du reste, car sinon elle aurait embouti une magnifique Rolls Royce blanche des années 50, qui portait des armoiries représentant un curieux petit chien, en fait un colley miniature portant un manteau d'hermine, un sceptre et une couronne. Il était assis sur un trône doré qui devait faire dix fois sa taille.

La limousine était conduite par un chauffeur ganté de rose, en livrée mauve, un homme dans la vingtaine, d'une grande beauté. Sur la banquette arrière était assise une vieille dame au regard lumineux que Patricia reconnut tout de suite malgré le grand chapeau mauve qu'elle portait fièrement, avec une fantaisie toute aristocratique. Pas de doute possible, il s'agissait de la riche héritière dont parlait l'article du *Los Angeles Time*.

Un tout petit chien adorable, un colley miniature qui ressemblait comme deux gouttes d'eau à un rejeton de la célèbre Lassie, et qui avait à n'en point douter servi de modèle aux armoiries de la Rolls, accompagnait la vieille dame. Les pattes avant posées sur le rebord de la fenêtre ouverte, il admirait le paysage, l'air insouciant. Il portait un collier de diamants, ce qui étonna Patricia.

Sa maîtresse paraissait ne reculer devant aucune dépense pour le gâter. A la vérité, il était son amour, son enfant, son porte-bonheur. Dès qu'il aperçut Cléo, le petit colley fut saisi d'une excitation soudaine. D'un bond, il sauta par la fenêtre ouverte et courut vers la

Volks, comme s'il allait retrouver une vieille amie après des années de séparation.

— Rambo! cria sa maîtresse. Reviens ici immédiatement!

Rambo n'entendit pas — ou fit mine de ne pas entendre. Avec une vigueur surprenante pour sa petite taille, il réussit à sauter dans l'habitacle de la Volks, et rejoignit Cléo qui l'accueillit elle aussi comme un vieil ami, mieux encore comme un amoureux car les deux chiens se mirent aussitôt à se lécher le museau avec un enthousiasme débordant.

La vénérable millionnaire parut surprise. Son petit chien lui obéissait en général au doigt et à l'oeil. Que pouvait signifier ce subit écart de conduite? Plus intriguée que contrariée, gardant un calme parfait, la septuagénaire descendit de sa Rolls avec élégance.

— Bonjour, madame, dit-elle. Puis-je savoir quel est l'objet de votre visite?

Patricia sentit que si elle voulait placer Cléo chez cette dame, c'était le moment ou jamais. Mais quels mots choisir pour l'attendrir?

— J'ai lu le reportage dans le *L.A. Times*, et j'ai été très impressionnée par votre grand amour des chiens... Moi aussi j'adore les chiens mais mon fiancé est allergique et nous devons nous marier dans quelques jours...Samedi prochain en fait...alors, j'avais espéré...

La vénérable dame se tourna vers son chien et lui demanda:

— Qu'en penses-tu, Rambo? Aimerais-tu avoir un nouvel ami?

Comme s'il avait compris la question de sa maîtresse, Rambo se mit à sauter dans les airs et à remuer la queue avec une ardeur redoublée, tout en jappant à s'en époumoner. Ses jappements semblèrent autant de signes d'approbation.

La vieille dame haussa les sourcils et prit un air résigné, l'air de dire qu'elle n'y pouvait rien et que c'était son chien qui décidait.

— Bon, si vous voulez, dit-elle, c'est une affaire entendue. Je le prends.

— C'est vrai? dit Patricia qui n'en revenait pas et qui n'osait exprimer son bonheur.

— Comment s'appelle-t-il? demanda la vieille dame.

— Elle s'appelle Cléo, dit Patricia qui descendit de voiture et invita les deux chiens à la suivre.

Déjà inséparables, Cléo et Rambo s'exécutèrent.

— D'accord, je vois. Elle n'a pas l'air très jeune...

— Non, elle...

Elle eut peur que la mention de son âge ne refroidît ou même ne fît reculer la propriétaire du domaine. Mais elle n'osa pas mentir.

— Elle a quinze ans. Mais elle est en parfaite santé, s'empressa-t-elle d'ajouter.

— Je vois, dit la vieille dame en plissant les lèvres en une ébauche de sourire. Ce ne devrait pas être un problème, de toute manière nous avons un vétérinaire en permanence ici. Je tiens cependant à vous signaler avant que vous ne preniez votre décision finale qu'en général les anciens propriétaires des chiens ne sont pas autorisés à venir visiter leur bête. Nous avons établi ce règlement pour le bien des chiens, qui deviennent traumatisés ou confus lorsqu'ils revoient leur maître... Est-ce que cela pose un problème?

Patricia parut un peu surprise de la sévérité de ce règlement. Mais cette vieille veuve, qui aimait visiblement les chiens, devait s'y connaître en psychologie canine. Elle savait ce qu'elle faisait. Ainsi donc, elle ne reverrait plus Cléo... Elle la voyait pour la dernière fois. Elle avait au moins la consolation de savoir qu'elle serait heureuse dans le domaine, en compagnie de tous ces chiens.

— Oui, je comprends, dit-elle. C'est normal...

— Etes-vous bien sûre? demanda l'excentrique veuve qui avait senti l'hésitation intérieure de Patricia.

— Oui, oui, confirma Patricia qui se tourna vers Cléo et se mit à la flatter.

— Tu vas être bien avec ton nouvel ami, n'est-ce pas, Cléo? En plus, tu vas vivre au bord de la mer, dans un beau grand domaine.

Mais Cléo paraissait trop absorbée par la joie de son amitié nouvelle pour se préoccuper des bonnes paroles de sa maîtresse. Le chauffeur ouvrit la portière, et les deux bêtes s'engouffrèrent dans la Rolls. Patricia serra la main de la châtelaine et lui exprima sa reconnaissance.

— Ne vous inquiétez pas, Cléo sera très heureuse ici.

— Je sais, dit Patricia. Je vous remercie pour tout.

Elle remonta dans sa voiture et manoeuvra pour laisser le chemin libre à la limousine. La vieille dame aussi reprit place dans sa limousine, le chauffeur ferma la portière derrière elle, puis s'installa derrière son volant pendant que le gardien ouvrait la grille. La Rolls s'engagea lentement dans la magnifique allée. Le coeur gros, Patricia la regarda s'éloigner.

Lorsque le gardien referma la grille, ce fut comme si on refermait une fois pour toutes le livre de sa jeunesse. Cléo, qui paraissait comprendre à retardement ce qui se passait, apparut alors dans le petit hublot arrière de la Rolls. Elle regarda sa maîtresse, et une nostalgie infinie passa dans ses grands yeux. Elle avait cru que ce n'était qu'un jeu, mais c'étaient les adieux. Brusquement, elle comprenait que tout était fini, que sa maîtresse et elle ne se reverraient jamais plus.

7

C'était le grand jour. Les deux familles des mariés attendaient dans une salle réservée à cet effet à l'arrière de l'église, en cet après-midi venteux du début de juillet, le premier du mois en fait. Le temps était plutôt maussade et il y avait de l'orage dans l'air. Pas un temps pour se marier! Mais on ne peut pas choisir... Le père de Patricia, pour faire bien, venait d'offrir un cigare au père de Richard, un avocat fortuné, et snob, très grand, plus de six pieds deux pouces, à l'allure austère et germanique.

Monsieur Stone père commença par examiner le cigare avant de l'accepter. Il avait tout de suite trouvé le père de Patricia minable avec son vieil habit démodé et élimé. Trop radin, le père de Patricia n'avait pas cru bon de faire l'achat d'un nouvel habit, même pour le mariage de sa fille. Et puis il n'était qu'un obscur petit comptable de quartier.

Mais le cigare était un havane, un mélange de premier ordre, ce qui ne manqua pas d'étonner Monsieur Stone. Le petit comptable cherchait sûrement à l'impressionner. Il eut un sourire un peu condescendant et laissa le père de Patricia l'allumer. Il aspira une première bouffée et complimenta Monsieur Wood. Il regarda sa bru, qui était jolie, même si elle n'apportait rien à son fils, du moins financièrement. Si Richard l'avait écouté, il aurait conclu un mariage plus avantageux... Mais son fils ne l'avait jamais écouté, sinon en acceptant de devenir avocat, ce qui était déjà une consolation. Et puis il devait admettre qu'il se débrouillait assez bien dans la vie.

Mais au fond, il était content que son fils se mariât enfin, même s'il ne l'avait pas consulté sur son choix et l'avait mis devant le fait accompli. Il déplorait la vie dissipée qu'il menait depuis des années, et se réjouissait à l'idée d'avoir enfin une progéniture, qui perpétuerait le nom des Stone.

Il sourit à monsieur Wood et ne put s'empêcher de noter à nouveau la pauvreté et le mauvais goût de son costume. C'était un vrai minable!

Les deux hommes ne parlaient pas, chacun se contentait de tirer sur son cigare. Ils étaient de deux mondes différents, et n'avaient rien à se dire, en tout cas rien qui pût s'exprimer verbalement car ils s'étaient détestés dès le premier instant. Leur attention fut bientôt détournée par la discussion plutôt vive qui se déroulait du côté des femmes.

Patricia, qui était assise depuis un moment, paraissait en proie à la plus vive inquiétude. Ce n'était pas l'énervement du mariage. Non, elle avait une raison plus grave d'être inquiète: en effet, son futur mari brillait par son absence, et il était deux heures, heure à laquelle la cérémonie devait commencer. Richard était en retard d'une bonne heure, car ils avaient prévu de se présenter à l'église en avance, pour régler les détails de dernière minute. Sans compter qu'il fallait faire la présentation des deux familles qui n'avaient pas eu l'occasion de se rencontrer.

Patricia n'avait pas eu de nouvelles de Richard depuis le vendredi matin. Ils avaient convenu en effet que, pour respecter une vieille tradition, chacun dormirait chez ses parents la veille du mariage. Richard avait travaillé toute la journée du vendredi et, le soir, il avait été fêté par ses camarades de collège: un enterrement de vie de garçon dans les règles...

— Qu'est-ce qu'il peut bien faire? demanda la mère de Patricia à sa fille.

— Je ne sais pas, maman. Il n'a pas l'habitude d'être en retard.

— Mon fils n'est *jamais* en retard, dit madame Stone, une élégante sexagénaire, mince, presque maigre, qui avait été très belle dans sa jeunesse mais dont les yeux recélaient une tristesse immense, comme si elle n'avait jamais accepté de vieillir.

Richard était son seul fils — et d'ailleurs son seul enfant — et inutile de dire qu'elle l'adorait.

— Il l'est aujourd'hui, en tout cas, dit avec une logique implacable et un peu déplacée la mère de Patricia.

Elle n'était pas tant frustrée par ce retard que par le fait que toutes les autres femmes étaient mieux habillées qu'elle. Son mari, toujours égal à lui-même même, avait refusé de lui donner plus de cent dollars pour une nouvelle robe! Cent dollars!

Elle n'avait même pas eu assez d'argent pour s'acheter un chapeau et toutes les femmes en portaient. Et puis elle avait dû se rabattre sur un article en solde, et elle s'était fait jouer par la vendeuse qui lui avait vendu une robe d'automne sombre, bourgogne, alors que les invitées arboraient toutes de légères et fraîches couleurs estivales! Elle avait l'air d'une idiote — et d'une pauvre!

La mère de Richard regarda celle de Patricia. Pourquoi lui parlait-elle si sèchement? Se pouvait-il qu'elle n'aimât pas son fils, qui était si parfait? Comme si elle avait quelque chose à dire, elle! Bien sûr, sa fille était jolie, mais ce n'était pas la fin du monde, et elle était sans le sou!

La soeur de Patricia s'avança, laissant en retrait son mari et ses deux enfants qui devaient servir de garçon et de fille d'honneur. Elle avait peine à dissimuler la satisfaction que ce retard lui procurait. Le mariage de sa soeur jetait trop d'ombre sur le sien, son futur mari étant avocat, beau et millionnaire! Elle n'avait jamais voulu croire à ce mariage conclu si hâtivement et les événements semblaient lui donner raison.

— Et s'il ne se présente pas, qu'est-ce qu'on fait?

Elle avait osé poser la question qui depuis quelques minutes déjà était sur toutes les lèvres.

— Je suis sûre qu'il va venir, dit Patricia qui n'avait plus l'air d'y croire et dont les yeux commençaient à s'embuer de larmes. C'est impossible qu'il ne vienne pas.

— Je ne veux pas avoir l'air de jouer les prophètes de malheur, mais ça s'est déjà vu, un marié qui change d'idée à la dernière minute. Il y en a même qui disent non devant le prêtre...

— Il a peut-être eu un accident, s'exclama alors Patricia comme si elle avait eu une illumination.

— Il aurait téléphoné, s'empressa de répliquer sa soeur.

— De toute manière, mon fils n'a jamais d'accident. Il conduit très prudemment, dit la mère de Richard.

Le père de Patricia consulta sa montre-bracelet et fronça les sourcils. Il s'approcha des femmes, se mêlant malgré lui à leur conversation, une chose qu'il avait toujours eue en horreur.

La soeur de Patricia eut le mauvais goût de philosopher en laissant tomber:

— Après tout, chacun a le droit de changer d'idée.

— Il se prend pour qui votre fils, pour changer d'idée comme ça? demanda très agressivement le père de Patricia.

Madame Stone était éberluée. L'attaque était plutôt raide. Il n'y allait pas par quatre chemins!

— Mais... Mais je suis sûre qu'il y a une explication, dit-elle.

— L'explication, c'est que votre fils se prend pour un autre, reprit le père de Patricia, qui se tourna vers sa femme, pour chercher son appui, étonné qu'elle ne dît rien, elle qui prisait tant la médisance, sa nourriture quotidienne en fait. Mais elle lui prêta bientôt main forte:

— C'est vrai, renchérit-elle. Ce n'est pas parce que votre fils est avocat qu'il peut se permettre de se conduire comme un salaud. Vous apprendrez que ma fille est... Elle écrit des... des livres! Des Agatha Christie et des Stephen Queen! — Elle disait Queen au lieu de King!

— Et un jour elle sera très riche!

— Mais en attendant, dit le père de Richard, elle n'a pas un sou. Et elle n'apporte rien en dot. Je ne suis pas étonné que mon fils ait eu le bon sens de changer d'idée à la dernière minute. D'ailleurs s'il m'avait demandé mon avis, je lui aurais dit ce que je pense de la famille de sa fiancée. Et d'un mariage décidé en moins de deux semaines.

Les couteaux volaient bas maintenant. C'était un véritable carnage. Patricia pleurait à chaudes larmes. Tout était fini. Elle avait fait une erreur. Le mariage n'aurait jamais lieu.

Elle aurait dû réfléchir, se servir de sa tête. Ne pas croire au Père Noël et aux contes de fées. Richard avait dû se rendre compte à la dernière minute qu'elle était une fille de rien, une simple petite secrétaire aux illusoires ambitions de romancière, et il avait pris la clé des champs, se moquant éperdument de perdre la voiture qu'il lui avait donnée ainsi que les vingt mille dollars. Elle regardait sa belle robe de mariée, et jamais de sa vie elle ne s'était sentie aussi humiliée.

— Le pire, dit la soeur de Patricia, qui était comme une hyène devant un festin inattendu, c'est que s'ils ont décidé de se marier si vite, c'est peut-être parce qu'ils n'avaient pas le choix...

Il y eut un silence soudain. L'insinuation — que tout le monde comprit: la grossesse de Patricia — était grave, et les conséquences d'une annulation du mariage plus terribles encore si ce que laissait entendre la soeur de Patricia était vrai.

Monsieur Wood demeura éberlué. Il ouvrit la bouche, et laissa presque tomber son cigare.

— Patricia! hurla-t-il. Est-ce que tu nous caches quelque chose?

Elle n'avait pas vraiment suivi la conversation, absorbée dans son chagrin. Elle leva vers son père des yeux effarés et baignés de larmes.

— Mais non, pourquoi?

— Alors peux-tu me dire pourquoi diable vous avez décidé de vous marier si vite?

— Mais... parce que nous nous aimions, papa...

— Ou plutôt parce que tu es enceinte et que Richard ne veut plus prendre ses responsabilités!

— Mon fils prend toujours ses responsabilités! protesta madame Stone.

— Laisse, chérie, dit son mari. Cette petite profiteuse a fait exprès de tomber enceinte sans consulter notre fils... Mademoiselle va voir qu'on ne met pas si facilement le grappin sur un membre de la famille Stone.

Il tira deux billets de mille dollars de sa poche, et les tendit à Patricia:

— Tenez, mademoiselle, voici deux mille dollars. Vous savez ce qu'il vous reste à faire maintenant. Mon fils ne reconnaîtra jamais la paternité d'un enfant né d'une petite traînée qui a probablement couché avec tout Hollywood.

— Chéri, tu exagères, dit madame Stone, qui était attendrie à l'idée de cette grossesse, — elle qui souhait depuis des années des petits-enfants — et qui était opposée à l'avortement.

— S'il te plaît, laisse-moi m'occuper de cela.

Il s'avançait vers Patricia, tendant les deux billets, l'air méprisant. Le père de Patricia, abreuvé par les insultes de Monsieur Stone, était hors de lui. Et surtout il se sentait ridicule, parce qu'il venait de penser que l'on offre un cigare à la naissance d'un enfant, justement. Et voilà qu'il apprenait que sa fille était enceinte! Il se dirigea vers monsieur Stone et, dans un geste irrésistible, lui arracha de la bouche le cigare qu'il venait de lui offrir et l'écrasa sauvagement sous son pied.

— Si vous pensez que vous allez fumer à mes dépens, et insulter ma fille comme ça!

Monsieur Stone ne revenait pas de la grossièreté de cet homme, mais en même temps, il triomphait d'avoir évité de justesse une mésalliance. Le père de Patricia souleva son pied, contempla avec satisfaction le cigare tout écrabouillé, laissa tomber un «Vous avez ce que vous méritez» à l'endroit de monsieur Stone et se dirigea vers sa fille en disant:

— Viens, ma fille. Nous partons. Nous ne nous laisserons pas insulter plus longtemps par ces minables qui se prennent pour d'autres.

Il prit Patricia par la main, elle n'osa pas protester et se leva. Madame Stone, effarée, écarquillait ses grands yeux bleus.

— Ne me regardez pas comme ça, avec vos yeux de hibou, dit la mère de Patricia. Ce n'est pas parce que vous portez une robe de deux cents dollars et un chapeau de paille que vous m'impressionnez!

Et elle suivit son mari qui l'entraînait. La soeur de Patricia afficha elle aussi un air offusqué, et ayant de la peine à cacher sa joie intérieure, prit son mari par le bras et dit:

— Nous partons.

— Eh bien, nous ne vous retenons pas, dit monsieur Stone. Retournez dans vos taudis.

C'est ce moment que choisit celui qu'on n'attendait plus pour faire son entrée: nul autre que le futur marié! Il affichait un air parfaitement calme, qu'il perdit d'ailleurs en partie lorsqu'il vit la mine d'enterrement des deux familles.

— Tout le monde est déjà là? dit-il avec une certaine bonne humeur.

Personne ne comprenait ce qui avait bien pu se passer. Tout le monde le dévisageait. Il se sentit bientôt comme un oiseau exotique dans sa cage. Il regarda sa montre-bracelet, qui indiquait deux heures quinze. Tout le monde attendait une explication sauf sans doute la soeur de Patricia qui rageait. Non seulement l'arrivée de Richard gâchait sa joie de voir échouer le mariage, mais diable, elle devait admettre que le marié était beau à en couper le souffle dans son smoking qu'il portait avec une élégance toute aristocratique.

Oui, franchement, sa soeur avait décroché le gros lot! Et en plus il était riche. Elle ne put s'empêcher de regarder son mari — qui avait sûrement lu dans sa pensée et qui lui aussi avait été impressionné par la prestance de Richard — et elle le trouva plus médiocre que d'habitude avec son ridicule jabot jaune: il était en tout cas le seul invité à en porter, ce qui prouvait qu'elle avait eu raison de le lui déconseiller. C'était horrible et cela jurait horriblement avec sa robe mauve pâle: ils avaient l'air, l'un à coté de l'autre, d'un emballage de Pâques!

De son pas alerte de danseur, Richard alla embrasser sa future femme.

— Je croyais que tu ne viendrais plus, dit-elle.

Elle qui jusque-là n'était pas sûre d'aimer Richard, elle sentait maintenant un déchaînement de passion à son endroit, comme si cet incident — qui avait quand même une importance considérable — avait suffi à déclencher en elle le mécanisme amoureux.

— Mais voyons, quelle idée!

Il ne paraissait pas du tout comprendre cette touchante inquiétude de sa femme. Il sourit et assécha affectueusement ses larmes.

— La cérémonie devait commencer à deux heures...expliqua Patricia.

Richard afficha un air abasourdi.

— Deux heures! dit-il. Merde! Alors, je comprends maintenant...Je m'excuse... J'étais sûr que c'était à trois heures. J'ai vérifié avec ma secrétaire pourtant...

— C'est le banquet qui a lieu à trois heures...

Le curé fit alors son entrée dans la salle d'attente. Petit homme grassouillet, il regrettait depuis des années d'avoir embrassé la vocation sacerdotale qui ne lui convenait pas du tout, et il se consolait dans la bonne chère et le vin. Il avait du reste l'air d'avoir déjà un coup dans le nez.

— Qu'est-ce que vous faites? demanda-t-il avec un agacement à peine dissimulé. J'ai un autre mariage à trois heures. Je ne peux plus attendre.

— Nous arrivons, dit Richard, qui n'aimait pas être bousculé, surtout par un sous-fifre.

Le curé remarqua la tension sur les visages des deux familles, mais comme il était un peu ivre, il ne comprit pas ce qui s'était vraiment passé — ce qui du reste n'était pas évident — et voulut y aller de quelques réflexions philosophiques, même si le temps lui faisait défaut:

— Le mariage, dit-il en s'adressant particulièrement à monsieur Wood, qui tirait sur son cigare avec une nervosité qui ne lui était pas coutumière, est un grand événement dans la vie d'un père. Et d'une mère aussi, ajouta-t-il en se tournant vers madame Wood. C'est normal que vous soyez un peu tendus. Mais dites-vous que ce n'est pas une fille que vous perdez, c'est un gendre que vous gagnez... Et c'est la même chose pour vous, dit-il en se tournant vers madame et monsieur Stone. Vous gagnez une bru, et vos deux familles deviennent une seule et même famille dans la grande église de Dieu.

Tout le monde était embarrassé, mais chacun s'efforça de sourire. Sur ces mots, le curé, que le temps pressait, invita les mariés à passer devant l'autel.

Dans l'église, un grand murmure de soulagement accueillit les futurs époux. Non seulement les invités étaient-ils heureux que le mariage se déroulât normalement, mais ils étaient contents de ne pas avoir fait de dépenses inutiles en vêtements et en cadeaux de noces!

Les époux échangèrent bientôt les serments d'amour éternel, puis les alliances. Patricia eut les larmes aux yeux lorsqu'elle prononça le «oui» qui scellait son union. L'émotion dans la salle fut d'ailleurs si grande que l'assistance applaudit lorsque les nouveaux mariés s'embrassèrent. De l'opinion générale, ils formaient vraiment un beau couple, le couple idéal, en fait. Même la mère de Patricia n'y résista pas et pleura elle aussi. Pleurait-elle de perdre sa fille, ou sur sa propre vie, qui était le parfait exemple d'un échec à peu près complet? Elle se joignait à la mère de Richard qui elle aussi échappa quelques larmes qu'elle s'empressa d'essuyer avec un fin mouchoir de dentelle, que madame Wood ne manqua pas de remarquer. Elle la snobait même avec ses mouchoirs!

Emmurés dans leur mépris réciproque, les deux pères n'osaient pas se regarder en face et auraient franchement mieux aimé se trouver ailleurs. Quant à Jessica, elle était ravie. Elle était accompagnée de l'homme d'affaires qui la courtisait depuis des semaines sans beaucoup de succès. Elle avait estimé que le mariage de sa copine lui donnerait peut-être des idées et qu'il se déciderait peut-être enfin à lui demander sa main.

Le nouveau couple entama sa lente marche vers la sortie de l'église où, sur le perron, on devait prendre les traditionnelles photos de mariage. Patricia qui, dans la solitude nécessaire de son métier, avait développé une grande timidité, avait les joues toutes roses. Mais cette roseur ne faisait qu'ajouter à sa beauté. Dans sa robe blanche à longue traîne, au bras de cet homme extraordinaire qui l'avait aimée tout de suite et qui tout de suite avait voulu lier son destin au sien, elle était vraiment éblouissante.

Une petite note sombre vint cependant ternir quelque peu la joie de Patricia. En sortant, elle remarqua, dans la dernière rangée, quelqu'un qui n'avait pas été invité. Un homme sinistre qui portait des lunettes fumées. En passant à côté de lui, elle constata que c'était nul autre que Jack, son ex-amant! Que venait-il faire là? Comment avait-il appris qu'elle se mariait dans cette église? Et surtout, pourquoi cet acharnement, qui devait du reste le faire souffrir inutilement? Essayait-il de gâcher son mariage? Allait-il poser quelque geste d'éclat, ou faire une déclaration intempestive?

Jack la regardait avec insistance. Mais leurs yeux ne se croisèrent pas. Patricia préféra faire comme si elle ne l'avait pas vu, et elle l'ignora complètement. Et elle ne mentionna pas la présence de Jack à Richard.

Ce dernier nota pourtant que sa jeune épouse, dont la roseur l'enchantait à peine quelques minutes plus tôt, avait subitement pâli. Délicat, il s'inquiéta, se penchant imperceptiblement vers Patricia sans pour autant cesser de distribuer à gauche et à droite des saluts et des sourires éclatants:

— Ca va, ma chérie?

— Oui, oui, dit-elle, c'est seulement l'émotion.

Mais c'était surtout la crainte de voir Jack faire un esclandre. Il l'avait tellement surprise — et déçue — le jour où il l'avait violentée que maintenant elle s'attendait au pire de sa part. Elle pria le ciel qu'il ne fît rien! Si elle avait pu avoir cette baguette magique dont disposaient les fées de son enfance, elle l'aurait certes agitée pour faire disparaître vivement cet invité importun!

Ils arrivèrent bientôt sur le perron de l'église. Il ne pleuvait pas — comme le temps sombre l'aurait laissé croire plus tôt — et on voyait, çà et là, de belles percées de soleil. Mais le temps ne s'était pas vraiment amélioré pour autant et de gros nuages noirs roulaient dans le ciel. Il y avait définitivement de l'orage dans l'air. Un vent très fort soufflait, si bien qu'en sortant de l'église, les femmes durent s'accrocher à leur chapeau, tenir le bas de leur robe, et se serrèrent la plupart contre leur mari.

Le photographe était déjà installé avec son trépied, qu'il surveillait constamment pour s'assurer qu'il ne ficherait pas le camp. Il plaça le plus rapidement possible les mariés et les invités de crainte que l'orage ne vînt les surprendre, et il entama sans tarder la séance de photos, qu'il mena assez rondement. Les invités achevaient de féliciter les nouveaux mariés et montaient dans leur voiture pour se rendre à la réception lorsque la longue limousine noire de William Blackwell, le patron de Richard, vint s'immobiliser juste derrière celle de Richard.

Le chauffeur s'empressa d'ouvrir la portière arrière et deux fines jambes apparurent, moulées dans du nylon noir: celles de Julie Landstrom qui précédait son célèbre amant. Homme très occupé — et parce que c'est le privilège et même la marque de commerce des hommes de pouvoir — Blackwell arrivait presque invariablement en retard, à «son» heure.

Beaucoup d'invités le reconnurent malgré ses verres fumés car il défrayait régulièrement les manchettes. Richard était ravi, il n'espérait plus le voir. Même s'il n'estimait pas faire partie des intimes de Blackwell, son absence l'avait étonné et attristé car il lui avait promis de venir. Blackwell aperçut Richard, qui s'était momentanément séparé de son épouse pour bavarder avec un ami d'enfance, et alla le trouver. De son côté, Julie se dirigea tout de suite vers Patricia. Elle l'embrassa et la félicita.

— Tu es vraiment belle, dit-elle. Félicitations!

Elle paraissait surprise de sa transformation car la dernière fois qu'elle l'avait vue, au bureau, avec ses lunettes, ses vêtements élimés et sa coiffure qui ne la mettait pas en valeur, Patricia n'était pas du tout la même femme. Comme elle était radieuse maintenant, avec ses cheveux retenus en un chignon couronné à l'arrière de deux fines tresses et de muguet. Et puis le fait de ne pas porter de lunettes l'avantageait énormément.

— Je te remercie, dit-elle. Je... Je suis un peu nerveuse. Tout s'est passé si vite... Et puis... j'ai cru un instant que Richard avait changé d'idée. Il est arrivé une heure en retard...

Elle riait maintenant et les larmes lui vinrent aux yeux.

— Tout est bien qui finit bien, dit Julie.

Elle tenait les mains de Patricia et la contemplait. Mais Patricia sentit alors que quelque chose ne tournait pas rond. D'ailleurs, elle en eut bientôt la confirmation lorsqu'un coup de vent plus fort que les autres décoiffa Julie. Cette dernière s'empressa de replacer ses cheveux mais, dans un geste un peu brusque, fit tomber ses lunettes fumées sur le parvis. Lorsqu'elle se releva, Patricia vit que ses yeux étaient rouges. Elle avait sans doute pleuré. Cela toucha Patricia. Elle n'avait jamais imaginé qu'une telle femme, cérébrale, très forte, en pleine possession de ses moyens — c'est du moins l'impression que leurs brèves rencontres au bureau lui avait laissée — pût être atteinte par les chagrins qui affligent le commun des mortels. Et puis elle avait apprécié au plus haut point la gentillesse qu'elle lui avait témoignée lors de sa première journée à la Blackwell Corporation et elle se sentait une dette à son endroit, sans parler du début d'amitié qu'elle devinait.

Sans trop comprendre pourquoi, elle se sentait maintenant plus intime avec elle — d'une certaine manière presque son égale puisqu'elle venait d'épouser le dauphin de Blackwell et pénétrait du même coup dans leur cercle — du moins assez pour oser lui demander:

— Il y a quelque chose qui ne va pas, Julie?

— Ce n'est rien, dit Julie, qui paraissait surprise par sa question.

Elle s'efforça de sourire et replaça nerveusement ses lunettes. Mais elle venait à peine de prononcer cette dénégation qu'elle éclata en larmes :

— Je viens d'avoir une grosse dispute avec William... avec Blackwell, se reprit-elle. J'ai fait l'erreur de lui dire que je vous enviais de vous marier, que c'était beau ce qui vous arrivait... Il m'a dit de ne pas rêver en couleurs, que jamais il ne divorcerait pour m'épouser...

— Oh! dit Patricia qui cherchait les mots pour consoler Julie et à la place, lui caressa tendrement la joue.

— Dans le fond, reprit Julie, je sais qu'il ne m'aime pas et que je devrais le quitter. Je sais qu'il y a d'autres femmes dans sa vie... Elles se jettent toutes à son cou parce qu'il est riche. Je n'avais qu'un joli cul comme il y en a des centaines à Hollywood... Mais j'ai beau tout faire, un cul de vingt ans sera toujours mieux qu'un cul de trente-cinq ans. C'est la loi de la jungle ici à Hollywood.

— Mais voyons, tu n'es pas vieille...

— Oui, à trente-cinq ans, on est vieille! Avec lui en tout cas. Qu'est-ce que tu veux, il n'a qu'à tendre la main... Il y a des dizaines de femmes qui attendent de prendre ma place et qui ne se gênent pas pour le lui faire savoir...

— Il doit t'aimer pour d'autres raisons, voyons... Je ne le connais pas mais il me semble qu'il doit rechercher autre chose chez une femme... Et puis s'il est encore avec toi, c'est sûrement parce qu'il t'aime. Je suis sûr que les choses vont se replacer.

— Il arrive, dit avec panique Julie, qui n'eut pas le temps de répondre.

Blackwell venait en effet rendre ses hommages à la jeune mariée qu'il s'empressa d'embrasser pour ensuite la complimenter de sa beauté extraordinaire. Il félicita Richard, qui s'était approché, lui assurant qu'il avait trouvé la perle rare. Il souhaita qu'elle ne tarde pas à lui donner de beaux enfants. Aussitôt après, il annonça qu'il devait partir.

— Déjà? Vous ne restez pas pour la réception? demanda Richard en se tournant successivement vers Blackwell et Julie qui avait l'air sincèrement désolée mais s'efforçait de sourire pour ne pas que Blackwell se rendît compte de son état.

— Nous partons pour New York dans une heure, dit Blackwell. *The show must go on.*

Et ils s'engouffrèrent dans leur limousine. Patricia et son mari ne tardèrent pas à quitter le parvis de l'église pour se rendre à la réception. Juste avant de monter dans la longue voiture blanche, Patricia aperçut Jack, qui à l'écart, l'épiait. Une vague crainte s'empara d'elle.

Pourquoi cette obstination? Mais elle chassa vite ces pensées de son esprit. C'était son mariage après tout, le plus beau jour de sa vie, et elle n'allait pas laisser de telles pensées l'assombrir. Et puis le principal était quand même qu'il n'avait rien tenté. Sans doute avait-il conservé quelque nostalgie ou avait-il voulu vérifier qu'elle ne bluffait pas, qu'elle se mariait vraiment.

8

Les premiers temps de son mariage furent pour Patricia une source constante de frustrations et de désillusions. Le voyage de noces qu'ils devaient faire à Venise fut annulé à la dernière minute — et reporté *sine die* — parce que Richard se trouva pris dans une affaire urgente qui ne lui permit pas de s'absenter de Los Angeles. Patricia se montra compréhensive.

Elle avait épousé un homme important — pas un boulanger ou un fonctionnaire — et il était normal qu'il eût des horaires bousculés, et des obligations écrasantes. Elle l'épaulerait, se tiendrait vaillamment à ses côtés. Ne s'était-elle pas marié pour le meilleur et pour le pire? Et le meilleur était tout de même enviable.

Elle avait abandonné son poste de secrétaire et pouvait maintenant s'adonner en toute liberté à sa carrière de romancière, une carrière qui du reste tardait à débloquer. Tel que promis, son mari lui avait fait rencontrer l'agent new-yorkais, qui avait accepté de la prendre en charge, ce qui était tout de même bon signe, mais au bout de trois mois, aucun éditeur n'avait manifesté d'intérêt ou en tout cas fait de proposition sérieuse. Mais ce n'était pas cela qui préoccupait le plus Patricia mais plutôt la très rapide et surprenante érosion de son mariage.

Non seulement son mari était-il presque toujours absent, pris dans des meetings interminables ou parti en voyage d'affaires, mais lorsqu'il passait une soirée à la maison, il se plongeait invariablement dans ses dossiers tout de suite après le dîner et ne montait se coucher que très tard, longtemps après Patricia.

Lorsqu'il la rejoignait dans la chambre à coucher, il s'enfonçait dans le sommeil dès que sa tête se posait sur l'oreiller. A la vérité, elle devait littéralement prendre rendez-vous avec lui pour être sûre de le voir comme si elle était un de ses clients ou de ses partenaires d'affaires.

D'ailleurs, les absences de son mari étaient si fréquentes que Patricia avait parfois carrément l'impression de vivre seule, ou d'avoir, comme dans le passé, une liaison avec un homme marié — mais avec une autre femme qu'elle! Curieuse ironie: la vie l'avait en quelque sorte remise dans la même situation amoureuse qu'avant. A quoi lui servait de vivre dans un palace si elle y était toujours seule?

Ce qui la décevait le plus, c'est qu'elle s'était mariée avec la certitude de trouver en son mari un compagnon de tous les jours, un partenaire, qui non seulement lui permettrait de rompre le cercle souvent pénible de sa solitude d'écrivain, mais qui la soutiendrait dans tout ce qu'elle entreprendrait. Bien sûr il l'avait aidée au début, l'encourageant à écrire, lui tenant fréquemment des discours optimistes quant à la publication éventuelle de son roman.

Mais il s'était vite désintéressé de la question, peut-être parce qu'il avait fini par soupçonner que sa nouvelle épouse était une *loser*, une perdante — une race que son habitude du succès ne lui permettait ni de souffrir ni de comprendre. Il se disait peut-être que, malgré un certain talent, elle ne réussirait sans doute jamais à être publiée.

Ce qui inquiétait le plus Patricia, l'affolait à vrai dire et l'attristait infiniment, c'est que son mari ne semblait avoir aucunement besoin d'elle. Etait-ce à cause de sa longue habitude du célibat?

Peut-être s'était-il tout simplement marié trop tard. Peut-être la solitude de ses années de célibataire avait-elle à jamais fermé ou pour mieux dire comblé cet espace en lui qui aurait pu accueillir l'autre, une femme, «sa» femme. Patricia se sentait presque toujours inutile à ses côtés — les rares fois où elle s'y trouvait.

Il ne la consultait pour rien, ne lui confiait ni ses rêves ni ses angoisses, et chose certaine ne semblait jamais souffrir de son absence. Elle avait fait un petit voyage seule avec Jessica, surtout pour inquiéter Richard, dans l'espoir de créer chez lui un besoin, un ennui, mais il avait accueilli son projet avec enthousiasme. Même, il l'encourageait régulièrement à répéter l'expérience, lui assurant qu'une romancière devait voyager, voir du pays, pour pouvoir écrire de meilleurs ouvrages!

Il vivait *à côté* d'elle et non pas *avec* elle, comme un véritable étranger, toujours aimable, ne lui faisant jamais aucun reproche, jamais aucune scène. Cette «politesse» avait fini par lui tomber sur les nerfs, par la rendre presque folle même.

Elle en venait à regretter la passion, la violence de son ancien amant, qui s'emportait pour un rien, qui avait souvent des excès, mais au moins qui réagissait, qui avait l'air de remarquer qu'elle existait.

Quant à la passion érotique qu'elle avait pu inspirer à son mari, ce n'avait été qu'un feu de paille. Dès le premier mois passé, leurs ébats avaient connu un ralentissement notoire. Et le rythme de leurs nuits d'amour était tombé à une fois par semaine. Puis au cours des deux mois suivants, ils n'avaient fait l'amour que cinq ou six fois. Triste comptabilité que Patricia n'avait pas tenue délibérément mais qui s'était imposée à elle par sa déplorable simplicité.

Mais ce qui peut-être était plus inquiétant encore pour elle, c'était le fait que leurs étreintes n'avaient plus rien de passionné ou de fantaisiste comme au commencement. On aurait dit que son mari s'acquittait simplement de son devoir conjugal, et que, ce qui était pire encore, il s'abandonnait à la volupté — le mot était fort et pour le moins ironique — par simple mesure hygiénique.

Patricia avait beau se raisonner et se dire que son mari était écrasé de responsabilités qui sapaient son ardeur amoureuse, elle ne pouvait s'empêcher de se demander, non sans une certaine anxiété, où ils en seraient après quelques années de mariage. En tout cas, leur lune de miel ne ressemblait pas du tout à ce qu'elle s'attendait en se mariant.

Au début, ce fut un choc pour Patricia. Comme elle n'avait jamais été mariée, elle pensa d'abord que la vie conjugale était ainsi, en tout cas avec un homme important d'Hollywood et qu'il ne fallait pas s'attendre à des feux d'artifice quotidiens entre les époux.

Elle se demanda aussi si son mari ne s'était pas rapidement lassé d'elle parce que, séducteur de nature, il avait l'habitude de passer rapidement d'une femme à une autre, et que maintenant qu'il l'avait conquise, elle l'ennuyait, comme un livre qu'on a déjà lu, et dont la relecture nous pèse. Elle pensa également que la froideur de son mari était peut-être attribuable à leur différence d'âge, qui était tout de même de dix ans. Au début, sans doute pour l'éblouir — et parce que la nouveauté est toujours excitante en soi — il avait fait un effort. Mais ensuite il avait repris le rythme normal d'un homme de quarante ans, écrasé par ses obligations professionnelles.

Mais après qu'ils eurent passé deux semaines d'affilée sans faire l'amour, Patricia commença à se dire qu'il y avait vraiment un problème. Après tout, même s'il était quadragénaire, son mari était en pleine forme. Sur une piste de danse, en tout cas, il était étourdissant et épuisait des partenaires qui avaient la moitié de son âge. Il était temps qu'elle eût une discussion avec lui.

C'était un jeudi soir du début d'octobre, il était huit heures et Patricia se préparait pour une importante soirée mondaine: le lancement de la campagne de financement d'une nouvelle aile de la clinique Williamson, une maison de santé haut de gamme, qui appartenait à la Blackwell Corporation.

Cette clinique avait été fondée cinq ans auparavant par William Blackwell qui y avait par la même occasion fait interner sa femme. Devant l'immense miroir de sa chambre, Patricia achevait de se préparer et s'examinait avec une certaine appréhension. Elle n'était pas certaine que sa robe de soirée noire, qu'elle avait achetée la semaine précédente, lui allait bien. Richard qui avait revêtu son smoking était absorbé dans une violente conversation téléphonique. Portatif en main, il arpentait la chambre en gesticulant, animé par cet instinct de tueur que Patricia n'avait pas tardé à lui découvrir lorsqu'il brassait des affaires importantes.

Après tout, il ne s'était pas rendu où il était en faisant l'ange et en se contentant de sourire. Forcément, il y avait souvent de sales besognes à faire, et Richard avait la réputation de toujours livrer la marchandise, ce qui lui avait rapidement valu l'estime de son patron et lui avait permis de gravir les échelons à une vitesse phénoménale.

— Vous n'avez aucune chance! Je vous dis que vous n'avez aucune chance! Ne me dites pas le contraire. Et surtout ne m'obligez pas à vous le prouver. Trente millions, c'est une offre plus que généreuse. Ca fait plus de douze dollars par action. Et elles sont cotées à dix!

Et après un silence:

— Elles sont à dix et demi depuis hier simplement parce que le marché sait que nous sommes intéressés. Si je me retire, votre action tombe à cinq dollars, et vous êtes mort! N'oubliez pas que vous perdez de l'argent depuis deux ans. Qui veut d'un canard boiteux?

Il s'interrompit un instant pour écouter l'objection de son interlocuteur, un propriétaire de compagnie en difficulté contre laquelle la Blackwell Corporation avait tenté une offre publique d'achat très hostile qui avait échoué au dernier moment, le titre ayant été suspendu pour quarante-huit heures.

— Ne me parlez pas de Simpson! C'est un trou-du-cul qui n'a pas

70

un sou. Il est endetté par-dessus la tête et il n'y a pas une banque qui va le soutenir. D'ailleurs, j'ai de très mauvaises nouvelles pour vous. Il était dans mon bureau cet après-midi. Il m'a supplié de le cautionner pour un emprunt. Il a besoin de dix millions la semaine prochaine s'il veut conserver son affaire. Est-ce que vous pensez encore qu'il va vous donner les trente millions que nous vous offrons? De toute manière, je vous donne jusqu'à demain six heures. Après cela, nous nous retirons. L'action va plonger. Et vous ne trouverez plus personne prêt à payer même dix millions pour votre boîte. Dix millions? Est-ce que ça vous dit quelque chose? Exactement ce que vous devez à la banque. *Think about it, bozo!* Demain, six heures. Pas six heures cinq. Six heures! Parce qu'à six heures cinq, vous êtes mort!

Il raccrocha et hocha la tête, laissant tomber à l'intention de sa femme:

— *How to lie your way to the top...* On va le saigner, le con. Maintenant, il a la trouille.

Il parut regretter légèrement ce qu'il venait dire, comme s'il révélait trop à sa jeune femme la rudesse, le côté impitoyable de son caractère.

— Enfin, c'est une manière de parler, ajouta-t-il. Les gens ne marchent qu'à la peur et à l'argent alors il faut bien jouer le jeu...

Patricia se contenta de sourire, absorbée qu'elle était à se demander comment au juste elle aborderait la question un peu délicate de la froideur de son mari. Elle prit son petit sac à main, se tourna vers Richard et demanda:

— Qu'est-ce que tu en penses?

Il la regarda à peine — et d'ailleurs la vit-il seulement? — et répliqua:

— C'est bien, c'est très bien...

Mais il avait répondu comme un père agacé à un enfant trop insistant. A la vérité, il cherchait à se rappeler quelque chose d'important qu'il devait faire, en rapport avec la transaction encourue. Comment avait-il pu oublier, lui dont la mémoire phénoménale lui permettait de posséder ses dossiers sur le bout de ses doigts, ce qui faisait l'admiration de ses pairs et déroutait souvent ses rivaux. Il paraissait agacé maintenant. Patricia eut une moue de déception.

— Tu es sûr? demanda-t-elle, en une nouvelle tentative.

— Oui, oui, tu es vraiment parfaite.

Elle avait l'impression que si elle lui avait demandé de quelle couleur était sa robe, elle l'aurait mis dans l'embarras, et qu'il aurait été capable de lui répondre qu'elle était rouge, ou verte, ou n'importe quelle couleur sauf la bonne, c'est-à-dire noire.

— Moi, je ne sais pas, dit-elle. C'est un peu sévère, tu ne crois pas?

Cette fois, il ne répondit pas. L'avait-il seulement entendue? Ou peut-être n'avait-il pas jugé bon de lui répondre, trouvant sa question triviale. Et puis de toute façon, qu'avait-elle à tant s'inquiéter? Elle était bien, non? Ce bal n'était pas la fin du monde!

Le visage de Richard s'illumina tout à coup. Il venait de se rappeler ce qu'il avait oublié, et qui était si important. Il s'empressa de composer un numéro de téléphone et se remit à arpenter la chambre, impatient.

Patricia le regarda à la dérobée. Comme il lui paraissait loin d'elle! Un véritable étranger. D'ailleurs que connaissait-elle de lui au fond? Rien. Presque rien. On aurait dit qu'aucune intimité n'était possible avec lui. Comme s'il n'avait pas de vie intérieure, ou en tout cas qu'il lui en interdisait systématiquement l'accès.

Elle qui s'était imaginé que chaque jour de son mariage lui permettrait de mieux connaître son mari, de se rapprocher de lui jusqu'à la fusion parfaite, d'en faire le confident de chaque chagrin, le complice de chaque projet, de chaque rêve.

Puisque son mari ne paraissait pas réagir de manière très favorable à sa robe — ni d'ailleurs au reste de sa toilette — et ne lui avait fait aucun compliment, Patricia décida de se changer. Sa robe ne tenait qu'à deux agrafes à chaque épaule. Elle les défit et la robe glissa par terre. Elle ne portait qu'un petit slip de satin noir.

— Je crois que je vais essayer autre chose.

— Bonne idée, se contenta de dire son mari.

Elle avait espéré que le spectacle de sa nudité l'exciterait, lui donnerait envie de laisser un instant son maudit téléphone et de lui faire l'amour de manière spontanée et passionnée, comme cela se faisait chez tous les couples du monde.

Mais à la place, il piaffait d'impatience, parce qu'il ne réussissait pas à obtenir la communication. Il raccrocha et composa à nouveau. Peut-être s'était-il tout simplement trompé de numéro.

Patricia disparut un instant dans son immense *walk-in*, et en ressortit avec une autre robe de soirée, celle-là rouge, qu'elle n'enfila pas tout de suite. Elle voulait d'abord la montrer à son mari, pour lui demander s'il approuvait son choix:

— Qu'est-ce que tu en penses? demanda-t-elle.

Elle avait pressé la robe sur elle, mais on voyait encore la naissance de ses seins. Elle fit un tour complet sur elle-même. Son dos était magnifique.

— Super! Vraiment super! dit-il distraitement.

— Est-ce que tu préfères la noire ou la rouge?

— Les deux sont super, dit-il.

Et il s'excita tout à coup. Il venait d'obtenir la communication.

— Ah! John, enfin! Pourquoi as-tu mis tellement de temps à répondre. Encore en train de baiser une pute! Ecoute, il faut que tu me rendes un petit service tout de suite. Tu sais, ce con de Greenberg, eh bien! il fait des complications, il veut faire monter les enchères. Tu vas appeler Simpson et tu vas lui dire subtilement, en ayant l'air d'avoir une information d'initié, que s'il ne se retire pas immédiatement, Bloomberg vend tout son paquet d'actions dans sa compagnie. Son titre va plonger et tous les petits actionnaires vont paniquer et vendre. Laisse-lui aussi entendre que tu as eu un tuyau confidentiel et que la First National est avec nous et qu'elle refusera le financement parce qu'on a menacé de leur retirer le compte de la Blackwell. Commence par appeler Blake à la banque. Il est toujours sensible aux arguments «raisonnables». Et il est *cheap*. Cordonnier toujours mal chaussé. Il est endetté par-dessus la tête. Les putes lui aussi, comme toi. Et il paraît que ça lui coûte encore plus cher que toi parce qu'il y en a dans le lot qui s'appellent John, George... Il éclata de rire puis enchaîna aussitôt:

— Occupe-toi aussi des autres banques qui sont sur le coup. Pigé? Retourne à ta pute maintenant, mais fais ça vite parce que tu as jusqu'à demain six heures pour tout régler... Ah oui, j'oubliais. Tu as un budget de cent mille, en *cash*. Pas besoin de tout dépenser évidemment. Et tu gardes le reste, comme d'habitude. Radin comme tu es, il va t'en rester des masses. De quoi te payer des putes pour les dix prochaines années. (...) les dix prochains mois je m'excuse, tu ne baises que des vraies dames... Et soit dit en passant, fais en sorte de ne pas manquer ton coup, sinon tu pourrais être obligé de te chercher un nouvel emploi à partir de la semaine prochaine... *Just kidding, of course*. Allez, fais le petit travail puis laisse la salope te pomper.

Il raccrocha et se tourna vers sa femme, d'abord content de sa performance téléphonique puis se rendant compte qu'il avait tenu devant elle un langage à tout le moins cavalier qu'il ne se permettait en général qu'en présence d'autres hommes. Il s'en excusa:

— John est un drôle de type. Il a été élevé dans la rue. Il faut toujours lui parler de putains et d'argent, sinon il ne comprend rien. Je...

Patricia se contenta de dodeliner la tête en signe de compréhension. Elle trouvait son mari plutôt dur, et un peu vulgaire, mais ce n'était pas la première fois qu'elle l'entendait utiliser le «langage des affaires», et elle ne s'en formalisait plus. Après tout, comme il le lui avait à quelques reprises expliqué, il fallait utiliser les règles du jeu, et ce n'était pas un jeu pour enfants d'école.

Patricia eut une moue de frustration. Pourquoi ne la regardait-il pas? Elle saurait au moins s'il la désirait encore... Elle avait follement envie de faire l'amour avec lui... Richard regarda sa montre, montra un léger signe d'agitation et ajouta:

— En tout cas, il faudrait que tu te dépêches... Nous sommes déjà en retard.

— M'aiderais-tu à attacher ma robe? demanda Patricia avec un regard séducteur que son mari ne vit pas ou en tout cas n'interpréta pas comme elle l'aurait souhaité.

— Bien sûr, dit-il.

Elle passa la robe et lui tourna le dos. Il s'approcha d'elle et remonta la fermeture éclair. Elle avait remonté ses cheveux qu'elle avait attachés en chignon, un chignon que décorait une boucle dorée, et sa nuque, très fine, très classique, était nue.

Elle attendit quelques instants avant de se tourner. Elle espérait que le fin parfum dont elle s'était vaporisé le troublerait, et qu'il la prendrait, qu'il lui ferait l'amour passionnément, la renversant sur le lit ou sur le tapis, malgré leur retard... Qu'est-ce qu'elle s'en foutait, de toute manière d'arriver en retard à cette réception!

Mais au lieu de lui faire l'amour, une fois qu'il eut remonté la fermeture-éclair de sa robe, Richard lui donna une petite tape fraternelle sur les deux épaules et dit:

— Voilà, nous sommes prêts maintenant.

Elle eut follement envie de lui faire une scène, de le confronter, de lui demander pourquoi diable il ne lui avait pas fait l'amour depuis deux semaines. Mais elle se ravisa. Elle voulait que cela vînt de lui. Et surtout elle voulait le découvrir par elle-même.

9

La réception se donnait dans le vaste hall de la Blackwell Corporation, et lorsque Patricia et son mari y arrivèrent, un peu passé huit heures trente, il y avait déjà au moins deux cents invités, qui avaient d'ailleurs payé mille dollars le couvert.

On y retrouvait le Tout-Hollywood, des hommes d'affaires influents, des célébrités, des actrices, quelques sénateurs. A peu près tout le monde avait accepté l'invitation de Blackwell. Il faut dire que rares étaient ceux qui osaient en décliner une. En effet on racontait que Blackwell pardonnait difficilement une absence. On parlait même, sans qu'on en eût jamais prouvé l'existence, d'une liste noire, une *blacklist* qu'on n'avait pas tardé à baptiser la «blackwellist».

A l'arrivée du couple Stone, la soirée était déjà animée. Le champagne coulait à flots, servi par un personnel très stylé. Une immense table avait été dressée, sur laquelle un buffet froid était servi. Mais les invités le boudaient pour le moment, plus occupés à boire, à faire des contacts ou à renouer connaissance avec des relations perdues de vue depuis longtemps. Et puis l'immense piste de danse était très populaire déjà. Un imposant orchestre d'une douzaine de musiciens jouait des airs des années soixante.

Au début, à cause de leur nouveauté, ces soirées n'avaient pas déplu à Patricia mais elle s'en était rapidement lassée. C'était devenu une corvée pour elle, dont elle se serait volontiers passée si elle n'avait craint de décevoir son mari. Et comme elle avait si peu d'occasions d'être avec lui, s'il fallait qu'en plus elle refuse de l'accompagner dans ces soirées mondaines...

Elle ne se sentait pas à l'aise dans ce monde, un monde constitué presque exclusivement de gens riches et célèbres. Un monde qui lui était rapidement apparu artificiel. Celui qui n'y avait pas de nom, pas de pouvoir, n'était rien. Et elle se sentait ainsi, car le seul pouvoir qu'elle avait, elle le tenait de son mari.

Bien sûr, tout le monde était aimable avec elle. On la trouvait «ravissante». Mais elle sentait bien que personne ne s'intéressait vraiment à elle. Quoi qu'il en soit, elle ne pouvait pas se dérober à cette obligation. Après tout, elle était la femme de Richard Stone. Et c'était son milieu, son univers. Avec le temps, elle s'y ferait peut-être. Elle avait au moins la consolation de pouvoir être avec son mari au cours de ces événements. C'était quand même mieux que de passer la soirée seule.

En entrant, Patricia et Richard tombèrent sur les Darpel, un couple que Patricia n'avait jamais eu la chance de rencontrer. Henry Darpel, un des bijoutiers les plus riches des Etats-Unis était un septuagénaire avancé, de très petite taille, qui, terrassé quelques années auparavant par un infarctus qui avait laissé des séquelles, devait se supporter avec une canne pour marcher.

Il était en outre à demi sourd, ce qui rendait la conversation avec lui assez pénible. Il formait avec sa femme un de ces couples si répandus à Hollywood: elle avait vingt-cinq ans de moins que lui, et l'avait épousé vingt ans auparavant, alors qu'il était encore relativement bien conservé.

A cinquante ans, sa femme, Gloria, une ancienne cover-girl s'accrochait à sa beauté avec un désespoir pathétique. Elle s'était fait remonter une bonne dizaine de fois le visage et les seins — qu'elle avait du reste encore très beaux et très droits. Elle poussait la coquetterie jusqu'à se teindre les poils du pubis pour que ses amants ne se rendent pas compte de son véritable âge car elle n'avouait que quarante-deux ans.

Même si son mari était impotent depuis son accident cardiaque — c'était d'ailleurs une aubaine car il la dégoûtait depuis longtemps avec l'haleine fétide que ses ennuis digestifs et intestinaux lui donnaient — elle ne voulait pas divorcer et, passant le temps avec ses amants, elle attendait patiemment que le ciel la délivre et lui accorde la récompense de vingt années de mariage: un héritage qui la laisserait immensément riche puisque la fortune de son mari était évaluée à plus de huit cents millions de dollars.

Lorsque madame Darpel posa sur le mari de Patricia ses grands yeux bleus, fort tristes — ils avaient été très beaux lorsqu'elle était plus jeune, brillant d'un éclat, et d'une gaieté que quelques années de

mariage, trois dépressions nerveuses et l'alcool avaient éteints complètement — elle parut entrer dans cette sorte de transe que la vue d'un
bel homme lui procurait presque invariablement. Richard souriait, apparemment heureux de retrouver les Darpel.

— Patricia, je veux te présenter Henry Darpel, le plus grand bijoutier du monde.

— Il y a beaucoup de monde? demanda Darpel en se penchant
vers Richard qui avait oublié la surdité du célèbre bijoutier et n'avait
fait aucun effort particulier pour parler plus fort.

Il ne voulut pas le désobliger et dit:

— Oui, en effet. Sa charmante épouse Gloria, enchaîna Richard en
souriant de manière entendue à Patricia et en effleurant subrepticement
le lobe de son oreille pour l'informer de la demi-surdité de ce prestigieux invité.

Madame Darpel examinait Patricia comme une femelle en jauge
une autre, avec l'attention presque maniaque d'une rivale infiniment
jalouse. Elle avait évidemment entendu parler du mariage de Richard
Stone et était curieuse de voir enfin cette femme qui avait su mettre la
main sur un des célibataires les plus recherchés d'Hollywood.

Certes elle avait une certaine fraîcheur, une sorte de candeur qui
pouvait plaire aux hommes, mais elle n'avait pour ainsi dire pas de
seins, pas de fesses: sûrement une belle gourde au lit! Richard Stone,
ce coureur invétéré, devait déjà s'ennuyer mortellement avec cette
petite dinde qui ne connaissait rien du monde et de la vie.

Madame Darpel ressentit cette envie irrésistible, qui s'emparait
d'elle devant de jeunes beautés, de commettre un de ces petits meurtres moraux qui dissipaient un instant la mélancolie de sa jeunesse
perdue. Elle sourit à Patricia de sa bouche démesurément grande qui
découvrait deux rangées de fausses dents — qui lui avaient coûté plus
de dix mille dollars.

— Absolument ravie de faire votre connaissance, dit-elle à Patricia. C'est vous la fameuse jeune secrétaire, n'est-ce pas? Enfin jeune...
A vrai dire, je vous imaginais beaucoup plus jeune...Vingt-huit ou
trente ans quoi...

— C'est vrai qu'en vieillissant, on a de plus en plus de difficulté à
évaluer l'âge véritable des gens, répliqua Patricia. Un de mes voisins
qui a à peu près votre âge, soixante ans, croit que j'ai seulement dix-
huit ans...

Le mari de Patricia lui donna un coup de coude subtil, autant pour
prévenir un esclandre que pour la ramener à l'ordre et s'empressa de
dire:

— Monsieur Darpel est un de nos plus gros actionnaires. Il siège
d'ailleurs au conseil d'administration...

Darpel entendit seulement son nom, et sourit, persuadé qu'on
n'avait dit que du bien de lui. D'ailleurs qui pouvait, du moins en sa

présence, dire du mal de quelqu'un qui valait huit cents millions de dollars? Patricia comprit qu'elle devait se montrer prudente et s'efforça de contenir son irritation même si cette femme était vraiment insultante et antipathique.

D'ailleurs elle avait tout de suite remarqué la manière dont elle avait regardé Richard et cela ne lui avait pas plu du tout. Elle avait même curieusement éprouvé un élan de jalousie. Pourtant cette femme accusait au moins vingt ans de plus qu'elle et elle n'avait aucune raison de s'en méfier. Madame Darpel s'était rembrunie. Cette petite sotte voulait-elle faire de l'esprit? Elle venait de la piquer sur son talon d'Achille. Pour qui se prenait-elle pour l'insulter en laissant entendre qu'elle avait l'air de soixante ans, alors qu'elle en paraissait à peine quarante!

— Vous êtes à Hollywood depuis longtemps?

— J'y suis née.

— On ne dirait pas... Et je m'empresse d'ajouter que c'est un compliment.

Patricia ravala sa salive, irritée de ne pouvoir clouer le bec à cette chipie. D'ailleurs elle n'en eut pas vraiment l'occasion car à l'instant même où l'orchestre se mit à jouer un classique, *Strangers in the Night*, Gloria Darpel poussa une exclamation de joie et se tourna vers son mari:

— Chéri, *Strangers in the Night*, notre morceau!

Il ne réagit pas. Il n'avait rien entendu. Elle se pencha vers lui et lui cria littéralement dans l'oreille:

— C'est notre morceau, chéri!

Son mari hocha la tête et se contenta de sourire largement en agitant sa canne comme pour dire qu'il ne pouvait plus danser depuis longtemps.

— J'ai envie de demander à Richard de danser avec moi, en souvenir du passé, lui dit-elle vivement en se penchant à nouveau vers son époux.

— Mais c'est une excellente idée, ma chérie, dit le vieux bijoutier d'une voix trop forte, comme s'il s'adressait lui aussi à des durs d'oreille.

Il se tourna vers Richard et ajouta:

— Evidemment, je ne sais pas si...

— Mais avec plaisir, s'empressa de dire Richard, qui cherchait à maintenir de bonnes relations avec cet important actionnaire, surtout depuis que des rumeurs avaient commencé à circuler concernant son intention de se défaire de ses intérêts dans la compagnie, à cause de la menace de scandale de l'affaire Turner. Son retrait entraînerait vraisemblablement un mouvement de panique chez d'autres investisseurs. La compagnie, malgré sa grande prospérité, avait énormément besoin de liquidités pour financer de nouveaux projets, et la confiance des actionnaires ne devait être ébranlée d'aucune manière.

Richard fit une oeillade à sa femme, l'air de dire que danser avec la femme de Henry Darpel était une corvée désagréable mais qu'il s'y pliait parce qu'il n'avait pas le choix. Patricia ne protesta pas. La vipère, c'était madame Darpel, qui avait tout de suite sauté sur son mari, comme pour l'humilier, comme pour lui faire sentir qu'elle se foutait qu'elle soit nouvellement mariée, et qu'elle pouvait tout froisser, tout détruire, simplement parce qu'elle le voulait bien.

Madame Darpel paraissait ravie. Elle avait des ailes. Ou plutôt des tentacules. Elle prit Richard par le bras avec une familiarité qui donna des palpitations à Patricia. Comment pouvait-elle paraître si à l'aise avec son mari? Le connaissait-elle depuis longtemps? Avait-elle déjà couché avec lui?

Patricia était d'autant plus troublée qu'elle venait subitement de se rappeler que *Strangers in the Night* était précisément le premier air que son mari avait fait jouer lors d'un voyage en avion à Palm Springs! Etait-ce une simple coïncidence? Ou ce morceau était-il en fait le morceau de Richard et de Gloria Darpel plutôt que celui du couple Darpel? Bien sûr, Gloria Darpel était d'âge mûr, mais comment savoir, avec les hommes? Richard trouvait peut-être en elle des plaisirs qu'elle-même, son épouse, ne pouvait lui procurer.

Gloria Darpel avait peut-être été sa maîtresse avant son mariage, et déjà lassé par la monotonie du mariage, Richard avait peut-être recommencé secrètement à la revoir, d'où son refroidissement conjugal. Savait-elle ce qu'il faisait vraiment lorsqu'il était en voyage ou lorsqu'il prétendait être en réunion?

Patricia suivit des yeux madame Darpel et Richard qui se rendirent jusqu'au milieu de la piste, où de nombreux couples dansaient, emportés par la nostalgie de cette musique des années soixante. Etait-ce pour se soutenir, parce qu'elle avait bu, ou pour piquer Patricia, toujours est-il que dès les premières mesures Gloria Darpel s'accrocha littéralement au cou de Richard.

Patricia, impuissante, rageait intérieurement. Mais que pouvait-elle faire? Elle n'allait tout de même pas arracher cette femme des bras de son mari! Ou la gifler devant tout le monde, comme elle en brûlait d'envie?

Gloria Darpel poussait l'audace — ou la provocation — encore plus loin. Lorsqu'elle ne restait pas suspendue au cou de Richard, elle paraissait lui murmurer des choses à l'oreille. Que pouvait-elle lui raconter? Ne dépassait-elle pas carrément les limites de la décence en pressant contre lui sa poitrine dont elle était si fière? Et pourquoi riait-elle continuellement aux éclats à chaque parole que prononçait Richard, comme s'il était le plus grand comique de l'histoire?

Et lui, pourquoi l'écoutait-il? Pourquoi ne lui imposait-il pas une distance raisonnable, décente? Patricia se faisait-elle des idées? Etait-elle piquée d'une jalousie injustifiée?

Elle ne tarda pas à se convaincre du contraire lorsqu'elle se rendit compte qu'elle n'était pas seule à observer le couple que formaient Gloria Darpel et son mari. Beaucoup d'invités en effet s'amusait de ce manège. Des femmes avaient commencé à regarder Patricia comme pour la prévenir du danger. D'autres semblaient se moquer de ses déboires, avec l'air de se dire que son mari la trompait comme tous les maris du monde et que ni sa beauté ni sa jeunesse n'y pouvaient rien.

Au demeurant, la chose n'avait rien d'étonnant pour tous ceux qui connaissaient le passé tumultueux de Richard et les infidélités notoires de madame Darpel, coincée depuis des années avec un mari impuissant. Mais Patricia fut bientôt arrachée à son observation presque maniaque par Henry Darpel qui s'approcha d'elle et dont l'haleine putride lui confirma ce qu'elle avait déjà soupçonné, c'est-à-dire que sa femme le refusait sûrement depuis des années.

— Vous me rappelez ma chère fille, dit le bijoutier en se penchant vers Patricia, parlant d'un des deux enfants qu'il avait eus d'un premier mariage: il était marié en secondes noces avec Gloria.

— Ah, dit Patricia, qui ne savait pas quoi lui dire et s'intéressait uniquement à ce qui se passait sur la piste de danse.

— Il y a trente ans qu'elle est morte...

— C'est bien, répondit-elle sans faire attention.

— Qu'est-ce que vous dites? demanda-t-il en se penchant davantage vers elle et en lui infligeant à nouveau son haleine.

— Que c'est très bien, dit Patricia en haussant la voix avec un sourire indulgent, sans se rendre compte de la gaffe qu'elle commettait.

Il recula d'un pas, l'air perplexe, comme si cette jeune femme venait de lui révéler le sens profond de la mort, auquel il n'avait jamais pensé et qui n'était peut-être pas l'événement malheureux qu'il croyait. Il finit par sourire. Cette jeune femme aux idées sans doute modernes avait probablement raison. A la limite de l'impolitesse, Patricia, complètement absorbée par ce qui se passait sur la piste de danse, ne s'occupait guère du vieux Darpel. Des couples lui cachaient occasionnellement la vue de son mari, et chaque fois qu'il disparaissait, son coeur faisait un bond. N'en profiterait-il pas pour embrasser cette femme, ou pour lui donner rendez-vous?

— Qu'est-ce que vous faites dans la vie? demanda Darpel.

Chaque fois qu'on lui posait cette question Patricia se sentait mal à l'aise, et elle éprouvait même une sorte de honte indéfinissable. Elle savait très bien que, dans ce monde où ne comptaient que les fortunes et les succès spectaculaires, elle ne pesait pas très lourd.

Il lui aurait fallu un nom comme Agatha Christie, Stephen King, Harold Robbins ou Jackie Collins. Elle répliqua, avouant son métier presque comme un crime:

— Je suis romancière.

Le visage de Darpel prit une expression curieuse, comme si ce que venait de dire Patricia lui rappelait des souvenirs douloureux.

— Mon fils aussi est romancier.

Patricia hocha la tête avec un mélange de surprise et de contentement. Elle se sentait moins isolée, moins complexée.

— Est-ce qu'il a publié? demanda-t-elle.

— Non, il a été interné.

— Ah, je suis désolée, dit Patricia qui s'était remise à regarder vers la piste de danse mais n'y voyait pas son mari.

C'est alors qu'elle aperçut Julie Landstrom qu'elle n'avait pas eu la chance de revoir depuis son mariage. Elle lui fit le plus discrètement possible des airs pour lui signifier que ce qu'elle souhaitait le plus au monde, c'était qu'elle vienne la délivrer de ce raseur.

Julie s'excusa auprès de Blackwell et vint tout de suite retrouver Patricia. Les deux femmes s'embrassèrent.

— Je suis contente que tu sois là, dit Patricia.

— Moi aussi, dit Julie.

Le vieux bijoutier s'était détourné juste avant l'arrivée de Julie et saluait à distance une de ses vieilles connaissances. Julie connaissait Darpel, et n'ignorait pas sa surdité, si bien qu'elle n'hésita pas à poursuivre en baissant à peine le ton:

— C'est vraiment lugubre ce soir. On dirait une réunion de l'âge d'or. *A bunch of old farts!*

C'est ce moment que choisit le bijoutier pour se tourner vers elle et la saluer d'un large sourire car il l'avait toujours trouvée extrêmement séduisante.

— N'est-ce pas, monsieur Darpel? ajouta Julie en haussant la voix

Il hocha de la tête et dit:

— Oui, tout à fait...

Julie le regarda en souriant et dit à Patricia, entre ses dents:

— Maintenant il va me demander comment je fais pour avoir l'air toujours aussi jeune.

Avec la précision d'une horloge suisse, sans se rendre compte qu'il se ridiculisait, le pauvre Henry Darpel demanda:

— Comment faites-vous pour avoir l'air toujours aussi jeune?

— Le jus de carotte.

Henry Darpel s'étouffa de rire. Pourtant, chaque fois elle lui répondait la même chose.

— Il va me parler de ses intestins maintenant, confia Julie à Patricia, toujours entre les dents.

— Je devrais en boire moi aussi, pour mes pauvres intestins. Mon médecin parle de m'en enlever encore deux pieds.

— Avec votre canne, vous n'avez pas besoin de ces deux pieds de toute manière, cria presque Julie.

Darpel éclata à nouveau de rire, amusé par ce mot d'esprit inattendu. Il rit d'ailleurs tant qu'il faillit en perdre l'équilibre.

— Vous avez l'air un peu fatigué, lui dit Julie lorsque son rire se fut apaisé. Un petit café avant de partir?

— Quelle heure est-il? demanda le vieux Darpel avec un certain affolement.

— Au moins minuit, dit Julie qui depuis le début parlait à voix très haute.

— Minuit! dit-il. J'ai complètement oublié de prendre mes cachets pour mes intestins. Où puis-je trouver de l'eau?

— Là bas, au bout de la salle, dit Julie en pointant au loin.

— Merci, dit-il.

Et il s'éloigna. Patricia murmura à l'oreille de Julie, en s'efforçant de contenir son rire:

— Tu es un monstre.

Julie lui sourit.

— Il faut bien rigoler un peu avec tous ces fossiles.

Il est vrai qu'il n'y avait guère de jeunes gens à la réception. Certes beaucoup d'hommes présents au bal entretenaient des maîtresses fort jeunes, mais pour les événements officiels, c'était en général leurs compagnes légitimes qui les accompagnaient.

— D'ailleurs, tu es mieux de te méfier des autres femmes. Elles ne te pardonneront pas d'être jeune. Elles feront tout pour te faire trébucher.

— Merci du conseil, dit Patricia.

Et elle regarda aussitôt vers la piste de danse, qu'elle avait un instant oubliée, divertie par l'humour de Julie. Elle eut beau chercher des yeux, elle n'aperçut ni son mari ni madame Darpel. Où pouvaient-ils bien être ces deux-là?

Elle tenta de se ressaisir. N'était-elle pas en train de réagir trop violemment à un incident au fond banal? Ne devait-elle pas cesser d'en faire un drame? Elle se souvint que Julie n'était pas du tout dans son assiette le jour de la cérémonie de son mariage et que ses confidences l'avaient beaucoup troublée. Elle n'avait jamais eu la chance de lui demander ce qui s'était passé depuis.

— Est-ce que les choses se sont tassées, avec Blackwell?

Elle ne savait plus si elle devait l'appeler Blackwell ou William, ou ton amoureux, ce dernier vocable lui paraissant un peu inconvenant vu qu'il était tout de même le patron de son mari et qu'il était sexagénaire.

Le visage de Julie s'assombrit. Elle se tourna en direction de Blackwell, qui en ce moment s'entretenait avec la femme d'un diplomate new-yorkais, une blonde entre deux âges, très bon genre.

— Je sens que je le perds ... Je ne sais pas, c'est une impression... Je trouve qu'il voit très souvent cette femme là-bas, par «hasard».

Elle avait dit ce mot avec une insistance particulière pour montrer qu'elle voulait dire précisément le contraire.

— Elle est presque partout où nous allons. Je pense qu'il couche avec. En tout cas elle, je crois qu'elle ne dirait pas non. C'est la femme d'un diplomate. Elle a étudié à Harvard. L'aristocratie, quoi! Moi j'ai étudié les zizis et les trous de cul des hommes. Pourtant je suis sûr qu'elle suce son mari comme tout le monde.

Patricia regarda en direction de la femme du diplomate, et lui trouva en effet très bon genre, mais ne voulut pas inquiéter outre mesure Julie en lui faisant part de ses impressions. Elle dit plutôt:

— Elle est très quelconque...

— Tu trouves? dit Julie, heureuse de ce commentaire rassurant.

Mais elle perdit vite sa bonne humeur:

— De toute manière, dit-elle, s'il n'y avait que cela. J'ai toujours eu des rivales, mais maintenant je les sens qui se rapprochent, comme des vautours. On dirait qu'elles sentent que mon règne s'achève. Et Bill a changé. Il est de plus en plus méprisant. Il m'a fait faire des choses que je n'aurais jamais dû accepter de faire... Maintenant, je sais que je le dégoûte...

Elle se tut un instant. Elle avait l'air vraiment triste, écoeurée.

— De toute manière, on ne gagne jamais avec les hommes. Quand on dit non aux saloperies qu'ils nous demandent, ils vont se les faire faire ailleurs. Et quand on dit oui, ils nous traitent de putains.

Elle se tut à nouveau. Elle avait l'air vraiment abattue, désespérée. Patricia aurait aimé trouver les mots pour la consoler, mais elle ne se sentait pas encore tout à fait à l'aise avec elle. Julie laissa alors tomber:

— De toute manière, je n'ai pas le choix. En tout cas pas pour le moment...

Elle avait prononcé ces mots d'une manière curieuse, comme rêveuse. On aurait dit qu'elle évoquait quelque chose de très précis, un projet de vengeance, une fugue, une séparation, peut-être un autre amant qui était dans le décor mais avec qui les choses n'étaient pas encore assez précises, assez avancées pour qu'elle plaque Blackwell.

— Il faut que je m'accroche. S'il me laisse, je me retrouve sur la paille. Nous ne sommes pas mariés, je n'ai aucune protection, aucune pension. Je n'ai pas envie de me retrouver comme avant, vendeuse ou secrétaire. Et maintenant je suis trop vieille pour redevenir cover-girl. Aujourd'hui, c'est ridicule, les filles commencent à quatorze ans, sont *hot* à dix-huit, et *has been* à vingt! Non, j'ai trop connu ce que c'est que d'être pauvre — et ce que c'est que d'être riche — pour vouloir retourner en arrière.

Les deux femmes se turent.

— Et toi, ton mari? Ca va? demanda Julie.

— Oui, dit sans grande conviction Patricia. En fait oui et non. Depuis quelque temps, je ne sais pas, je le trouve distant. Et là, ce soir...

Elle tourna la tête en direction de la piste de danse, l'air dégoûté. Julie se tourna elle aussi et aperçut Richard qui dansait toujours avec madame Darpel. Son visage se décomposa, comme si elle compatissait avec Patricia et réprouvait la conduite de Richard.

— Tu la connais? demanda Patricia.

— La folle à Darpel? Son mari est le plus célèbre cocu de toute la Californie. Remarque, je la comprends. Ce n'est pas évident de se le taper, même avec ses millions. Bill au moins a quelque chose, et il n'est pas aussi dégoûtant. Enfin, c'est une question de goût, tu vas me dire...

Patricia ne sut si elle devait rire, et préféra s'en abstenir. Elle regarda à nouveau vers son mari:

— Je ne comprends pas. Je ne comprends tout simplement pas. Elle a au moins cinquante ans.

— Cent cinquante ans, corrigea Julie.

— Et puis il y a à peine trois mois que nous sommes mariés. Je ne comprends pas l'idée. Pourquoi m'avoir épousée si c'est pour me tromper dès que j'ai le dos tourné?

— Les hommes... J'ai renoncé depuis longtemps à essayer de les comprendre. Peut-être qu'il aurait fallu que j'aille à Harvard comme cette suceuse, là-bas...

En disant cela, Julie regarda en direction de Blackwell et s'inquiéta de voir qu'il paraissait de plus en plus familier avec la femme du diplomate new-yorkais.

— Je pense que je vais devoir te laisser. Il y en a une qui commence à me taper sérieusement sur les nerfs. Je vais lui donner une méchante leçon à cette *bitch*!

Et elle alla retrouver Blackwell. Patricia la suivit du regard et ne put s'empêcher de rire en voyant sa copine trébucher — volontairement — en arrivant près de la femme du diplomate et renverser son verre sur elle.

Peut-être devait-elle faire la même chose pour protéger son mari contre les influences néfastes de cette chipie de madame Darpel...

Mais la musique avait cessé. Elle n'avait plus à s'inquiéter. Après trois ou quatre danses, son mari en avait sûrement assez de cette quinquagénaire qui s'accrochait à sa jeunesse et à son cou, et il viendrait la retrouver bien sagement. Elle le vit d'ailleurs qui marchait en sa direction.

Mais un invité avait demandé de rejouer *Strangers in the Night*, et madame Darpel prit Richard par le bras et le força pour ainsi dire à danser à nouveau. Patricia fulminait. Franchement, cette femme était encore plus culottée qu'elle ne croyait! Allait-elle donc accaparer son mari toute la soirée?

Un autre invité s'approcha alors de Patricia. Il s'agissait du docteur Waterman, le directeur de la clinique Williamson. La jeune cinquantaine, grand, mince, presque maigre, plein de tics, il possédait une grande énergie qui lui donnait un certain air de jeunesse qu'il ne manquait d'ailleurs pas d'entretenir en se teignant les cheveux. Il s'était aussi fait remonter le visage à deux reprises. Son cou, plutôt ridé et plissé, le trahissait néanmoins. Et son chirurgien avait un peu poussé la note — à sa demande d'ailleurs — et lui avait étiré la peau du visage au maximum si bien qu'il avait presque les yeux bridés. Lorsqu'on le voyait pour la première fois, l'effet était un peu déconcertant.

Play-boy notoire, il ne s'était jamais marié, et avait la réputation de traiter les femmes comme de vraies chiennes, ce qui ne l'empêchait cependant pas de continuer à faire d'innombrables conquêtes, comme si les femmes voulaient se brûler les ailes au feu de sa vulgarité et de son cynisme. Il faut dire qu'il était riche, que sa réputation de psychiatre s'étendait à travers tous les Etats-Unis, et qu'outre ses fonctions prestigieuses à la clinique Williamson, il comptait parmi sa clientèle privée de nombreuses célébrités et une multitude de femmes extrêmement fortunées. Il fallait d'ailleurs parfois attendre très longtemps pour pouvoir devenir une de ses clientes.

Un serveur passa près de Patricia avec un plateau de coupes de champagne.

— Madame? dit-il.

Elle ne répondit rien, absorbée par ce qui se passait sur la piste de danse.

— Du champagne, madame?

Elle prit une coupe distraitement, sans détourner les yeux de la piste de danse, et heurta par mégarde deux autres coupes, qui se renversèrent sur le plateau. Le serveur voulut les rétablir, mais eut un geste maladroit et renversa tout son plateau. Patricia ne s'en rendit même pas compte et le serveur n'osa évidemment pas le lui reprocher.

Deux de ses collègues s'empressèrent de venir réparer les dégâts. Patricia avait bu sa coupe d'un seul trait en continuant de regarder vers la piste, puis la tendit en direction du plateau qu'elle croyait être toujours là. Un des serveurs qui était venu en aide à son infortuné confrère s'empressa de tendre son plateau. Patricia y posa son verre et en prit un autre, cette fois-ci sans faire de dégât.

Le docteur Waterman, témoin de toute la scène, souriait. Non seulement la jeune épouse de Richard Stone était-elle charmante, mais elle était d'une drôlerie incroyable. Elle était si différente des femmes qu'il fréquentait généralement. Elle avait l'air si romantique, si naïve. Il se fit la promesse mentale qu'il la froisserait, la briserait. Dans quelques mois, elle serait pareille à toutes les autres femmes d'Hollywood. Désabusée. Dépressive. Névrosée. Comme toutes ses clientes — il était payé pour le savoir!

Il s'était vite rendu compte de ce qui se passait sur la piste de danse — pas besoin d'être un psychiatre de renom pour voir ce que tout le monde voyait — et de l'angoisse horrible de la jeune mariée.

C'était une situation idéale. Dans sa perversité naturelle, il avait toujours adoré les défis, et séduire une jeune mariée était une conquête difficile qu'il n'avait pas souvent réussie. Mais là, Patricia Stone paraissait visiblement écoeurée par la conduite de son mari et chercherait peut-être un moyen de lui rendre la monnaie de sa pièce. Lui était là, bon samaritain, tout prêt à lui rendre ce service.

Madame Darpel, dans une audace nouvelle, serrait maintenant Richard contre elle, comme si elle voulait l'étouffer, comme si elle ne pouvait plus retenir son désir. Il ne la repoussa pas. Elle lui chuchota quelque chose à l'oreille, puis s'écarta et éclata de rire. Qu'est-ce qu'elle avait bien pu lui dire?

Il riait lui aussi. Il paraissait s'amuser comme un fou. Lui avait-elle donné rendez-vous? Ou pis encore venait-elle d'évoquer une de leurs nuits folles?

— Votre mari est un grand danseur, dit alors le docteur Waterman.

— *He has great legs*, dit Patricia qui se surprit de pouvoir ainsi lui donner le change, surtout qu'elle ne le connaissait pas et qu'elle était dans tous ses états vu l'inconduite de son mari et le ridicule dont il la couvrait devant tout le monde.

Le célèbre psychiatre lui avait paru tout de suite extrêmement antipathique, sans d'ailleurs qu'elle eût pu dire pourquoi. Une simple impression. Mais elle se fiait en général à sa première impression, et celle-ci n'était vraiment pas bonne. En outre, les intentions du docteur Waterman à son endroit étaient par trop évidentes. En ce moment, il souriait.

La réplique inattendue de Patricia lui avait visiblement plu. Patricia était moins naïve, moins sans défense qu'il l'avait d'abord cru. La partie n'en serait que plus amusante, la conquête plus méritoire. A séduire sans péril, on jouit sans plaisir!

— Il ne danse jamais avec vous? continua le docteur Waterman.

— Non, mon cher Watson, répliqua-t-elle

— Waterman, Jeff Waterman, corrigea-t-il sans se rendre compte qu'elle se payait sa tête. Je crois que nous n'avons pas eu le plaisir d'être présentés.

Il lui tendit la main. Mais elle l'ignora, ne daignant même pas le regarder. Elle souffrait atrocement. Sur la piste de danse, non seulement madame Darpel se pressait-elle sensuellement contre son mari mais elle venait de passer la main dans une de ses poches de veste. Venait-elle d'y glisser un billet doux, des instructions pour un rendez-vous? Comment savoir? Patricia était affolée.

Elle sentait que la situation lui échappait complètement. Encore une fois, elle eut envie de se précipiter sur la piste de danse et d'arracher son mari à l'emprise de cette vieille délurée. Mais elle se couvrirait de ridicule? Pendant ce temps, Waterman avait baissé la main, que Patricia n'avait pas serrée.

— Je crois qu'il est temps que vous donniez une petite leçon à votre mari. Avant que toute la salle ne vous trouve complètement ridicule.

Patricia ne répondit toujours pas. Elle fit mine de n'avoir pas entendu. Et pourtant, les paroles de Waterman la brûlaient. Il avait probablement raison. Son mari était en train de la tromper sous ses yeux. En tout cas, ce n'était qu'une question d'heures.

— Venez. Sauvons-nous d'ici. Dans cinq minutes on est chez moi, et dans une demi-heure, vous êtes vengée de votre mari. Qu'est-ce que vous en pensez?

Elle se tourna vers lui, outrée de sa proposition. Pour qui se prenait-il?

— Pourquoi est-ce qu'on ne va pas tout de suite dans les toilettes pour hommes, à la place?

— Les toilettes pour homme... Mais oui, pourquoi pas? Je vois que vous êtes une raffinée. Excusez-moi de vous avoir proposé quelque chose d'aussi conventionnel, mais avec les gens aujourd'hui, on ne sait jamais à quoi s'attendre... Qu'est-ce que vous diriez d'un petit *golden shower* tant qu'à y être... Je me couche entre vos deux jambes et vous m'urinez dans le visage... *Deal*?

Outrée, Patricia lui jeta son verre de vin au visage en disant:

— Considérez cela comme un acompte.

En se retournant vers la piste de danse, elle ne vit ni madame Darpel ni son mari. Ils s'étaient pour ainsi dire volatilisés. Ce fut la panique. Où avaient-ils bien pu passer au juste? Avaient-ils décidé de se retirer dans une autre pièce pour s'envoyer en l'air?

Pendant que le docteur Waterman, insulté, ridiculisé devant les témoins de la scène, essuyait de son mouchoir son visage tordu par un désir de vengeance, Patricia s'avança sur la piste de danse, se frayant tant bien que mal un chemin parmi les couples. Mais elle ne retrouva ni son mari ni madame Darpel.

Elle quitta le parquet de danse et se dirigea vers l'immense table de banquet à laquelle de nombreux hôtes se pressaient. Elle ne les vit pas. C'était impossible! Ils n'avaient quand même pas pu disparaître! Elle jeta des regards désespérés à gauche et à droite, et tout à coup son coeur se mit à palpiter horriblement. Elle venait de les apercevoir qui s'esquivaient de la salle de bal, et madame Darpel était suspendue à son mari! Elle les suivit. Elle ne pouvait supporter de les voir ainsi s'éloigner, même si la raison de leur petite fugue était évidente.

Lorsqu'elle arriva à l'entrée du corridor qu'ils avaient emprunté, elle ne les vit plus. Elle crut mourir. Elle hâta le pas, tourna un premier coin, ne les vit pas davantage.

Elle aperçut alors les portes des toilettes, l'une pour femmes, l'autre pour hommes, côte à côte. N'était-ce pas là que son mari et madame Darpel étaient allés se réfugier pour faire l'amour? Si c'était le cas, c'était dégoûtant. D'ailleurs pourquoi continuait-elle à se poser des questions? N'était-ce pas l'évidence même? Où pouvaient-ils être, si ce n'est aux toilettes? Il n'y avait pas d'autres portes en vue.

Mais oserait-elle pousser la porte des toilettes pour surprendre son mari infidèle dans les bras de cette affreuse madame Darpel? Qui lui disait d'ailleurs que son mari n'avait pas préféré l'entraîner dans les toilettes pour hommes? Elle n'eut pas à tergiverser longtemps car elle eut bientôt la confirmation de ses doutes.

Son mari en effet sortit bientôt des toilettes pour femmes. En voyant Patricia, le visage lui tomba. Il ne savait plus quoi dire. Comment expliquer sa présence dans les toilettes pour femmes?

Patricia le regarda droit dans les yeux. C'était le moment de vérité. Elle s'avança vers lui et le gifla de toutes ses forces:

— C'est fini! C'est fini! Je t'ai vu entrer avec madame Darpel! Coucher avec cette nymphomane de cinquante ans... Je n'en reviens pas! Je te déteste. Je ne veux plus te revoir de toute ma vie.

Elle tourna les talons et s'éloigna vivement en direction de la salle de bal.

— Attends, dit son mari. Ce n'est pas ce que tu crois.

Il courut après elle, la rattrapa.

— Fous-moi la paix. Tu me prends pour une idiote, ou quoi?

— Laisse-moi au moins le temps de m'expliquer. Après tu décideras.

Patricia ne dit rien mais s'arrêta. Elle respirait très fort, et regardait son mari avec une intensité extraordinaire.

— Je n'ai pas couché avec cette folle de madame Darpel. Même si elle avait vingt ans, je m'en foutrais. Tu es ma femme et c'est toi que j'aime!

— Alors peux-tu me dire pourquoi tu danses avec elle depuis une heure et que tu viens de l'accompagner dans les toilettes pour femmes?

— Je sais, c'est une vraie teigne, j'ai essayé dix fois de l'envoyer paître.

— Et les toilettes? Elle t'a demandé d'aller lui torcher le cul parce qu'elle est trop soûle pour le faire elle-même?

— Elle s'est sentie mal. Elle a vomi. Si tu ne me crois pas , va vérifier dans les toilettes. Je suis sûre qu'elle va être ravie que quelqu'un vienne l'aider à nettoyer ses vomissures...

Patricia ne dit rien. Elle jaugeait son mari. Disait-il la vérité? Son récit semblait si invraisemblable. Bien sûr, il lui aurait suffi d'entrer dans les toilettes pour vérifier s'il disait vrai. Mais alors, il comprendrait qu'elle ne lui faisait pas confiance. Et la confiance n'était-elle pas tout dans un couple? Sentant qu'elle fléchissait, son mari s'approcha d'elle et la caressa.

— Je t'aime, tu sais. Et ce n'est pas ce dinosaure qui va venir nous séparer.

Elle ne savait plus que penser, maintenant. Elle esquissa un sourire. Richard était si beau. Elle le trouvait si désirable.

Mais il lui restait un doute, un doute horrible. Et elle voulut le vérifier sans se trahir, sans montrer qu'elle ne lui faisait pas entièrement confiance.

— J'ai follement envie de toi, dit-elle. Je ne sais pas si tu le sais, mais il y a deux semaines que nous n'avons pas fait l'amour.

— Deux semaines?

— Oui, jour pour jour.

Elle l'embrassa alors et l'entraîna lentement vers les toilettes pour hommes, défit audacieusement sa fermeture éclair et découvrit bientôt, ravie, que son sexe était sec. Il ne l'avait donc pas trompée avec madame Darpel. Alors, peut-être excités par l'imprévu de la situation, par le danger, ils firent l'amour passionnément. Patricia était doublement heureuse. Elle venait d'avoir la confirmation de la fidélité de son mari, et elle mettait fin à une insupportable disette amoureuse de deux semaines.

10

Malgré cette petite fantaisie amoureuse, les choses ne s'améliorèrent pas dans le ménage des Stone. Richard était de plus en plus occupé, voyageait énormément, et il se désintéressait presque totalement de Patricia.

Patricia, qui était en ce moment allongée dans le vaste bain romain de sa salle d'eau, contemplait le ciel étoilé à travers la verrière du plafond. Jamais de sa vie elle ne s'était sentie aussi déprimée, aussi seule. Son mariage était une prison, une cage.

Elle serra une éponge imbibée d'eau au-dessus de son épaule gauche pour trouver un peu de réconfort. Elle était nostalgique; une foule de souvenirs de sa vie récente lui revenaient à l'esprit.

Elle se ressouvint de son dernier anniversaire de naissance et songea aux deux souhaits qu'elle avait formulés en soufflant sur les trois chandelles de son gâteau: faire publier son livre et trouver l'amour véritable.

Elle n'avait toujours pas trouvé d'éditeur, et son agent, à qui elle avait parlé à plusieurs reprises, n'avait pas fait de grands progrès. Tout ce qu'il trouvait à lui dire, c'était des choses déprimantes — que tel ou tel éditeur avait refusé son manuscrit — ou des choses qu'elle savait déjà: le marché était mauvais, il était difficile pour un jeune auteur inconnu de trouver un éditeur... Le plus ennuyeux était qu'il lui avait demandé l'exclusivité de la représentation et qu'elle ne pouvait faire aucune démarche de son côté si bien qu'elle se sentait vraiment impuissante.

En outre, elle n'arrivait absolument pas à écrire. Elle avait essayé des dizaines de fois de commencer un nouveau roman, mais l'inspiration lui faisait défaut, ou ce qui sortait de sa plume lui semblait complètement nul.

Quant au véritable amour... Pouvait-elle en parler avec un mari toujours absent, presque entièrement consacré à son travail?

A vrai dire, elle devait s'avouer qu'elle avait échoué sur tous les plans. Sa vie était un véritable cul-de-sac, dont elle ne savait pas du tout comment elle pourrait se sortir. Quelle erreur avait-elle donc commise? Etait-ce simplement d'avoir précipité sa décision, d'avoir fait un choix hâtif en acceptant d'épouser Richard quelques jours seulement après l'avoir connu?

La vie était-elle si cruelle qu'elle lui ferait payer pendant des années cette décision prise inconsidérément alors qu'elle était encore sous le choc de sa rupture avec Jack et qu'elle était financièrement acculée au pied du mur? Peut-être au fond s'était-elle mariée non pas par amour — comment savoir si on aimait quelqu'un après seulement quelques jours de fréquentation — mais par lâcheté, par démission, ou pire encore par intérêt, par calcul, même si en apparence c'était si loin de sa nature romantique. Et maintenant, payait-elle le prix de son erreur?

Son mariage ressemblait peut-être à tous les autres mariages, mais seulement, elle ne s'en apercevait pas parce que c'était son premier, et que tous les gens mariés n'osaient avouer que le mariage tue l'amour, qu'il n'est qu'un long ennui, égayé occasionnellement par de brefs intermèdes de passion, ou par la venue des enfants...

Quand elle pensait à son mariage, d'ailleurs, elle en venait à se dire qu'elle se retrouvait dans la même situation que sa mère. C'était ironique car elle s'était toujours dit qu'elle ne ferait pas la même vie que sa mère, qu'elle aurait une existence différente, plus libre, plus autonome et que jamais elle ne serait à la merci d'un homme, ou passerait sa vie à l'attendre. On aurait dit que le malheur conjugal était héréditaire dans la famille.

Elle eut justement envie de parler à sa mère. Mais que pouvait-elle lui dire? Elle n'avait jamais pu communiquer avec elle. Une sourde animosité, une rivalité les avaient toujours séparées, dont Patricia n'avait jamais pu savoir la cause. Comment sa mère pourrait-elle comprendre?

Après une longue hésitation, elle se résolut malgré tout à l'appeler, utilisant le téléphone portatif de la salle d'eau.

— Mamie, c'est moi... Est-ce que je te dérange?

— Non, dit sa mère un peu sèchement en tout cas sans cette tendresse qui eût fait tant de bien à Patricia.

— Je t'appelais parce que ... Je ne sais pas comment te dire...C'est une question un peu stupide mais...C'était comment avec papa?

— Avec papa?

— Je veux dire les premières années de ton mariage, et tout...

— Pas toujours facile, mais le mariage a toujours ses hauts et ses bas. Est-ce que c'est ça que tu me demandes?

— Oui, je ...

— De toute manière, les hommes ne sont pas faits pour aller avec les femmes. Et en général on s'en rend compte seulement après s'être marié. Alors ce qu'il faut faire, c'est avoir des enfants... Es-tu enceinte, au fait?

— Non, pas encore...

Et elle eut envie d'ajouter qu'elle n'avait guère de chance de le devenir ces jours-ci vu la très faible fréquence de ses rapports avec son mari. Mais elle aurait choqué sa mère, qui n'aurait pas compris.

— Tu ne devrais pas attendre, ma fille. La vie passe vite. Et tu n'es plus très jeune. Est-ce que tu as des raisons de ne pas en vouloir?

— Non, maman.

— Et Richard, lui?

— Lui non plus n'a pas d'objection...

— Alors je ne vois vraiment pas ce que vous attendez. Tu as le mari idéal. Il est avocat, il est riche. Il ne boit pas, il ne te trompe pas, il ne te bat pas... Franchement ma fille, à ta place, je tomberais enceinte le plus tôt possible. Sinon votre mariage va finir en queue de poisson. Les enfants, c'est la seule manière de retenir un homme à la maison.

— Tu crois?

— Je ne le crois pas, j'en suis sûre. En tout cas tu ne pourras pas dire que je ne t'ai pas avertie.

Elle marqua une pause puis ajouta:

— Excuse-moi, il faut que je te laisse maintenant, ton père me demande une autre bière.

Patricia raccrocha et resta un instant songeuse. Les enfants? Elle en voulait, c'était certain. Mais pas tout de suite, en tout cas pas avec un homme qui n'était jamais à la maison, qui ne lui faisait pour ainsi dire plus l'amour et dont elle n'était même plus sûre qu'il l'eût jamais aimée. C'était insensé. Et certainement prématuré. Elle ne ferait pas la même erreur qu'elle avait faite en se mariant sur un coup de tête. Elle réfléchirait beaucoup avant de faire un geste aussi lourd de conséquences.

Elle n'était pas plus avancée, et toujours aussi déprimée. Sa mère ne comprendrait jamais sa tristesse conjugale, puisqu'elle considérait que son mari était parfait parce qu'il ne buvait pas, ne la trompait pas et ne la battait pas. Comment lui faire part de sa solitude de femme, de sa nostalgie d'une vraie relation amoureuse?

Elle pensa à sa chère Cléo, dont elle avait mis un portrait dans la salle d'eau, comme dans sa pièce de travail et dans le salon. Si elle avait été là, elle, au moins, elle aurait pu la rasséréner, la consoler.

Depuis quelques semaines, elle pensait continuellement à elle. On aurait dit qu'elle incarnait son ancienne vie, une vie qu'elle regrettait de plus en plus amèrement. Certes elle était pauvre alors, son appartement était presque un taudis. Mais au moins elle était libre, et elle écrivait, alors que le confort nouveau dans lequel elle vivait, l'absence de soucis financiers semblaient avoir étouffé son inspiration.

La veille, n'y tenant plus, elle avait pris sa voiture, saisie de la brusque envie d'aller voir la tendre Cléo. En chemin, elle s'était demandé si elle était encore vivante. Comment savoir? Elle était si âgée! N'importe quelle maladie, la moindre grippe pouvait l'avoir emportée.

Lorsqu'elle arriva à la grille, elle se rappela soudain qu'elle avait promis de ne jamais chercher à revoir sa belle Lili. Elle avait donné sa parole. Il fallait qu'elle la respecte.

Elle gara tout de même sa voiture sur le bord de la route et s'approcha lentement de la clôture métallique qui protégeait l'accès du domaine. Elle se glissa entre les arbres d'un bosquet et regarda vers la résidence principale. Elle vit, çà et là, des chiens de toutes sortes qui couraient, dans la belle lumière crépusculaire de cette fin de journée. Un instant, elle crut apercevoir Cléo. Mais non elle se trompait. Et elle repartit sans l'avoir vue.

Elle se cala un peu plus dans l'eau maintenant tiède du bain. Dans le ciel, des nuages passaient, emportés par un vent assez fort, et Patricia remarqua la lune, très ronde, et très brillante, une belle pleine lune de novembre.

Elle pensa aussi au voyage de noces à Venise, ce fameux voyage qu'elle n'avait jamais pu faire et qui avait constamment été reporté. Il lui semblait que son mariage était à l'image de ce voyage dont elle ne pouvait plus parler tant il était devenu un sujet d'embarras entre les deux époux.

Elle décida de téléphoner à Jessica, qui la réconforterait peut-être, et saurait trouver les mots qu'il fallait. Elle fut contente de la trouver chez elle, ce qui n'arrivait pas souvent car sa copine sortait beaucoup depuis quelque temps. Jessica était heureuse de l'entendre mais la prévint tout de suite qu'elle était un peu pressée parce qu'elle devait dans quelques minutes retrouver l'homme d'affaires qui la courtisait depuis des mois.

— Mais c'est formidable! dit Jessica après avoir entendu Patricia se plaindre des absences de plus en plus prolongées de son mari, et de son indifférence au lit. Tu as le mariage idéal. Tu peux avoir ta vie à toi. Tu n'as pas ton mari dans les jambes. Il te laisse libre. Tu peux écrire, tu as une bagnole, un appart extraordinaire, de l'argent plein les poches... Fous-toi de ton mari!

Jessica craignit d'être allée un peu trop loin et se reprit:

— Enfin, sans te foutre de lui, organise ta vie en fonction de toi... Et puis s'il n'est jamais là, rien ne t'empêche de te faire un petit ami, si tu vois ce que je veux dire. Tu le prends jeune, sportif, romantique, et tu en fais ta petite poupée qui t'obéit au doigt et à l'oeil...Oh je m'excuse, ça sonne, c'est lui...Le pauvre chou, il est en train de devenir fou. Ca fait plus de trois mois que je le fais mariner... Allez, je t'embrasse. Ne t'en fais pas. Profite de la vie. Ce n'est qu'une comédie...

Patricia raccrocha, déçue, songeuse. En fait, elle était complètement en désaccord avec Jessica, beaucoup plus frondeuse, plus libertine qu'elle. Elle se moquait éperdument de vivre dans le luxe, elle. Et elle n'avait pas du tout l'intention de se prendre un amant.

Ce qu'elle voulait, c'était un vrai mariage. Mais elle était loin du compte. Elle était en fait si insatisfaite de son union, que souvent elle se prenait à penser à son ancien amant Jack.

Il avait été violent avec elle, au lendemain de leur séparation, mais au moins il avait manifesté des émotions, au moins elle savait ce qu'il pensait. Il était intense. Et puis il avait finalement tout lâché pour elle. Tandis que Richard n'avait jamais rien sacrifié pour elle. Patricia était de plus en plus persuadée qu'elle avait pris la mauvaise décision. Elle aurait dû accepter de vivre avec Jack lorsqu'il l'en avait suppliée... Mais elle venait tout juste de rencontrer Richard, qui lui avait aussitôt demandé sa main, alors que Jack avait mis plus de deux ans pour se séparer de sa femme... Finalement, elle se retrouvait toujours seule. Pourquoi était-ce toujours ainsi dans sa vie?

Jack... Comme il était amoureux, chaud, fantaisiste...Il lui faisait l'amour n'importe où, dans les positions les plus inorthodoxes... Il la possédait avec fougue, avec une sorte de désespoir tragique, comme s'il cherchait en elle, dans le plus intime de son corps, dans le grain de sa peau, dans sa bouche, dans ses seins, dans les lèvres entre ses jambes, un refuge, un élixir, le remède à un mal existentiel.

Elle revécut en pensée une de leurs fougueuses étreintes. Dans la salle d'essayage d'une boutique très achalandée, il s'était agenouillé devant elle, et, relevant sa jupe, lui avait fait l'amour pendant de longues minutes, de sa langue savante et audacieuse, la forçant à étouffer ses cris de volupté en mordant dans son manteau.

Elle abandonna sa rêverie et pressa à nouveau, au-dessus de sa poitrine, la grosse éponge dont elle s'était servie pour se laver. L'eau qui s'en écoula dissipa en partie la mousse qui dissimulait ses seins. Puis elle posa l'éponge sur le rebord du bain, encombré de diverses statuettes décoratives et de différents accessoires de toilette, brosses de tailles variées, shampooings, huiles et mousses.

Le téléphone sonna. Patricia se réjouit. Ce devait sans doute être son mari qui rentrerait plus tôt que prévu. Elle répondit. Mais il n'y eut pas de réponse. Une émotion la submergea. Elle devinait qui était à l'autre bout de la ligne, et qui n'osait parler. C'était à n'en point douter Jack. Elle frissonna, songeant à quel point la pensée était forte, magnétique.

Ce coup de fil n'était sûrement pas un hasard. Jack avait senti qu'elle pensait intensément à lui, et lui avait téléphoné. Ce n'était du reste pas la première fois qu'il le faisait depuis leur séparation. Mais jamais il ne parlait. Il n'osait pas. Il voulait apparemment seulement entendre le son de sa voix. Inquiète, elle raccrochait en général très tôt. Mais cette fois-ci, elle eut envie d'aller plus loin, de voir ce que Jack avait dans les tripes, de le forcer à parler.

— Jack? Je sais que c'est toi, Jack. Pourquoi ne cesses-tu pas de jouer ce jeu ridicule? C'est idiot, Jack. Parle-moi. Je t'en prie. Peut-être qu'on peut s'expliquer. Tu m'en veux, c'est ça?

Comme elle n'avait toujours pas de réponse, elle se découragea. Une pensée inquiétante venait de la visiter. Qui sait, c'était peut-être son mari qui téléphonait pour vérifier si elle était bel et bien à la maison en son absence. Ce n'était certes pas son genre, car elle ne l'avait jamais vu manifester aucune jalousie ni aucune méfiance à son endroit, mais on ne savait jamais avec les hommes. Son mari était d'ailleurs tellement impénétrable, secret.

Elle repensa à Jack. Comme il était bizarre, torturé. Pourquoi donc ne lui parlait-il pas? Elle l'en avait pressé pourtant. Elle ne se montrait pas farouche. Avait-il perdu la tête? Etait-il devenu déséquilibré depuis leur séparation. Comment savoir? Cette pensée l'inquiéta un peu et elle s'empressa de la chasser de son esprit.

Elle quitta son bain. Et elle alla s'observer dans le miroir principal de la pièce. Comme il arrive souvent lorsque le mari ne témoigne pas à son épouse toute l'ardeur qu'elle souhaiterait, Patricia se demanda si elle n'était pas fautive. Peut-être au fond n'était-elle pas vraiment désirable. Elle avait maigri ces dernières semaines, en raison de tout ce qui s'était passé dans sa vie, et elle trouva d'ailleurs que son corps avait changé.

Elle examina ses seins. Il lui sembla qu'ils avaient légèrement rapetissé. En tout cas, elle se mit à douter d'elle, ce qui dans son cas n'était pas très difficile, car elle n'avait jamais eu beaucoup d'assurance.

Certes, elle avait éprouvé une petite bouffée de fierté lorsqu'elle s'était mariée, mais celle-ci s'était vite dissipée.

Rien ne lui paraissait sûr maintenant, comme si le fragile édifice de son mariage reposait uniquement sur cette image d'elle que lui renvoyait le miroir, une image qui ne lui plaisait guère et dont elle n'était plus très certaine, parce que son mari ne semblait même plus la voir. On aurait dit qu'il avait été rendu aveugle par de longues années de mariage.

Patricia se sécha, passa un peignoir, puis remit le bracelet que son mari lui avait offert le mois précédent. Elle avait l'impression que ce bracelet la protégeait.

Bizarrement, elle y avait cru. Mais de quoi la protégeait-il au juste, puisque sa vie lui échappait, comme du sable entre les doigts? Elle gagna sa chambre, s'allongea sur son lit. Il n'était que neuf heures du soir, mais elle se sentait complètement vidée. Pourtant, elle n'avait à peu près rien fait de la journée.

Pour être certaine de dormir, elle absorba deux somnifères, une habitude nouvelle pour elle. Sur une des tables de chevet, il y avait une sympathique photo de son mariage, croquée sur le parvis de l'église où les invités essayaient de ne pas se laisser emporter par le vent.

Son mari la serrait très fort et l'embrassait sur la joue. Elle paraissait au sommet du bonheur. Elle sentait maintenant que tout cela était faux, qu'elle était prisonnière, et que sa vie était sans issue. Elle qui était habituellement si pleine de ressources, si astucieuse, se pouvait-il qu'elle fût maintenant complètement démunie, impuissante. Un mal sournois semblait la ronger et lui retirer toute son énergie, sa joie de vivre.

Elle s'endormit en invoquant le ciel pour qu'elle trouvât une manière de se sortir de l'impasse de sa vie. Il lui fallait un changement rapide, un miracle, sinon, elle sombrerait.

11

Le lendemain matin, Patricia tenta d'avoir une discussion avec son mari au sujet de leur relation, mais toutes ses récriminations le surprirent tant qu'elle comprit qu'il n'y avait rien à faire, en tout cas pas pour le moment.

Il était pressé — comme d'habitude — et lui assura, sans trop qu'elle y crût, que le soir ils en reparleraient. Mais ils n'en eurent pas l'occasion. Car au retour de leur soirée au théâtre — un audacieux ballet reprenant la célèbre pièce de Shakespeare, *Macbeth* —, une surprise les attendait. Sur le seuil de leur porte, on avait déposé — ou abandonné — un énorme bouquet de fleurs composé d'une trentaine de magnifiques roses rouges qui reposaient dans une longue boîte noire sans couvercle.

Patricia sauta dans les bras de Richard, l'embrassa et lui déclara:

— Oh! chéri, comme c'est gentil! Elle sont vraiment magnifiques.

Son mari eût sans doute aimé accepter ses remerciements pour ce cadeau inattendu mais il se sentit obligé de dire, l'air légèrement inquiet ou en tout cas intrigué:

— Désolé, ma chérie, mais elles ne sont pas de moi. Tu dois avoir un admirateur secret.

Patricia perdit d'un seul coup son sourire extatique. Elle parut contrariée, embarrassée. Richard s'était assombri. Il semblait prendre la plaisanterie au sérieux. Etait-il possible que sa femme eût un amant? Comment savoir? Il la laissait de longues soirées seule, et s'absentait souvent plusieurs jours d'affilée de Los Angeles. Qui sait comment elle occupait ses journées, qui elle voyait?

Patricia se pencha pour prendre le bouquet et ils entrèrent, dans un silence embarrassé. Elle qui adorait les fleurs, et spécialement les roses, avait l'air de se demander que faire de ce bouquet. Elle paraissait tergiverser ou attendre un conseil de son mari, lorsqu'elle aperçut une petite enveloppe enfouie entre les fleurs.

Elle l'ouvrit et constata qu'elle contenait une carte sur laquelle était tracé, en rouge, un gros X, comme ceux par lesquels on envoie des baisers à la fin d'une lettre affectueuse. Sous ce X étaient écrits les simples mots — également en rouge: «Je t'aime.»

Le mari de Patricia s'était approché d'elle par derrière. En lisant la carte par-dessus son épaule, son visage se décomposa, ce qui était étonnant chez lui qui d'habitude contenait avec une telle facilité toute expression de ses émotions.

— Est-ce qu'il y a quelque chose que je ne sais pas? demanda-t-il de la voix la plus sérieuse du monde?

Elle se tourna vers lui, l'air étonné qu'il pût la soupçonner ainsi. Et pourtant, quoi de plus naturel en pareilles circonstances? N'importe quel mari aurait eu la même réaction.

— Non, il n'y a rien, dit-elle.

Et pourtant elle ne pouvait s'empêcher de penser qu'au fond il y avait quelque chose. Quelque chose de très grave, qu'il ne savait pas: elle était infiniment malheureuse dans son mariage et ne croyait plus à son amour. Mais elle ne savait pas comment le lui dire. Comprendrait-il d'ailleurs? Ou ne croirait-il pas qu'il ne s'agissait que de la banale petite névrose d'une épouse riche et blasée qui n'avait pas l'obligation de gagner sa vie — ce qui occupe l'esprit et le prévient contre ce genre de désordres?

Ils évoluaient — elle s'en rendait compte de plus en plus — dans des univers si différents, à croire que sa mère avait raison lorsqu'elle prétendait qu'hommes et femmes n'étaient pas faits pour vivre ensemble puisqu'ils n'avaient rien en commun.

Richard ne parut pas convaincu par l'assurance que Patricia venait de lui donner et demanda:

— Est-ce que ton ancien...

Il hésita, ne poursuivit pas tout de suite. Il allait dire le mot «amant» mais cela lui répugnait tout à coup, comme si, dans une absurde jalousie, il avait voulu nier tout son passé, qui pourtant n'avait rien de tumultueux. Il se reprit, ayant trouvé à ses yeux une formule plus heureuse, ou qui choquait moins en tout cas sa possessivité subite dont il était d'ailleurs le premier surpris.

— Est-ce que cet homme que tu voyais avant notre mariage a cherché à te revoir?

— Non...

Mais elle était si nerveuse qu'il eut l'impression qu'elle mentait. Il la questionna du regard, avec une intensité qu'elle lui avait rarement vue.

— C'est-à-dire, reprit-elle, que juste avant que nous nous mariions, il est venu me voir à l'improviste...

— Qu'est-ce qu'il voulait?

— Je ne sais pas...Il avait des problèmes. Je crois qu'il voulait se réconcilier , mais je lui ai dit qu'il était trop tard, que je me mariais...Mais ce n'est sûrement pas le genre d'homme à faire ce genre de plaisanterie douteuse...De toute manière, ajouta-t-elle, c'est un bouquet d'une centaine de dollars, et Jack n'a pas un clou.

— Est-ce pour cette raison que tu l'as quitté?

— C'est lui qui m'a quittée. Je te l'ai déjà dit.

Elle n'avait pas apprécié la subtile insinuation, qu'elle eût pu quitter son amant parce qu'il était pauvre, pour l'épouser, lui, parce qu'il était riche.

— On dirait que ça t'attriste. Est-ce que tu serais encore avec lui s'il ne t'avait pas quittée?

La question la prit par surprise.

— Il n'est plus rien pour moi. C'est mon passé, et je l'ai complètement oublié. Ma vie, maintenant, c'est toi, c'est nous deux.

Il esquissa un sourire, à demi convaincu. Il avait l'impression qu'elle lui cachait encore quelque chose, qu'elle lui mentait. Il la toisa, comme pour estimer ses sentiments profonds. Il lui enleva la carte des mains, avec une brusquerie qui trahissait sa tension intérieure. Il examina la carte et dit:

— La carte n'est pas signée...

— Le bouquet a peut-être été livré chez nous par erreur...Après tout, il n'y a pas de nom écrit sur la carte...C'était peut-être pour les Carter...

— Les Carter? dit Richard avec étonnement.

C'étaient leurs voisins, un charmant couple âgé.

— Ca m'étonnerait énormément. Mais si tu veux, tiens, je vais immédiatement leur demander s'ils attendaient des fleurs.

Il prit le bouquet de sa boîte, mais ce faisant il éprouva une curieuse impression d'humidité, qui tout à la fois le dégoûta et l'inquiéta. Il s'empressa de poser le bouquet et regarda ses mains: elles étaient maculées d'un liquide d'un rouge violent qui ressemblait à du sang. Son visage se déforma en une grimace.

— Merde! C'est bizarre.

Patricia s'avança, regarda les mains tachées de son mari:

— Tu saignes? demanda-t-elle, inquiète.

— Non, non, ce n'est rien, expliqua-t-il, l'air dégoûté et intrigué. Ce sont les fleurs. Il y a un liquide, on dirait de la teinture.

— Est-ce que tu crois que nous devrions appeler la police? demanda Patricia.

— La police? dit-il après un instant de réflexion. Non, je ne crois pas. De toute manière, je ne vois vraiment pas ce que nous pourrions leur dire...Que nous avons trouvé à notre porte un bouquet de roses avec une carte sans nom? Ils ont d'autres chats à fouetter.

— Tu es sûr?...Et si c'était un maniaque? Les journaux sont pleins d'histoires de ce genre...

— As-tu été suivie par quelqu'un récemment?

— Non.

— Est-ce qu'un homme t'a approchée, t'a fait des propositions, des menaces?

— Non plus.

— Alors mieux vaut tout oublier. N'oublie pas que tu es romancière ma chérie. Tu as tendance à imaginer des choses.

— C'est vrai, avoua-t-elle avec un sourire coupable. J'imagine peut-être des choses.

Et en disant cela elle pensait que si elle lui disait qu'elle se sentait délaissé, négligée, si elle lui avouait qu'elle ne croyait plus en son amour, il lui répliquerait probablement la même chose, c'est-à-dire qu'elle imaginait des choses.

Comme pour conclure la discussion, Richard jeta la carte parmi les fleurs, prit la boîte et alla la jeter aux poubelles sans rien dire d'autre. Il se lava ensuite les mains, et alla s'enfermer dans son bureau, refuge de la plupart des soirées qu'il passait à la maison.

Cet incident au lieu de rapprocher les époux, parut les éloigner encore davantage. On aurait dit que Richard, menacé d'infidélité, voulait punir sa femme en se murant dans un silence encore plus grand. Mais le week-end suivant, un autre incident, plus troublant encore, le força à sortir de son mutisme.

Le samedi matin, en effet, on sonna à la porte. Richard préparait ses valises pour un voyage d'affaires de plusieurs jours, et Patricia, assise sur le lit, dans une ravissante camisole de nuit en satin, le regardait tristement. Ils avaient eu des discussions toute la semaine au sujet de ce voyage à Washington et Richard lui avait expliqué qu'il ne pouvait ni le remettre, ni l'écourter.

— Qui cela peut-il être? dit Richard.

— Aucune idée.

Richard regarda sa femme dans l'espoir qu'elle irait répondre, mais sa tenue n'était vraiment pas convenable; avec une moue d'agacement, il abandonna donc ses malles et se dépêcha d'aller ouvrir.

C'était le facteur, qui lui tendit un paquet emballé dans du gros papier brun. Richard signa l'accusé de réception et remercia le facteur. Le colis lui était destiné, ce qui ne manqua pas de le surprendre car il n'attendait rien et ne se souvenait pas d'avoir commandé quelque chose. Patricia, qui avait passé un peignoir, le rejoignit au salon.

— Tu as commandé quelque chose, mon chéri? demanda Patricia en voyant le colis.

— Non, dit-il. Je me demande bien qui peut m'envoyer cela.

Il s'assit sur le canapé — où Patricia vint tout de suite le rejoindre —, posa le paquet sur la table à café et, curieux, s'empressa de le déballer. La curiosité de Patricia aussi était piquée.

— Dépêche-toi, dit-elle. C'est peut-être un cadeau surprise de quelqu'un qu'on connaît.

Mais elle déchanta vite et en fait poussa un cri d'horreur lorsqu'elle vit le contenu du colis.

Une poupée aux cheveux blonds, le visage ensanglanté, était allongée au fond d'une grande boîte noire, semblable à celle dans laquelle ils avaient trouvé le bouquet de fleurs plus tôt dans la semaine.

Sa bouche, fendue jusqu'aux oreilles, était bourrée de pétales de roses. Et un long couteau maculé de sang et de petits poils noirs frisés — qui ressemblaient à des poils pubiens — était posé sur son ventre nu.

Patricia s'enfouit le visage dans les bras de son mari. Elle paraissait littéralement terrorisée. Son mari jugea que cette fois les choses étaient sérieuses, que ce n'était pas un hasard comme le bouquet de fleurs puisque la poupée lui avait été envoyée personnellement.

Il trouva une carte sur laquelle était dactylographié le message suivant: « Votre femme est merveilleuse au lit, mais elle devrait se raser les poils du pubis, c'est plus propre quand on la suce...» Même s'il ne s'agissait que d'une mauvaise plaisanterie, elle était si macabre qu'il valait mieux ne pas la traiter à la légère. Sait-on jamais: il y a tant de maniaques à Hollywood! Aussi décida-t-il d'aviser la police.

Moins d'une heure plus tard, l'inspecteur Spalding frappait à leur porte. C'était un homme d'une quarantaine d'années, à l'oeil vif, plutôt petit et bedonnant. Très ambitieux, il attendait son heure, persuadé qu'il finirait un jour par hériter d'une cause qui le rendrait célèbre.

D'ailleurs en recevant l'appel des Stone, il avait tout de suite espéré en tirer quelque prestige, même si l'affaire ne lui parut pas très importante à première vue. Mais après tout, les Stone étaient des gens très riches, et son enquête connaîtrait peut-être une certaine publicité. Il éprouva une secrète satisfaction à s'asseoir sur le magnifique canapé du salon.

— Je vous remercie d'être venu si tôt, inspecteur, lui dit Richard.

— C'est la moindre des choses, dit l'inspecteur qui ne s'attendait pas à une telle déférence de la part d'un homme fortuné.

Richard regarda alors Patricia qui se blottissait contre lui.

— Ma femme et moi sommes très inquiets de ce...

Il s'interrompit et lui désigna la boîte, qu'il avait posée sur la table à café après en avoir refermé le couvercle. L'inspecteur eut un signe d'intelligence et ouvrit la boîte. Habitué, après près de vingt ans de métier, à des horreurs bien plus repoussantes — membres coupés, cadavres en putréfaction, victimes déchiquetées —, il resta imperturbable. Il lut également la petite carte et eut un haussement de sourcils.

L'air très sérieux, il sortit de la poche froissée de son imperméable le petit calepin dont il ne se défaisait jamais, ne se résolvant pas à recourir à des méthodes plus modernes comme un simple magnétophone. Tirant un Bic de la poche intérieure de sa veste, il posa une première question.

— Avez-vous déjà vu cette poupée, madame Stone?

— Non.

— Et le couteau?

— Non plus.

— Est-ce que c'est le premier...colis du genre que vous recevez? Son mari ne lui laissa pas le temps de répondre.

— La semaine dernière, nous avons trouvé à notre porte un curieux bouquet de roses, avec un mot qui disait...

Il hésita un instant. Il paraissait avoir de la peine à cacher sa colère:

— Qui disait: «Je t'aime». Mais sur le coup nous avons pensé qu'il s'agissait peut-être simplement d'un bouquet laissé là par erreur, sauf que...

— Oui? dit l'inspecteur.

— Sauf qu'il y avait du sang ou de l'encre rouge sur les fleurs...

— Je vois, dit l'inspecteur, qui prit une note rapide, puis revint à la charge:

— Avez-vous gardé ce bouquet?

— Non, dit Richard, comme c'était la première fois qu'un ... incident de la sorte se produisait, nous n'avons pas cru bon...Nous aurions dû?

— Ce n'est pas grave, dit l'inspecteur qui s'adressa ensuite à Patricia:

— Soupçonnez-vous quelqu'un d'avoir pu envoyer ces colis, madame Stone?

— Non, franchement, je ne sais pas...

— A votre travail?

— Je ne travaille pas, dit Patricia non sans une certaine gêne, enfin je travaille à la maison...

L'inspecteur rougit, et d'un geste vague de la main désigna le mobilier:

— Question stupide. Lorsqu'on vit dans un pareil décor...

— En fait, je travaille. Je suis romancière.

— Ah? C'est intéressant.

Il marqua une pause, comme s'il avait l'air de penser que la richesse permettait de bien jolis luxes, comme celui d'exercer le métier d'écrivain, par exemple, et il reprit:

— Parmi les gens de votre entourage, madame, y en a-t-il que vous soupçonnez de vous jalouser ou de vouloir vous intimider?

— Non, franchement, je ne vois pas.

— Quelqu'un de votre famille qui soit jaloux de votre mariage? Après tout vous avez un sort très enviable et des fois les gens ne le supportent pas, même parmi nos proches. On fait parfois des surprises étonnantes, madame, avec tout le respect que je dois aux membres de votre famille.

— Ta soeur, peut-être, dit Richard.

Il n'avait pas eu l'occasion de la rencontrer souvent — évitant du reste le plus possible les contacts avec sa belle-famille, à qui il trouvait, sans jamais l'avoir avoué à Patricia, un manque de classe évident — mais il s'était tout de même rendu compte qu'elle crevait de jalousie.

— Ma soeur? demanda Patricia avec de la surprise dans la voix.

— Oui, ta soeur. Elle te regarde toujours comme si tu m'avais épousé simplement pour la faire chier. Elle te déteste, c'est évident. Remarque, avec un mari aussi minable, elle a sûrement ses raisons...

— Bill est charmant... dit Patricia.

— Mais c'est un raté. Et elle ne le lui pardonne pas. Elle aurait aimé faire la grande vie...

Richard sentit qu'ils s'éloignaient un peu et reprit:

— Remarquez, monsieur l'inspecteur, je ne crois pas qu'il y ait là matière à enquêter. La soeur de ma femme est peut-être jalouse, mais c'est une personne sans imagination et puis, je n'aime pas à rappeler ce détail, mais la petite carte est écrite sans aucune faute d'orthographe et ma belle-soeur fait trois fautes par phrase... C'est d'ailleurs probablement une des raisons pour lesquelles elle est jalouse de ma femme qui est romancière.

L'inspecteur sourit, conscient qu'il était peut-être en train de créer un conflit de couple. Il reprit néanmoins:

— Et vous, monsieur Stone?

— Moi?

— Oui, expliqua l'inspecteur. Est-ce possible que quelqu'un ait des raisons de vous faire chanter. Ou de vous laisser entendre que votre femme a... un amant?

— Non, je ne vois vraiment pas. Evidemment, comme vous le savez probablement, je suis en affaires, et on ne se fait pas que des amis.

— Peut-être quelqu'un de votre passé? Avez-vous déjà été mariée, madame Stone?

Richard était outré de la tournure que prenait l'interrogatoire. Mais il chercha à ne pas trop le montrer. Après tout, cet inspecteur n'était pas payé pour sa délicatesse et il fallait tout de même qu'il fasse son métier.

— C'est notre premier mariage à tous les deux, dit Richard, non sans afficher une certaine fierté.

Patricia tourna vers lui un regard amoureux, et pressa sa main, qu'elle tenait depuis le début de la conversation.

— Alors un ex... un ex-ami?

Patricia eut une hésitation. Devait-elle parler de Jack? Elle regarda son mari, qui parut lire dans ses pensées.

— Je... Non, je ne vois pas...

— La question va peut-être vous paraître indiscrète, mais à quand remonte votre dernière relation, avec un homme autre que votre mari, bien entendu?

Patricia regarda à nouveau son mari, embarrassée.

— Euh...

Elle compta sur ses doigts, à voix basse. Son mari et elle s'étaient rencontrés en juin.

— Juin, juillet, août, septembre, octobre. Cinq mois, conclut-elle en haussant le ton.

L'inspecteur eut une petite réaction de surprise, vite réprimée.

— Et vous êtes mariés depuis combien de temps?

— Cinq mois, dit Patricia avec une certaine culpabilité.

— Cinq mois, répéta l'inspecteur qui n'avait pas vraiment l'air de comprendre, mais qui nota cependant l'information dans son calepin.

Richard avait l'air de plus en plus mal à l'aise. Patricia voulut expliquer ce qu'elle venait de dire:

— Tout s'est passé très vite. Mon mari et moi avons eu un coup de foudre, et nous nous sommes mariés deux semaines après nous être rencontrés.

— Je vois, dit l'inspecteur. Et vous n'avez pas eu d'ennui avec votre ex, vu que... Enfin, vu que vous vous êtes mariée si vite après vous être séparée de lui?

— Non, il... il était déjà marié, dit-elle avec embarras.

— Il était marié. Je vois. Est-ce que je peux avoir son nom et son numéro de téléphone quand même?

— Pourquoi?

— Une simple vérification. Il n'a probablement rien à voir avec cette... cette poupée, mais si je veux faire une enquête convenable, je dois être très systématique...

— Bon, d'accord, dit Patricia. Son nom est Jack Field.

— Jack Field. Et son numéro de téléphone?

— Je n'ai pas son numéro personnel. Comme il était marié, je n'avais pas le droit de l'appeler...

L'évocation de ce passé encore récent et des tristes contraintes que subissent la plupart des maîtresses, rendit Patricia aussi nostalgique qu'embarrassée, surtout qu'elle devait les rappeler en présence de son mari. Ce dernier se renfrognait d'ailleurs de plus en plus et semblait regretter d'avoir fait appel à cet inspecteur devant lequel sa femme était en train de déballer tout son passé.

— A son bureau, alors? tenta l'inspecteur.

— Oui. Le 278-8751.

Elle le savait par coeur, ce qui était normal puisqu'elle le connaissait depuis deux ans, mais ce petit détail choqua néanmoins son mari qui la dévisagea comme si elle ajoutait l'insulte à l'injure. Elle comprit le sens de son reproche silencieux et esquissa un petit sourire embarrassé.

L'inspecteur nota le numéro de téléphone dans son calepin, puis marqua une pause, comme pour rassembler ses idées, faire le point. Il relut alors la carte et, après une hésitation visible, demanda à Patricia:

— J'ai une question un peu délicate à vous poser maintenant... Est-ce que votre dernier... ce monsieur Jack Field a déjà exprimé... comment dire... le désir que vous vous rasiez?

— Que je me rase? demanda Patricia intriguée.

— Pas comme un homme, s'empressa de spécifier l'inspecteur. Je veux dire que vous vous rasiez les parties intimes, comme c'est écrit dans la petite note.

102

— Hé, vous ne trouvez pas que vous charriez un peu, monsieur l'inspecteur?

— Je sais, c'est une question un peu embarrassante, mais souvent un simple détail peut nous conduire à la solution. Alors, madame?

— Je... Non... En fait, avoua Patricia, ce serait plutôt le contraire...

Elle regretta tout de suite les paroles qu'elle venait de prononcer. Elle rougissait. Son mari s'enfonçait dans le canapé. Il aurait préféré être à mille lieues de là.

— Le contraire? demanda l'inspecteur. Il insistait pour que vous ne vous rasiez pas?

— Non... Enfin c'est délicat à dire, mais disons qu'il aimait beaucoup la féminité.

Elle était contente de la formulation, de ne pas avoir été obligé d'avouer crûment les choses, c'est-à-dire que Jack adorait se plonger dans la toison de son sexe, et lui rendait régulièrement des hommages émus, agenouillé entre ses jambes.

Richard était outré. Cet interrogatoire allait vraiment trop loin. Voilà que sa femme avouait à un parfait étranger — et devant lui — que son ex-amant adorait lui bouffer la chatte!

L'inspecteur sentit le malaise qu'il avait bien involontairement créé, et décida d'écourter l'entrevue. De toute manière, il disposait de suffisamment de détails pour le moment.

— Bon, je crois que ça va être tout, dit-il.

Il remit à Richard sa carte en l'assurant qu'il pouvait l'appeler quand il voulait. Il le pria de lui signaler tout incident nouveau. Il remballa tant bien que mal la poupée dans le papier brun, se leva et dit:

— Essayez de ne rien changer à vos habitudes de vie. Je ne crois pas qu'à ce stade-ci, il faille s'inquiéter outre mesure. Les vrais maniaques...

Il s'interrompit, conscient d'avoir utilisé un mot choquant, ou en tout cas inquiétant. Il se reprit:

— En général, les personnes vraiment dangereuses n'utilisent pas des moyens aussi sophistiqués pour intimider les gens. Ils les suivent plutôt dans la rue. En passant, dit-il en se tournant vers Patricia, j'ai oublié de vous demander. Avez-vous été suivie dans la rue récemment? Ou sans avoir été suivie, avez-vous remarqué une présence régulière à vos côtés.

— Je suis toujours seule, dit Patricia. Enfin je veux dire, je ne sors pas beaucoup, pas ces derniers temps en tout cas.

— Je vois, d'accord. Bon, quoi qu'il en soit, ne changez rien à vos habitudes. Je vous tiendrai au courant de l'enquête.

Il se dirigeait vers la porte, la poupée sous le bras, mais s'immobilisa soudain:

— Ah oui, un dernier détail. Il est préférable que vous ne parliez à personne de ce qui s'est passé. Si c'est quelqu'un de votre entourage et qu'il voit que vous n'avez aucune réaction et que vous continuez à vivre comme si de rien n'était, il va peut-être renoncer immédiatement. Les maniaques sont un peu comme des chiens. Ils n'attaquent que lorsqu'on montre qu'on a peur d'eux.

— Merci du conseil, dit Richard, contrarié que l'inspecteur prononçât le mot de maniaque, ce qui n'était pas de nature à rassurer sa pauvre femme. Il le faisait exprès, ce con, à la fin!   Lorsque que les deux époux se retrouvèrent seuls, Patricia, les yeux humides, l'air affolé, demanda à son mari:

— Qu'est-ce qu'on va faire?

— Rien. L'affaire est entre les mains de la police, maintenant.

— Je suis inquiète, Richard.

— L'inspecteur a dit que nous n'avons rien à craindre. C'est probablement une mauvaise plaisanterie, c'est tout.

Il consulta alors sa montre-bracelet:

— Merde, dit-il, presque onze heures.

Il retourna dans la chambre à coucher. Patricia le suivit. Elle vit qu'il avait recommencé à faire ses valises.

— Tu pars quand même? dit-elle, affolée.

— Je n'ai pas le choix, expliqua-t-il. Blackwell compte sur moi pour toute la semaine.

— Mais avec ce qui est arrivé, tu ne peux pas me laisser seule.

— L'inspecteur a dit qu'il n'y avait aucun danger.

— J'ai peur, Richard.

— Demande à ta mère de passer la semaine ici. Je suis sûre qu'elle sera ravie.

Au lieu de compatir avec sa femme, de chercher à la rasséréner, il était agacé. Il semblait se dire qu'il n'aurait eu aucun de ces ennuis s'il avait eu la sagesse de rester célibataire. En outre, les confidences intimes auxquelles sa femme avait été obligée de se livrer l'avaient contrarié. Il avait eu l'air d'un vrai con devant l'inspecteur, et d'une certaine manière, il voulait faire payer à sa femme cet affront.

Patricia comprit que son mari demeurerait inflexible et n'insista pas.

12

Richard fut absent toute la semaine, ne téléphona à Patricia que trois ou quatre fois, et rentra très tard le samedi suivant, alors qu'elle dormait déjà.

Le dimanche, il lui réservait une autre déception. Elle préparait un petit goûter pour un pique-nique romantique lorsqu'il lui annonça que malheureusement il devait jouer au golf. Il ne pouvait contremander sous aucun prétexte cette partie dominicale parce qu'elle était planifiée depuis plus d'un mois et que ses partenaires de jeu étaient entre autres Blackwell et le docteur Waterman.

— Je comprends, dit-elle, trop déçue pour protester.

Richard arriva au Bel Air Country Club — le nec plus ultra des terrains de golf de la ville — quelques minutes à peine avant son heure de départ, prévue pour dix heures, si bien qu'il n'eut pas le temps de s'exercer. Blackwell et le docteur Waterman l'attendaient près du tertre de départ.

— Nous sommes seulement trois? demanda Richard. Je croyais que nous ferions un match.

Blackwell tira avec impatience sur un gros havane qu'il venait d'allumer:

— Moi aussi. Demande à ton ami Watermelon ce qui se passe. Il doit le savoir. Paraît que le quatrième joueur est un psy, lui aussi.

— Bonjour, docteur, dit Richard en serrant la main du directeur de la clinique Williamson.

— Bonjour, Richard. Prêt pour notre petite partie annuelle?

— Oui, oui.

— Vous êtes les suivants, monsieur Blackwell, annonça alors le préposé au départ.

— Christ! jura Blackwell. Hé, Waterman, ton jeune doc est resté pris dans le soutien-gorge d'une de ses patientes?

— Elles n'ont pas le droit de porter de soutiens-gorge à la clinique, c'est contre le règlement! voulut plaisanter Waterman.

Blackwell eut l'air de trouver le mot drôle car il laissa éclater un gros rire. En partie soulagé, le docteur Waterman jetait en direction du *clubhouse* des regards désespérés. Qu'est-ce que le docteur Lake pouvait bien faire? Blackwell était si colérique, si susceptible, il lui tiendrait peut-être rigueur pendant des semaines de cette partie de golf ratée.

Surtout qu'il était à prendre avec des pincettes depuis l'affaire Turner, un scandale qui avait failli éclater à cause d'une patiente qui s'était suicidée quelques jours après avoir obtenu son congé de l'institut Williamson, un des fleurons de la Blackwell Corporation. La famille avait poursuivi la direction de la clinique, et l'affaire s'était réglée hors cours pour la rondelette somme d'un million de dollars. Blackwell en était resté ulcéré, persuadé que Waterman était en partie responsable.

Waterman poussa un grand soupir de soulagement lorsqu'il vit enfin arriver en courant le jeune docteur Lake, tout échevelé, portant à l'épaule un sac de junior qui faisait vraiment pitié en comparaison des énormes sacs de ses partenaires.

Le caddy lui enleva son sac et l'attela à la voiturette électrique. C'était une particularité de ce club très sélect: chaque *foursome* devait jouer en voiturette électrique en plus de retenir les services d'un cad-dy!

Avec ses cheveux châtains bouclés et ses grands yeux verts lumi-neux, le docteur Lake, qui était dans la jeune trentaine, plaisait énor-mément aux femmes, malgré sa grande timidité. En voyant les sacs de ses partenaires — énormes, neufs et luxueux —, il se sentit un peu complexé.

Il avait peu joué au golf depuis qu'il avait été reçu médecin, et utilisait encore les mêmes bâtons qu'à l'université. Il devait d'ailleurs y avoir deux ans qu'il n'avait pas ciré ses souliers dont le cuir était raide et décoloré, car il avait été surpris par la pluie lors de sa dernière partie. Il se trouva l'air minable.

Heureusement, le reste de sa tenue était plus qu'acceptable puis-qu'il portait des pantalons à la Payne Stewart, des bas assortis qui lui montaient à mi-mollet et un t-shirt Lacoste.

— Enfin, Lake! dit Waterman avec un ton de reproche.

Et il le présenta aux autres partenaires. Blackwell, dont le succès était en partie attribuable à son sens aigu de l'observation remarqua tout de suite les souliers usés et les bâtons démodés du jeune médecin et déclara:

— Alors, ce sera la Blackwell Corporation contre la clinique Williamson!

— D'accord, dit Waterman.

— On joue comme d'habitude à cent dollars du trou.

— D'accord, dit Waterman.

Il ne vint à personne l'idée de protester. Waterman et Richard avaient l'habitude de ce genre de pari. Mais le jeune docteur Lake, qui était nouveau dans la profession et qu'un récent divorce avait laissé sur la paille ou à peu près, ne put s'empêcher de ravaler sa salive.

Il fit un calcul très rapide, d'une simplicité d'ailleurs enfantine. S'il perdait tous les trous, il s'appauvrirait de la coquette somme de 1 800$, soit près d'une semaine de salaire à la clinique Williamson. Et que penserait de lui le docteur Waterman s'il lui faisait perdre mille huit cents dollars à cause de la piètre qualité de son jeu?

Waterman se tourna vers Lake qu'il ne connaissait pas encore très bien puisqu'il l'avait embauché il y avait un mois seulement:

— Tu joues souvent?

— Non, pas vraiment. Avec le boulot...

— Tu as combien d'handicap?

— Je ne sais pas au juste, je... A l'université, je jouais assez sou-vent pour en avoir un, mais...

— C'est sans importance... dit Waterman.

Il se détourna, l'air dégoûté. Ils allaient se faire laver.

— Vous êtes les suivants, répéta le préposé au départ.

Blackwell remarqua la mine déconfite de Waterman et tira une bouffée de satisfaction de son cigare. L'affaire était dans le sac, avec Richard, qui, très bon joueur, avait douze d'handicap, et se débrouillait très bien sous pression. Un *money player*, comme on dit.

— A vous les honneurs, messieurs, déclara-t-il, confiant que ce serait la seule fois de la partie qu'ils seraient les premiers à frapper.

— A toi, dit Waterman à son jeune partenaire.

Nerveux, un sourire figé sur les lèvres, le docteur Lake qui n'avait pas frappé une balle depuis des siècles, choisit nerveusement un bâton et se dirigea vers le tertre de départ. Il adressait sa balle lorsque son partenaire lui lança:

— Hé, Jonathan, tu ne frappes pas ton coup de départ avec ton *driver*?

Le docteur Lake quitta sa position, et regarda la semelle de son bâton pour constater que, par erreur, il avait sélectionné son bois 3. Il rougit, sourit, et prit le bon bâton des mains de Waterman, qui cachait mal son découragement: il était vraiment tombé sur un joueur du dimanche! Il allait perdre sa chemise!

Blackwell ne put s'empêcher de décocher un clin d'oeil complice à Richard et eut peine à contenir le fou rire qui montait en lui. Ce serait un véritable massacre!

Nerveux au point de trembler, habité par la certitude qu'il raterait son premier coup — le plus difficile comme chacun sait — le docteur Lake tenta de se calmer. Il prit trois grandes inspirations — comme il avait appris à le faire à l'époque dans des matchs serrés —, et se répéta mentalement qu'il lui fallait à tout prix garder les yeux sur la balle et monter lentement, très lentement. Et il exécuta enfin son coup.

La physionomie de Blackwell changea immédiatement. Le visage lui tomba — en même temps d'ailleurs que son havane. Contre toute attente, le docteur Lake venait en effet de frapper un coup de départ tout simplement prodigieux, absolument parfait, expédiant la balle à au moins deux cent soixante-quinze verges, en plein centre de l'allée.

Il décocha un sourire surpris à son partenaire qui, ravi, poussa une exclamation. En fait, Waterman n'en revenait pas. Le jeunot n'était pas complètement nul! Il était même plutôt doué! Encouragé par cet excellent coup de départ, il frappa ce qui pour lui était un très bon *drive*, à deux cents verges, dans la partie gauche de l'allée.

Double performance qui impressionna tellement l'équipe adverse que Blackwell rata complètement son coup de départ, logeant sa balle dans le bois, à cinquante verges du tertre de départ, et Richard, sur qui reposait maintenant toute la pression de l'équipe, força son *drive* et tira un *hook* dans une trappe à gauche de l'allée centrale. Sa déconvenue — et celle de Blackwell — était complète.

Le reste de la partie fut à l'avenant, le docteur Lake ne cessant d'étonner tout le monde par la puissance et la précision de son jeu. Il compléta en effet une ronde remarquable de 78 et conduisit son équipe à une écrasante victoire. Ils empochèrent chacun mille six cents dollars, presque le maximum de ce qu'ils pouvaient gagner.

Blackwell, qui avait horreur de perdre, refusa de prendre le traditionnel verre de bière d'après-partie, alléguant qu'il avait des obligations. Il était d'ailleurs si pressé qu'il demanda à Richard de régler pour lui sa dette de golf, si bien que ce dernier dut débourser trois mille deux cents dollars, bien conscient que Blackwell ne le rembourserait probablement jamais. Ce n'était pas la première fois qu'il lui faisait le coup d'«oublier» ses dettes, lui dont la mémoire était pourtant infaillible. Et quelle serait la manière pour Richard de lui rafraîchir la mémoire sans avoir l'air d'un minable *peddler*?

Dégoûté par cette perspective, il faussa rapidement compagnie à ses compagnons en refusant de prendre un second verre. Il faut dire qu'il avait un peu mauvaise conscience d'avoir laissé sa femme encore seule, après une absence d'une semaine. De plus, il devait se l'avouer, il avait hâte de la retrouver.

Elle était si douce, si amoureuse de lui. C'était attachant, réconfortant de savoir que quelqu'un était toujours là, pour vous cajoler, vous attendre. Il faudrait bien qu'il lui consacre plus de temps.

Il venait de sortir de l'ascenseur privé de son condominium, avait pris machinalement sa clé et marchait distraitement en pensant à tout l'argent qu'il venait de perdre au golf — ce Lake était un bel hypocrite, il jouait comme le Tom Watson des belles années, calant des roulés de trente pieds! — lorsqu'il aperçut ses voisins, les Carter, atterrés, immobiles devant sa porte d'entrée. Il ralentit d'abord, puis pressa le pas:

— Qu'y a-t-il?

Sans rien dire, le septuagénaire, les yeux écarquillés de frayeur, tendit vers la porte un index tordu par l'arthrite. Quelqu'un y avait peint, en grosses lettres rouges: «L'AMOUR TUE».

Richard réagit très mal. Et son inquiétude ne fit qu'augmenter lorsqu'il constata que la porte était ouverte.

— Patricia! s'exclama-t-il.

Il s'empressa de pousser la porte. Le living-room était dans un désordre indescriptible, comme s'il y avait eu un cambriolage ou une lutte.

— Patricia!

Il courut vers la cuisine. Personne. Il se précipita vers la chambre à coucher. Sa femme ne s'y trouvait pas davantage. Il s'immobilisa, interdit. L'avait-on enlevée? Si oui, allait-on exiger une rançon colossale? Ce n'était pas impossible. Après tout, il était un avocat en vue et il occupait un poste important.

Il entendit alors de l'eau couler. Pas loin. En fait, le bruit provenait de la salle de bain. Il y courut. La porte était fermée à clé. Il appela à nouveau:

— Patricia ! Patricia !

Mais sa femme ne répondit pas. Etait-il déjà trop tard? Allait-il la trouver morte, par sa faute? Parce qu'il avait préféré égoïstement jouer au golf plutôt que de passer la journée du dimanche avec elle?

Il enfonça la porte d'un seul coup d'épaule et découvrit enfin Patricia, assise dans le bain, la tête posée contre le rebord, complètement nue. Morte ou inconsciente, elle avait l'air d'un pantin désarticulé, et son visage était bizarrement couvert de rouge à lèvres. Elle semblait avoir été maquillée par un maniaque. Son bras droit pendait hors du bain et une bouteille de somnifères, à moitié vide, était tombée de sa main, juste à côté du bracelet que son mari lui avait offert.

L'eau du bain était rougeâtre — Patricia était-elle blessée? — et elle débordait tout doucement; le robinet n'avait pas été refermé complètement et un mince filet s'en échappait.

Richard s'approcha, affolé, craignant le pire. Il fut dégoûté de voir, à la surface de l'eau, de nombreux poils noirs, frisottés, qui tout à la fois l'intriguèrent et l'inquiétèrent. Il s'empressa de s'agenouiller près du bain, souleva doucement la tête de sa femme, et la pria:

— Patricia, parle-moi. Dis quelque chose...

Elle ne répondait pas, ne remuait pas. Il se pencha au-dessus de sa bouche et découvrit à son grand soulagement qu'elle respirait encore, très faiblement il est vrai, mais elle vivait. Il exultait.

Il lui secoua légèrement la tête, dans le but de la ranimer, mais en vain. Etait-elle dans le coma? Il fallait qu'il agisse vite, car dans ces circonstances, quelques minutes pouvaient faire la différence entre la vie et la mort, surtout que de toute évidence on l'avait forcée à avaler des somnifères.

Il commença à la tirer du bain. Il s'aperçut alors que ses seins étaient également couverts de rouge à lèvres. Cette découverte le dégoûta et accrût sa colère. Le salaud qui avait fait ça avait sûrement violé sa femme. Il la retira du bain, et vit que son pubis était complètement rasé.

Il se rappela alors, avec effroi, le message macabre accompagnant la poupée défigurée qu'ils avaient reçue la semaine précédente. Son visage se tordit en une expression de remords: il n'aurait pas dû prendre cette histoire à la légère!

13

— Pensez-vous qu'elle va survivre, docteur? demanda Richard.

— Oui, je... En principe... dit le docteur Lang, qui, à cinquante ans, avait déjà les cheveux tout blancs et les yeux profondément cernés. Il se surmenait depuis plus de vingt ans, totalement dédié à sa pratique et à ses travaux de recherche.

— Et les séquelles? Y aura-t-il des séquelles?

— Il est encore trop tôt pour le dire...Votre femme a pris une grosse dose de somnifères...

La scène se déroulait dans la chambre de l'hôpital où Patricia avait été admise d'urgence. On lui avait tout de suite administré un lavement d'estomac et elle reposait, inconsciente, depuis près d'une heure.

— Mais comment se fait-il qu'elle ne se réveille pas?

— Il faut laisser le temps aux somnifères de se résorber. Elle devrait probablement se réveiller d'ici peu. Avec le soluté qu'on lui donne, elle va reprendre ses forces...

Richard prit la main de sa femme, la serra très fort et appela:

— Patricia? Est-ce que tu m'entends?

Patricia bougea alors la tête, très doucement, très lentement.

— Elle a bougé! s'exclama Richard, animé d'un espoir nouveau.

Le docteur s'avança, regarda sa patiente. Patricia ouvrit alors des yeux dans lesquels passa une expression de surprise mêlée de frayeur.

— Patricia? dit son mari en esquissant un sourire. Nous sommes ici, avec toi. Tu es hors de danger. Parle-moi. Dis seulement un mot.

Elle se tourna vers lui, fronça les sourcils, mais ne parut pas le reconnaître et eut même un mouvement de recul, comme s'il lui faisait peur.

— C'est moi, Richard. Tu me reconnais, dis?

Comme elle ne disait toujours rien, Richard se tourna vers le médecin et lui jeta un regard inquiet. De toute évidence, sa femme ne le reconnaissait pas. Etait-elle devenue un «légume», une sorte d'infirme du cerveau qui ne recouvrerait jamais ses facultés? Le médecin ne parlait pas, jugeant sans doute qu'il était trop tôt pour se prononcer.

Patricia referma les yeux. Richard eut l'air affolé.

Il regarda le médecin sans oser lui poser la question qui lui brûlait pourtant les lèvres: était-elle en train de mourir, après avoir eu un dernier sursaut de vigueur, une sorte de dernier adieu avant le grand départ?

— Mais faites quelque chose, docteur! Est-ce qu'elle est...

Le docteur n'eut pas à répondre car Patricia ouvrit à nouveau les yeux. Cette fois-ci, elle avait l'air plus alerte, elle semblait recouvrer peu à peu ses esprits.

— Patricia? demanda Richard en lui agitant doucement la main, comme pour lui conférer l'énergie suffisante pour lui répondre. Tout va bien aller, maintenant.

— Comment vous sentez-vous, madame Stone? demanda le médecin qui voulait surtout l'entendre parler, ce qui serait un signe que ses principales facultés n'étaient pas atteintes.

Patricia jeta un regard vide dans sa direction, comme si elle se demandait ce qu'il faisait là auprès de son lit. Elle n'était sûrement pas consciente de se trouver dans un hôpital. Le médecin ne détela pas pour autant.

— Pouvez-vous me dire seulement un mot, madame Stone?

Elle continua de le regarder sans réagir. Le visage de Richard se rembrunit. Sa femme subirait-elle des séquelles?

— Madame Stone, reprit le médecin. Vous souvenez-vous que vous vous appelez madame Stone?

Elle avait l'air de le trouver antipathique, avec ses cheveux blancs, plutôt hirsutes et ses profonds cernes noirs, qui lui donnaient l'air non pas d'un savant surmené, mais d'un raton laveur ou d'un hibou. Contre toute attente, elle dit alors, d'une voix très faible, presque imperceptible:

— Wood...

— Wood? dit le médecin, qui ne comprenait pas.

Mais Richard exultait.

— C'est son nom de fille, expliqua-t-il. Elle n'a pas perdu la mémoire. Chérie, dit-il, je t'aime. Il n'y a plus de danger maintenant, tu es sauvée.

Et il se pencha vers elle et l'embrassa. Mais elle le refroidit aussitôt en lui murmurant à l'oreille, d'une voix amoureuse:

— Jack...

Il eut un sourire ennuyé. Le prenait-elle pour son ancien amant? Pensait-elle encore à lui? A moins que... Mais oui, bien entendu, c'était peut-être son ancien amant qui l'avait attaquée sauvagement, et elle avait peut-être voulu le lui dire tout de suite, pour qu'on procède immédiatement à son arrestation.

Le médecin regarda Richard: y avait-il un autre homme, un amant, dans cette histoire? Un banal triangle amoureux: le mari, la femme et l'amant.

— Monsieur Stone... commença le médecin qui attira Richard vers lui et parla à voix basse, je crois qu'on peut d'ores et déjà dire que votre femme est sur le chemin du rétablissement. Elle ne restera pas dans le coma, elle peut parler, elle a l'air de comprendre ce qu'on lui dit, mais il se peut que la mémoire lui revienne par étapes, si on peut dire, et qu'elle se rappelle d'abord des choses du passé, puis du présent...

A ce moment l'inspecteur Spalding fit son entrée dans la chambre. Il avait été prévenu peu avant par Richard qui l'accueillit avec un air de reproche évident. C'était à cause de son incurie que sa femme se trouvait dans cet état. Quel incompétent!

L'inspecteur sentit les accusations muettes de Richard et afficha une mine désolée. Courtois, il tendit la main à Richard qui refusa de la serrer, pour bien marquer le mépris dans lequel il le tenait.

Patricia émit alors un gémissement. Richard se tourna vers elle. Souffrait-elle? Non. Elle tendait simplement la main vers le pichet posé sur la table de chevet. Richard s'empressa de lui verser un verre d'eau et l'aida à boire, soulevant légèrement sa tête.

Elle n'absorba qu'une petite gorgée puis repoussa le verre et gratifiant Richard d'un large sourire. Il était transporté. Elle le reconnaissait enfin.

— Comment te sens-tu? demanda-t-il.

— Fatiguée, dit-elle.

Elle répondait logiquement à sa question. Elle était donc sauvée. Il eut une hésitation, mais sa curiosité fut plus forte et il demanda:

— Qu'est-ce qui est arrivé Patricia? Est-ce que tu peux nous le dire?

— Ce qui m'est arrivé?

Richard se tourna vers le médecin, inquiet. Sa femme était-elle vraiment hors de danger? N'avait-elle pas plutôt complètement perdu la mémoire? Le médecin se pencha vers Richard:

— Elle a une réaction normale, dit-il à voix basse, de manière à ce que Patricia ne pût entendre. Après un traumatisme, le patient chasse souvent de sa mémoire les incidents qui l'ont bouleversé.

Il venait à peine de prononcer ces mots que le visage de Patricia se décomposa et sa relative quiétude fit place à une expression angoissée. Elle raconta alors, d'une voix blanche:

— Je prenais mon bain lorsque j'ai entendu des pas. D'abord, j'ai cru que c'était toi, dit-elle en se tournant vers son mari. Mais c'était un homme que je n'avais jamais vu. J'ai crié au secours, j'ai essayé de sortir du bain, mais il avait un couteau. Il m'a menacée. Il avait un grand sac noir, il s'est mis à fouiller dedans. Il avait l'air très nerveux, comme s'il était drogué. Ou fou. Il respirait très fort. Il riait comme un malade.

Il s'est mis à dire: «La petite fille est sale, très sale, il va falloir que je la lave.»

Elle s'arrêta de parler, les larmes aux yeux: l'évocation de ces souvenirs semblait trop pénible.

— Et qu'a-t-il fait ensuite? demanda l'inspecteur, qui prenait des notes depuis que Patricia avait commencé à parler.

— Cet homme est un maniaque. Qu'est-ce que vous pensez qu'il a fait? l'interrompit Richard qui voulait protéger sa femme, et, en même temps, en une possessivité bien compréhensible, refusait d'entrer dans les détails.

— C'est justement ce que nous cherchons à savoir, dit le détective Spalding avec une moue de compréhension. Je comprends que vous soyez bouleversé par ce qui est arrivé à votre femme, Monsieur Stone, mais si nous voulons mettre la main au collet de ce déséquilibré, nous n'avons pas le choix... Si vous voulez bien continuer, madame Stone.

Patricia rassembla ses esprits:

— L'homme a... Il a sorti un rasoir de son sac... Il m'a demandé de m'asseoir sur le rebord du bain, d'écarter les jambes... Et... il m'a rasée... J'étais morte de peur... Je...

Elle s'arrêta. Elle était vraiment dégoûtée. Richard serra les poings. Il le tuerait ce salaud!

— Et ensuite, madame Stone? demanda l'inspecteur.

— Ensuite il a remis le rasoir dans son sac noir et il a déboutonné son pantalon...

— Est-ce qu'il vous a... Est-ce qu'il a tenté de vous violer, madame Stone?

— Il se... Il se tripotait pour... Mais il n'était pas...

— Il n'était pas quoi? demanda l'inspecteur.

— Il n'était pas capable de bander! ragea Richard. Est-ce qu'il faut vous faire un dessin?

L'inspecteur pencha la tête, désolé.

— Je dois quand même vous demander s'il vous a effectivement violée, madame. Je sais que c'est un souvenir pénible, mais une fois que vous l'aurez raconté, nous vous laisserons vous reposer.

Le médecin intervint alors pour expliquer:

— Les examens ne montrent pas de trace de pénétration ni de sperme.

Richard parut rassuré par cette information nouvelle pour lui. Son orgueil de mari s'en trouvait en partie sauvegardé. Epuisée par toutes ces questions, Patricia se mit alors à pleurer. Le médecin prit la parole:

— Il vaut mieux la laisser se reposer, maintenant. Elle a été très éprouvée.

Cinq jours plus tard, par un matin radieux, Patricia bouclait sa valise. Elle avait obtenu son congé la veille et son mari venait la chercher dans quelques minutes. Elle affichait une mine resplendissante et semblait avoir complètement oublié ce qui s'était passé. Une jeune infirmière entra dans sa chambre avec des papiers à signer, les formalités de départ.

— Vous avez l'air en pleine forme, madame Stone, dit-elle.

— Nous partons pour Venise aujourd'hui même, mon mari et moi.

Richard lui avait en effet promis de faire enfin leur voyage de noces. L'infirmière commenta, ébahie:

— Venise? Vous en avez de la chance! J'ai toujours rêvé d'y aller. Si mon petit médecin peut finir par se rendre compte que je suis la femme de sa vie, ajouta-t-elle comme pour elle-même et en baissant légèrement la voix.

Patricia lui sourit. Elle referma sa valise et signa distraitement le document que l'infirmière lui tendait.

— Bon, eh bien, j'espère que votre séjour à notre hôpital vous a plu, dit l'infirmière avant de quitter Patricia.

— Mais oui, tout était parfait... J'avais oublié de vous remercier d'ailleurs. Je suis vraiment enchantée. Pourriez-vous me dire l'heure?

— Bien sûr. Dix heures vingt-cinq.

— Merci.

— Eh bien, je vous souhaite un bon voyage à Venise.

— Bonne chance avec votre petit médecin.

L'infirmière la laissa seule. Patricia était impatiente. Elle ne tenait plus en place. Son mari lui avait promis de la prendre à dix heures trente précises. Dans cinq minutes, il serait là. Dans cinq minutes, sa vie recommencerait enfin!

Elle se regarda dans la glace, vérifia sa coiffure. Elle trouva qu'elle était encore un peu pâle. Il faut dire qu'après cinq jours au lit, le contraire eût été surprenant. Elle ne revenait tout de même pas de la plage! Elle se remit du rouge à lèvres puis alla à la fenêtre de la chambre qui donnait sur le stationnement des visiteurs.

Elle guetta les voitures. Elle aperçut enfin la Mercédès bleue. C'était lui! Son coeur se mit à battre plus fort, comme le jour de leur premier baiser. Bientôt, ils s'envoleraient vers New York, d'où ils prendraient un autre avion jusqu'à Rome. Ils passeraient deux jours dans la Ville éternelle, puis se dirigeraient en voiture vers Venise, où ils passeraient enfin leur lune de miel, au prestigieux hôtel Lido. Venise! La ville des amoureux! La ville la plus romantique du monde! Quel endroit idéal pour un nouveau départ!

Lorsque Richard arriva dans la chambre, elle lui sauta dans les bras.

— Tu as l'air en pleine forme, dit-il, surpris de sa vigueur, après une si brève convalescence.

— Je suis tellement contente d'aller à Venise!

Son mari esquissa un sourire et prit sa valise. Ils quittèrent l'hôpital et furent bientôt sur la route. Richard était devenu brusquement taciturne et il avait l'air très préoccupé. Sans doute des problèmes au bureau, qu'il n'avait pu régler avant son départ et qui décidément le suivaient partout, se dit Patricia. Quelles responsabilités écrasantes et quel esclavage au fond! Ceux qui enviaient Richard, à cause de son salaire pharamineux et de tous les avantages dont il jouissait, ne connaissaient vraiment pas le revers de la médaille!

Patricia l'admira secrètement. Il avait une capacité étonnante de supporter la pression et ne lui rebattait pas sans arrêt les oreilles avec ses problèmes professionnels! D'ailleurs, plus elle le connaissait, plus elle l'estimait. N'était-ce pas qu'elle avait enfin commencé à l'aimer véritablement, maintenant qu'était passée l'excitation un peu factice des débuts qui cache toujours l'âme véritable du partenaire?

Il conduisait très vite, poussant la voiture à plein régime. Patricia n'osa protester même si elle n'était guère une fanatique de la vitesse. Ils étaient sûrement un peu juste pour l'avion...

Richard emprunta bientôt une route qu'elle ne connaissait pas. Elle se dit que c'était peut-être un raccourci vers l'aéroport.

Mais lorsqu'ils s'éloignèrent du Pacifique, au bord duquel se trouvait l'aéroport international de Los Angeles, elle trouva cette route bizarre. D'ailleurs, le paysage commençait à changer, devenait plus montagneux, plus boisé.

La route était maintenant bordée d'énormes pins entre la cime desquels perçaient les rayons solaires. Parfois aussi, les arbres bloquaient complètement le soleil, et la route s'obscurcissait comme à la tombée du jour, ce qui donnait au décor une touche inquiétante. Décidément, quelque chose cloche, pensa Patricia qui se décida à briser le silence:

— Je ne comprends pas, Richard. Ce n'est pas le chemin de l'aéroport.

Richard ralentit légèrement et dit:

— Ecoute, Patricia, je voulais t'en parler mais... J'ai eu une conversation très sérieuse avec le docteur Spalding, je veux dire le docteur Lang, avant-hier... Il est encore inquiet à ton sujet. Il souhaite te faire passer des tests supplémentaires. Il croit que ce serait plus prudent que tu restes un certain temps sous observation... Seulement quelques jours, je t'assure... Alors j'ai pensé que, plutôt que de rester dans cet hôpital ouvert au grand public, tu serais mieux à la clinique Williamson. Elle est beaucoup plus confortable...

Patricia était éberluée. Qu'est-ce que son mari lui racontait là? Faisait-elle un mauvais rêve? Tout à coup, elle avait l'impression de n'être qu'une petite fille dont le sort était décidé par son père.

— Mais je me sens en pleine forme, je ne vois vraiment pas ce que j'irais faire dans cette clinique!

— Ton médecin craint une rechute... C'est un grand spécialiste, tu sais... Je crois qu'il ne faut pas prendre ses conseils à la légère.

Patricia n'en revenait pas. Pourquoi son mari parlait-il de «rechute» — le mot était étrange — puisqu'elle n'avait pas été malade à proprement parler?

— Et notre voyage à Venise?

— Ce n'est que partie remise. J'ai fait tous les arrangements. Nous partirons dès que tu obtiendras ton congé de la clinique.

Patricia demeura coite. Tout était décidé d'avance. Que pouvait-elle répliquer?

Ils arrivèrent bientôt en vue de la clinique Williamson, qu'un mur noir, très élevé, protégeait des regards indiscrets. En le voyant, Patricia éprouva tout de suite un sombre pressentiment. On aurait dit le mur d'une prison.

La Mercédès franchit le poste de garde et, la barrière métallique une fois ouverte, roula vers la clinique qui était vraiment impressionnante. Le bâtiment ultra-moderne de quatre étages, qui comptait une centaine de chambres, ressemblait plus à un centre de recherches militaires qu'à un institut psychiatrique.

— Je n'aime pas cet endroit, Richard, dit Patricia. Je veux rentrer à la maison.

— Mais voyons. C'est la meilleure clinique du pays. Tu seras comme au Ritz!

Il gara la voiture, prit la valise de sa femme, puis ils entrèrent dans la clinique. L'immense entrée de l'Institut Williamson, avec ses planchers et ses murs de marbre évoquait plus le hall d'entrée d'un hôtel cinq étoiles que celui d'une clinique. Il faut dire que sa clientèle était essentiellement constituée du *jet set* du monde entier car sa réputation avait largement dépassé les frontières de la Californie puis de l'Amérique.

Il fallait bien donner l'image du luxe le plus insolent pour justifier auprès de la clientèle — même fortunée — des frais de séjour qui pouvaient s'élever à plus de cinq mille dollars par semaine, sauf arrangements contraires avec la direction dans les cas d'hospitalisations prolongées, dispositions qui étaient souvent utilisées, puisque certaines patientes séjournaient à la clinique depuis son ouverture, cinq ans auparavant.

Sur le mur principal du hall, une grande plaque de bronze donnait la liste — plutôt impressionnante — des principaux donateurs de l'hôpital. Richard s'attarda un instant à la parcourir cependant que sa femme, préoccupée, se serrait contre lui.

— Regarde, dit-il. On dirait le *Who's Who* des gens riches et célèbres. Jimmy Chase, William Kramer, le milliardaire... Joseph Sternman, le courtier le plus puissant de Wall Street... George Bloomberg, du fameux magasin, notre vieil ami Henry Darpel...

Patricia ne manifesta pas de réaction. Que lui importait cette liste prestigieuse, alors qu'elle, elle devait troquer un merveilleux voyage en Italie contre un séjour inopiné dans une clinique, aussi luxueuse fût-elle!

Une infirmière vint alors à leur rencontre. Quadragénaire élégante, aux yeux clairs, très perçants, et aux cheveux blonds attachés en chignon, elle dégageait une impression de distinction que n'épargnait cependant pas une sorte de froideur, d'artificialité.

— Monsieur et madame Stone? demanda-t-elle d'une voix claire et harmonieuse.

— Oui, dit Richard.

— Mon nom est Betty Harper, dit-elle en leur serrant la main. Je suis l'infirmière-chef de la clinique. Je vous souhaite la bienvenue à l'Institut Williamson.

Puis se tournant vers Patricia:

— Je suis sûre que vous ferez un excellent séjour chez nous. Si vous voulez bien me suivre, je vais vous montrer votre chambre.

Elle les précéda, les entraînant vers l'ascenseur, dont la porte en bronze ouvragé de style art déco, représentait d'innombrables petits serpents dont la tête avait quelque chose de menaçant et qui parurent de mauvais augure à Patricia. Elle eut un mouvement de recul. Ces serpents semblaient grimaçer pour la narguer — à moins que ce ne fût pour la prévenir d'un danger.

Elle regarda instinctivement son bracelet, et par comparaison, le serpent qui se mordait la queue lui parut sympathique, ou en tout cas familier. Peut-être la protégerait-il contre l'influence néfaste de ces reptiles qui s'entremêlaient de manière repoussante sur cette porte.

Le couple, accompagné de l'infirmière-chef, monta bientôt dans l'ascenseur, qui s'arrêta au premier étage.

— Depuis la fondation de la clinique il y a cinq ans, expliqua Miss Harper en sortant de l'ascenseur, nous avons traité plus de quatre cents patientes. Je dis «patientes» parce que, comme vous le savez peut-être, notre clinique n'accueille que des femmes.

— Vous me rassurez, dit Richard d'un ton mi-badin mi-sérieux en se tournant vers sa femme, feignant de ne pas connaître ce règlement.

Miss Harper n'était sûrement pas au courant de la position qu'occupait Richard Stone au sein de la Blackwell Corporation qui était en fait propriétaire de la clinique. Elle sourit, visiblement fière de son coup.

— Nos patientes viennent de partout à travers le monde, continua l'infirmière. Il faut dire que le site est vraiment exceptionnel et que nos installations sont à la fine pointe de la technologie. Nous avons des bains saunas, des piscines intérieure et extérieure, une salle d'exercice, un salon de massage, un salon de coiffure, un salon de beauté, des salles de danse, des bains flottants, des bains de boue. Une diététicienne viendra vous rencontrer demain pour établir votre menu en fonction de vos exigences et de vos goûts. Nous avons aussi une petite chapelle où vous pouvez aller vous recueillir. Vous voyez que vous ne manquerez de rien, madame Stone...

Patricia qui ne disait toujours rien, se contenta de dodeliner de la tête. Elle aurait mille fois préféré être n'importe où au monde avec son mari, même dans une cabane perdue au fond des bois, que de se retrouver dans cette clinique pour millionnaires blasées.

Richard regarda sa femme:

— Le Ritz, je te le disais...

Ils approchaient maintenant de la chambre qui avait été assignée à Patricia.

— Mais ce qui est surtout intéressant, reprit Miss Harper avec un large sourire de fierté, c'est que la clinique est une véritable oasis de paix. La seule chose qu'on entend, c'est le bruit du vent et des oiseaux dans les arbres.

Au moment même où elle prononçait ces mots, ils passèrent devant la chambre d'une patiente qui, avec un talent douteux, mais d'une voix assez puissante, faisait des vocalises — à moins que ce ne fût un air d'opéra malmené au point d'être méconnaissable.

L'infirmière qui venait de vanter le calme de la clinique adressa aux Stone un sourire embarrassé.

— Madame Bloomberg... expliqua-t-elle.

— Pas la femme du célèbre Monsieur Bloomberg? dit Richard avec un étonnement feint puisqu'il savait très bien qui était Bloomberg.

— Oui, dit l'infirmière. Précisément. Je vous ai dit que notre clientèle était très prestigieuse. Madame Bloomberg est très sympathique. Elle veut devenir chanteuse d'opéra.

— Ah, je vois, dit Richard. Elle a... beaucoup de potentiel.

— Oui. C'est une artiste.

En passant devant la porte ouverte de la chambre de madame Bloomberg, Richard et sa femme ne purent s'empêcher de jeter un coup d'œil curieux.

— Si vous voulez m'excuser un instant, dit l'infirmière en entrant dans la chambre.

C'était une chambre très vaste, comme d'ailleurs toutes les chambres. Si vaste que le majestueux piano Steinway ne la rapetissait d'aucune manière et n'y paraissait nullement à l'étroit. Une grande boîte de chocolats en forme de coeur y était posée, ouverte.

Au banc, était assis un jeune homme d'une vingtaine d'années, efféminé et filiforme, portant de longs cheveux noirs qui lui tombaient aux épaules comme à l'époque déjà lointaine des hippies. Il tenait, avec une dignité toute aristocratique, le rôle d'accompagnateur de cette cantatrice bien particulière.

Cette dernière — dont le moins qu'on pût dire est qu'elle avait du coffre avec ses cent cinquante kilos — contrastait fortement avec ce jeune éphèbe.

La quarantaine fière, pour ne pas dire hautaine, elle arborait une véritable tenue de gala, une robe de soirée en velours rouge, très décolletée, d'où émergeaient, comme deux torpilles, des seins énormes. Absorbée dans son rôle, elle affichait un visage tordu par une telle émotion dramatique qu'elle devait continuellement éponger de son

118

petit mouchoir de dentelle blanche les larmes coulant de ses yeux bordés de longs faux cils.

— Madame Bloomberg! dit l'infirmière.

Trop prise par sa répétition, madame Bloomberg ne répondit pas. L'infirmière sourit à l'adresse des Stone, avec l'air de dire que c'était une artiste et qu'il ne fallait pas se formaliser de ses excentricités.

— Madame Bloomberg! répéta-t-elle en haussant la voix.

La grinçante cantatrice n'entendit pas davantage ou plus probablement fit-elle la sourde oreille. Elle ne souffrait pas les interruptions, grave manquement à son art, que le monde entier était d'ailleurs sur le point de reconnaître. Elle continua tout bonnement à chanter, lançant des notes de plus en plus aiguës, véritables cris de désespoir.

Richard esquissa une grimace et porta involontairement la main à son oreille droite, comme s'il craignait pour son tympan. Il regarda sa femme qui eut une moue contrariée:

— Le Ritz, tu disais? dit-elle pour narguer son mari.

Le jeune accompagnateur, qui lui, avait entendu l'infirmière, cessa de jouer et madame Bloomberg fut forcée de s'interrompre elle aussi. Outrée, elle se tourna vers Miss Harper qui lui dit:

— Madame Bloomberg, auriez-vous l'amabilité de fermer votre porte lorsque vous répétez?

Pour toute réponse, madame Bloomberg sélectionna un chocolat dans la boîte posée sur le Steinway et, tout en croquant dans le bonbon, elle toisa Miss Harper avec un air dégoûté.

— Alphonse, la porte! intima-t-elle à son accompagnateur qui s'exécuta immédiatement.

Satisfaite, Miss Harper sourit à nouveau à Patricia et Richard, comme pour signifier aux Stone que tout baignait dans l'huile à la clinique. Elle fit le commentaire suivant:

— Toutes les chambres sont parfaitement insonorisées. Vous pourriez crier au meurtre et personne ne vous entendrait.

En prononçant ces mots, elle plissa les lèvres, se rendant compte que le choix de ses mots n'était guère heureux. Mais elle put trouver tout de suite une diversion, car ils arrivèrent enfin à la chambre de Patricia, dans laquelle elle fit entrer le couple.

Elle s'empressa aussitôt d'aller ouvrir le rideau de la fenêtre. La lumière inonda la pièce.

— Vous avez de la chance, dit l'infirmière. Cette chambre possède une des plus belles vues de la clinique. En outre, vous avez une voisine célèbre. Madame Andréa Blackwell, la femme de notre généreux fondateur. Vous verrez, elle est vraiment adorable.

— Je ne savais pas qu'elle était hospitalisée ici... murmura Patricia à l'attention de son mari.

— Tu ne te souviens pas, je t'ai dit... Elle est ici depuis l'ouverture de la clinique. Elle est un peu, euh...

Il allait se toucher la tempe dans le geste caractéristique de la folie mais Miss Harper se tourna vers lui à ce moment précis si bien qu'il dut faire avorter son mouvement et se gratta plutôt la joue avec un sourire niais. L'infirmière demeura un instant perplexe.

— C'est bien comme chambre, c'est vraiment très bien, s'empressa de dire Richard, pour se donner une contenance.

— Je suis certaine que vous allez apprécier votre séjour ici. Si vous avez besoin de quoi que ce soit, dit l'infirmière en désignant une poire électrique suspendue au-dessus du lit, n'hésitez pas. Vous pouvez sonner vingt-quatre heures par jour.

Des questions?

— Non, dit Patricia, décidément contrariée de la tournure des événements.

Cette clinique était en fait une sorte d'asile pour femmes déséquilibrées, aussi riches fussent-elles. Madame Bloomberg n'avait certainement pas toute sa tête. Et son mari venait pour ainsi dire de lui avouer que la femme de Blackwell souffrait elle aussi de troubles mentaux — autant dire qu'elle était carrément folle! Alors que diable venait-elle faire dans cette clinique, alors qu'elle avait tout simplement subi une tentative de viol dont elle s'était d'ailleurs parfaitement remise, du moins à son avis?

Juste avant de se retirer, Miss Harper ajouta:

— Ah oui, j'oubliais, je viendrai vous chercher vers midi pour le repas communautaire.

— Je ne veux pas rester ici, dit Patricia dès qu'elle se retrouva seule avec son mari.

— Mais voyons. Sois raisonnable. Ce n'est que pour quelques jours.

— Je n'aime pas les vibrations, ici.

— Tu as tout le confort nécessaire. Tu peux lire, relaxer, te faire donner des massages, des soins de beauté, comme dans un spa. Demain, je vais t'apporter des livres, si tu veux.

— J'ai l'impression d'être à l'asile.

— C'est une des cliniques les plus reconnues au monde. Tu devrais en profiter au contraire. Pour une romancière, c'est une occasion unique, tu vas rencontrer plein de personnages de roman. Et puis n'oublie pas que ce n'est que pour quelques jours...

Patricia finit par céder. Après tout, son mari avait peut-être raison, quelques jours dans une maison de repos, ce n'était pas la fin du monde. Et puis elle y trouverait peut-être le nouveau sujet de roman qu'elle cherchait désespérément depuis plusieurs semaines.

Pressé, Richard embrassa sa femme et la quitta. De sa fenêtre — il est vrai que la vue était magnifique car on voyait au loin les montagnes —, Patricia le regarda monter dans sa voiture. Elle multiplia les saluts — à distance — mais il ne la vit pas, et ce détail, pourtant insignifiant, l'attrista énormément, peut-être tout simplement parce qu'il était à l'image de son mariage.

14

Le premier repas communautaire fut pour Patricia une expérience singulière. Comme convenu, Miss Harper était venue la chercher — avec cependant un petit retard dont elle s'excusa — pour la conduire à la salle à manger et faire les présentations.

C'était une pièce très vaste, qui pouvait recevoir une centaine de personnes à des tables de deux, quatre, ou huit. Il devait d'ailleurs y avoir près de quatre-vingts femmes qui prenaient en ce moment leur repas et la salle était très animée.

— Vous allez voir, dit Miss Harper à Patricia en parlant des pensionnaires avec qui elle partagerait son repas, elle sont toutes très sympathiques.

Patricia s'inscrivit rapidement en faux contre cette affirmation parce que, à sa grande surprise, la première pensionnaire que Miss Harper lui présenta était quelqu'un qu'elle connaissait — et détestait.

Il s'agissait en effet de nulle autre que madame Darpel qui avait été internée la semaine précédente dans des circonstances qui avaient plongé sa famille immédiate dans l'embarras. Son mari l'avait trouvée dans une sorte de transe érotomane, la bouche rivée au sexe d'une jeune Noir de dix-huit ans, un vibrateur enfoncé dans son très digne anus, à une profondeur qui le rendait irrécupérable par des moyens ordinaires.

Son mari avait pu sonder la gravité de son déséquilibre quand, même après qu'il l'eut surprise ainsi, elle avait continué de «pomper» — les amoureux sont toujours seuls au monde! — son amant rétribué auquel les infirmiers, appelés de toute urgence, avaient dû l'arracher.

Par prudence — et aussi pour la protéger contre elle-même —, le vieux Darpel l'avait fait interner immédiatement. Elle n'avait manifesté aucune opposition, ce qui n'avait fait que lui confirmer la sagesse de sa décision.

— *Small world*, dit madame Darpel en voyant arriver Patricia, non sans une certaine surprise et en lui lançant un regard plutôt malveillant.

Mais Miss Harper poursuivit les présentations. A côté de madame Darpel était assise madame Tate, épouse d'un richissime banquier de Californie. Proche de la cinquantaine, elle était internée pour dépression chronique. Le teint très pâle, les cheveux d'une couleur indéfinissable, elle conversait en ce moment avec sa meilleure amie, à Rome, à l'aide de son téléphone cellulaire miniature, et ne crut pas bon de s'interrompre pour saluer Patricia.

Sa voisine de table, madame Kramer, une quinquagénaire immense, lectrice compulsive de romans Harlequin — et qui d'ailleurs ne se gênait jamais pour lire à table —, s'arracha à regret de sa passionnante lecture mais s'y replongea aussitôt après avoir salué la nouvelle venue.

La voisine de chambre de Patricia, la cantatrice, madame Bloomberg, faisait partie de la tablée. En ce moment, elle attendait avec impatience de manger en s'épongeant le front de son fin mouchoir de dentelle.

Il y avait enfin mademoiselle Chase, grande, très mince, d'une beauté tragique, qui cachait constamment derrière des verres fumés de grands yeux bleus abîmés par ses crises de larmes quotidiennes. Unique héritière d'une des plus grosses fortunes américaines, elle avait déjà à son actif, à vingt ans, plus d'une dizaine de tentatives de suicide. Lorsqu'on lui présenta Patricia, elle se contenta d'esquisser un sourire triste.

Comprenant que les présentations étaient terminées, Patricia vint pour s'asseoir à une des chaises libres — de très belles chaises dont le dossier et le siège étaient recouverts d'un tissu doré du meilleur goût — mais Miss Harper l'arrêta:

— C'est la place de madame Blackwell. On la lui réserve en permanence même si elle prend rarement ses repas avec nous.

— Elle a trop de classe pour nous, dit ironiquement madame Darpel.

Miss Harper, sans relever la remarque désobligeante de madame Darpel, désigna la chaise libre, à côté de mademoiselle Chase.

Patricia, dont le visage était éclairé par un sourire timide, prit place à l'endroit que lui désignait Miss Harper. Elle aperçut alors, posée devant son assiette, une plaquette de métal sur laquelle on pouvait lire son nom: Patricia Stone.

Elle en resta surprise et même, à la vérité, un peu effrayée. Décidément, on faisait les choses vite et bien à la clinique Williamson! A moins que son séjour n'eût été planifié depuis longtemps! Mais elle n'eut pas le temps de se livrer à ces réflexions inquiétantes.

Madame Tate, qui venait de raccrocher, avait noté sa présence à la table et dit, curieuse:

— Mademoiselle... Je n'ai pas eu le plaisir de vous être présentée. Je m'appelle Louise Tate.

— Moi, Patricia. Patricia Stone. Enchantée.

— Pourquoi êtes-vous ici?

— J'avais besoin de quelques jours de repos.

— Moi aussi, je suis venue me reposer pour quelques jours... il y a huit ans.

Elle disait huit ans alors qu'elle n'était internée que depuis quatre ans: mais elle avait pour ainsi dire perdu la notion du temps et tirait une certaine fierté de la longueur de son séjour qui faisait d'elle une sorte de doyenne de la clinique. Elle avait prononcé ces mots sans arrière-pensée, sans malveillance aucune, et elle ne pouvait se rendre compte que ses paroles avaient de quoi affoler la pauvre Patricia.

— Mais ce n'est pas trop grave parce que de toute manière mon mari est toujours absent, expliqua-t-elle. C'est un homme très occupé, vous savez, mademoiselle Pamela.

Elle s'était trompée de nom, parce qu'elle n'écoutait pour ainsi dire jamais lorsqu'on lui parlait, ou si elle le faisait, ce n'était que pour saisir dans la conversation de l'autre une bribe qui la relançait presque aussitôt dans cet interminable soliloque qui résumait l'histoire de sa vie.

— Patricia, la reprit-elle, après une hésitation car déjà elle se méfiait un peu de tout le monde dans cette clinique.

— Patricia? demanda madame Tate avec une expression de stupeur.

— Oui, c'est mon nom. Je ne m'appelle pas Pamela mais Patricia.

— Ah oui, il me semblait aussi, dit avec un large sourire madame Tate. C'est un joli nom, Pamela, reprit-elle, n'ayant pas davantage compris parce qu'elle n'écoutait toujours pas, absorbée dans l'espèce de rêverie dont elle ne sortait pour ainsi dire jamais. J'avais une petite-fille qui s'appelait ainsi. Mais elle est morte noyée à l'âge de quatre ans.

L'évocation de ce souvenir douloureux la plongea dans un abîme de douleur. Les larmes lui montèrent aux yeux.

— Je suis vraiment désolée, dit Patricia, je...

— Ce qui compte surtout pour lui, reprit madame Tate sans transition, et comme si elle ne pensait plus du tout à la tragique disparition de sa petite-fille, c'est son golf. Il est obligé de jouer avec des clients. Ce n'est pas sa faute. D'ailleurs, il déteste le golf. Mais les affaires sont les affaires. Mon mari dirige un véritable empire, vous savez. Et tous ses directeurs sont des incapables. Il ne peut pas les laisser seuls une minute. Sinon, il viendrait me voir plus souvent. Parce qu'il ne peut pas vivre sans moi, il me l'a dit.

— Oh, assez d'insanités, il y a au moins six mois qu'il n'est pas venu vous voir, l'interrompit madame Darpel.

Même si elle n'était hospitalisée que depuis une semaine, avec sa curiosité maladive et sa manie de jouer les mauvaises langues, elle connaissait déjà à peu près tout de l'histoire de la pauvre madame Tate — et de plusieurs autres patientes.

— Vous êtes jalouse parce que votre mari ne vous aime pas, répliqua madame Tate.

— Mon mari est fou de moi, objecta madame Darpel. Depuis que je suis ici, il m'envoie des diamants tous les jours.

— Parce qu'il ne peut pas les vendre dans ses magasins minables, corrigea madame Bloomberg qui avait tout de suite éprouvé de l'antipathie pour madame Darpel.

Un garçon très stylé arriva alors, apportant, sur un plateau d'argent, comme un grand cru, une simple bouteille de Coca-Cola. Il en remplit à demi le verre de madame Kramer, puis posa la bouteille devant elle et se contenta de dire, avant de se retirer:

— Madame Kramer...

Distraitement, sans lui répondre, et sans arrêter de lire son Harlequin, elle prit le verre de coca et en but une gorgée. Son visage se déforma aussitôt en une grimace de dégoût, et elle cracha le coca devant elle, comme si elle venait d'avaler du poison.

— Ce n'est pas du diet!

Malgré son obésité entretenue par des festins indescriptibles, en un paradoxe plutôt drôle — ou pour limiter les dégâts — elle ne supportait pas de boire autre chose que du coca-cola diet, et en consommait d'ailleurs une bonne vingtaine de bouteilles par jour.

— Je suis vraiment désolé, dit le garçon qui s'empressa de reprendre la bouteille et le verre, il doit y avoir eu une erreur aux cuisines.

Il s'éclipsa, honteux de sa bévue, en espérant qu'elle ne viendrait pas aux oreilles de la direction. Un autre garçon arriva presque aussitôt, tout aussi stylé que le premier, et demanda à Patricia ce qu'elle désirait manger.

— Je...

Elle ne savait pas qu'on pouvait commander comme dans un hôtel ou un restaurant.

— Je vous laisse quelques minutes?... demanda poliment le garçon, en lui désignant le menu, posé devant elle.

Elle ne voulut pas retarder le service, comprenant que les autres pensionnaires, arrivées avant elle, avaient déjà commandé leur plat.

— Non, non, ce ne sera pas nécessaire, je vais prendre...

Mais c'était un menu hautement gastronomique et elle ne comprit rien aux noms des plats, interminables, prétentieux, et au surplus en français car le chef était parisien. Elle se mit à rougir et eut l'impression que tout le monde la regardait:

— Je vais prendre le numéro quatre, finit-elle par dire, sans avoir la moindre idée de quoi il s'agissait.

— Désolé, madame, mais nous n'en avons plus. Ce plat a été très populaire aujourd'hui.

— Ah, je vois. Ce n'est pas grave. Alors...

Elle jeta un rapide coup d'oeil au menu, mais simplement pour donner le change.

— Apportez-moi le numéro cinq.

— Excellent choix, commenta le garçon qui le nota, récupéra le menu et disparut vers les cuisines.

Quatre garçons arrivèrent bientôt et se mirent à tournoyer autour de la table en un véritable ballet. On servit à madame Kramer un énorme plat de pâtes qu'elle s'empressa de saupoudrer de cinq ou six cuillerées de caviar russe qu'on lui avait apporté en même temps dans un gros bol. Elle s'y prit plutôt malhabilement et tacha abondamment la belle nappe blanche. Elle parut s'en soucier comme d'une guigne et commença tout de suite à manger sans s'arracher à sa lecture.

Madame Bloomberg considéra sa voisine avec mépris mais ses yeux se mirent aussitôt à briller lorsqu'elle aperçut l'énorme gâteau au chocolat qu'elle avait commandé. Elle aimait tant le dessert qu'un repas sur deux, elle se privait de plat principal pour ne pas gâcher son appétit, ce qui désolait son médecin, inquiet de son obésité galopante.

Un des garçons se pencha vers madame Tate et souleva une cloche d'argent pour lui faire admirer son Big Mac quotidien, petit caprice assez coûteux car le Mac Donald le plus proche était à une trentaine de kilomètres et on devait tous les jours y dépêcher un messager.

Madame Tate hocha la tête en signe d'approbation et, pendant que le garçon complétait le service, trempa avec impatience les lèvres dans sa flûte de Veuve Cliquot, le seul champagne qu'elle souffrait de boire avec son Big Mac.

Mademoiselle Chase, qui, en plus d'être suicidaire, était anorexique, regarda avec mépris le plat qu'on lui apporta et quitta immédiatement la table, sans saluer personne.

— Elle doit être menstruée, la pauvre, dit madame Bloomberg qui lui enviait sa beauté et surtout sa minceur.

Elle se reprit aussitôt pour dire, après avoir étouffé un éclat de rire méchant:

— Mais non, qu'est-ce que je viens de dire là? C'est impossible. Elle n'est plus menstruée depuis deux ans. Elle doit plutôt penser à son petit professeur de danse.

Elle regarda tout le monde, dans l'espoir qu'une des pensionnaires rirait de sa plaisanterie — ou surenchérirait —, mais comme personne ne disait rien, elle plongea le nez dans son assiette.

Madame Darpel, qui surveillait sa ligne de manière obsessive, se fit servir une salade de crabe et commença à manger à toutes petites bouchées.

— Vous me faites penser à ma fille, dit madame Tate, qui avait déjà engouffré la moitié de son Big Mac. Vous êtes si jeune.

— Ne vous inquiétez pas, dit madame Darpel, ça ne durera pas.

Patricia lui jeta un regard dur. Pourquoi s'acharnait-elle contre madame Tate? Quelle mouche l'avait piquée?

— Je ne vous en offre pas de champagne, reprit madame Tate qui se versait elle-même du champagne, au grand désespoir du garçon dont c'était la tâche, parce que ma fille n'en boit pas. Elle est très allergique. Vous aussi, j'imagine, avec une telle ressemblance.

— En effet, dit Patricia.

Madame Darpel regarda madame Tate. Elle n'en revenait pas. Elle savait qu'elle était un peu maboule, mais à ce point-là!

— Elle a eu la meilleure note de tout son département, reprit madame Tate, dont le visage s'illuminait littéralement chaque fois qu'elle parlait de sa fille. Mais ils n'ont pas voulu la garder, ils l'ont obligée à abandonner parce que même les professeurs étaient jaloux d'elle. Mais de toute manière, elle s'en fout, elle a décidé de faire du cinéma. D'ailleurs c'est incroyable, elle n'est même pas connue et elle a déjà des propositions de Steven Spielberg...

— Attendez, je vais vous montrer sa photo, vous allez comprendre.

Elle fouilla dans son sac à main qui était posé à ses pieds et en tira une photo de sa fille qu'elle tendit à Patricia.

Cette dernière eut un mouvement de surprise en la voyant. Avec d'énormes lunettes noires posées sur un nez proéminent, presque monstrueux, une acné débridée, des yeux trop grands et un front exagérément bombé, sa fille était tout, sauf un canon de beauté.

— C'est vrai... dit Patricia. Elle est... vraiment... très bien.

Et elle rendit la photo à madame Tate, qui se rengorgea. Son téléphone sonna alors. Elle s'empressa de répondre.

— C'est ma fille, expliqua-t-elle à la tablée. Quelle coïncidence extraordinaire! Nous parlions justement de toi!

Elle ne tenait plus de joie, car sa fille, qui était son unique enfant, ne l'appelait guère plus d'une fois par mois, ce dont elle souffrait énormément même si, comme toute bonne mère, elle comprenait bien ses raisons.

Le maître d'hôtel arriva alors et se pencha vers madame Kramer:

— Je voudrais m'excuser au nom de la direction au sujet du malheureux malentendu qui s'est produit avec votre coca-cola. Veuillez croire que cela ne se reproduira plus...

La bouche entrouverte depuis un moment, le menton maculé de caviar, madame Kramer, prise par la conclusion dramatique du Harlequin, ne sembla pas l'entendre.

— Pourriez-vous fermer un instant votre livre stupide? demanda d'une voix très forte madame Darpel, qui décidément se mêlait continuellement de ce qui ne la regardait pas. Le maître d'hôtel vous parle!

— Ce n'est pas un livre stupide, dit madame Kramer, les yeux allumés d'éclairs de colère. Au contraire, c'est exactement ce qui se passe entre mon mari et moi. Nous allons nous réconcilier, exactement comme eux.

Madame Darpel se mit à rire. Sa compagne de table venait de dire une absurdité.

— Cessez de vous raconter des histoires, pauvre gourde! Votre mari a une liaison avec une call-girl japonaise!

— C'est faux! protesta madame Kramer qui, sous le choc de cette révélation, avait néanmoins échappé son roman dans son spaghetti.

— Je l'ai lu ce matin dans le *National Enquirer*, déclara madame Darpel, péremptoire.

Madame Kramer fondit en larmes, car l'autorité du *National Enquirer* était à ses yeux indiscutable. Elle faisait vraiment peine à voir. Madame Tate interrompit même sa conversation téléphonique pour la regarder.

De grosses larmes roulaient maintenant sur ses joues et tombaient dans l'assiette de spaghetti au caviar. Madame Darpel la regardait, triomphante. Elle s'étonnait de l'avoir défaite si aisément.

Elle jeta à Patricia un regard plein de défi comme si elle voulait lui signifier qu'elle aurait sa peau à elle aussi, et que la guerre était déclarée.

Patricia ne comprit pas la raison de cette agressivité affichée. Bien sûr, elle savait que madame Darpel avait tourné autour de son mari, mais pourquoi s'en prendre à elle maintenant? Elle ne lui avait rien fait, après tout. Lui reprochait-elle tout simplement d'être mariée à Richard?

Prévenue par un garçon de table, une infirmière arriva alors:

— Venez, dit-elle à madame Kramer dont les pleurs redoublaient. Nous allons aller nous reposer tranquillement dans notre chambre.

Madame Kramer ne protesta pas. Elle laissa l'infirmière l'aider à quitter la table.

Lorsqu'elle reçut enfin son assiette, en même temps que madame Kramer quittait la table, soutenue par l'infirmière, Patricia comprit que son choix, fait à l'aveuglette, n'avait guère été heureux, puisqu'elle avait hérité des rognons au madère. Elle détestait les rognons, au madère ou à n'importe quoi!

Elle se consola en pensant que de toute manière, elle n'avait pas tellement faim. Tout ce dont elle avait envie, c'était de se trouver ailleurs. Et après une hésitation, elle décida de profiter du départ de madame Kramer pour tirer elle aussi sa révérence.

Madame Bloomberg, qui parut prendre son départ précipité comme un affront personnel, lui déclara, avec une certaine animosité:

— Vous allez voir, c'est seulement la première année qui est difficile. Après, on s'habitue.

15

Le lendemain, vers deux heures, vêtue d'un peignoir de velours noir sur lequel ses cheveux châtains tranchaient admirablement, Patricia se tenait à la fenêtre de sa chambre et guettait l'arrivée de son mari.

Plus tôt dans la journée, elle avait tenté à plusieurs reprises de le rejoindre, autant au bureau qu'à la maison, et elle était inquiète. Où donc pouvait-il être? Pourtant, la veille, ne lui avait-il pas promis de venir la voir?

Dans le stationnement qui s'emplissait rapidement, c'était un véritable défilé de Rolls Royce, de Jaguar, de Mercédès et de limousines allongées, d'où sortaient des visiteurs aux bras chargés de cadeaux et de fleurs, accompagnés d'enfants, d'amis, ou simplement de leur chauffeur.

Patricia entendit alors des cris dans le corridor. Curieuse, elle sortit de sa chambre. Une mauvaise surprise l'attendait. Sur le pas de la porte juste en face de la sienne, se tenait nulle autre que madame Darpel, en peignoir, cigarette au bec, les lèvres plissées de ce sourire de satisfaction à peine voilé que le spectacle du malheur des autres lui donnait invariablement. Elle se délectait de la scène qui se déroulait dans le corridor.

Madame Blackwell, la célèbre voisine de chambre de Patricia — qu'elle voyait d'ailleurs pour la première fois —, brandissait un énorme bouquet de roses au-dessus de sa tête, en hurlant avec une énergie étonnante:

— Je ne moisirai pas ici toute ma vie! Tu ne peux pas m'abandonner comme ça! Je ne suis pas finie! Je ne suis pas folle! Tu m'entends!

Elle s'adressait — Patricia n'allait pas tarder à le découvrir — à son mari, qui, comme tous les dimanches depuis cinq ans, lui avait fait porter des roses, auxquelles, du reste, elle ne réservait pas toujours ce traitement.

Mais ce jour-là, cela faisait six mois jour pour jour — elle tenait une comptabilité maniaque — qu'il ne lui avait pas rendu visite. Et il ne lui téléphonait plus qu'une fois par mois, pendant à peine cinq minutes, l'entretenant de la pluie et du beau temps, elle qui ne voulait entendre parler que de grands sentiments et de folle passion.

Grande, arborant une magnifique chevelure brune, les yeux bleus à l'expression très émouvante, grave, extrêmement mince dans un pyjama de satin blanc, elle devait avoir quarante-cinq ans et il y avait quelque chose de théâtral dans tout son être.

Comme elle doit souffrir pour hurler ainsi dans le vide, pensa Patricia.

Un infirmier se précipita dans la direction de madame Blackwell, qui, comme déchaînée par sa propre explosion de paroles, flagellait maintenant le mur du corridor avec le bouquet de roses.

— Madame Blackwell, dit-il d'une voix extrêmement polie, essayez de vous calmer.

Elle l'ignora complètement. Il s'approcha de l'illustre patiente et fit l'erreur de lui effleurer le bras. Elle sursauta, comme s'il avait essayé de la violer, et se mit à hurler:

— Ne me touchez pas, espèce de porc! Je peux faire ce que je veux ici. Mon mari est propriétaire de cette clinique!

— Je sais, madame Blackwell, mais vous savez que c'est jour de visite aujourd'hui.

Il voulut se montrer malin et usa d'un petit argument de nature psychologique qui ne produisit pourtant pas l'effet escompté:

— Vous n'aimeriez pas que les nombreux visiteurs voient la femme du célèbre Blackwell se donner en spectacle?

— Ah, parce que je me donne en spectacle? Espèce de petit insolent!

Elle se mit alors à le frapper à coups de bouquet. Les pétales volaient partout. Le pauvre infirmier, qui ne savait plus comment réagir, se protégeait de son mieux mais, ce faisant, il était forcé d'entrer en contact avec madame Blackwell, qui se rebiffait encore davantage.

— Je vous ai dit de ne pas me toucher, espèce de minable! Si vous le faites encore une seule fois, je vous fais congédier immédiatement! Cette menace, très concrète, fit réfléchir l'infirmier, qui recula. Madame Blackwell lui jeta alors le bouquet au visage et, soudain, elle s'immobilisa, le regard vide, comme une somnambule.

— Elle est en forme aujourd'hui, commenta madame Darpel, qui n'avait pas raté une seconde de la scène.

Patricia ne releva pas la remarque et fit comme si elle ne l'avait pas entendue. Elle préférait n'avoir aucun contact avec cette vipère qui avait tenté de l'humilier au bal et qui ne cessait de lui décocher des flèches.

L'infirmier avait ramassé le bouquet et escortait maintenant jusqu'à sa chambre une madame Blackwell totalement soumise, ce qui du reste était caractéristique chez elle, car ses crises, toujours brèves, étaient invariablement suivies d'une sorte d'effondrement nerveux, lui aussi très passager.

Sans trop savoir pourquoi, Patricia trouvait sa voisine pathétique, touchante. Et lorsqu'elle vit par terre une boucle d'oreille qu'elle avait sûrement perdue au cours de sa crise de nerfs, elle fut heureuse de tenir là un prétexte pour lui rendre service et faire sa connaissance.

Elle s'empressa de ramasser le bijou, et, dès que l'infirmier fut ressorti, elle frappa à sa porte.

— Entrez, dit Andréa Blackwell, d'une voix un peu rauque — elle fumait énormément.

Patricia s'avança timidement. Debout près de son immense lit à baldaquin, madame Blackwell, qui paraissait avoir retrouvé son calme et sa lucidité, tirait sur un long fume-cigarette en or serti de diamants.

— Que voulez-vous? demanda-t-elle un peu sèchement.

De toute évidence, Patricia la dérangeait. Celle-ci eut un mouvement de recul.

— Je crois que vous avez échappé quelque chose.

Elle s'approcha et lui tendit la boucle d'oreille. Madame Blackwell regarda le bijou et le reconnut tout de suite. Elle considéra Patricia avec méfiance, se demandant apparemment pourquoi cette jeune femme lui manifestait une telle gentillesse — gratuite — elle qui, à cause de sa fortune, n'avait droit qu'à des égards intéressés, ce qui ne faisait qu'exaspérer son sentiment de solitude.

— Combien vous paient-ils ? demanda-t-elle.

Patricia ne comprit pas ce qu'elle voulait dire et bafouilla :

— Je... Enfin je ne sais pas... je suis votre voisine de chambre, je suis arrivée hier...

— Combien? demanda madame Blackwell.

— Je vous assure, je... J'ai simplement voulu vous rendre service en...

— Vous mentez! la coupa madame Blackwell.

Patricia ne crut pas bon d'insister. Madame Blackwell était sûrement plus malade qu'elle ne le croyait. Elle aurait dû se mêler de ce qui la regardait. Elle eut peur tout à coup. Qui sait, sa célèbre voisine ferait peut-être une nouvelle crise de nerfs et l'accuserait de mille torts. Qu'aurait-elle à dire pour sa défense, alors qu'elle se trouvait dans sa chambre? Elle tourna les talons.

— Quel est votre nom? demanda soudain madame Blackwell sur un ton plus aimable, presque doux.

— Patricia, dit-elle en se retournant.

Madame Blackwell mordit dans son fume-cigarette pour le retenir et entreprit de remettre la boucle d'oreille qu'elle avait perdue pendant sa crise de nerfs.

— Merci, dit-elle.

Patricia se contenta de lui sourire et sortit. Elle arriva dans le corridor juste à temps pour apercevoir un visiteur très coloré.

C'était l'époux de madame Kramer, un corpulent Texan arborant fièrement un large chapeau de cow-boy et portant des bottes en peau de serpent dont les talons de fer résonnaient bruyamment sur le marbre du corridor.

Tirant avec satisfaction sur un gros cigare, il s'épongeait régulièrement le front avec un mouchoir de poche qu'il aurait presque pu tordre tant le moindre effort le faisait suer. Il précédait trois déménageurs qui transportaient à grand peine une énorme distributrice à Coca-Cola décorée de manière clinquante de rutilantes pierres qui ressemblaient à des diamants, ce qui n'était pas impossible vu la fortune colossale de Kramer.

— Quel raffinement, dit ironiquement madame Darpel qui se tenait toujours sur le pas de sa porte.

Elle décocha un clin d'oeil à un des déménageurs, un jeune Italien de dix-sept ans dont les manches courtes découvraient des muscles puissants, luisants de sueur. Le Napolitain en fut déconcerté.

Il regarda derrière lui, timide, pour voir si les avances de cette quinquagénaire audacieuse ne s'adressaient pas à un autre. Personne derrière lui. Il regarda madame Darpel avec un air d'intelligence.

Elle entrouvrit la bouche et titilla sa lèvre supérieure du bout de la langue. Il lui fit un large sourire que son patron, malheureusement, remarqua. Il se tourna, vit à qui son employé s'adressait, et n'ayant pas vu le geste provocant de madame Darpel, le rappela à l'ordre en lui administrant derrière la tête une taloche retentissante.

Madame Darpel rageait. Ce con venait de lui faire rater une belle occasion! Le puceau était séduit et elle aurait pu se l'enfiler en un tournemain. Elle était vraiment en manque, n'ayant rien trouvé à se mettre sous la dent depuis son internement. Le personnel était essentiellement féminin et les seuls hommes qui travaillaient à la clinique étaient des médecins au-dessus de tout soupçon — et de toute tentative de séduction — ainsi que des infirmiers pour la plupart homosexuels.

Ils étaient d'ailleurs sélectionnés précisément pour cette raison, parce qu'ils étaient moins menaçants pour les pensionnaires: une politique qui n'était pas énoncée officiellement mais dont étaient informés les maris au moment de l'admission de leur épouse.

Déçue, madame Darpel réintégra sa chambre en claquant bruyamment la porte.

Patricia passa le reste de la journée dans une attente vaine et téléphona au moins vingt fois chez elle, sans résultat. Son mari demeurait introuvable. Vers neuf heures moins un quart, alors que la plupart des visiteurs commençaient à quitter l'institut — les visites se terminaient à neuf heures — elle comprit qu'il ne viendrait probablement pas. Rarement s'était-elle sentie aussi seule, aussi déprimée.

Patricia n'espérait plus recevoir de visiteurs ce soir-là, mais c'était compter sans ses parents, qui attendaient depuis quelques minutes à la porte de sa chambre.

Son père avait retiré son chapeau, et le faisait tourner nerveusement entre ses mains d'ancien boxeur. Il était visiblement mal à l'aise de se trouver dans cette clinique psychiatrique où, la veille, sa fille avait été internée. La mère de Patricia paraissait effondrée, honteuse. Elle consulta sa montre-bracelet et déclara:

— Il faudrait entrer, maintenant.

— Non, non, il est encore trop tôt, rétorqua son mari.

— Les visites se terminent dans quinze minutes, protesta la mère.

— Mais qu'est-ce que tu veux qu'on lui dise?

— On est venus ici pour la voir. C'est ta fille, après tout!

Sa fille! Comme si ce n'était pas celle de sa femme aussi! Vaincu, il emboîta le pas, s'efforçant, comme elle, de prendre un air souriant, presque léger, qui ne figurait certes pas à son registre habituel.

Madame Wood frappa. Patricia s'empressa de venir ouvrir, certaine que c'était son mari. Elle eut de la peine à cacher sa déception, même si la visite de ses parents lui faisait évidemment plaisir. Sa mère l'embrassa mais son père se contenta de lui donner une petite tape affectueuse sur l'épaule.

— Tu as l'air vraiment bien, dit-il, vraiment bien.

Elle sourit tristement. Pourquoi ne la serrait-il pas dans ses bras? Une fois, une seule fois? Elle en rêvait depuis qu'elle était petite fille! N'était-ce pas au fond parce qu'elle avait été si mal aimée par le premier homme de sa vie, son père, qu'elle avait toujours rencontré des hommes froids et insaisissables?

— C'est gentil d'être venus me voir, dit Patricia.

Et comme ils restaient sur le seuil de la porte, elle ajouta:

— Mais entrez, entrez...

Elle consulta sa montre-bracelet et vit qu'il était presque neuf heures déjà. Sa mère, voyant son geste, expliqua:

— On voulait arriver avant mais on s'est perdu en chemin. Tu sais comment est ton père...

Ce dernier la regarda et esquissa un sourire forcé. Comme elle mentait avec facilité, avec naturel... Avait-elle déjà utilisé ce talent pour lui cacher des choses, pour avoir une liaison même?

— Tu es bien installée, dit-il. On dirait une chambre d'hôtel.

— C'est vrai, dit sa mère. C'est incroyable. Je savais que c'était luxueux mais à ce point-là...

— Et regarde-moi ce téléviseur, dit son père en avisant l'énorme appareil. Tu as de quoi te distraire, ici!

Il s'approcha du téléviseur et le contempla comme une oeuvre d'art, la huitième merveille du monde. Il l'alluma et tomba sur un match de football:

— Oh merde! dit-il. Mon match est commencé. Je vous laisse parler entre femmes.

Sa femme esquissa un air de reproche vite réprimé. Il ne faisait vraiment pas le moindre effort! Patricia sourit tristement. Comme d'habitude, son père n'avait rien à lui dire et paraissait se soucier de son sort comme de celui d'une pure étrangère.

— On avait pensé t'apporter des magazines ou du chocolat, mais on s'est dit que tu avais probablement déjà tout.

— C'est vrai, dit Patricia, je ne manque de rien.

— Et puis pour les fleurs, ils disent que ce n'est pas très bon pour l'atmosphère à cause des gaz... Dans un salon funéraire ce n'est pas grave parce que la personne est déjà morte, mais avec les malades...

Et après une pause:

— Mais on te dérange peut-être? Tu allais te coucher?

— Non, non, je.... Je lisais...

Et elle désigna un livre, resté ouvert sur son lit, qu'elle avait cependant délaissé après deux pages de lecture à peine.

— Tu devrais t'allonger. Je ne veux pas que tu te fatigues à cause de nous.

Pour ne pas contrarier sa mère, Patricia s'étendit sur le lit.

— Tu as été très malade, il faut que tu économises tes forces..

— Mais je me sens parfaitement bien, dit Patricia.

— Est-ce qu'ils te nourrissent bien, au moins? Tu as l'air bien pâle.

— Mais oui, maman, tout est parfait ici. Je n'ai à me plaindre de rien, vraiment. C'est comme à l'hôtel.

— Tu as bien de la chance.

Et madame Wood baissa la voix pour ajouter, en lançant une oeillade en direction de son mari:

— Parce que, moi, à la maison, je ne peux pas en dire autant. C'est vraiment l'enfer. Ton père est tellement radin, tellement imbu de sa personne. Des fois je me dis que je pourrais mourir devant lui et qu'il ne s'en apercevrait même pas.

Elle se tut un instant, regarda à nouveau en direction de son mari, pour s'assurer qu'il ne pouvait pas entendre ce qu'elle disait — il était maintenant complètement absorbé par son match de football et avait même commencé à commenter les manoeuvres de son équipe préférée — puis reprit, l'air désabusé:

— Tiens, juste pour te dire, depuis un an il me promet des nouveaux rideaux de salon dès que j'aurai trouvé le bon tissu... Eh bien il le fait exprès, il refuse tous les tissus que je propose... Juste parce qu'il ne veut pas cracher... Pourtant, j'ai trouvé quelque chose de très beau. Attends, je te le montre...

Elle tira alors de son sac à main un échantillon de tissu, et le tendit à Patricia:

— Qu'est-ce que tu en penses?

— Oui, il est bien, dit Patricia, avec un certain embarras car sa mère, elle le comprenait parfaitement, se servait d'elle et la forçait à prendre parti.

— Je ne suis pas encore tout à fait sûre, reprit sa mère, en sortant deux autres échantillons de tissu, de couleurs complètement différentes. Il y a aussi ces deux-là.

Il y en avait un jaune et un rouge. Elle les tendit à Patricia et fit des commentaires au sujet du premier.:

— Evidemment, celui-là est bien, c'est un tissu qui n'est pas trop salissant. Mais le rouge est peut-être un peu plus vivant.

Patricia n'eut pas le temps de confier à sa mère son sentiment car cette dernière s'empressa de reprendre:

— Le plus embêtant, c'est que je dois aussi tenir compte de la couleur du sofa. Evidemment, l'idéal ce serait de tout changer en même temps. Mais ton père ne voudra jamais, même si on est la risée de tout le quartier avec notre vieux sofa. Qu'est-ce que tu veux, quand tu n'as pas de classe... Qu'est-ce que tu en penses?

— Qu'est-ce que j'en pense?

— Oui. Des rideaux?

— Ah oui, eh bien...

— Evidemment, essaie de tenir compte du fait que le rouge est le moins cher, mais par contre, il ne va pas du tout avec le sofa...A moins évidemment...

Elle s'arrêta un instant, elle avait oublié ce qu'elle voulait dire, et cela avait l'air pourtant très brillant. Mais elle retrouva en une seconde le fil de ses pensées:

— Oui! A moins évidemment, que j'ajoute des coussins de la même couleur au sofa. D'ailleurs ça pourrait le camoufler un peu. J'ai vu ça dans une revue la semaine dernière...

Elle se tut alors, l'air fermé, comme un philosophe qui au beau milieu d'un raisonnement se bute subitement à une difficulté insurmontable et imprévue. Patricia n'eut pas le temps de dire quoi que ce soit car une infirmière parut et annonça la fin des visites. Il était en effet neuf heures. La mère de Patricia se tourna vers son mari:

— Bill, dit-elle, il faut partir, maintenant.

— Hein?

Il se détourna de l'écran, aperçut l'infirmière, et comprit que l'heure des visites était terminée. Il eut une moue de contrariété et éteignit à regret le téléviseur.

— Attendez-moi un instant, dit Patricia en remettant à sa mère les échantillons de tissu. Je passe à la salle de bain et je vous raccompagne à l'ascenseur.

Et elle se leva pour disparaître dans la salle de bain.

— Tu ne te rends pas compte? reprocha madame Wood à son mari.

Elle parlait à voix basse, pour être certaine que sa fille ne puisse entendre et remettait les échantillons dans son sac.

— Me rendre compte de quoi? demanda-t-il.

— Tu aurais pu au moins t'intéresser à la conversation. Moi, au moins, j'ai essayé de la distraire en lui parlant de choses qui l'intéressent.

Il haussa les épaules. Il n'avait pas envie de discuter. Il ne pensait qu'à son match interrompu. Et il en tenait rigueur à sa femme, cette idiote, cette hystérique dépensière que le destin lui avait collé. Il n'eut pas le temps de lui dire ce qu'il pensait — il préférait d'ailleurs lui infliger un silence qui, il le savait, la tuait à petit feu — car Patricia sortit de la salle de bain.

Elle les raccompagna, dans un silence chargé d'émotion, et ne les quitta que lorsque les portes de l'ascenseur se furent refermées sur eux.

En retournant à sa chambre, elle passa devant celle de madame Kramer dont la porte était restée ouverte, et elle entendit les cris d'une dispute. Madame Darpel arrachait sans difficulté une des innombrables pierres qui décoraient la distributrice à Coca-Cola.

— Votre mari s'est bien payé votre tête, ce ne sont pas de vrais diamants!

— C'est faux, protesta madame Kramer, comme d'habitude catastrophée et sans défense.

— C'est précisément ce que je dis, c'est faux. Du toc.

Elle avait la prétention de s'y connaître en diamants parce que son mari était un célèbre bijoutier.

Mais madame Kramer eut un sursaut de courage et voulut interrompre ce massacre qui lui brisait le coeur. Elle se précipita vers madame Darpel, mais pas assez rapidement pour l'empêcher de jeter par terre le faux diamant et de le réduire en morceaux, presque en poussière, d'un coup de talon. Madame Darpel leva le pied et sourit, triomphante:

— Vous me croyez, maintenant?

Privée tout à coup de force, madame Kramer se laissa tomber sur la première chaise qu'elle trouva. On aurait dit un pantin désarticulé ou une baudruche soudain dégonflée. Ainsi donc, son mari ne l'aimait pas autant qu'elle le pensait puisque ces diamants n'étaient que du toc!

Patricia, qui avait tout vu, se remit en marche lorsqu'elle vit que madame Darpel s'apprêtait à sortir de la chambre après avoir perpétré ce petit meurtre moral dont elle possédait le secret.

Cette seconde journée à la clinique parut à Patricia tout aussi sinistre que la première. Décidément, même si ces femmes vivaient dans le luxe le plus insolent, même si aucun caprice ne leur était refusé, leur vie avait quelque chose de pathétique pour ne pas dire de tragique.

Et surtout, cette clinique avait beau être une des plus réputées du monde, ses patientes ne paraissaient pas guérir très rapidement puisque plusieurs d'entre elles y séjournaient depuis plus d'un an, parfois beaucoup plus, le meilleur exemple étant évidemment la femme de Blackwell.

Certes, Patricia ignorait dans quel état elles avaient été internées, mais chose certaine, elles paraissaient toutes profondément perturbées, même après des traitements prolongés. Ne courait-elle pas le danger de subir le même sort? Son séjour à la clinique ne risquait-il pas de la déséquilibrer, de la rendre folle au lieu de la guérir?

Il ne fallait absolument pas que son mari la laisse moisir dans cette clinique! Deux jours de repos, c'était déjà largement suffisant! Elle se consola à l'idée qu'elle n'en avait que pour quelques jours. Le lendemain, elle verrait le médecin qui lui signerait probablement son congé pour le milieu de la semaine.

A peine quelques minutes après neuf heures, une infirmière, différente de celle de la veille, vint lui faire prendre un cachet.

— Je n'ai pas besoin de pilules, protesta Patricia comme la première fois.

— Ordres du médecin.

Patricia n'avait pas envie de se battre, si bien qu'elle absorba le cachet sans protester.

16

— Madame, s'il vous plaît, vous ne pouvez pas entrer. Les visites sont terminées.

L'infirmière parlait ainsi à Jessica, à l'entrée de la clinique. Mais Jessica n'était pas femme à se laisser arrêter par de stupides règlements. Elle avait fait une demi-heure de taxi — qui lui avait coûté une fortune — pour se rendre à la clinique, alors cette infirmière pouvait bien aller se faire cuire un oeuf à sa santé! Elle pressa le pas. Croyant que Jessica ne l'avait pas entendue, l'infirmière l'interpella à nouveau.

— Madame! S'il vous plaît!

Elle se leva de son comptoir et s'élança à la poursuite de Jessica, qui, les bras chargés de sacs, courait dans le corridor. Elle parvint enfin à l'ascenseur ouvert, s'y engouffra, et appuya une dizaine de fois sur le bouton de la porte qui se referma juste avant l'arrivée de l'infirmière.

Jessica colla sa gomme sur le bouton du quatrième étage et sortit au premier. Marchant d'un pas rapide et nerveux, regardant de gauche et de droite de crainte qu'un membre du personnel ne l'aperçût, elle trouva rapidement la chambre de Patricia. Elle avait appelé plus tôt dans la journée pour s'informer de son numéro de chambre après avoir appris son hospitalisation par sa mère, qui s'était montrée avare de détails, parlant simplement d'une tentative de viol.

Elle frappa et entra tout de suite avant même d'avoir une réponse. Elle trouva Patricia allongée sur son lit, déprimée par la visite de ses parents, et déjà un peu engourdie par le cachet qu'elle venait de prendre.

— Jessica! Quelle surprise!

Le visage de Patricia exprima un certain étonnement.

— Ils t'ont laissée entrer?

— Non. Ils font en ce moment une chasse à ...la femme!

Elle s'approcha du lit pendant que Patricia se redressait lentement, comme accablée d'une immense fatigue.

— Tu as l'air bien, dit Jessica.

Mais à la vérité elle la reconnaissait à peine, et la trouvait pâle. Ses yeux n'étaient plus les mêmes et luisaient d'un éclat triste. On aurait dit qu'elle avait vieilli de plusieurs années en quelques jours.

— Tu es gentille, dit Patricia. Je suis contente que tu sois venue.

Jessica posa ses sacs sur une chaise, près du lit, se pencha vers Patricia et la serra très fort dans ses bras pendant de longues secondes. Patricia en éprouva une émotion surprenante. Quel contraste avec la brève et sèche embrassade de sa mère, et la petite tape sur l'épaule de son père — qui étaient tous deux censés l'aimer! Patricia, qui reprenait un peu de sa vivacité et de sa bonne humeur au contact de son amie, reprit:

— Mais où diable étais-tu passée les deux dernières semaines? Si je ne t'ai pas téléphonée cent fois...

— Ah, c'est mon...

Jessica hésita puis dit, en mettant des guillemets sonores au vocable:

— Fiancé. Il m'a invitée à la dernière minute à le suivre pour un voyage d'affaires: New-York, Washington, Miami... Je n'étais jamais allée sur la côte Est...Et puis j'ai pensé que ce serait l'occasion idéale pour l'achever. Là, il a vraiment bien mariné. J'ai réussi à ne pas faire l'amour avec lui une seule fois en dix jours. Il est en train de devenir fou. Il ne comprend plus rien parce que nous avons déjà couché ensemble. Il m'a fait tout un sermon. Mais je l'ai bloqué net en l'accusant de m'avoir emmenée seulement pour coucher avec moi. Ca a marché. Il est à quatre pattes devant moi, maintenant. Nous partons pour deux semaines. Je pense qu'il va enfin se décider à me demander ma main.

— Tu es forte, dit Patricia, amusée par le récit des aventures et des stratagèmes de sa copine.

— Je ne suis pas forte, dit Jessica un peu tristement. Ce sont les hommes qui sont cons. S'ils l'étaient moins, on ne serait pas obligées d'utiliser toutes ces ruses stupides...

— Il doit quand même être amoureux de toi maintenant.

— Je ne me fais pas d'illusion. Si tu penses que j'aurais pu le faire poireauter pendant deux semaines si mon cul ne le faisait pas saliver au maximum...

Comme d'habitude, Patricia s'étonna du cynisme de sa copine et elle éclata d'un grand rire. Décidément, Jessica lui faisait un bien immense, avec sa bonne humeur, son insolence. Sa copine se mit elle aussi à rire, d'un rire un peu délirant, parce qu'elle venait de penser à un autre détail de sa liaison avec son «fiancé».

— Qu'est-ce qui te fait rire? demanda Patricia.

— Ah rien, je pensais seulement... J'ai aussi utilisé un vieux truc... Je lui ai laissé entendre qu'il était complètement nul au lit, et maintenant il rame, mais il rame! Il ne rêve qu'à une chose, me prouver qu'il sait se défendre. Pauvre coco! Pas des lumières, quand même, les hommes...Le pire, c'est qu'il fait très bien l'amour au contraire, il a d'ailleurs vraiment tout ce qu'il faut pour rendre une femme folle, le petit chou, des petites fesses, et un zizi...Une vraie tête chercheuse! Et résistante en plus! Ne rétrécit pas au lavage, ni à l'essorage! J'ai même failli me briser les os de la mâchoire... S'il n'était pas millionnaire, je me l'enfilerais deux, trois fois par jour. Mais il faut ce qu'il faut, quoi!

Elle marqua une pause, se rendant compte qu'elle tenait un langage plus ou moins approprié, vu les circonstances, et elle reprit:

— Mais de toute manière, je ne suis pas venue te voir pour te parler de mes petits problèmes. Parlons de toi plutôt. Qu'est-ce qui s'est passé au juste? Ta mère m'a dit que tu avais été...

Malgré son sans-gêne habituel, elle n'avait osé prononcer le mot «violée», si choquant. Patricia se rembrunit. De toute évidence, elle n'avait pas envie de refaire le récit qu'elle avait déjà fait à l'hôpital.

Jessica le sentit immédiatement et avant que Patricia n'amorçât un récit qui lui coûtait de toute évidence, elle reprit:

— Si tu n'as pas envie d'en parler, je comprends.

Jessica dodelinait de la tête et plissait les lèvres, visiblement révoltée de ce qui était arrivé à son amie. Elle livra à sa copine la conclusion de ses pensées:

— N'empêche que si c'était les femmes qui faisaient les lois, il n'y aurait pas de viols...

Cette fois-ci, emportée par sa colère, elle avait osé appeler la chose par son nom. Elle poursuivit sur sa lancée:

— Et on ne serait plus obligées de vivre comme des prisonnières ou des otages dans notre propre ville. Je donnerais le choix à tous les violeurs entre deux châtiments: la castration ou la prison à vie. On verrait bien ce qu'ils feraient avec leur foutu zizi de merde...

Elle s'était laissée emporter. Comme chaque fois qu'elle tombait sur ce sujet, qui la révoltait profondément. Elle ne pouvait admettre en effet que la crainte du viol empoisonne la vie des femmes et que les législateurs n'aient jamais rien fait pour corriger cette situation inadmissible.

— *Don't get me started on that...* Parlons de choses plus intéressantes.

Elle se tourna vers la chaise qui était près du lit et fouilla dans les sacs qu'elle avait apportés.

— J'ai des petits trucs pour toi. Je n'ai pas eu le temps de les emballer, parce que je suis rentrée à Los Angeles en début de soirée seulement, mais en tout cas c'est l'intention qui compte...

Elle lui tendit un paquet de livres qu'elle avait noué avec un ruban rose. Ce n'était donc pas tout à fait exact qu'elle n'eût rien emballé. Patricia défit le ruban et examina les livres, tous des romans: quelques Agatha Christie, des Stephen King, un Tom Wolf, un Robert Ludlum et quelques autres, en tout une bonne dizaine...

— Comme je ne connais rien à la littérature, je n'ai pris que des best-sellers, dit très franchement Jessica. J'imagine que c'est comme les saucisses, plus on en mange, plus elles sont fraîches, et plus elles sont fraîches...

Et comme Patricia souriait de la possible allusion, elle ajouta:

— *Don't get me started on that!*

Patricia éclata de rire:

— Je te remercie, je suis très contente. Je n'en ai lu aucun.

— Moi non, plus. Ca me rassure. Ca prouve que je ne suis pas plus cruche qu'un futur auteur de best-seller comme toi.

Comme Jessica était gentille! pensa Patricia. Elle trouvait toujours les bons mots. Et puis, contrairement à la plupart des gens qu'elle connaissait, elle croyait en elle, en sa vocation de romancière.

— Bon, ça c'était la partie ennuyeuse des cadeaux. Et maintenant, les choses plus amusantes.

Elle tira d'un autre sac une énorme boîte de chocolats. Il devait y en avoir trois kilos.

— Mais tu es folle, dit Patricia. Ca a dû te coûter les yeux de la tête.

— Non, c'est un cadeau de George.

— Mais alors, garde-les... En plus, ce sont des chocolats belges, constata Patricia en examinant la boîte.

— Je ne veux pas me laisser tenter. Il faut que je garde mon cul dans son état actuel si je veux qu'il me demande en mariage au sommet de la tour Eiffel.

— Je te le souhaite, en tout cas.

Et Patricia lui ouvrit les bras pour la remercier. Jessica s'approcha et accepta ses baisers sur les deux joues.

— Il faut fêter ça, dit Patricia en ouvrant la boîte de chocolats. Oh, ils ont l'air bons... Tu vas quand même accepter d'en manger un, non?

— D'accord, mais seulement un.

Comme elle n'avait droit qu'à un chocolat, elle prit bien son temps pour arrêter son choix, et toujours hésitante, elle déclara philosophiquement:

— Dommage que les hommes aiment les gros seins et pas les gros culs, parce que je te viderais la boîte en moins de deux...Mais je prends tout dans les fesses!

— Tu es mince comme tout, arrête de te plaindre...

Jessica en choisit enfin un, le goûta et s'extasia. C'était une vraie merveille! Elle se lécha les doigts. Patricia en mangea un, elle aussi, et s'extasia à son tour. C'était le meilleur chocolat au monde.

— Allez, prends-en un autre, un seul, ça ne peut quand même pas te faire engraisser de dix kilos.

Jessica eut une hésitation. Elle regardait les chocolats, bien alignés, les yeux arrondis par la gourmandise. Elle se décida enfin. Et pendant un moment, les deux femmes dégustèrent leur chocolat sans rien dire, dans un parfait moment de tendresse simple.

— Bon, un dernier, dernier, dit Jessica. Tu comprends maintenant pourquoi je veux m'en débarrasser. Je n'ai aucune volonté devant le chocolat.

Et elle prit son temps pour choisir un dernier chocolat, sa main s'arrêtant parfois sur l'un, puis se ravisant, pour s'arrêter sur un autre, ne pouvant trancher entre la valeur sûre d'un chocolat qu'elle connaissait déjà, et la curiosité de découvrir un nouveau parfum.

Sa main s'immobilisa enfin au-dessus du plus gros: elle en aurait pour son argent, quoi! Mais avant de prendre le chocolat, elle vit une goutte d'eau tomber sur sa main.

Intriguée, elle leva les yeux, et fut surprise de voir que, contre toute attente, son amie Patricia pleurait. Elle ne comprit pas, mais n'osa pas la questionner tout de suite, touchée par ces larmes inattendues. Patricia pleurait tout simplement parce que la froideur et l'égoïsme de ses parents venaient de lui sauter aux yeux. Par contraste, la générosité de Jessica, qu'elle connaissait depuis quelques mois à peine, l'avait bouleversée.

— Qu'est-ce qu'il y a? demanda Jessica. Ca ne va pas?

— Ce n'est rien, dit Patricia qui ne voulait pas dire du mal de ses parents.

Elle les aimait malgré leur manque de tendresse. C'était ses parents, après tout. Elle s'essuyait les yeux, en dodelinant de la tête. Jessica, désemparée, se rappela soudain qu'elle avait un dernier cadeau à offrir à Patricia, et que c'était le moment idéal.

— Attends, dit-elle, je ne t'ai pas encore donné ton «vrai» cadeau.

L'instant d'après, elle surprenait son amie en posant sur la boîte de chocolats la plus récente édition de la revue pour femmes *Playgirl*, un cadeau un peu inattendu pour une femme victime de viol, mais c'était Jessica tout craché. Elle voulait sans doute dédramatiser toute l'histoire... Comme Patricia ne réagissait pas, elle ouvrit la revue, à la page centrale, qui exhibait les charmes intimes d'un jeune sportif.

— Regarde-moi ça, dit Jessica en faisant allusion au calibre plutôt généreux de ses attributs masculins. Il n'est même pas en érection! Je me demande ce qu'il peut s'injecter. C'est vraiment l'homme idéal.

Patricia se laissa gagner par l'humour décapant de son amie, et ses larmes se mêlèrent bientôt à ses éclats de rire. Encouragée par ce succès, Jessica, qui paraissait connaître la revue par coeur, se mit à la feuilleter à toute vitesse, y allant de commentaires plus délirants les uns que les autres.

Et pendant quelques instants, Patricia ne pensa plus à rien, ni à ses parents, ni à son mariage, ni à son séjour à la clinique.

17

Après le départ de Jessica, Patricia essaya de dormir, mais elle fut bientôt tirée du demi-sommeil dans lequel elle avait sombré par le sentiment étrange que quelqu'un l'observait.

Elle ouvrit les yeux, et crut à une apparition. Elle sursauta. En effet, sa voisine, Andréa Blackwell, les yeux cachés derrière des verres fumés, drapée dans une robe de soirée noire, tenant d'une main un petit sac brodé de paillettes, et de l'autre son fume-cigarette, la regardait, debout près de son lit.

— Mon Dieu! dit Patricia, vous m'avez fait peur, je ne vous avais pas reconnue.

Patricia se sentait embarrassée de se trouver seule en présence de cette femme qu'elle ne connaissait pour ainsi dire pas et dont la conduite était tout sauf rassurante. Que venait-elle faire dans sa chambre à cette heure? Comme malgré elle, la pensée que sa voisine pût être lesbienne l'effleura.

Madame Blackwell la regardait d'ailleurs avec insistance, comme si elle cherchait à deviner son corps sous les draps. Qui sait, privées d'hommes depuis des années, les pensionnaires finissaient peut-être par satisfaire entre elles leur besoin de tendresse.

Patricia s'assit dans son lit, vérifiant au passage que son pyjama n'était pas indécent, et le boutonnant d'ailleurs discrètement jusqu'au collet.

Elle considéra ensuite la tenue, pour le moins particulière, de sa voisine, du moins à cette heure, et en ce lieu, et demanda:

— Vous... Vous sortez?

— Je dois dormir avec mes vêtements, expliqua madame Blackwell. On ne sait jamais ce qu'ils feront avec votre corps. Vous devriez faire attention. J'espère que vous n'avez pas l'intention de dormir ainsi...

— Je...je ne savais pas que...

Patricia commençait à s'apercevoir que sa voisine souffrait sans doute d'une affection très grave. Sans être spécialiste des troubles mentaux ou des maladies de l'esprit, Patricia, par ses recherches de romancière, avait été amenée à étudier la psychologie et la psychiatrie.

Et les symptômes de sa voisine ressemblaient fort à du délire de persécution. Que ferait-elle si elle piquait une nouvelle crise de nerfs comme plus tôt dans la journée? Ne valait-il pas mieux, même si elle la trouvait sympathique dans son excentricité, la prier de quitter immédiatement sa chambre?

— Il y a bien des choses que vous ne savez pas encore. Quand vous allez savoir ce qui se passe vraiment ici, vous allez être horrifiée...

Elle marqua une pause, regarda nerveusement à gauche et à droite, comme pour vérifier qu'il n'y avait personne d'autre dans la chambre, puis baissant la voix, et prenant le ton de la confidence, pour ne pas dire du secret, elle reprit, en se penchant vers Patricia:

— Est-ce qu'ils vous font prendre des pilules?

— Oui, dit Patricia, enfin ce sont des pilules pour m'aider à dormir le soir. Ce sont des ordres du médecin.

— Ne les prenez plus.

— Pour quelle raison? Je ne...

— Parce que vous allez oublier qui vous êtes.

Elle se tut et se redressa, théâtrale. Curieusement, malgré sa bizarrerie, cet avertissement trouva un écho chez Patricia.

«Vous allez oublier qui vous êtes.» Mais n'avait-elle pas déjà oublié qui elle était depuis longtemps, depuis qu'elle s'était mariée? Elle, la femme mariée certes, mais à un mari absent, surmené et distant? Elle, la romancière qui n'écrivait plus? Qui était hospitalisée dans une maison de repos au lieu d'être en voyage de noces à Venise?

— Après, reprit Andréa Blackwell, il sera trop tard. Ils vont vous tuer. Mais personne ne le saura. Tout le monde pensera que c'est un suicide.

— Vous... croyez? dit Patricia éberluée et qui se disait maintenant que sa voisine était sûrement atteinte d'une grave maladie.

Mais déjà madame Blackwell ne s'occupait plus d'elle. Elle retira ses lunettes fumées, et les serra dans son petit sac à main, dans lequel elle se mit à fouiller.

Malgré la pénombre de la chambre — que la lune cependant éclairait car l'infirmière, pressée, n'avait pas tiré les rideaux ce soir-là —, Patricia put voir les yeux de sa voisine. Il lui sembla que tout le malheur du monde, toute la détresse d'être femme — et d'être abandonnée — s'y étaient donnés rendez-vous.

— C'est comme ça qu'ils ont tué madame Turner, reprit Andréa.

Madame Turner...pensa Patricia. Son mari lui avait déjà parlé de cette affaire, qui avait mis la Blackwell Corporation dans l'embarras. Madame Blackwell en donnait une version bien différente car madame Turner était censée s'être suicidée après avoir obtenu son congé. Madame Blackwell confondait sûrement, ou ne faisait que donner une nouvelle preuve de son délire de persécution.

— Vous me prenez pour une folle, n'est-ce pas ? demanda Andréa.

— Mais non, pas du tout. Je ne vois d'ailleurs pas pourquoi je penserais cela. Vous avez l'air...tout à fait...

Elle chercha ses mots. Elle avait commencé une phrase de trop. Elle ne savait plus comment la finir. Mais sa voisine ne semblait plus l'écouter, absorbée par ses recherches dans son sac.

— Vous cherchez quelque chose? demanda Patricia.

— Oui...

— Vous voulez que j'allume?

— Non, surtout pas. C'est trop dangereux.

Et, impatiente, madame Blackwell renversa alors tout le contenu de son sac sur le lit. Il y avait différents objets, un briquet doré, un tube de rouge à lèvres, des bijoux, un portefeuille en anguille noir, un mouchoir de fine dentelle et un sachet de plastique.

— Enfin! s'exclama Andréa, qui prit le sachet. J'ai une faveur à vous demander...

Et elle présenta à Patricia le sachet de plastique qui contenait une bonne trentaine de comprimés de tailles et de couleurs différentes.

— Pourriez-vous garder ces pilules pour moi?

— Je ne sais pas, je...

Ne risquait-elle pas de se compromettre en cachant ces pilules? Si on les trouvait dans sa chambre, que penserait-on? Qu'elle se droguait? Ou qu'elle avait volé ces comprimés?

— Il faut absolument que vous m'aidiez. Vous êtes la seule personne qui peut le faire. Toutes les autres pensionnaires sont contaminées maintenant, il est trop tard...Elle ne savent plus qui elles sont... Elles ont oublié...Elles ne se rendent pas compte qu'elles sont gardées prisonnières ici, souvent depuis des années... Elles pensent que leur mari les aime encore...Et qu'elles vont sortir la semaine prochaine...Vous comprenez, elles ont perdu la notion du temps...Moi j'ai su résister, parce que je ne prends pas les pilules qu'on me donne, je fais semblant... Et puis je suis restée une enfant dans ma tête...Je ne suis jamais devenue une adulte... Je me souviens comment c'était avant... Vous aussi, je suis sûre que vous vous en souvenez...On est pareilles, nous deux...Mais je me garde une réserve de pilules...Au cas où un jour je doive...

Elle n'acheva pas, mais elle faisait de toute évidence allusion à un éventuel suicide. Patricia le comprit et éprouva certaines réticences. Ne risquait-elle pas de participer plus ou moins à ce suicide, en acceptant de cacher les comprimés?

— Je vais vous payer, ajouta madame Blackwell. Très cher, d'ailleurs si vous acceptez de me rendre ce petit service.

— Je ne sais pas, je ...

Madame Blackwell se pencha vers le lit, prit son portefeuille d'anguille et en tira un billet de 1000$ qu'elle tendit à Patricia.

— Ce n'est pas une question d'argent, dit Patricia en repoussant le billet.

— C'est *toujours* une question d'argent.

— Non, je vous assure.

Madame Blackwell sourit. Elle n'avait pas tort de trouver Patricia sympathique. Elle n'était pas du tout intéressée à son argent, contrairement à la plupart des gens. Andréa baissa le bras, plia le billet et le garda au creux de sa main.

— J'ai besoin de votre aide. Vraiment, lui dit madame Blackwell avec une intensité extraordinaire.

Patricia pesa le pour et le contre rapidement. Après tout, elle aurait quitté la clinique dans quelques jours. Mais surtout elle était touchée par la détresse de sa voisine. Elle avait vraiment besoin d'elle. Comment la refuser? Restait cependant une objection d'ordre pratique:

— Je ne saurais pas où les mettre.

— Venez, dit-elle, je connais un endroit.

Et elle entraîna Patricia vers la salle de bain. Elle souleva le couvercle de la cuve d'eau de la toilette, et le referma après y avoir immergé le sachet plastifié, s'étant assurée qu'il ne pouvait bouger en le coinçant sous une des tiges métalliques du mécanisme.

— C'est fait, dit-elle, avec un large sourire. Personne ne pensera de les chercher là.

De retour dans la chambre, elle remit ses verres fumés, prit son sac à main, eut un large sourire et déclara:

— Je dois retourner dans ma cage, maintenant.

18

Le lendemain après-midi, un lundi pluvieux de novembre, Patricia avait son premier rendez-vous avec son psychiatre. Elle était assise depuis près de cinq minutes dans la salle d'attente, et, un peu nerveuse, elle jetait de temps à autre un sourire timide à la secrétaire, une pétillante brunette de vingt ans, qui le lui rendait aimablement, entre deux soupirs d'impatience car elle éprouvait des difficultés avec son ordinateur. Elle paraissait trouver Patricia sympathique peut-être tout simplement parce qu'elle n'était pas habituée de voir des pensionnaires aussi jeunes à la Clinique. La plupart des autres, plutôt âgées, lui manifestaient généralement une antipathie voire une hostilité à peine voilée parce qu'elle avait commis la faute impardonnable d'être jeune et jolie.

— Vous n'auriez pas une cigarette de trop? demanda Patricia. J'ai arrêté depuis un an, mais aujourd'hui, je ne sais pas pourquoi, j'ai vraiment envie...

— Je sais ce que c'est, dit la jeune secrétaire, moi, je ne fume plus depuis la semaine dernière... Enfin, officiellement...

Et elle tira une bouffée de sa cigarette, la posa dans le cendrier, et ouvrit son paquet. Patricia se leva pour aller prendre la cigarette:

— Vous êtes vraiment gentille...

— Ce n'est rien. Il faut bien s'entraider entre ex-fumeuses!

Patricia prit la cigarette, l'alluma avec les allumettes que lui tendit la secrétaire, puis resta un instant près de son bureau:

— Vous avez des ennuis?

— Cette sale machine... J'aimais bien mieux ma vieille machine à écrire. C'est idiot, je n'arrive pas à avoir accès à mon document...

— Je peux peut-être vous aider...

— Vous vous y connaissez, avec ces foutus trucs? demanda la secrétaire avec une lueur d'espoir dans les yeux.

— J'ai un modèle similaire...

Patricia regarda l'écran. Elle crut reconnaître le logiciel.

— Word Perfect 5.1 ?

— Oui! s'exclama la secrétaire, comme si Patricia venait de lui faire une révélation extraordinaire.

— Quel est le nom de votre document?

— Turner...

— Turner? demanda Patricia avec une certaine surprise.

— Oui, dit la secrétaire qui ne paraissait pas comprendre l'étonnement de Patricia.

— La...La dame qui s'est suicidée?

— Oui, avoua la secrétaire avec une certaine gêne. Vous la connaissiez?

— Oui et non. Mon mari m'a un peu parlé d'elle. C'est lui qui s'occupait du dossier juridique.

— C'était la meilleure personne du monde, dit la secrétaire. Tout le monde l'aimait ici. Mais elle était trop sensible. Elle pleurait à propos de tout et de rien. Ils ont tout essayé pour la sauver. Mais quand on veut vraiment mourir, il n'y a vraiment personne qui peut nous en empêcher. Il paraît qu'elle en était à sa cinquième tentative.

— Ah, je vois, dit Patricia qui ne savait pas trop que penser.

C'était une version tout à fait différente de celle que lui avait donnée madame Blackwell la veille. Au fond, celle de la secrétaire — une jeune femme de toute évidence saine d'esprit et qui n'avait aucune raison de mentir à Patricia, — était beaucoup plus plausible. Madame Blackwell n'était sûrement qu'une déséquilibrée qui, dans ses incessants délires, avait inventé toute cette histoire au sujet de l'infortunée madame Turner.

Il y eut un petit silence, ce genre de silence presque inévitable lorsqu'on aborde des sujets aussi dramatiques, aussi troublants, puis la secrétaire retrouva une certaine légèreté, — disposition sans laquelle elle aurait sans doute eu beaucoup de difficulté à conserver son poste (ou son équilibre) dans une institution où le spectacle de la détresse morale était quotidien — et elle dit, en regardant son écran:

— Il faut que je me dépêche de récupérer ce fichier, parce que le docteur m'a demandé de le lui imprimer avant cinq heures, et il est déjà quatre heures.

— Attendez, dit Patricia. Au fait, comment vous appelez-vous?

— Judith.

— Moi, c'est Patricia. Vous permettez? demanda-t-elle en désignant la chaise de la secrétaire.

— Mais avec plaisir.

Patricia y prit place. Elle fit une première commande, la plus usuelle, pour appeler le document, mais n'obtint aucun résultat.

— Vous voyez, dit Judith. C'est vraiment de la merde ces ordinateurs. Si j'avais ma vieille machine à écrire, je pourrais au moins avoir mon document devant moi, tandis que là, il est perdu quelque part dans cette foutue machine! Le médecin va me tuer...

— Il ne faut pas vous énerver, il y a sûrement une manière. Attendez.

Elle refit exactement la même commande, et cette fois-ci, curieusement, il se passa quelque chose. Dans le haut de l'écran apparut le nom du dossier: Turner, mais pas le document. Perplexe, Patricia y alla d'une explication, pas très réjouissante pour la secrétaire, lui vint à l'esprit:

— Est-ce que...par erreur le document n'aurait pas été effacé, ou fusionné avec un autre document qui porterait un autre nom?

Judith n'eut pas l'air sûre de comprendre la question.

— Je n'en sais rien, franchement.

Elle s'alluma nerveusement une autre cigarette et, par distraction, en offrit une à Patricia qui, pour toute réponse, lui montra simplement la sienne qui brûlait encore dans le cendrier, où elle l'avait déposée en se mettant au clavier.

Patricia fit une commande pour faire apparaître le menu complet. Elle fit courir le curseur vers le bas de l'écran, et vit avec joie apparaître un document qui portait le nom de Turner.

— Sauvées! Nous sommes sauvées!

Ce «nous» qui marquait une solidarité instantanée parut fort sympathique à Judith. Que cette femme était chaleureuse! Comment avait-elle pu être internée? Elle n'avait pas l'air malade du tout! Il faudrait qu'elle pose des questions aux infirmières avec qui elle était copine — tout finissait par se savoir malgré la consigne du silence imposée par le règlement,— pour comprendre cette situation si bizarre.

— Alright! s'exclama Judith.

Patricia appela le document mais il n'apparut pas à l'écran. A la place l'ordinateur posa une question:

— Nom de code?

— Le nom de code... dit Patricia.

Judith eut l'air démoralisé. Elle avait eu une fausse joie.

— Vous ne vous souvenez plus du nom de code? demanda Patricia.

— Non. Enfin, je ne l'ai jamais eu...

Elle avait l'air vraiment découragée, maintenant.

— Vous êtes sûre? demanda Patricia. Peut-être l'avez-vous noté quelque part. Ou vous avez peut-être un fichier où vous inscrivez tous vos noms de code.

— Non, l'ennui, expliqua Judith, c'est que ce fichier n'est pas mon fichier. Nous avons un système de deux fichiers pour chaque patiente. A cause du secret professionnel. Le règlement est très sévère. Seulement le personnel traitant a accès au dossier des pensionnaires, en tout cas en ce qui concerne leur...passé médical, dit-elle après une hésitation.

Elle avait failli dire «folie», mais ce vocable aurait sans doute froissé Patricia qui, elle ne devait pas l'oublier, était une patiente elle aussi.

— Il faut avoir le nom de code pour avoir accès à ce fichier confidentiel, termina-t-elle.

— Je vois, dit Patricia. C'est probablement pour cette raison que votre fichier s'est volatilisé. La dernière personne qui a consulté le fichier confidentiel de madame Turner a peut-être fusionné les deux documents par erreur: le vôtre, que tout le monde peut consulter, et l'autre, qui est confidentiel.

— Mais oui, c'est sans doute ça! s'exclama Judith qui venait de tout comprendre.

L'explication avait beau être plausible, elle se trouvait néanmoins dans de beaux draps. Mais elle n'eut pas le temps d'épiloguer à ce sujet. Le téléphone sonna. Elle répondit puis:

— Le docteur vous attend, dit-elle en raccrochant.

— Ah bon, je vois. En tout cas bonne chance avec votre ordino.

— Ah, je ne suis pas inquiète, et elle ajouta, pince-sans-rire. Comme on dit, il n'y a pas de solutions, il n'y a que des problèmes.

Patricia, appréciant son humour, éclata de rire, puis elle éteignit sa cigarette et poussa la porte du bureau.

En entrant dans le bureau, elle ne vit personne. Où donc était passé le psychiatre? Il venait pourtant de l'appeler. Il ne pouvait pas être très loin. Elle jeta un coup d'oeil autour d'elle. La pièce était vaste, le mobilier très moderne et plutôt froid, tout en cuirs sombres, en verre et en métal. En fait, on aurait dit le bureau d'un avocat ou d'un homme d'affaires, à cette différence près qu'il s'y trouvait le traditionnel divan psychiatrique. Une bonne trentaine de secondes passèrent et Patricia s'apprêtait à faire demi-tour vers la réception lorsque le fauteuil à haut dossier du bureau pivota.

La jeune femme se retrouva alors face à face avec quelqu'un qu'elle connaissait malheureusement trop bien: c'était nul autre que le directeur de la clinique, le docteur Waterman qu'elle avait rencontré pour la première fois au bal de financement et qui lui avait fait une cour si grossière. Il souriait sans rien dire, de ce sourire infatué qui déplaisait tant à Patricia.

— Quel hasard, laissa-t-il enfin tomber.

Patricia ne répondit rien. Elle se demandait si elle ne devait pas tout simplement sortir et téléphoner à son mari pour lui dire qu'il n'était question sous aucun prétexte qu'elle se laisse soigner par le docteur Waterman dont l'attitude, au bal, avait été inqualifiable. Il avait eu la vulgarité de lui proposer une *golden shower*, pratique dont la seule évocation la dégoûtait profondément. D'ailleurs comment ce médecin pourrait-il respecter l'éthique professionnelle à partir du moment qu'il éprouvait une inclination avouée pour sa patiente?

— Asseyez-vous, je vous en prie, dit le docteur Waterman.

Et il lui désigna un des deux fauteuils qui se trouvaient devant son bureau. Patricia eut une hésitation, puis s'avança. Après tout, il ne l'avait peut-être convoquée que pour lui annoncer son congé et lui donner quelques conseils pour sa convalescence. Comme elle s'avançait, il se leva et lui tendit la main, mais Patricia refusa de la lui serrer. Il n'insista pas, abaissa le bras et sourit plus largement. Il semblait heureux de cette nouvelle provocation, de cette résistance, qui, loin de le contrarier, ne faisait qu'attiser son désir. Il trouvait risible la puérile révolte de cette femme pudique. Elle ne comprenait pas qu'il était maintenant le maître du jeu, que la partie se jouerait selon ses propres règles. Il ferait d'elle ce qu'il voudrait, il la briserait.

Il se rassit, en même temps que Patricia prenait place devant lui, dans le fauteuil qu'il lui avait désigné. Elle se rendit compte qu'elle éprouvait à son endroit une antipathie physique. Etait-ce ce visage trop lisse, presque sans ride, qui jurait avec les plis nombreux de son cou? (Elle ignorait qu'il avait subi de nombreux *liftings*) Ou était-ce ce regard insistant, inquisiteur, qui la déshabillait littéralement? A moins que ce ne fût l'espèce de fluide malsain, malveillant, pour ne pas dire maléfique qui se dégageait de toute sa personne.

— Vous vous plaisez, ici?

Elle ne fut pas sûre de comprendre le sens de sa question.

— Oui...

— Tant mieux, parce que nous allons devoir vous garder très longtemps.

Cette déclaration frappa Patricia comme un coup de poing au visage.

— Qu'est-ce que vous voulez dire ?

Le docteur Waterman perdit alors son sourire, et, avec un visage très sérieux, presque menaçant:

— Vous êtes une femme très malade, madame Stone.

— Vous m'avez convoquée pour m'insulter? Vous savez très bien que je ne suis pas malade.

Le psychiatre esquissa à nouveau son sourire sadique, regarda fixement Patricia, sans cligner des yeux, comme pour la troubler davantage, et dit d'une voix très posée:

— Ce n'est pas ce qui est écrit ici.

En prononçant cette phrase, il ouvrit une chemise qui était devant lui, sur le bureau.

— Votre dossier est très intéressant. Je n'avais pas vu un cas pareil depuis dix ans. C'est d'ailleurs pour cette raison que j'ai voulu m'occuper personnellement de vous. Et puis évidemment en raison des liens d'amitié qui nous unissent...

— Il y a un viol par minute aux Etats-Unis. N'essayez pas de me faire croire que mon cas est unique.

— Avez-vous déjà pensé à faire du cinéma, madame Stone?

— Je ne vois pas pourquoi vous me posez cette question.

— Parce que vous avez du talent, madame Stone. Beaucoup de talent.

— Où voulez-vous en venir, au juste?

— Vous le savez très bien, madame Stone. D'ailleurs, puis-je vous appeler Patricia? Ce serait plus sympathique, non? Comme nous sommes appelés à passer beaucoup de temps ensemble au cours des prochains mois...

— Il n'est pas question que je passe des mois ici.

— Vous n'avez pas l'air de comprendre, ma chère petite Patricia. Pourquoi croyez-vous que votre mari vous a fait interner ici, pensez-vous?

— Parce que... Pour me reposer, parce que j'ai été violée.

— Nous savons très bien, vous et moi, que vous n'avez pas été violée. A moins que vous ne soyez déjà rendue trop loin dans votre folie...

Comme Patricia ne disait rien mais avait l'air tout à coup extrêmement angoissée, il ajouta:

— Est-ce que ce que je dis a du sens pour vous?

Au lieu de lui répondre, Patricia se leva d'un seul bond de son fauteuil. Elle en avait assez de cette entrevue.

— Où allez-vous, Patricia? La séance n'est pas encore terminée. Je sens au contraire que nous avons des centaines de choses à nous dire. Il va falloir que nous apprenions à nous connaître, à nous apprivoiser.

— Je vais à ma chambre appeler mon mari pour qu'il me fasse sortir immédiatement de cette clinique de fous.

— Vous pouvez appeler votre mari tant que vous voudrez, dit le médecin très calmement, en se versant un verre d'eau à même un pichet de verre et de cuir. Nous sommes parfaitement d'accord à votre sujet, lui et moi.

— On verra bien, dit Patricia.

— Ce n'est qu'une question de temps, une question de temps.

Patricia quitta vivement le bureau. Waterman la suivit du regard, but une longue gorgée, très lentement puis posa son verre. Ses lèvres se plissèrent en un sourire ironique. Il referma le dossier de sa nouvelle patiente, et, comme son visage redevenait sérieux, toute sa haine des femmes s'y exprima.

19

Dès qu'elle fut de retour à sa chambre, Patricia téléphona au bureau de son mari.

— Un instant, madame Stone, je transfère l'appel à son bureau, dit la réceptionniste avec un ton légèrement agacé, car elle avait reconnu la voix de Patricia, qui en était au moins à sa dixième tentative pour rejoindre son mari, depuis la matinée.

— Je vous passe sa secrétaire.

Elle la mit tout de suite en ligne avec la secrétaire de son mari qui lui expliqua, avec ce ton prudent, circonspect qu'elle prenait toujours avec elle, comme si elle craignait de faire une gaffe, de se trahir:

— Les seules nouvelles que j'ai eues de votre mari, c'est qu'il doit prendre l'avion pour New-York ce soir. C'est le message qu'il m'a demandé de vous faire si vous appeliez. Il dit qu'il va essayer de vous rejoindre de toute manière.

Déçue non seulement de l'absence de son mari mais de l'indifférence qu'il manifestait de toute évidence à son égard en laissant à sa secrétaire le soin de lui transmettre ses messages, Patricia ne disait rien.

— Madame Stone? Etes-vous encore là?

Patricia répondit après un long silence.

— Oui. Si mon mari appelle, dites-lui que je veux absolument lui parler, c'est très urgent.

Et la conversation téléphonique prit fin. Patricia sentit monter en elle une tristesse infinie. Jamais elle n'avait eu autant besoin de parler à son mari, et il était introuvable. Elle ne comprenait rien. Elle n'avait eu aucune nouvelle de lui depuis qu'il était venu la reconduire à la clinique, le samedi précédent. Avait-il décidé de la bannir de sa vie, de l'abandonner dans cette clinique, comme le docteur Waterman le lui avait laissé entendre? Toutes ces interrogations la ramenaient à la question qu'elle n'avait cessé de se poser depuis des semaines, en fait depuis que son mariage battait de l'aile. Pourquoi donc son mari l'avait-il épousée, si c'était pour continuer à vivre en célibataire, comme si elle n'existait pas?

Elle avait l'impression de vivre un cauchemar, où rien n'a de sens, où aucune des lois de la logique ne tient. Elle se déshabilla, passa un peignoir. Elle mangerait dans sa chambre. Elle n'avait envie de voir personne, et en tout cas certainement pas de se retrouver dans la salle commune. Les autres pensionnaires étaient un peu trop bizarres à son goût. Elle alla à sa fenêtre. Dehors, il avait commencé à pleuvoir, une pluie fine et régulière. Patricia s'absorba dans une rêverie confuse.

Rarement s'était-elle sentie si démunie, si impuissante. Pourtant, il y a quelques mois à peine, elle était une femme vive, pleine de ressources, d'énergie. Rien ne la décourageait, et s'il lui arrivait de tomber, chaque fois elle se relevait, animée par cette profonde certitude intérieure que tout finirait par s'arranger et qu'elle réaliserait tous ses rêves, à force de patience et de persévérance. Mais maintenant, tout était changé. Cette petite lumière qui brillait toujours en elle, au fond de son coeur, cette réserve d'espoir et d'optimisme inébranlable qu'elle avait gardée de son enfance, s'était étiolée, épuisée. Il lui semblait qu'il ne lui restait plus que le vide, qu'elle avait été dépossédée, vidée de sa substance, vampirisée même, par les événements, par son mari. A moins que ce ne fût simplement le passage du temps, et que sans s'en rendre compte, elle eût tout simplement commencé à vieillir, parce qu'elle avait cessé de rêver, de croire en quelque chose. On frappa à sa porte. Elle sursauta.

— Entrez! dit-elle avec tout à coup le secret espoir que ce fût son mari.

Un infirmier presque squelettique — qui paraissait d'ailleurs complexé de cette disgrâce et souriait continuellement pour s'en faire pardonner — entra, poussant devant lui un chariot sur lequel était posé un seau à champagne, deux flûtes de cristal au rebord ciselé d'argent, un bol rempli d'énormes fraises rouges, un petit pot de sucre fin, et le couvert pour deux personnes. Le front de Patricia se fronça.

Elle quitta la fenêtre et s'avança vers l'infirmier:

— Je crois qu'il y a une erreur, je n'ai rien commandé.

L'infirmier laissa son sourire s'épanouir encore davantage et dit:

— Vous êtes madame Stone?

— Mais oui, confirma-t-elle.

— Alors, c'est bien pour vous. C'est de la part de quelqu'un qui vous aime bien.

Patricia sourit. Qui cela pouvait-il être? Un petite carte accompagnait les fraises. Elle la lut.

«As-tu pris ton dessert ce soir? Ton amant espère que non, car lui ne l'a pas pris, et il aimerait le prendre avec toi.»

Romantique et charmant, ce petit mot n'était pas signé, ce qui plongea Patricia dans une angoisse soudaine car elle pensa tout de suite à Jack. Que pouvait-il venir faire ici, à la clinique? D'ailleurs, comment avait-il appris qu'elle y avait été hospitalisée? Il y avait des mois qu'elle n'avait pas eu de nouvelles de lui. Que pouvait-il lui vouloir? Et puis, pourquoi ces fraises et ce champagne? N'était-ce pas ridicule? Cela ferait jaser, surtout dans cette clinique où la médisance était une des principales occupations.

Et si son mari ou des membres de sa famille arrivaient pendant qu'elle dégustait ces fraises avec Jack, que penseraient-ils? Ne l'accuserait-on pas d'avoir continué à le voir même après son mariage, et — qui sait — d'être restée sa maîtresse? Sa vie était déjà bien assez compliquée comme ça!

Tout à coup, Richard apparut sur le seuil de la porte. Il portait un imperméable, et ses cheveux, qu'il n'avait pu protéger de la pluie, étaient complètement décoiffés. Il souriait, de son sourire le plus chaleureux, mais embarrassé tout de même, car il était conscient qu'il avait laissé sa femme sans nouvelles depuis le jour de son admission. Il savait qu'il aurait des explications à fournir. Mais n'était-il pas le champion des excuses parfaites et irréfutables?

— Richard! s'exclama Patricia, à la fois surprise et soulagée.

Elle courut se jeter dans ses bras, transfigurée, rayonnante.

Elle ne tarda pas de constater qu'il était détrempé, et le pria de retirer son imperméable qu'elle accrocha sur la patère dans un coin de la chambre.

— Il fait un temps de chien, dit-il.

L'infirmier s'était avancé jusqu'à la table de la chambre, et il mit le couvert. Puis il se retira, en souriant à Richard d'un air entendu.

— Où étais-tu depuis deux jours? J'ai cherché des dizaines de fois à te rejoindre.

Il n'eut pas le temps de répondre. L'infirmier filiforme revenait avec une grosse boîte rouge enrubannée de blanc, surmontée d'un choux spectaculaire.

— Posez-la sur le lit, dit Richard.

— C'est pour moi? demanda Patricia.

— Je ne vois personne d'autre dans la chambre. A moins qu'un homme ne soit caché sous le lit.

Elle pouffa de rire. Il avait le don de la faire rire, du moins lorsqu'il se donnait la peine de se montrer drôle, ce qui à la vérité n'était plus arrivé très souvent depuis des semaines.

Richard donna un généreux pourboire de dix dollars à l'infirmier qui s'inclina respectueusement avant de se retirer, cette fois-ci pour de bon, refermant la porte derrière lui.

— Mais ouvre-la, dit Richard à sa femme. Qu'est-ce que tu attends?

Patricia déballa le cadeau. Elle reçut un choc. C'était quelque chose dont elle avait rêvé pendant des années: un ordinateur portatif, l'un des plus récents modèles.

Elle sauta au cou de son mari.

— Il ne pèse que deux kilos! commenta Richard. Tu as un disque dur de quarante mégaoctets. Et une autonomie de huit heures.

— Tu es fou! Depuis le temps que je rêve d'avoir un portable.

— Eh bien, c'est fait maintenant. J'ai pensé que, dans tes temps libres, pendant ton séjour...

Il n'acheva pas. Patricia s'assombrit. Bien sûr, c'était un joli cadeau. Mais pourquoi lui avoir offert un tel cadeau alors qu'elle était sur le point de sortir de la clinique? N'y avait-il pas anguille sous roche? Etait-ce son imagination qui lui jouait encore des tours? Elle n'osa pas en faire la remarque à son mari de crainte de gâcher la belle joie qu'il paraissait prendre à lui offrir un si magnifique cadeau. Elle ouvrit l'ordinateur, s'émerveilla de la qualité de l'écran, de la lisibilité des caractères. Elle chercha des premiers mots qui ne fussent pas banals, et écrivit tout simplement:

— I love you.

Son mari se mit à l'écran et, s'amusant de ce petit jeu, écrivit:

— Moi aussi.

Patricia se remit au clavier et fit apparaître à l'écran les mots suivants:

— Quand partons-nous pour Venise?

— Dès que tu sortiras de la clinique, écrivit Richard.

Elle inscrivit la question toute naturelle:

— Quand vais-je sortir de la clinique?

Cette fois-ci, Richard ne répondit pas sur le clavier. Malgré lui, il avait pris un air plus grave, comme très embarrassé par cette question. Elle le regardait sans rien dire, mais avec insistance. Elle attendait la réponse à sa question. Quand sortirait-elle de cette foutue clinique?

— Je dois parler au docteur Waterman...

— Je sors de son bureau justement...

— Tu as vu Waterman? Ah! c'est bien, très bien.

— Au contraire, dit Patricia qui décidait de se lancer. Il m'a dit que je ne sortirais pas d'ici tant qu'il ne le déciderait pas et c'est tout juste s'il ne m'a pas demandé de coucher avec lui pour hâter mon congé.

Le visage de Richard tomba.

— Ce que tu dis me surprend. Waterman est un des médecins les plus en vue de sa profession. Il n'aurait pas dit une chose pareille. Ou peut-être que tu as mal interprété ses paroles. C'est un pince-sans-rire. Il voulait peut-être tout simplement plaisanter.

Patricia ne disait rien, sceptique. Elle réfléchissait. L'interprétation de son mari avait-elle du sens? Richard s'efforça de prendre un air léger, presque joyeux. Il fit un pas en direction de la table où les attendaient le champagne et les fraises fraîches.

— Buvons, dit-il.

Elle le suivit en direction de la table et s'assit pendant qu'il faisait sauter le bouchon de la bouteille de champagne d'une main experte. Patricia entrouvrit très discrètement son peignoir, sous lequel elle était nue. On voyait maintenant la naissance de ses seins. Elle avait tout à coup envie de son mari. Ne l'ayant pas vu depuis deux jours — en fait presque une semaine si on exceptait les quelques heures où ils s'étaient vus entre l'hôpital et la clinique —, elle le trouvait plus beau que d'habitude, elle le redécouvrait. Ne serait-ce pas excitant de faire l'amour dans cette chambre d'hôpital? Après tout, personne ne viendrait les surprendre! Il y avait si longtemps qu'il ne l'avait pas touchée! Trois semaines? Quatre? Elle n'aurait même pas pu le dire. Elle en avait même conçu une sorte de gêne physique à son endroit. Et puis, elle se disait que ce n'était sûrement pas une bonne chose pour une épouse que de laisser son mari seul ainsi, privé des privilèges normaux du mariage. Ne se laisserait-il pas tenter par une autre femme? Ne ferait-il pas une folie? Le bouchon vola au plafond et la mousse du champagne jaillit de la bouteille. Richard s'empressa de le verser. Il reposa la bouteille dans le seau, leva son verre, et dit:

— Je porte un toast...

Il avait présumé de sa capacité d'improvisation. Il ne savait plus quoi dire.

— A notre voyage à Venise, compléta Patricia.

— A notre voyage à Venise, approuva Richard comme si c'était précisément les mots qu'il cherchait.

Ils firent tinter leurs verres délicatement, en se regardant dans les yeux, burent tous deux. Richard servit une généreuse portion de fraises à Patricia. Elle dut le prier de s'arrêter.

— Tu veux que je fasse une indigestion! Sers-toi plutôt.

Mais au lieu de se servir, il constata:

— Ils ont oublié la crème. Attends, je les appelle.

— Mais non, dit Patricia, agitant la main en signe de refus. Ce n'est pas nécessaire. Mon régime...

— Mais tu es mince comme tout!

— Justement, je veux le rester.

Il n'insista pas. Il prit la petite cuiller du sucrier:

— Du sucre?

— Un soupçon.

Il saupoudra un peu de sucre sur ses fraises mais Patricia l'arrêta presque aussitôt:

— Assez.

Il s'immobilisa, la main au-dessus de son bol, retenant toujours la cuiller, comme un pantin mécanique tout à coup débranché. Patricia sourit de cette petite comédie.

— Tu peux manger maintenant...

— Merci, petite maîtresse, dit Richard d'une voix enfantine.

Et, abandonnant son immobilité presque parfaite, il abaissa le bras, posa la cuiller et se servit deux ou trois fraises, ce qui était déjà beaucoup pour lui car il n'appréciait guère ces fruits, trop amers à son goût. Comme il est charmant, se dit Patricia. Il y avait longtemps qu'il ne s'était pas montré si enjoué avec elle. Elle ne le reconnaissait plus. Mais une vague de méfiance la traversa.

Pourquoi tant de gentillesse, alors qu'il n'était que faux-fuyants, mystère, et mutisme depuis des semaines? Bien sûr, il voulait peut-être la ménager, ou pour mieux dire la remonter, parce qu'elle était hospitalisée. Mais alors, pourquoi l'avoir laissée sans nouvelles pendant deux jours entiers? N'était-ce pas la meilleure manière de l'inquiéter? Elle prit une première fraise, n'utilisant pas sa fourchette.

Elle choisit la plus grosse, celle du dessus, la plus sucrée. Elle croqua dedans d'une manière sensuelle, regarda Richard, la fraise à moitié mangée dans une main, ses belles lèvres rouges légèrement couvertes de sucre. Richard vida d'un seul trait son verre de champagne et s'en versa un autre. Cherche-t-il à se donner une contenance? se demanda Patricia. Ne voit-il pas de ce dont j'ai envie? Ou fait-il semblant de ne rien voir? Elle avala le reste de la fraise puis en croqua une autre. Richard buvait nerveusement.

Un malaise s'installa. Patricia eut une impression étrange. Le décor était parfait, le petit goûter aux fraises et au champagne très romantique, mais le courant ne passait plus entre eux: ils étaient deux étrangers. Depuis plusieurs semaines les choses n'allaient pas comme elle le voulait entre son mari et elle, mais c'était la première fois qu'elle éprouvait cette impression. Un vertige s'empara d'elle. Ce fut une douleur presque physique.   Désemparée, elle affecta la gaieté, avala trois ou quatre fraises d'affilée. Ce spectacle réjouit et rassura Richard.

— Tu as de l'appétit, dit-il.

Il vida son verre puis consulta sa montre-bracelet et parut s'énerver:

— Je ne peux pas rester, je dois attraper un avion pour New York dans une heure.

— Ah bon, dit-elle, alarmée.

Mais elle ne protesta pas. Elle se souvenait de la conversation qu'elle avait eue un peu plus tôt avec la secrétaire de Richard.

Elle se pencha vers lui et lui caressa la joue. Elle avait pris une voix douce, mielleuse.

— Emmène-moi.

Il parut affolé par cette idée pourtant banale.

— Mais non, c'est impossible. C'est un voyage d'affaires. Tu t'en-
nuierais mortellement.

— Je pourrais écrire avec le merveilleux ordinateur que tu m'as
offert.

— Il faudrait que tu commences par obtenir ton congé.

— Mais c'est nous qui payons. Nous sommes clients ici. Je ne suis
pas en prison, que je sache. Je peux sûrement sortir quand je veux.

— Je n'oserais pas faire fi de l'avis des médecins. Ce qui t'est
arrivé est très grave. Il ne faut pas l'oublier. Un...

Il n'osait dire le mot, qui répugne sûrement à tout mari. Mais il le
prononça enfin:

— Un viol est quelque chose qu'on ne doit pas prendre à la légère.
Ca peut bouleverser toute notre vie... amoureuse.

Il avait choisi le mot après une petite hésitation.

— Il faut que tu sois raisonnable, Patricia, reprit Richard. De toute
manière, je ne serai parti que deux jours. L'important, c'est que je
t'aime, et que tu m'aimes. Nous allons traverser cette épreuve, et la vie
reprendra comme avant.

Elle resta bouche bée. Elle ne se souvenait pas de la dernière fois
qu'il lui avait dit qu'il l'aimait. D'ailleurs le lui avait-il jamais dit? Il
l'avait évidemment complimentée à plusieurs reprises. Mais pour le
reste, il l'avait surtout demandée en mariage. Et dès lors, elle avait
naturellement pris cela pour une preuve d'amour, surtout qu'à ce chapitre, elle n'avait pas été gâtée. Les larmes lui vinrent aux yeux. Son
mari l'aimait. Elle en avait maintenant la certitude profonde. Pourquoi
ne le lui avait-il pas dit plus tôt? Cela aurait infiniment simplifié les
choses. Car n'est-ce pas la seule chose qu'elle avait jamais cherchée
dans toutes ses relations amoureuses: la certitude d'être vraiment
aimée, pour ce qu'elle était et non pas simplement pour son corps,
comme maîtresse?

Elle se sentait apaisée, tout à coup. Elle ne disait plus rien. Elle
souriait à son mari. Il lui avait enfin avoué son amour. Tout lui paraissait simple maintenant. Elle attendrait patiemment son retour, puis, une
fois son congé obtenu, ils partiraient enfin pour Venise, grandis, rap-
prochés tous deux par cette épreuve et cette séparation. Elle ne retint
pas son mari, mais se leva pour l'embrasser. Elle le serra très fort:

— Je t'aime tellement, dit-elle.

— Je t'aime, moi aussi.

Elle n'en revenait pas. Deux déclarations dans la même heure!
C'était plus, sinon autant, que depuis le début de leur mariage. Richard
la repoussa alors délicatement. Elle le regarda intensément, pour gra-
ver dans sa mémoire le souvenir de son beau visage. Et il lui sembla

voir de la tristesse passer au fond de ses yeux. Peut-être lui aussi était-il déchiré de devoir partir sans elle mais ne le lui montrait pas, par délicatesse, pour ne pas compliquer davantage les choses. Comme il était sensible!

Après le départ de Richard, elle se rassit à la table, et se remit à manger des fraises, retrouvant un appétit qu'elle n'avait plus depuis longtemps. Elle contemplait son nouvel ordinateur portatif. Quelle gentille attention! Elle sentit qu'avec ce nouvel appareil, elle pourrait écrire sans difficulté son prochain roman. Son inspiration retrouverait enfin ses ailes! Elle s'aperçut alors qu'elle était heureuse comme elle ne l'avait pas été depuis longtemps et se fit cette petite réflexion que les choses changeaient rapidement dans la vie et qu'il ne fallait jamais se décourager, même dans les moments les plus difficiles. Elle se rendit alors compte que son mari avait oublié son imperméable. Pauvre chou! Il pleuvait encore à boire debout! Il allait sûrement attraper une grippe.

Elle referma son peignoir, prit l'imperméable et courut vers l'ascenseur. Au fond, ce petit oubli la rendait heureuse. Il lui donnerait l'occasion de voir son mari quelques secondes de plus, de l'embrasser une dernière fois, de le remercier à nouveau pour son merveilleux cadeau. Elle courait dans le corridor comme une adolescente, rayonnante de bonheur, forte de la certitude nouvelle que son mari l'aimait.

Malheureusement, elle n'eut pas le temps de le rattraper avant que les portes de l'ascenseur ne se referment sur lui. Elle appuya à trois ou quatre reprises sur le bouton mais en vain.

— Merde, se dit-elle, je vais le manquer.

Il restait l'escalier. Elle le dévala à toute allure. Au rez-de-chaussée, l'ascenseur était déjà vide. Elle regarda en direction du hall. Elle aperçut Richard, courut vers lui, tout excitée.

Subitement, elle s'immobilisa, comme si toutes ses forces l'avaient quittée. Le visage figé dans une expression d'hébétude douloureuse, elle laissa tomber l'imperméable. Richard marchait en direction d'une femme élancée que Patricia reconnut sans peine, même avec son large chapeau et ses verres fumés: c'était Julie Landstrom, cette femme qu'elle avait crue son amie.

En voyant arriver Richard, la femme, visiblement contrariée, donna deux ou trois petites tapes impatientes sur sa montre-bracelet, en écarquillant les yeux, pour lui reprocher d'avoir mis une éternité à revenir. Richard eut un haussement d'épaules: il était vraiment désolé, il n'avait pu faire autrement. Très nerveux, il chercha ses lunettes fumées, dans la poche intérieure de sa veste, ne les trouva pas, se frappa le front en se rappelant qu'elles étaient dans sa poche d'imperméable, oublié dans la chambre de sa femme. Pas le temps de le récupérer, ils étaient déjà en retard. Il prit la femme par le bras et l'entraîna vers la sortie.

Un instant, Patricia eut envie de courir après son mari, de lui crier qu'elle savait tout maintenant, qu'elle n'était plus dupe, mais elle n'en eut pas la force. L'humiliation était trop grande.

Dans l'ascenseur qui remontait vers sa chambre, elle éprouva un étourdissement, un haut-le-coeur. De crainte de s'effondrer, elle se laissa glisser jusqu'au sol, s'appuyant contre le mur, et là, la tête inclinée, elle vomit, dans une convulsion de dégoût, toutes les fraises dont elle venait de se régaler.

Lorsque la porte de l'ascenseur s'ouvrit, elle resta là, effondrée, immobile. C'est l'infirmière-chef, Miss Harper, qui la trouva. Elle crut d'abord que Patricia avait vomi du sang. Mais en s'approchant, elle constata que c'était plutôt des fruits, probablement des fraises. Rassurée de voir que Patricia n'avait pas fait d'hémorragie et n'avait pas tenté de s'ouvrir les veines — depuis l'affaire Turner tout le monde était sur les dents à la clinique — Miss Harper reprit aussitôt l'humeur hargneuse qui lui était naturelle dès qu'elle n'avait pas affaire à des visiteurs ou à des médecins. Dans son désoeuvrement, Patricia Stone, cette femme de millionnaire s'était sans doute gavée comme un animal, et maintenant elle payait le prix de ses excès en vomissant partout. Mais surtout, crime impardonnable, elle salissait les planchers de «sa» clinique.

— Qu'est-ce que vous faites là?

Patricia releva la tête avec peine, et se contenta de jeter un regard vide en direction de Miss Harper. Que lui voulait cette femme? Ne voyait-elle pas qu'elle n'avait pas la force de répondre, qu'elle n'avait plus envie de vivre, que tout lui paraissait absurde?

— Je vous ai parlé, madame Stone, j'aimerais que vous me répondiez.

Patricia demeura silencieuse. Elle avait l'impression d'être dans un cauchemar, aux prises avec une sorcière qui la tarabustait. Contrariée de voir son autorité défiée, Miss Harper saisit Patricia par le bras, avec une poigne vigoureuse, presque brutale et la tira brusquement.

— Levez-vous immédiatement! Retournez à votre chambre! Vous ne pouvez pas rester dans l'ascenseur dans cet état.

Patricia ne bougea pas.

— D'accord, comme vous voulez. Mais il va falloir que je rapporte l'incident au docteur Waterman, dit-elle en manière de menace avant d'appeler deux infirmiers pour transporter Patricia à sa chambre.

Le docteur Waterman fut à son chevet quelques minutes plus tard.

— Laissez-moi seul avec elle, dit-il.

Miss Harper, qui venait d'administrer un léger sédatif à Patricia, s'inclina respectueusement.

— Très bien, docteur. Si vous avez besoin de moi, je serai au poste de garde.

Et elle fit signe aux infirmiers — qui venaient de nettoyer et de changer Patricia — de la suivre. Une fois seul avec Patricia — la porte de la chambre ayant été fermée selon ses ordres — le docteur Waterman la contempla, profitant de ce qu'elle était encore à demi inconsciente. Comme elle était belle, malgré sa pâleur extrême. Même s'il avait connu des centaines de femmes dans sa vie — dont plusieurs beaucoup plus sexy que Patricia — il avait rarement éprouvé un tel désir. Ce n'était d'ailleurs pas tant son corps qui l'attirait que sa fraîcheur, sa naïveté et une sorte de fluide, de grâce qui émanait d'elle.

Peut-être était-elle simplement la première femme pure qu'il eût jamais rencontrée, et cette innocence le charmait — au sens premier du terme. Il la trouvait irrésistible, précisément parce qu'elle incarnait son contraire. Voyait-il en elle la rédemption possible de son âme si noire, si déchue? Ou voulait-il, en la séduisant, l'entraîner dans la souillure de son existence, pour que son innocence perdue ne lui rappelât plus sa propre ignominie? Pourquoi ne pas tirer avantage de la situation? Elle était faible, elle ne pourrait lui résister. De toute façon, la chambre était insonorisée.

Elle pourrait crier, se débattre tant qu'elle voudrait. Personne ne l'entendrait. Personne ne viendrait à son secours. Et après, si elle voulait le dénoncer, personne ne la croirait. Ce serait toujours sa parole contre la sienne: la parole d'un psychiatre respecté, au-dessus de tout soupçon, contre celle d'une femme internée dont l'état mental était à tout le moins confus. Comme il était son médecin, il écrirait ce qu'il voudrait dans son rapport. Et d'ailleurs, serait-elle consciente de ce qu'il lui ferait, avec le sédatif qu'elle venait de recevoir? A peine. Elle n'en garderait tout au plus qu'un souvenir confus.

Il s'approcha de son lit, agité d'une nervosité inhabituelle, la gorge nouée, le coeur secoué de palpitations commme il n'en avait pas éprouvées depuis des siècles, tant il était désabusé à ce chapitre, ayant tout vu, tout connu. Il le remarqua et se trouva bête d'être aussi ému, ou plutôt aussi émoustillé. Il posa la main sur le rebord du peignoir de Patricia, et tira dessus, découvrant un de ses seins.

Mais il se rendit alors compte qu'il s'apprêtait à faire une erreur terrible. Pour des raisons de sécurité, en effet, dans chaque chambre était dissimulée une caméra, reliée à une centrale de surveillance, à partir de laquelle on pouvait également observer les corridors, les escaliers, les ascenseurs et les jardins extérieurs de la clinique. Comme il connaissait parfaitement la clinique — il en avait supervisé la construction —, le docteur Waterman n'eut pas de peine à repérer la caméra, dans un des coins supérieurs de la chambre, dissimulée derrière une fausse grille de ventilation.

Il prit d'abord la précaution de fermer les rideaux, ce qui plongea la chambre dans une obscurité profonde. Si, au poste de contrôle, les gardes procédaient à une vérification visuelle de la chambre de Patricia, ils croiraient qu'elle avait tiré ses rideaux pour dormir et ne s'attarderaient pas. Waterman monta ensuite sur une chaise, et retira la grille. Puis il désactiva en un tournemain la caméra en composant une combinaison sur le côté de la lentille, munie de quatre boutons numérotés. Il replaça la grille, la chaise, puis retourna près du lit. Sa nervosité était encore plus grande. Il avalait sa salive. Il toucha la joue de sa victime, la pinça même. Elle remua la tête, entrouvrit les yeux mais les referma aussitôt.

— Petite conne! dit-il. Tu pensais m'échapper, hein!

Il défit le cordon de son peignoir, et l'entrouvrit encore un peu. Il admira les seins de Patricia, d'une forme parfaite, qui ne ressemblaient en rien à ces poitrines artificielles sur lesquelles il tombait quatre fois sur cinq à Hollywood. Il toucha son sein gauche et eut un début d'érection. Il se rendait compte pour la première fois à quel point le viol l'excitait. Ainsi donc, c'était cela le plaisir pervers que recherchaient les violeurs. Un plaisir qu'aucun livre de psychologie ou de psychiatrie ne pouvait expliquer vraiment, mais que ce simple effleurement lui révélait d'emblée, intégralement. Une joie sadique, diabolique non seulement de caresser un corps qui se refusait, mais de froisser une volonté, de faire fi de toute morale, d'afficher sa supériorité.

Il avait maintenant une érection presque complète. Dans quelques secondes, il pénétrerait sauvagement Patricia, et exploserait en elle, la dominant, l'humiliant lui laissant sa signature de sperme, à elle, la pauvre conne qui, au bal, avait eu l'audace, la témérité de lui jeter au visage son verre de vin. Du vin blanc, comme sa semence! La coïncidence le fit sourire: oeil pour oeil, dent pour dent! Il lui pétrit la poitrine à deux mains, s'emportant, les yeux fous de désir.

Il entrouvrit tout à fait le peignoir, découvrant le reste de son corps. Il caressa avidement son ventre, s'arrêta aux poils de son sexe: un triangle noir, envoûtant. Il le frotta, et ne put résister à la tentation d'y glisser deux doigts. Il sentit une moiteur.

— Tu mouilles, ma salope, dit-il d'une voix méprisante. Maintenant, ça va être ta fête!

Il descendit sa fermeture éclair, mais dut s'empresser de la remonter car on frappa à la porte de la chambre. Il referma le peignoir de Patricia, et eut tout juste le temps de la recouvrir du couvre-pieds avant que Miss Harper n'entre. Elle constata avec surprise que les rideaux avaient été tirés. Ses yeux ne s'habituèrent pas tout de suite à la pénombre. Le docteur Waterman, nerveux et contrarié, se dirigea vers elle.

— Ne faites pas de bruit, dit-il d'une voix feutrée. Elle dort maintenant. Elle a besoin de repos.

— Je m'excuse de vous déranger, docteur. Mais il y a une urgence. Miss Kramer fait une crise d'hystérie. Elle dit que son mari lui

160

a annoncé qu'elle sortirait de la clinique cette semaine mais personne n'est au courant et son congé n'est pas signé.

— Je m'en occupe, se contenta de dire le docteur Waterman, qui brûlait intérieurement d'avoir dû interrompre une des expériences sexuelles les plus excitantes de sa vie.

Mais il se jura que ce n'était que partie remise. Tôt ou tard, il coucherait avec Patricia Stone. Et il suivit Miss Harper en oubliant cependant un détail: réactiver la caméra secrète.

20

— Si ton mari a une maîtresse, tu ne sortiras jamais d'ici, expliqua madame Blackwell à Patricia. C'est le seul qui peut signer pour toi. Est-ce que tu la connais? Est-ce qu'elle est jeune?

— Non...Je...je les ai vus ensemble tout simplement, mais seulement de loin...

Par délicatesse, Patricia préférait ne pas répondre à la question directement, ne pas révéler à madame Blackwell le nom de la maîtresse de son mari. Ignorait-elle que son mari la trompait? Elle avait l'air si amoureuse de lui. Apprendre son infidélité la tuerait peut-être. Patricia préférait en tout cas ne pas prendre cette chance. Elle pensa: «Quelle curieuse ironie du hasard! Son mari et le mien partagent la même maîtresse! Et nous nous retrouvons elle et moi internées dans la même clinique!»

C'était le lendemain, dans les jardins de la clinique. Patricia avait retrouvé Andréa Blackwell pour lui confier son chagrin et lui demander conseil. Qui sait, peut-être savait-elle vraiment ce qui se passait à l'Institut Williamson, même si ses propos lui avaient d'abord paru hautement fantaisistes et dépourvus de tout fondement. Surtout après que la secrétaire du docteur Waterman lui eut assuré que madame Turner était réellement suicidaire et que rien ni personne n'eût pu l'empêcher de mettre fin à ses jours... Et en tant qu'épouse du propriétaire de la clinique, peut-être jouissait-elle d'un certain pouvoir, encore que cette influence devait être limitée, sinon elle en aurait vraisemblablement usé pour obtenir son propre congé.

Les deux femmes étaient assises sur un banc. Andréa Blackwell, fumeuse invétérée, tirait comme d'habitude sur son long fume-cigarette. Même si on était en plein jour, elle était vêtue d'une élégante robe longue, bleu nuit, très décolletée dans le dos, assortie de gants qui lui montaient jusqu'aux coudes.

— S'ils ne décident pas de te tuer, reprit Andréa d'un ton curieusement très posé, comme si elle parlait de la pluie et du beau temps, ils peuvent te garder ici pendant des années.

Affolée, Patricia ne comprenait plus rien. Ce que disait sa voisine de chambre n'avait aucun sens. Pourquoi vouloir la tuer? Son mari était peut-être infidèle, mais il n'était certes pas un criminel. En tout cas pas à sa connaissance.

— A 250,000$ par année, rétorqua Patricia, ça me surprendrait qu'ils me gardent ici des années...

Elle avait fait un petit calcul rapide, 5000$ dollars par semaine, multipliés par 50 semaines...Madame Blackwell éclata de rire. Patricia se montrait d'une prodigieuse naïveté.

— 250,000$ par année? Mais c'est une aubaine! Sais-tu combien il en coûte à un homme riche pour divorcer, en Californie?

— Non, enfin, pas vraiment...

— Est-ce que ton mari t'a fait signer un arrangement prénuptial?

— Un arrangement prénuptial?

— Oui, une entente comme quoi si vous divorcez tu renonces à la moitié de ce qu'il a acquis depuis le début de votre mariage. Parce que c'est ça que ça coûte à un homme pour divorcer. Et qu'à la place, il te donne... je ne sais pas moi... une pension minable ou un montant final et fixe, par exemple un ou deux millions.

— Non, je n'ai rien signé. Je...

— Ne cherche pas plus loin. Il est tombé amoureux d'une autre femme, et comme il n'a pas les moyens de divorcer, alors ici c'est pratique...Il te fait enfermer tant et aussi longtemps que sa petite putain le fait bander. Ni vu ni connu, et ça lui coûte la bagatelle de 5000 dollars par semaine...probablement moins d'ailleurs parce qu'ils ont sans doute un tarif spécial pour les employés de la Blackwell...

— Mais nous sommes mariés depuis à peine six mois.

— Les choses se passent vite, à Hollywood, ma pauvre chérie.

— Mais je ne comprends pas! Ca n'a aucun sens! Pourquoi m'a-t-il épousée, si c'était pour partir avec une autre?

— Je ne sais pas. Il la connaissait peut-être avant de te rencontrer.

Patricia eut un tressaillement. Effectivement, son mari connaissait sûrement Julie depuis longtemps puisqu'ils travaillaient dans la même entreprise. Qui sait quel passé ils avaient en commun? N'étaient-ils pas de vieux amants? Sa voisine continuait:

— Il l'aimait peut-être. Elle l'a plaqué. Et il s'est marié par dépit. Puis elle est revenue quand elle a vu qu'elle le perdait pour de bon. Et elle a voulu t'éliminer parce que tu étais devenue une rivale, parce qu'il était inaccessible. Ou bien il s'est lassé de toi une fois qu'il t'a eue. Tu ne représentais plus un défi.

— Je ne comprends pas, je ne comprends vraiment pas. Il ne peut pas m'avoir épousée pour une raison aussi peu sérieuse...Pour rendre une autre femme jalouse...

— Qu'est-ce que tu veux que je te dise? Il ne faut pas chercher à comprendre les hommes, ils sont tellement tordus...

Patricia n'avait plus la force de protester. Peut-être sa voisine avait-elle raison. Après tout, elle était beaucoup plus âgée, elle avait beaucoup plus d'expérience, et elle devait connaître les hommes. Lorsque toute la gravité de la situation apparut à Patricia — le fait que non seulement son mari avait vraisemblablement une maîtresse mais qu'elle était condamnée à rester internée dans cette clinique aussi longtemps qu'il le voudrait —, elle ressentit un accablement sans nom et fondit en larmes.

— Ne pleure pas, ma petite chérie, pas pour un homme, lui dit madame Blackwell, en s'approchant d'elle pour lui caresser affectueusement les cheveux. Ce sont tous des lâches. Tous des animaux. Ils ne vivent que pour leur queue et leur portefeuille.

Elle semblait se reconnaître dans Patricia, dans sa douleur, son obsession à l'endroit de son mari. Il y avait plus de vingt-cinq ans — en fait depuis le début de son mariage — qu'elle vivait dans cet état qui confinait à la manie, totalement habitée par son mari, malgré une séparation de cinq longues années. Et son espoir de le retrouver un jour, au lieu de la faire vivre, la tuait à petit feu, la rongeait aussi sûrement qu'un cancer. Patricia eut un sourire amer. L'amitié d'Andréa Blackwell la touchait, la réconfortait. Ses pleurs se calmèrent peu à peu.

— Est-ce que ça veut dire que je vais moisir ici indéfiniment?

— Non, dit sa voisine. Il y a un moyen. Je suis sur l'affaire depuis des mois.

Elle était dans un état second, si du moins cette expression a un sens pour décrire une femme qui était depuis des années dans un état d'esprit bien particulier, que plusieurs n'auraient pas hésité à classer dans la catégorie de l'aliénation mentale. Mais c'était pour ainsi dire une folie contrôlée, ou plutôt intermittente et qui cédait souvent la place à des moments de grande lucidité, qui avaient d'ailleurs quelque chose d'inquiétant. Mais comment faire la part des choses, comment départager le bon grain de l'ivraie dans les propos de l'excentrique pensionnaire?

— Je vais trouver la clé. Et quand je l'aurai... Ce sera un grand scandale. Tout ce qu'il me manque, c'est le nom de code secret...

Elle s'était levée maintenant, entièrement possédée par sa rêverie, sa folie. On aurait dit une prophétesse, un oracle visité par une soudaine illumination, à qui un pan de cette chose infiniment mystérieuse qu'est l'avenir venait d'apparaître. Ses yeux s'étaient écarquillés et regardaient au loin.

— Un grand scandale, répéta-t-elle. Je vois que nous sortons toutes d'ici. Parce que nous sommes toutes soeurs. Dans la douleur. Dans l'injustice. Mais c'est fini, maintenant! L'heure de notre libération approche. Nous sortirons de notre prison. Et ce sont nos maris qui s'y retrouveront à notre place. Ils vont tous payer!

Elle se tourna alors vers Patricia, qui était effrayée par la gravité de ses traits et la lumière presque surnaturelle qui brillait dans ses yeux. Andréa ajouta:

— N'oublie pas qui tu es. Ne les laisse pas te voler ton identité, sinon tu es finie. Et je ne veux pas que cela arrive, parce que je t'aime. Je t'aime vraiment.

Mais elle avait à peine proféré cet aveu à tout le moins surprenant qu'elle s'éloignait de Patricia sans même la saluer. On aurait dit qu'elle n'avait jamais eu de conversation avec elle. Patricia resta interloquée et la suivit du regard, attristée par cette nouvelle démonstration de folie. Sa voisine avait maintenant levé un bras libre vers le ciel et continuait de répéter, apparemment saisie par une vision prophétique ou remerciant quelque puissance céleste:

— Ils vont payer, ils vont tous payer!

Et elle éclata d'un rire dément.

Patricia quitta le jardin et retourna en hâte à sa chambre. Il fallait absolument qu'elle fasse quelque chose. Tout de suite. Avant de devenir complètement folle. Avant d'oublier qui elle était, comme l'avait singulièrement prévenue Andréa Blackwell. Car alors elle ne se soucierait plus de sortir de cette clinique parce qu'elle ne réaliserait même plus qu'elle était internée. Qu'elle avait déjà été mariée. Qu'elle s'appelait Patricia Stone. Qu'elle avait déjà été une femme libre. Une romancière en herbe. Avec une famille. Des amis. Une vie.

Les paroles de madame Blackwell lui revenaient continuellement à l'esprit: «Si ton mari a une maîtresse, tu ne pourras jamais sortir d'ici»

Elle n'avait aucun allié à l'hôpital, si ce n'est madame Blackwell, qui était une femme très perturbée. Le docteur Waterman était évidemment du côté de son mari et il s'était montré odieux avec elle le jour de leur première séance. Elle pensa tout naturellement à téléphoner à Jessica. Elle, elle ferait tout pour l'aider. Elle était pleine de ressources. Et surtout, elle ne mettrait pas en doute sa parole. Patricia tomba sur le répondeur de Jessica dont le message la déprima. Jessica y informait en effet les interlocuteurs qu'elle serait absente au cours des prochains jours. Patricia se rappela que son amie était partie en Europe pour deux semaines.

Elle pensa alors à sa mère. Après tout, elle était sa fille. Sa mère la croirait certainement. Elle était sa seule chance de salut. Elle s'empressa de lui téléphoner. Le téléphone sonna une fois, deux fois, cinq fois.

— Allez, maman, dit Patricia d'une voix suppliante, réponds. Réponds, je t'en supplie.

Mais il n'y avait pas de réponse. Elle raccrocha. Peut-être, dans son énervement, s'était-elle trompée de numéro. Elle composa à nouveau, faisant cette fois-ci preuve de beaucoup d'application.

Le téléphone sonnait occupé cette fois. Merde! C'était encourageant, parce que cela signifiait que la première fois elle s'était probablement trompée de numéro. Mais c'était aussi décourageant. Car sa mère, un peu comme madame Kramer, pouvait passer des heures au téléphone.

Elle raccrocha et composa a nouveau. Cette fois-ci le téléphone sonna.

— Allez, maman, dit Patricia, réponds.

— Allô? répondit enfin sa mère.

— Maman! cria Patricia.

— Mais oui, c'est moi, qui veux-tu que ce soit? dit sa mère, qui paraissait surprise par l'intensité de sa fille. Tout va bien, j'espère?

— Non, justement. Il se passe quelque chose de très grave. Je...

Elle crut bon de lui préciser où elle se trouvait:

— Je suis encore à l'institut Williamson...

— C'est pour ça que tu m'appelles? dit sa mère d'une voix vaguement désobligeante.

Patricia eut un moment d'hésitation. Sa mère lui donnerait-elle jamais une chance? Ne cesserait-elle jamais de la critiquer, de se montrer sarcastique avec elle? Mais elle devait faire fi de sa sensibilité, marcher sur son orgueil.

— Il... je... J'ai appris quelque chose de très grave hier. Je sais que tu vas être surprise, et probablement choquée, mais...

— Mais quoi... Es-tu sûre que tu vas bien, Patricia?

— Richard a une maîtresse.

— Richard? Une maîtresse? demanda sa mère totalement incrédule.

— Je les ai surpris hier soir, ici à la clinique. Elle l'attendait dans le hall pendant que Richard me rendait visite. C'est horrible, maman! Il faut absolument que tu fasses quelque chose. Tu es la seule personne qui puisse m'aider.

— Mais ça n'a aucun sens, Patricia. Richard et toi vous venez à peine de vous marier. Pourquoi aurait-il une maîtresse? Il t'adore. Il me l'a dit hier encore avant de partir à New York.

— Justement, il est parti à New York avec elle.

— Mais voyons, Patricia. Tu n'as aucune preuve. Les as-tu vu faire...

Elle allait dire «faire l'amour», mais elle avait la pudeur de ces mots qui pourtant l'obsédaient car il y avait des années que son mari non seulement la négligeait mais ne la touchait même plus.

— Les as-tu vus s'embrasser?

Soudain un doute s'empara de Patricia. Elle avait bien compris ce que sa mère avait voulu dire. Et elle était obligé de répondre que non, elle ne les avait pas vus faire l'amour. Et s'ils n'étaient pas amants? Si elle avait été victime d'une impression? Après tout, vu les fonctions qu'elle occupait à la Blackwell Corporation, Julie accompagnait peut-être Richard à New York simplement par affaires. Et d'ailleurs, qui lui disait qu'ils n'allaient pas tous deux rejoindre Blackwell, auquel cas la présence de Julie auprès de Richard était bien innocente. Se faisait-elle des idées, comme le soir où elle avait suivi son mari à l'hôtel et avait cru le surprendre dans une chambre où il ne se trouvait même pas?

Mais elle ne pouvait prendre ce risque, dans les circonstances. Il fallait qu'elle défende sa version des faits. Si elle avait raison — si Richard avait effectivement Julie pour maîtresse — , cela voulait dire qu'elle était condamnée à moisir dans cette clinique tant qu'il ne voudrait pas la reprendre.

— Patricia, tu es encore là? demanda sa mère.

Quelle question sa mère lui avait-elle posée? Ah oui! Avait-elle surpris son mari avec sa maîtresse en train de s'embrasser?

— Je suis sûre de ce que j'avance. Richard a une maîtresse. D'ailleurs, je la connais. C'est Julie Landstrom. La maîtresse de Blackwell.

Maintenant sa mère ne comprenait plus rien du tout.

— C'est la maîtresse de Richard ou de Blackwell?

— Elle est la maîtresse des deux.

— Mais ça ne tient pas debout, ma pauvre Patricia. Je ne sais pas où tu vas chercher tout ça. Richard ne te ferait jamais ça. Ni à son patron ni à toi.

— Il la connaît depuis longtemps, dit Patricia qui perdait pied peu à peu.

— S'il la connaît depuis longtemps, pourquoi ne l'a-t-il pas épousée, au lieu de t'épouser toi? Tu vois bien que ça n'a ni queue ni tête, ton histoire!

Patricia voyait que sa mère avait raison. Ou en tout cas que ce qu'elle disait était sensé. Au fond, elle n'avait aucune preuve de ce qu'elle avançait. Si Julie n'était pas montée à sa chambre avec Richard, c'était peut-être simplement par délicatesse, parce qu'elle voulait le laisser seul avec sa femme, pour qu'il puisse partager en tête-à-tête ce moment romantique, avec le champagne et les fraises. Mais Patricia s'accrocha malgré tout.

— J'ai parlé à madame Blackwell. Et elle m'a dit que si Richard avait une maîtresse, il ne me laisserait jamais sortir d'ici.

— Madame Blackwell?

— Oui, la femme de Blackwell. Elle est justement internée ici depuis cinq ans parce que son mari a une maîtresse.

Tout cela paraissait compliqué et invraisemblable à la pauvre mère de Patricia, dont la vie, si elle était ennuyeuse et malheureuse, avait le mérite d'être infiniment simple et au fond dépourvue d'intrigues, car elle avait depuis longtemps fermé l'oeil sur les amourettes de son mari.

Elle les soupçonnait depuis toujours mais n'avait jamais voulu en connaître les détails.

— Pourquoi ne divorce-t-il pas, tout simplement?

— Je ne sais pas, maman. Tout ce que je sais, c'est que Richard ne me laissera jamais sortir d'ici.

Sa mère se tut un moment, en proie à une grave hésitation.

— Tu sais, Patricia, si tu es internée dans cet hôpital, c'est qu'il y a une raison.

— La raison, c'est que Richard veut se débarrasser de moi, maman!

— Tu es malade, Patricia. Tu es très malade. Tu n'es peut-être pas en mesure de t'en rendre compte pour le moment, mais il vaut mieux que tu restes à la clinique. Ils vont te soigner.

— Mais je ne suis pas malade, maman. Je suis en pleine forme!

Sa mère eut à nouveau une hésitation. Et elle se mit à sangloter. Ces pleurs surprirent Patricia. Elle ne se souvenait pas d'avoir jamais vu — ou pour mieux dire entendu — sa mère pleurer.

— Maman? Tu...

— Tu es folle, Patricia, dit sa mère à travers ses sanglots. Il faut que je raccroche maintenant, je ne peux plus te parler. Je t'embrasse bien fort.

— Ne raccroche pas, maman. Je ne sais pas qui t'a dit que je suis folle. Mais c'est faux. C'est complètement faux! Maman!

— Prends bien soin de toi, Patricia.

— Maman, ne raccroche pas! Il faut que tu m'aides. Je t'en supplie. Tu es la seule personne qui puisse m'aider!

— Je t'aime, Patricia. Mais je ne peux rien faire pour toi.

Patricia fut si surprise, si bouleversée par cet aveu, qu'elle ne sut quoi répliquer. Et sa mère raccrocha.

Maintenant, elle était seule. Complètement seule. Abandonnée de tous. De ses amis. De ses parents. De son mari. Elle ne pouvait s'en remettre qu'à elle-même. Et elle devait agir vite. Très vite. Avant qu'il ne soit trop tard. Mais d'abord, elle voulait savoir. Elle voulait savoir pourquoi son mari l'avait épousée. Avait-il une maîtresse ou au contraire avait-elle tout imaginé? Il lui apparut alors clairement qu'une personne, une seule, pouvait répondre à ces questions. Elle s'empressa d'aller la trouver.

21

Patricia frappa à la porte de sa voisine. Madame Darpel lui ouvrit. Elle parut extrêmement surprise de la visite de Patricia. N'avait-elle pas toutes les raisons du monde de la détester? Alors pourquoi lui payer une visite? Elle non plus ne l'aimait pas. Elle était jeune, jolie et romantique. Elle n'avait pas encore perdu ses illusions. Mais cela ne tarderait pas. Madame Darpel eut envie de lui fermer sa porte, mais la curiosité fut plus forte. Et puis, qui sait, elle pourrait peut-être s'offrir le divertissement de l'écorcher encore un peu...

Madame Darpel retourna s'asseoir à sa coiffeuse, où elle passait au moins une heure par jour, dans l'espoir de réparer sur son visage les outrages de plus en plus apparents du temps. Cinq ou six perruques posées sur des têtes de bois — toutes des variations de blond — étaient alignées sur le comptoir.

— Je vous dérange ? demanda Patricia un peu gênée de pénétrer dans la chambre de sa rivale, (du moins est-ce ainsi qu'elle la voyait même si elle n'avait jamais eu la preuve de sa liaison avec son mari: elle savait tout au moins qu'elle avait essayé de le séduire sous ses propres yeux).

— Oui, dit sèchement madame Darpel, comme si elle était contrariée de cette visite.

La résolution de Patricia, — qu'elle croyait aussi forte que son obsession de connaître la vérité — fut ébranlée par cette simple réponse.

— Je peux m'en aller.

— Non, non, dit madame Darpel. Vous pouvez rester. Asseyez-vous.

— Je... je ne vous dérangerai pas longtemps, dit Patricia, un peu gênée, car elle venait d'apercevoir la série de perruques: madame Darpel n'était probablement pas enchantée de voir un de ses secrets ainsi découvert par une jeune femme qu'elle connaissait à peine.

Le mobilier de chaque chambre était différent. Il y en avait de plus luxueux que d'autres. Celui de madame Darpel se classait indéniablement parmi les plus princiers, avec ses tapisseries exotiques, ses meubles, son tapis si épais que Patricia faillit trébucher en entrant. Elle marcha en soulevant davantage les pieds, et s'assit sur une ottomane recouverte de soie verte.

— Vous allez bien? demanda Patricia, embarrassée par le silence délibéré de madame Darpel qui se contentait de la regarder froidement, pour mieux dire de l'examiner.

— Non, dit madame Darpel.

Patricia fit mine de se lever.

— Vous êtes sûre que vous ne préférez pas que je revienne?

— Mais non. De toute manière, qu'est-ce que ça peut vous faire que je n'aille pas bien?

Patricia rougit, bafouilla un début d'explication. Madame Darpel se leva, alla vers la carafe de Scotch, posée sur une belle crédence.

— Que mettez-vous dans votre Scotch? demanda-t-elle à Patricia.

— C'est-à-dire que je ne bois pas vraiment.

— Si, si, vous buvez. J'ai horreur de boire seule.

168

C'était dit sur un ton péremptoire. Patricia n'avait pas le choix. Madame Darpel lui servit un double Scotch et vint le lui porter. Embarrassée, Patricia la remercia, et, pour ne pas la contrarier, trempa le bout des lèvres dans son verre. Madame Darpel s'assit sur un canapé de cuir rose pâle, choisi pour aller avec le vert tendre de l'ottomane et le tapis, d'un rose également très pâle.

— Vous êtes venue me demander si j'ai déjà couché avec votre mari?

— Non, dit Patricia surprise par la crudité de la question.

— Vous n'êtes sûrement pas venue pour vous informer de ma santé dont vous vous foutez complètement, comme je me fous de la vôtre et de celle de quatre-vingt-dix-neuf pour cent des gens.

Patricia prit nerveusement une nouvelle gorgée, même si elle n'avait pas du tout envie de boire. Madame Darpel, qui paraissait tout à coup légèrement agitée, sortit une cigarette d'un beau boîtier en or et voulut l'allumer avec son briquet. Une étincelle se produisit mais pas de flamme. Elle essaya à quelques reprises, perdit patience et jeta le briquet dans le fond de la chambre en s'exclamant:

— Il n'y a rien qui marche dans ce foutu bordel!

Elle se tourna vers Patricia:

— Vous avez des allumettes?

— Non, je ne fume pas.

— Evidemment! laissa tomber madame Darpel avec dégoût.

— Vous me détestez, n'est-ce pas? Patricia s'entendit-elle dire avec une audace dont elle fut la première à se surprendre.

— Ne soyez pas si prétentieuse. Je ne déteste pas n'importe qui.

Patricia avala une autre gorgée, un peu vite, et faillit s'étouffer. Elle toussa un peu. Madame Darpel s'impatientait maintenant. Elle ouvrit un des tiroirs de la coiffeuse et y trouva des allumettes. Elle s'alluma enfin une cigarette, prit une bouffée, une grande rasade de Scotch puis posa son verre, tout à coup rêveuse. Au bout de quelques secondes, qui parurent interminables à Patricia, elle sortit de son mutisme:

— Il est le seul homme que j'aie jamais vraiment aimé.

Ce fut comme un coup au coeur pour Patricia. Bien sûr, madame Darpel parlait de son mari, Richard. Elle avait donc eu une liaison avec lui...Elle le confirmait, sans protester, sans chercher à se défiler...

— Mais vous êtes venue tout gâcher, dit madame Darpel. Tant qu'il s'est contenté de sortir avec Julie Landstrom, nous rigolions. La petite dinde! Elle croyait pouvoir l'avoir pour elle toute seule! Mais nous, nous baisions des nuits entières, dans son dos. Je le suivais dans ses voyages d'affaires. Il m'a emmenée partout! Mais elle l'a manipulé. Elle l'a forcé à se marier, à vous épouser.

La vérité que découvrait Patricia était encore plus affreuse que celle qu'elle avait imaginé. Elle s'enfonçait encore plus dans le cauchemar. Madame Darpel vida son verre, et se leva pour aller le remplir. Elle resta debout, préférant ne pas se rasseoir.

— Mais pourquoi? demanda Patricia. Pourquoi ne l'a-t-il pas épousée, elle, au lieu de moi?

— A cause de l'argent.

— De l'argent? Mais je n'ai pas un sou!

Madame Darpel éclata de rire. Comme cette jeune femme pouvait être naïve!

— Vous, non. Mais Blackwell, oui. Et votre mari travaille pour lui.

Elle marqua une pause puis reprit:

— A Hollywood, lorsque vous cherchez le mobile, commencez toujours par l'argent. Si ce n'est pas ça, pensez au sexe. Et si ce n'est toujours pas ça, c'est que vous n'êtes pas à Hollywood. Votre agent de voyage vous a mal renseigné!

Patricia paraissait ne pas comprendre, en tout cas pas parfaitement. Madame Darpel le lut dans ses yeux et eut la gentillesse un peu perfide d'expliquer:

— Pendant les trois premières années, tout allait bien. Ils ont réussi à garder leur liaison secrète. Mais à la fin, ils sentaient que la soupe était chaude, que Blackwell commençait à se douter de quelque chose. Alors ils ont pensé à un mariage blanc. Ils avaient besoin d'une marionnette. Ils vous ont choisie. Vous étiez la candidate idéale. Naïve. Romantique.

Patricia s'effondra. Maintenant elle comprenait tout! Elle se rappela la première fois qu'elle s'était présentée à la Blackwell Corporation, pour trouver un emploi. Dans l'ascenseur, Richard et Julie l'avait choisie. Et c'est pour cette raison que Julie avait appuyé sa candidature, même si elle n'avait aucune compétence pour être secrétaire. Et au mariage, si Richard était arrivé si en retard, n'était-ce pas parce qu'il avait failli changer d'idée à la dernière minute? Et parce que ce mariage était absurde à ses yeux, puisque non seulement il ne l'aimait pas, elle, Patricia, mais aimait une autre femme — Julie — et que par surcroît il avait une deuxième maîtresse en la personne de madame Darpel?

Elle revit également la mine défaite et les yeux rougis de Julie sur le parvis de l'église, après la cérémonie de mariage. Elle avait visiblement pleuré. Elle avait prétendu s'être disputée avec Blackwell qui supposément la traitait cruellement. En fait, si elle pleurait, c'est que Richard, l'homme qu'elle aimait, épousait une autre femme, même si ce n'était pas un vrai mariage. Qui sait, il tomberait peut-être amoureux d'elle une fois marié...A la dernière minute, elle avait sans doute souhaité qu'il l'épousât elle, à la place, même si cela voulait dire de faire éclater la vérité au grand jour et de tout perdre... Tout s'éclairait

170

douloureusement, plus cruellement encore que Patricia ne l'aurait cru. Elle avait voulu connaître la vérité. Maintenant, cette vérité la tuait.

Madame Darpel paraissait s'abandonner à une nostalgie de plus en plus profonde. Absorbée dans son rêve, dans sa douleur, elle ne se souciait pas le moins du monde de la réaction de Patricia. Elle poursuivit:

— C'est moi qu'il aimait vraiment. Il me l'a souvent dit. Il n'a jamais eu de sexe comme nous en avions. Je l'avais dans la peau. C'était mon grand amour. Mais cette chienne de Julie est venue tout gâcher. Alors, il m'a plaquée, comme une vieille chaussette. Parce qu'une fois qu'il a été marié, cette vipère est devenue jalouse. Elle exigeait qu'il lui fasse l'amour tous les jours. Elle avait peur qu'il tombe amoureux de vous.

Elle poussa un soupir méprisant comme si cette possibilité lui semblait hautement improbable, parce qu'à ses yeux Patricia était tout le contraire de ce qu'une vraie femme devait être. Elle enchaîna:

— Il aurait dû être patient! Nous n'en avions plus pour très longtemps à attendre. Le médecin de mon mari m'a donné l'assurance que ce n'était qu'une question de mois. Il est très malade, le pauvre. Dans quelques mois, le Bon Dieu viendra le chercher. Il pourra ouvrir une autre de ses stupides bijouteries au ciel, et moi je serai riche, riche!

Elle se tut et regarda Patricia que ces révélations avaient renversée.

— C'est ça que vous étiez venue me demander?

Patricia posa son verre et se leva.

— Je ne me sens pas très bien, dit Patricia.

Et elle s'empressa de retourner à sa chambre.

Elle alla dans la salle de bain, et, calmement, avec une grande application, elle refit son maquillage. Lorsqu'elle fut satisfaite, elle souleva le couvercle du réservoir de la toilette et en retira le sachet plastifié que sa voisine, Andréa Blackwell, y avait caché. Elle referma la cuvette, se versa un verre d'eau et retourna dans sa chambre. Elle tira les rideaux puis s'allongea sur le lit.

Elle ôta le bracelet que son mari lui avait offert et le posa sur sa table de chevet. Il représentait tout le mensonge de son mariage. Elle regarda le portrait de sa belle Cléo, que son mari lui avait apporté la veille et qu'elle avait posé près d'elle sur sa table de chevet.

Quelles joies, quels bonheurs elle avait connus avec cette bête si sympathique! Un pressentiment subit l'envahit. Elle eut l'intuition que

Cléo n'était plus de ce monde, qu'elle était morte d'ennui et de tristesse, parce qu'elle avait été abandonnée par sa maîtresse. Cette pensée lui parut horrible.

Elle pensa à sa vie, qui lui parut un long échec. Ses amants, comme son mari, tous l'avaient quittée un jour ou l'autre, la plupart du temps pour une autre femme. Au fond, elle avait toujours été dupée, roulée par les hommes. Quant à sa carrière, ce n'était guère plus reluisant. Elle n'était qu'une ratée au fond, une minable sans avenir. Son roman ne serait jamais publié, elle ne deviendrait jamais une vraie romancière. Elle s'était illusionnée sur toute la ligne. Elle aurait mieux fait, comme le lui avait prosaïquement suggéré la seule femme éditeur qu'elle eût rencontrée, de choisir un métier plus facile, plus conventionnel, de se marier et d'avoir des enfants. Comme sa soeur, comme sa mère. Elle avait pourtant tout essayé pour éviter de finir comme sa mère, dans cette petite névrose domestique qu'on prend pour le bonheur.

Il fallait qu'elle en finisse une fois pour toutes. Ce ne serait pas difficile, il lui suffirait de prendre un à un ces cachets, qui au fond lui avaient été apportés de manière providentielle par sa voisine. Ironique confirmation du dicton qui dit qu'en aidant les autres, on s'aide soi-même. Elle avait pris un risque pour aider sa voisine, et maintenant elle en était récompensée!

Elle ouvrit le sachet plastifié, y plongea la main. Ce serait simple au fond, presque trop simple. Bientôt, elle dormirait, comme elle l'avait fait chaque nuit de sa vie. Simplement, elle dormirait plus longtemps, et elle ne se réveillerait plus... Elle avala un premier cachet. Elle ne trouva pas que c'était pénible ou difficile de s'en aller ainsi... Elle en absorba un deuxième puis un troisième, et but une grande gorgée d'eau. Puis elle en prit cinq d'un seul coup et les ingéra avec une nouvelle gorgée d'eau. Elle se ménagea une petite pause, pas parce qu'elle reculait ni qu'elle avait subitement peur, mais simplement, il lui semblait qu'elle avait devant elle toute la vie, pour ainsi dire. Pourquoi se presser? Elle réprima un bâillement et s'assoupit, même si les tranquillisants ne faisaient probablement pas encore effet. Peut-être n'était-ce que les effets de l'immense lassitude accumulée depuis des jours...

Au bout d'une minute ou deux, elle entendit un bruit dans la chambre et ouvrit les yeux. Etait-ce les premiers effets des comprimés, ou sa fatigue considérable, dormait-elle déjà et était-elle en train de rêver, toujours est-il que sa vision s'était légèrement embrouillée, et elle voyait les choses à travers un voile. Il y avait quelqu'un dans sa chambre, près de la fenêtre. Elle eut d'abord un mouvement de recul puis se rassura. C'était un très beau jeune homme aux yeux bleus, lumineux, joyeux et vibrants, comme des pans de ciel perdus dans un visage humain. Son sourire était radieux, spirituel, pétri de bonté. Mais il s'estompa tout à coup. Son visage prit une expression très grave et il dit:

— Pourquoi fais-tu cela?

— J'ai été trahie... Mon mari ne m'aime plus... Je suis une ratée... Je veux mourir... La vie est trop absurde... Le bonheur n'est pas possible...

Une tristesse infinie s'imprima sur le visage pourtant radieux du jeune homme, et des larmes mouillèrent ses yeux. On eût dit que les paroles de Patricia lui avaient brisé le coeur. Elle s'en rendit compte et en éprouva un regret. Avait-elle dit quelque chose de blessant?

Il la regarda alors droit dans les yeux, avec une insistance, une fixité parfaite. Alors elle vit dans ses yeux défiler un spectacle incroyable. D'abord, un grand champ de blé que le vent balayait sous le soleil de juillet. Puis la mer infiniment bleue, et les vagues... Dans un petit village d'une île grecque, aux maisonnettes blanches, un enfant qui apportait de l'eau à sa grand-mère. Deux chiens qui couraient gaiement sur la place publique. Une cathédrale, Notre-Dame de Paris ou Reims. Les dernières images de *Casablanca*, avec Humphrey Bogart faisant ses adieux à Ingrid Bergman. Et à nouveau, la mer, une plage vers sept heures du soir, avec des ballons abandonnés et quelques baigneurs attardés... Et le merveilleux poudroiement du soleil...

Patricia se mit à pleurer. Elle était trop émue par l'infinie beauté de ce qu'elle venait si mystérieusement d'entrevoir dans les yeux bleus de ce singulier infirmier.

— J'ai honte, dit-elle.

Il s'approcha encore d'elle, posa sa main sur ses yeux et dit:

— Non. N'aie pas honte. Pense plutôt que la vie est le don le plus précieux.

22

Le lendemain, à son réveil, Patricia se sentait transformée. Sans qu'elle comprît pourquoi, l'ancienne Patricia était pour ainsi dire morte. Son désespoir l'avait complètement quittée. La nuit — et surtout la mystérieuse expérience avec le jeune homme — l'avait pour ainsi dire lavée de son chagrin. Une lucidité, un calme nouveaux l'habitaient. Elle voyait sa situation — que la veille pourtant elle trouvait complètement désespérée au point de vouloir se suicider — d'un oeil totalement nouveau. On aurait dit qu'elle examinait objectivement la vie de quelqu'un d'autre, d'une étrangère presque, mais dont elle aurait connu tous les détails même les plus intimes. C'est qu'il n'y avait plus la charge émotive, le poids harassant qui était auparavant lié aux différents événements de son existence.

Elle était internée dans une clinique psychiatrique dont son mari ne l'aiderait pas à sortir parce qu'il avait une maîtresse. Il fallait donc qu'elle s'en remette à elle-même pour s'évader.

Et c'est ce qu'elle s'efforcerait de faire parce que maintenant, bizarrement, comme quelqu'un qui aurait échappé miraculeusement à la mort — ou qui se relèverait d'une longue et pénible maladie —, elle avait furieusement le goût de vivre.

Elle se leva d'un seul bond, comme une adolescente excitée par quelque sortie. Elle évoqua alors non seulement sa tentative de suicide de la veille, mais la curieuse visite de l'infirmier qui ressemblait à s'y méprendre au sympathique facteur. Avait-elle rêvé? Cet infirmier s'était-il effectivement présenté dans sa chambre? Elle remarqua tout de suite que le sachet plastifié n'était pas dans son lit, comme il aurait dû naturellement s'y trouver. Elle souleva hâtivement les couvertures, les draps, mais ne le vit pas. Elle regarda sous le lit. Rien. Dans les toilettes, alors? Le sachet avait effectivement été replacé dans le réservoir. Curieux! Par qui?

En tout cas, elle ne se souvenait pas du tout de l'y avoir replacé. Alors l'infirmier? Comment avait-il pu deviner la cachette du sachet? Pas évident! A moins qu'elle n'eût rêvé tout l'épisode? Elle se pencha vers le sachet et vit qu'il contenait moins de comprimés que la veille. Donc elle était au moins certaine d'une chose: elle avait avalé des cachets, au bas mot une dizaine. Pourtant, elle n'éprouvait aucune fatigue comme elle aurait normalement dû. Bizarre... Mais elle n'avait pas le temps de chercher une explication — de toute manière, elle n'y arriverait sans doute pas. L'important était qu'elle était vivante, en pleine forme, et déterminée à s'évader.

Immédiatement après le petit déjeuner, elle alla se promener dans le jardin. Ce serait une excellente façon de rassembler ses idées et de trouver un plan d'évasion. Pour plus de tranquillité, elle se rendit à l'extrémité du jardin, qui était peu fréquentée. Elle fit alors une découverte intéressante. Des caméras de surveillance étaient dissimulées un peu partout dans les arbres, le long aussi du grand mur qui ceignait toute la clinique. Il faudrait donc qu'elle se montre extrêmement prudente. Mais une autre trouvaille lui parut encore plus digne d'intérêt. Elle remarqua en effet un chêne énorme qui s'élevait près du mur. Elle l'observa attentivement.

Certaines branches n'étaient vraiment pas très éloignées du sommet du mur. Mais plus elle estimait la distance qu'il lui faudrait sauter, plus elle se rendait compte qu'il y avait un risque considérable. Si elle ratait le mur, elle s'écraserait au sol et, à cette hauteur, se briserait un membre ou se tuerait carrément. Son visage se rembrunit. Ce n'était visiblement pas la solution. Il fallait qu'elle trouve autre chose. Mais quoi? Elle ruminait sa déception lorsqu'elle aperçut un infirmier qui venait dans sa direction. Elle s'éloigna aussitôt du chêne. Il ne fallait surtout pas éveiller les soupçons. Il ne paraissait pas l'avoir vue.

Elle consacra de longues heures à échafauder un plan et en arrêta un fort simple.

Toute la journée, elle laissa la porte de sa chambre légèrement entrouverte, guettant celle de madame Darpel, juste en face de la sienne. Lorsqu'elle la vit enfin sortir, vers quatre heures de l'après-midi, elle s'empressa de pénétrer dans sa chambre (en s'assurant qu'on ne pouvait la voir du poste de garde, à l'autre bout du corridor) et lui «emprunta» deux perruques. Bien sûr, Madame Darpel se rendrait probablement compte de leur disparition mais jamais elle ne soupçonnerait sa voisine d'en face d'être l'auteur de ce larcin. Elle était beaucoup trop jeune pour désirer porter une perruque! Patricia subtilisa également quelques cigarettes dans le joli boîtier, que madame Darpel avait oublié d'emporter avec elle.

Son double vol accompli — beaucoup plus facilement que prévu à cette nuance près qu'elle avait dû patienter des heures avant que madame Darpel ne se décidât à sortir de sa chambre — Patricia s'assura que le chemin de retour était libre, même s'il était très court: à peine quelques pieds de sa chambre à la sienne mais elle ne voulait pas prendre de risque! Personne à l'horizon. Elle fonça. Mais elle jouait de malchance, car, au même moment, madame Tate sortait de sa chambre. Patricia eut le réflexe de fourrer une des perruques sous son peignoir, à la hauteur du corsage, et — c'était le plus simple, — se mit l'autre sur la tête, sans avoir évidemment le temps de l'ajuster.

Madame Tate, qui ne s'intéressait pas beaucoup aux autres, considéra pourtant Patricia d'un air curieux, comme si elle avait remarqué un changement. Mais elle ne dit rien et, abandonnant un air perplexe qui ne lui était guère habituel, reprit l'expression un peu niaise qui illuminait son visage chaque fois qu'elle parlait de sa fille:

— Savez-vous la nouvelle?

— Non, dit Patricia, heureuse que madame Tate n'eût pas remarqué sa perruque.

— Ma fille a été demandée en mariage par deux millionnaires cette semaine.

— C'est bien, dit Patricia qui souriait poliment et regardait sans cesse vers le poste de garde pour s'assurer que personne ne venait.

— Mais elle les a tous les deux refusés. Elle cherche quelqu'un qui ne l'aime pas pour son argent mais pour ce qu'elle est vraiment.

— Ce sont de bonnes nouvelles, dit un peu distraitement Patricia car elle ne savait pas trop quoi dire à la pauvre madame Tate et ne comprenait rien à son délire au sujet de sa fille et de ses innombrables prétendants, qui avaient tous en commun d'être millionnaires.

Madame Tate se tut et examina à nouveau Patricia, l'oeil interrogateur, le front plissé, comme au début de leur rencontre inopinée. Ce n'était plus ses cheveux mais sa poitrine qui semblait l'intriguer.

— Il me semble que vous avez quelque chose de changé, dit-elle.

— Vous trouvez? Pourtant...

— Mais oui, ce sont vos seins! Vous vous êtes faites opérer?

Et sans attendre sa réponse, elle ajouta d'une voix enthousiaste:

— Je vous félicite.

— Non, dit Patricia, je... Je n'ai pas été opérée.

Madame Tate paraissait choquée. Elle lui dit sur un ton de reproche, comme une mère qui réprimande sa fille:

— Vous devriez. On ne rit pas avec ces choses-là. Si vous voulez rencontrer un jour un homme riche, il n'y a pas trente-six moyens. Ma fille a compris ça depuis longtemps. Moi, en tout cas, je ne l'ai pas regretté. Et vous voyez où je suis rendue aujourd'hui, dit-elle avec un large sourire de satisfaction.

— Je vous remercie, dit Patricia. Si vous voulez m'excuser maintenant.

Elle venait d'apercevoir Miss Harper qui arpentait le corridor en sa direction. Elle n'avait plus une seconde à perdre.

Le soir, vers huit heures trente, avant que les visiteurs ne commencent à quitter la clinique, Patricia se maquilla généreusement, de manière un peu vulgaire à la vérité. Elle mit une des perruques de madame Darpel, l'ajusta, dissimulant ses propres cheveux, puis compléta son déguisement avec des verres fumés. Elle alluma une des cigarettes volées à madame Darpel et en tira une longue bouffée qu'elle souffla dans le miroir des toilettes. Personne ne la reconnaîtrait. Elle avait presque l'air d'une *call-girl*. Elle avait revêtu un tailleur noir, et portait des talons aiguilles. Ce n'était pas idéal certes pour une tentative de fuite, mais elle n'avait rien d'autre à se mettre dans les pieds. Heureusement, cela ne jurait pas avec le genre un peu allumeuse qu'elle s'était donné.

Elle fouilla dans un des placards, où elle avait remarqué plus tôt une couverture supplémentaire pour les nuits plus fraîches. Elle la roula et la plaça sous le couvre-pied de manière à lui donner la forme d'un corps humain. Ne restait plus que la tête.

Elle sortit la deuxième perruque du tiroir de sa table de chevet, et la plaça sur son oreiller. Elle recula de quelques pas pour regarder la mise en scène. L'effet était saisissant. Certes, la perruque était un peu plus pâle que ses cheveux. Mais, à ce détail près, qui serait encore moins visible dans la pénombre, on aurait juré qu'elle était étendue dans le lit, blottie sous les couvertures. L'infirmière qui venait lui porter son comprimé tous les soirs vers neuf heures quinze n'y verrait que du feu. Elle la croirait déjà endormie et se contenterait de poser le comprimé sur la table de chevet comme elle l'avait fait à l'occasion, lorsque Patricia se mettait au lit tôt.

Maintenant, elle était fin prête. Elle reprit la cigarette qu'elle avait posée dans un cendrier avant d'arranger le lit et alla se poster à la porte de la chambre, qu'elle entrouvrit. Elle se mêla au premier groupe de visiteurs qui se dirigeaient vers l'ascenseur. Elle se retrouva aux côtés de Conrad Preston III, un homme dans la trentaine, vêtu très élégamment, montre Rolex, gourmette en or, et bagues un peu voyantes, pas carrément laid, mais loin d'être un Adonis, ce qui ne l'empêchait pas d'afficher, malgré sa timidité, cet air de supériorité que confère presque inévitablement la naissance dans une famille riche. Il remarqua tout de suite Patricia. Son allure sensuelle l'excita. Et l'idée l'effleura qu'elle était peut-être une professionnelle. Etait-elle venue visiter un client? Pourtant, il n'y avait pas de patients de sexe mâle à la clinique. A moins que...My Good Lord! C'était peut-être une patiente à qui elle était venue dispenser ses services privés auquel cas...elle était lesbienne, du moins sur une base professionnelle! Ce qui était encore plus salivant! Et effectivement il ravala sa salive et sa pomme d'Adam remonta le long de sa gorge décharnée car il était plutôt maigre. Malgré sa timidité évidente, il ne put résister à la tentation d'engager la conversation.

— Une amie ou une parente?

— Une amie, dit Patricia, un peu sèchement, car cet homme prétentieux lui avait déplu dès les premiers instants.

Une amie! Il avait probablement vu juste! Elle ne pouvait tout de même pas lui avouer qu'elle venait de prodiguer de l'affection à une cliente. *My Good Lord*! Son excitation doubla. Elle était vraiment bandante. Cette manière de fumer, d'avaler sa fumée, et de la souffler...Elle devait vous pomper un homme en un temps trois mouvements, le vider jusqu'à la dernière goutte...

— Moi, c'est ma soeur, poursuivit-il, elle est ...

Il ne dit rien mais porta le doigt à la tempe.

— Enfin, c'est une bonne personne, acheva-t-il.

— Je n'en doute pas.

La porte de l'ascenseur s'ouvrit. Ils y entrèrent, précédés par trois autres visiteurs. Conrad Preston III ne cessait de fixer Patricia, se demandant comment il ferait pour vaincre sa timidité pour lui faire une proposition, sans toutefois la choquer. Qui sait, elle n'était peut-être pas une *call-girl*... Quelles jambes elle avait! Fines, fuselées, elles n'en finissaient plus d'être troublantes...Il lui en lécherait chaque centimètre...Et il lui demanderait de garder ses bas de nylon noirs, et ses souliers...Oui, c'était un *must*! Il paierait n'importe quoi! Mille dollars s'il le fallait! Mais il passerait la nuit avec elle!

Patricia cherchait à éviter les regards et les sourires insistants de Conrad Preston lorsqu'elle réalisa que son plan souffrait d'une faiblesse. Une fois sortie de la clinique, elle serait obligée de faire du stop. Mais la route qui menait du mont Wilson à Los Angeles était peu fréquentée. Faire du stop était aléatoire. Et puis elle risquait de tomber sur un membre du personnel de la clinique.

Mais heureusement, il y avait cet homme à qui elle inspirait de toute évidence de la sympathie. Il se ferait sûrement un plaisir de la raccompagner jusqu'à Los Angeles. Elle se tourna vers lui et pour la première fois lui rendit son sourire. En sortant de l'ascenseur, elle lui demanda:

— Vous ne savez pas où je peux appeler un taxi? Je suis venue avec ma mère, mais elle n'est pas restée.

Conrad Preston III n'allait pas laisser passer une si belle occasion, surtout qu'il était presque en transe maintenant parce qu'il aurait tout le loisir de lui faire des propositions pendant le trajet.

— Pas question que je vous laisse prendre un taxi! Je vous raccompagne!

Il venait à peine de prononcer ces mots que Patricia aperçut Miss Harper qui venait dans sa direction. Il lui sembla qu'elle l'avait reconnue ou en tout cas qu'elle l'avait remarquée car elle l'observait d'un air méfiant. Il est vrai qu'elle avait un peu forcé la dose et qu'elle n'avait pas tout à fait l'air d'une jeune fille de bonne famille. Patricia était perdue si elle ne faisait pas tout de suite quelque chose. Mais quoi? Courir? On la rattraperait aussitôt.

Elle eut une idée. Ou plutôt une réminiscence. Elle avait dû voir cela il y a très longtemps dans un film d'espionnage. Elle empoigna Conrad Preston, le fit pivoter vers elle et l'embrassa carrément sur la bouche. Surpris, il ne protesta pas. C'était au-delà de ses espérances. Elle avait sans doute éprouvé le même coup de foudre que lui. Il était irrésistible. Il l'avait toujours pensé. Habituellement, les femmes attendaient de savoir qu'il était riche pour se jeter à son cou. Les sentiments de cette jeune femme étaient sûrement honnêtes, à moins que ce ne fût une prostituée et qu'elle eût flairé le bon coup... Mais non, mais non...Il devait faire plus confiance en son propre charme... Car ce n'était pas une Rolex et quelques bijoux qui pouvaient vraiment le trahir...Il avait du charme, de la gueule, il l'avait toujours su! Et les femmes ne l'aimaient pas uniquement pour son argent. Il était temps de croire son psychiatre qui le lui répétait depuis une dizaine d'années, à raison de deux cents dollars la séance!

Miss Harper les vit s'embrasser, et trouva qu'ils étaient de véritables goujats de se donner ainsi en spectacle dans un endroit public. Ne restait-il pas un soupçon de pudeur à ces jeunes gens dévergondés? Elle haussa les épaules et pressa le pas. Patricia relâcha son étreinte. Conrad Preston frétillait d'impatience. Il passerait la plus merveilleuse nuit d'amour de sa vie! Il se regarda dans le miroir qui se trouvait près de la porte de l'ascenseur. Il se rendit compte que sa bouche était toute barbouillée de rouge à lèvres. Il tira en hâte son mouchoir de sa poche et s'essuya prestement. Il plissa alors la bouche en une moue ridiculement séductrice, comme s'il était le plus grand des tombeurs, puis tendit la main et dit:

— Conrad Preston III, en insistant sur le chiffre, qui signifiait évidemment son appartenance à la dynastie. Vous avez peut-être entendu parler de mon grand-père, Conrad Preston.

Patricia prit le parti de ne pas le décevoir et de jouer le jeu. Elle avait appâté le poisson, elle ne voulait pas le lâcher.

— Mais oui, bien entendu. Tout le monde le connaît. Un des millionnaires les plus célèbres des Etats-Unis.

— Milliardaire, précisa Conrad Preston III.

— Oui, évidemment.

— Et vous?

— Patricia...Redgrave, compléta-t-elle après une brève hésitation.

— Vous m'êtes très sympathique. Lorsque je vous ai vue tout à l'heure, j'ai tout de suite senti qu'il y avait quelque chose entre nous...Comme si on s'était rencontrés dans une autre vie...la réincarnation vous savez, ça marche...

Ils se tenaient immobiles, à la porte de l'ascenseur, qui était reparti vers les étages supérieurs. Patricia n'écoutait plus l'étranger car Waterman venait d'apparaître, au détour d'un corridor. Diable! Il marchait vers elle, accompagné de Miss Harper. Patricia prit le jeune homme par le bras et l'entraîna:

— Venez, partons tout de suite. Je sens que nous avons des centaines de choses à nous dire.

Il ne protesta évidemment pas, ravi de sa bonne fortune. Son baratin avait marché comme jamais! Ils franchirent bientôt la porte. Patricia avait peine à cacher sa joie. Elle était libre! Dans quelques minutes, elle serait à des kilomètres de cette clinique infernale.

Au moment où Patricia et Conrad Preston foulaient les premières marches de l'escalier de l'Institut, une infirmière entra dans la chambre de Patricia pour la prévenir que l'heure des visites était terminée. La chambre était plongée dans l'obscurité, et l'infirmière, voyant la perruque sur l'oreiller, crut que Patricia dormait et ressortit aussitôt.

Le jeune homme ouvrit non sans fierté la portière de sa rutilante Lamborghini devant Patricia. Il avait bien tendu le bras, de manière à ce que, la manche de sa veste considérablement retroussée, sa Rolex fût plus visible. Maintenant qu'il était persuadé d'avoir séduit Patricia par son seul charme, il ne voulait plus rien laisser au hasard et entendait mettre toutes les chances de son côté.

— Jolie voiture! dit Patricia.

Il se rengorgea mais joua la carte *cool* et dit modestement:

— Oh, ce n'est qu'un moyen de transport pour moi...

Il referma la portière sur Patricia, persuadé que l'affaire était dans le sac, et qu'il passerait la nuit avec elle. Il s'empressa de monter à son tour et démarra. Il appuya sur l'accélérateur avec un enthousiasme débordant et le moteur émit un vrombissement infernal. Il eut un sourire timide. Il ne fallait pas qu'il se trahisse!

— Elle est puissante! dit Patricia, en mettant sur le compte de sa voiture le débordement de son enthousiasme.

Beaucoup de visiteurs quittaient la clinique en même temps, si bien qu'il se forma rapidement une filée de voitures devant le poste de contrôle. L'impatience des riches fit que de nombreux klaxons se mirent à résonner. Mais le garde avait l'obligation de vérifier l'identité de tous les visiteurs.

— Qu'est-ce qu'il fout, ce con? pesta Conrad Preston III.

— Je n'en ai aucune idée.

— Il se croit au Pentagone!

Patricia commença à s'énerver. Que ferait-elle si on lui demandait ses papiers? Certes, elle pourrait prétendre les avoir oubliés. Et Conrad Preston répondrait sans doute de sa personne. Mais non, il fallait qu'elle reste calme...Rien ne portait à croire qu'on avait découvert sa disparition. Ce n'était sûrement qu'un contrôle de routine...On ne demandait sûrement pas aux visiteurs leurs papiers.

— Est-ce qu'on a l'air de malades mentaux? Je ne peux pas croire qu'il vérifie chaque véhicule.

— Moi non plus, dit Patricia.

— Il va connaître ma façon de penser, le *twit*, dit-il en pointant son index d'une manière qui se voulait autoritaire mais qui n'était pas très convaincante: malgré tout le vernis de la richesse, il ne saurait jamais faire les vrais gestes du pouvoir, ayant lui-même l'air d'un *twit* de première.

Sa «conquête» nouvelle lui donnait une assurance qu'il n'avait jamais connue. Il descendit de sa Lamborghini, dont il claqua la porte avec un certain regret. C'était beau de démontrer sa virilité mais il ne fallait tout de même pas esquinter la petite merveille. Il en flatta le capot, comme pour se faire pardonner sa brutalité injustifiée. Il sourit à Patricia, craignant qu'elle n'eût surpris la petite caresse discrète à sa chère voiture.

23

Miss Harper était préoccupée. Elle ne cessait de repenser à cette jeune femme blonde et à ce jeune homme qui s'embrassaient devant l'ascenseur. Plus elle y réfléchissait, plus elle trouvait qu'il y avait quelque chose de bizarre, de pas très naturel, dans cette scène. Pourquoi s'embrasser alors qu'on n'est pas sur le point de se séparer?

Et puis cette femme ressemblait à quelqu'un qu'elle connaissait. Qui? Elle ne pouvait pas dire. Evidemment, elle portait des verres fumés, et elle était maquillée comme une vraie putain. Pourquoi, au fait? Elle se tint le raisonnement suivant. Si elle était ainsi attifée, c'est sans doute qu'elle voulait dissimuler sa véritable identité parce qu'elle était une pensionnaire, et qu'elle essayait de s'échapper!

Elle put enfin mettre un nom sur cette jeune femme sulfureuse. Patricia Stone! Elle voulut tout de même en avoir le coeur net. Pour ne pas se couvrir de ridicule en déclenchant une fausse alerte, elle se rendit à toute allure à la chambre de Patricia. Quelle déception lorsqu'elle la vit tranquillement étendue dans son lit, en train de dormir! Elle s'était trompée. Heureusement qu'elle avait procédé à cette petite vérification, sinon quelle honte! C'était déjà assez difficile d'imposer son autorité au personnel! Elle allait refermer la porte lorsqu'elle pensa à demander à Patricia:

— Est-ce qu'on vous a donné votre comprimé?

C'était à elle de s'assurer que Patricia, comme du reste la plupart des pensionnaires de la clinique, prenait tous les soirs sa médication. Pas de réponse. Miss Harper répéta sa question en haussant la voix.

— Madame Stone, avez-vous pris votre comprimé, ce soir?

Pas davantage de réponse. Cela n'était pas normal. Non seulement était-il encore tôt — ce qui rendait suspect le fait qu'elle dormît si profondément —, mais en principe Patricia avait le sommeil extrêmement léger, car elle était d'une nature nerveuse, c'est du moins ce dont l'infirmière-chef avait pu se rendre compte au cours de ses visites précédentes. Cela lui mit la puce à l'oreille. Patricia s'était-elle empoisonnée? Etait-elle morte? Ce décès ne l'aurait guère chagrinée. En effet, depuis le jour où elle avait senti que le docteur Waterman lui accordait une attention particulière, elle la détestait. Elle ne pouvait pas supporter cette idée car elle était follement éprise de lui depuis des années, même si elle savait qu'elle n'avait aucune chance d'attirer un jour son attention puisqu'il ne s'intéressait qu'aux jeunes et jolies femmes ce qui, malheureusement, n'était pas son cas.

Elle s'approcha du lit et toucha Patricia à l'épaule pour la réveiller. Elle éprouva une drôle de sensation, le couvre-pieds s'affaissant sous la pression pourtant délicate de ses doigts. Elle appuya un peu plus fort sur ce qu'elle croyait être l'épaule de la jeune pensionnaire. Aucune résistance. Il y avait quelque chose d'anormal. Elle toucha ce qu'elle croyait être les cheveux de Patricia. La perruque glissa.

— La putain! ne put s'empêcher de s'écrier Miss Harper. Elle ne s'échappera pas aussi facilement!

Patricia vit le garde se diriger vers le poste de contrôle vitré, et prendre une communication téléphonique, fort brève d'ailleurs. Il parut immédiatement agité, revint vers la voiture qui se trouvait alors devant le poste de garde, expliqua brièvement la situation au conducteur et le pria d'ouvrir le coffre de sa Rolls blanche. L'homme, un corpulent sexagénaire vêtu d'un complet sombre, s'exécuta mais descendit en pestant:

— Qu'est-ce que c'est que cette histoire de pensionnaire évadée? Est-ce que j'ai bien compris? Je croyais qu'il s'agissait d'un établissement bien tenu, et que ma femme était en sécurité ici!

Ce qu'il craignait surtout, c'est que sa femme pût sortir sans qu'il en fût prévenu et ne vînt le retrouver à la maison, qu'il partageait maintenant la plupart du temps avec sa jeune maîtresse. S'efforçant de conserver son calme, le garde inspecta rapidement le coffre, qui visiblement ne cachait aucune pensionnaire. Il le referma et s'excusa.

Beaucoup de visiteurs descendaient de leur véhicule pour s'informer de ce qui se passait. Franchement, avait-on idée de faire attendre ainsi les honnêtes gens? Conrad Preston III avait rejoint le garde et le questionnait, un bras impatient levé dans les airs.

Patricia comprit qu'il lui fallait faire quelque chose tout de suite, sinon elle était perdue. Elle enjamba tant bien que mal la console, s'assit dans le siège du conducteur, braqua le volant à gauche, déboîta de la file de voitures et appuya à fond sur l'accélérateur. Elle passa le poste de contrôle à une folle allure. C'était la première fois qu'elle conduisait une voiture aussi puissante. Et elle s'en rendit rapidement compte. Elle calcula mal sa sortie et accrocha la grille, amochant sérieusement l'aile gauche de la Lamborghini. Conrad Preston n'en revenait pas. Où allait-elle ainsi, sans lui? Et avec sa voiture! Il éprouva une douleur presque physique lorsqu'il entendit la tôle se froisser. C'était comme si on l'avait lui-même écorché.

— Hey! cria-t-il. Attendez! Vous n'avez pas le droit!

Il rageait, maintenant. Il aurait dû se fier à son intuition. Cette femme était probablement une *call-girl*. Ou une pensionnaire, donc une déséquilibrée. A la réflexion, c'était encore pire. Que deviendrait sa voiture entre les mains d'une folle?

24

Jimmy «Chopper» Henry regardait le film *Apocalypse Now* pour la centième, peut-être la deux centième fois. Nostalgique, il admirait le ballet gracieux des hélicoptères survolant au ralenti un village en flammes du Vietnam. C'était la belle époque! Il avait fait le Vietnam, et au fond, il n'en était jamais vraiment revenu. Là-bas, il était quelqu'un au moins! Il s'était rapidement acquis une réputation de pilote d'hélicoptère d'une audace exceptionnelle, d'où son surnom Chopper. Il avait même fini par inquiéter ses camarades tant il faisait fi du danger et se proposait spontanément pour les missions les plus périlleuses. Le sang de ses victimes innombrables lui était-il monté à la tête? Avait-il été abruti par la marijuana, la cocaïne et l'alcool dont il faisait une consommation de plus en plus régulière?

A l'Institut Williamson, il s'emmerdait royalement. Lui, l'ancien pilote qui s'était illustré par des prouesses aériennes sans nombre, il en était réduit à assurer la navette entre la clinique et Los Angeles, pour les personnages importants comme Blackwell, le docteur Waterman ou des clients richissimes. Il n'était ni plus ni moins qu'un chauffeur de taxi! On lui avait «vendu» le poste en lui disant que, dans ses fonctions, il devait assurer la surveillance aérienne de la clinique, en cas de tentatives d'évasion.

Mais en cinq ans, il n'y en avait pas eu une seule. Le héros de guerre, maintes fois décoré, n'était plus qu'un petit fonctionnaire. Il buvait de plus en plus, pour tromper l'ennui, et enflammer sa mémoire. Le passé était tellement plus glorieux, tellement plus excitant que le présent! S'il lui restait le moindre soupçon de dignité, il remettrait sa démission.

Il but une grande rasade de gin, un peu salement, et dut s'essuyer le menton. C'était un grand gaillard tout en muscles, aux traits anguleux, portant une barbe de quelques jours, seul caprice que l'administration lui autorisait et qui lui rappelait la belle époque.

Le téléphone sonna. Il était si absorbé par le film qu'il sursauta. C'était Miss Harper. Sa tête de célibataire sèche ne lui revenait pas. Mais il fut néanmoins ravi d'entendre ce qu'elle avait à lui dire:

— Une pensionnaire s'est échappée dans une Lamborghini rouge en direction de Los Angeles. Il faut absolument l'intercepter. Elle peut être dangereuse. Il n'est pas impossible qu'elle soit armée.

— Pas de problème, dit Jimmy, qui mit aussitôt sa casquette des Yankees de New York.

Le base-ball était — à part le célèbre film de Coppola — sa seule autre consolation: il regardait tous les matchs et ne pouvait s'empêcher de penser, chaque fois qu'un joueur de son équipe frappait la balle, que c'était une sale petite tête de Viet qu'il butait. Il était tout à coup transformé. Il revivait. Le premier boulot excitant en cinq ans! Il raccrocha en s'écriant:

— Je vais la buter, la salope!

Il se leva un peu brusquement, chancela. Malgré son habitude de l'alcool — il avait gagné de nombreux concours de beuverie au Vietnam — il était vraiment imbibé, et comme il n'était plus aussi actif, il n'avait plus la forme d'antan. Mais il n'allait certes pas se formaliser de piloter dans cet état d'ébriété légère. Il courut jusqu'à son appareil, qui était posté dans une petite cour intérieure à l'arrière de la clinique.

Il démarra. Il exultait. Une pensionnaire dans une Lamborghini. C'était du gâteau!

— Tu vas voir ce que tu vas prendre, dit-il au moment où l'appareil s'élevait dans la nuit.

Il se dirigea tout de suite vers la route, la seule d'ailleurs qui conduisît à la Clinique. Mais il ne voyait rien. Pas un seul véhicule en vue. La pensionnaire pouvait-elle être rendue si loin déjà? La vieille Harper lui avait pourtant précisé qu'elle venait tout juste de s'évader. C'était une conne, une poufiasse, cette infirmière à la manque! Elle racontait n'importe quoi! Un instant, l'idée le traversa que Miss Harper avait peut-être voulu lui faire une plaisanterie. Si c'était le cas, il la tuerait de ses propres mains! Une Lamborghini, c'était peut-être rapide mais quand même pas autant que son hélicoptère! Il mit sa cassette préférée, du Jimmy Hendrix, qu'il avait écoutée inlassablement au Vietnam, et il fonça dans la nuit, au son de *Foxy Lady*.

Patricia roulait depuis une minute à peine, s'habituant tant bien que mal à la puissante mécanique de la Lamborghini. Elle n'en revenait pas! Elle s'était évadée. Cela avait été simple au fond. Un vrai jeu d'enfant. Elle était fière d'elle. Elle roulerait jusqu'à Los Angeles, où elle abandonnerait la voiture, pour sauter dans un taxi. Où irait-elle? Elle ne le savait pas encore. Chez elle? Ce serait sûrement le premier endroit où on irait la chercher. A la police? Trop risqué. Enfin, elle avait le temps d'y penser. La route était longue encore.

Elle était si absorbée par ses réflexions — et excitée par sa liberté nouvelle — qu'elle ne vit pas venir un gros camion dans la direction opposée. Sans qu'elle comprît pourquoi, il lui fit à différentes reprises des appels de phare.

Elle fit une manoeuvre et l'évita de justesse. Le camionneur la klaxonna copieusement et l'invectiva. Elle ralentit un peu, regarda derrière elle. Personne ne la suivait. Elle découvrit alors la raison pour laquelle le camionneur lui avait fait des appels de phares. Elle avait tout simplement oublié, dans son énervement, d'allumer les phares de la voiture et comme on était encore entre chien et loup elle ne s'en était pas rendu compte.

Elle regarda le tableau de bord, en plissant le front. Il était proprement hallucinant. Elle actionna un premier bouton mais de l'eau gicla dans le pare-brise et les essuie-glace se mirent en marche. Elle les arrêta. Elle appuya sur un autre bouton. Mais ce fut pire encore. La capote électrique de la voiture commença à s'élever.

— Merde! dit Patricia.

La Lamborghini, qui roulait à plus de cent trente kilomètres, se mit à déraper un peu. Patricia s'énerva. Et, au lieu de ralentir, elle appuya sur l'accélérateur, et fit monter l'aiguille à cent soixante. Elle freina, ce qui n'était pas la meilleure chose à faire à cette vitesse, et cette fois-ci dérapa sérieusement. Heureusement, elle eut le réflexe de retirer son pied du frein. Elle désactionna la capote électrique, qui se replia aussitôt. Et elle trouva enfin le bouton des phares, qui s'allumèrent juste à temps pour lui permettre d'éviter une grosse branche d'arbre qui obstruait la route. Elle eut un haut-le-coeur. Puis elle souffla. Pleine d'une audace nouvelle, elle accéléra à nouveau. Elle découvrait, non sans une certaine exaltation, la puissance quasi illimitée de son bolide.

Au moment même où elle allumait les phares de sa voiture, Jimmy, dans son hélicoptère, l'aperçut. Il laissa échapper un grognement, fit tourner la visière de sa casquette de base-ball, pour la placer en position de receveur, haussa encore le volume de la musique, et piqua en direction de la Lamborghini. Il avait sa petite idée en tête. Il ne se contenterait pas de lui ordonner de s'immobiliser. Il aurait recours à une des acrobaties aériennes qui l'avaient rendu célèbre au Vietnam. Il s'approcherait de la Lamborghini, et avec ses skis d'atterrissage, il la retrousserait comme une crêpe, et la ferait capoter.

En quelques secondes, il fut derrière la Lamborghini. Il volait si bas que les skis de l'hélicoptère frôlaient le pavé et produisaient des étincelles, ce qui le plongeait dans un état d'exaltation indescriptible. La fête avait enfin recommencé! Il allait prendre son temps, déguster, jouer avec elle comme le chat avec la souris.

Patricia entendit bientôt le son de l'hélicoptère. En tournant la tête, elle vit le gros appareil à quelques mètres à peine de sa voiture. Que faire? Devait-elle ralentir et s'immobiliser, alors qu'elle était si près du but? Elle eut une hésitation. Après tout, il ne pouvait rien faire. Il n'allait tout de même pas la mitrailler! Elle enfonça l'accélérateur, et l'aiguille bondit à plus de deux cents kilomètres. On verrait bien ce que cet hélicoptère avait dans le ventre! Il finirait peut-être par abandonner car la route était sinueuse et bordée de grands arbres qu'il pouvait heurter à n'importe quel moment.

Elle accéléra encore et distança l'hélicoptère. Jimmy durcit la mâchoire. Elle se prenait pour qui, cette paumée? Elle croyait pouvoir lui échapper! Il allait lui donner une petite leçon! Il ne fallait pas jouer avec ses nerfs, parce qu'alors il pouvait devenir très méchant.

Patricia aperçut, au sommet d'une côte, à quelque distance devant elle, un véhicule qui venait en sens inverse. Elle décida de jouer le tout pour le tout et de faire une frousse terrible au conducteur de l'hélicoptère. Elle éteignit ses phares, et roula du côté gauche de la route, se dirigeant en droite ligne vers le véhicule qui venait en sa direction. C'était risqué, mais il fallait qu'elle trouve une manière de faire décoller ce malade qui lui collait aux fesses. Car Jimmy l'avait rattrapée. Il volait à quelques mètres derrière elle, très bas, et ses skis allumaient la nuit de longues traînées d'étincelles.

Jimmy riait d'exaltation. Dans quelques secondes, il cueillerait la Lamborghini, la soulèverait dans les airs, comme on lève la jupe d'une traînée qui vous a trop longtemps provoqué! Il sentait que la résistance de la paumée diminuait, qu'elle cédait. D'ailleurs, elle avait sûrement commencé à perdre la tête, l'idiote, parce qu'elle avait fermé ses phares par erreur. Le goût du sang lui montait à la bouche. Des souvenirs du Vietnam lui revenaient à l'esprit. Jimmy Hendrix était engagé dans un infernal solo de guitare. Jimmy Chopper se retrouvait. Il se dit même que s'il devait choisir une manière de mourir, ce serait ainsi, au volant de son hélicoptère, en train de se farcir une putain dans une Lamborghini, et non pas tranquillement dans un lit, comme un vieux foireux qui sentait le pet et l'urine.

Patricia serra le volant. Elle n'était plus qu'à quelques centaines de mètres de l'autre véhicule, un petit *pick-up* conduit par un paisible cultivateur. Il aurait sûrement la frousse de sa vie, mais il fallait ce qu'il fallait. Malgré les verres qui ornaient son énorme appendice nasal, il ne vit pas venir la Lamborghini, mais en entendit le vrombissement, suivi de celui de l'hélicoptère. Les phares de son véhicule éclairèrent bientôt suffisamment la route pour qu'il aperçoive la Lamborghini et l'hélicoptère lancées à fond de train en sa direction. Il freina brutalement, et parvint à immobiliser son véhicule sans en perdre le contrôle.

— Mais c'est un fou! cria-t-il dans un état de panique.

Il se signa et ferma les yeux, invoquant les saints du ciel de l'accueillir et d'intercéder en sa faveur au moment du jugement dernier. Puis il se jeta au fond de son camion. Mais juste avant d'entrer en collision avec la camionnette, Patricia vira aussi brusquement qu'elle pouvait le faire sans risquer de capoter. Elle évita le *pick-up* de justesse, puis alluma ses phares à nouveau et écrasa la pédale au plancher.

Jimmy Chopper ne comprit pas la manoeuvre avant d'apercevoir, à la dernière seconde, le pick-up, immobilisé sur la route. Il s'empressa de redresser son appareil mais n'y parvint pas tout à fait, et un de ses skis effleura le toit du pick-up, y laissant un égratignure profonde.

Le vieux fermier frémit en entendant l'hélicoptère érafler le toit de son véhicule. Mais comme le bruit s'éloignait, il se releva. Il ouvrit les yeux, se toucha les membres. Il était sauvé! Il sortit en hâte de sa camionnette et regarda l'hélicoptère s'éloigner en remerciant le ciel de l'avoir sauvé d'une mort certaine.

Jimmy écumait. Il venait de comprendre ce qui s'était passé. Cette petite maligne de pensionnaire avait essayé de lui en passer une! C'était pour cela qu'elle avait éteint ses phares et roulait du côté gauche de la route. Pour que son hélicoptère entre en collision avec le *pick- up* et que lui se tue! Lui, Jimmy Chopper, l'invincible, qui s'était «fait» des centaines de Jaunes! Une simple civile avait essayé de le supprimer! Elle allait le payer cher, cette putain de chienne! Il augmenta encore le volume de sa radio et un rictus sadique tordit ses lèvres.

25

Pour un soir de semaine, une grande animation régnait au *Trucker's Paradise*, le seul bar de danseuses nues de la région. Une bonne soixantaine de clients devisaient gaiement en buvant de la bière et en regardant danser la dizaine de filles en service. Bill n'avait pas vraiment envie de quitter les lieux, même s'il était en retard pour sa dernière livraison de la journée. Assis tout près de la scène, il contemplait Jenny, sa préférée, qui achevait la première partie son numéro. Elle n'avait pas encore retiré sa petite culotte, un slip rose transparent à travers lequel on devinait sans difficulté l'ombre de son sexe. C'était une jeune femme d'à peine vingt ans, une rouquine piquante, aux jambes très fines et très longues et à la poitrine généreuse, dont les mamelons distendus, véritables disques, le rendaient fou de désir, comme d'ailleurs son copain George, et les trois quarts de la salle. Bill s'imaginait s'accoupler en levrette avec la belle Jenny dont on voyait les seins même de dos, ce qui à ses yeux avait toujours été le critère d'une «vraie» grosse poitrine. La danse prit fin. Le camarade de table de Bill, George, un autre camionneur, qui était également très allumé par Jenny, se leva et dit:

— Bon, allons-y. Il est tard.

Jenny, qui n'avait pas encore fini son numéro, s'approcha de George, lui décocha un clin d'oeil et lui demanda:

— On part déjà, mon gros lapin?

Il esquissa un sourire. Il se l'enfilerait bien un jour, la beauté. Puis il se tourna vers son camarade et répéta:

— Allez, Bill...

— Reste encore un peu, protesta Bill qui tenait absolument à voir Jenny complètement nue, même s'il l'avait déjà vue des dizaines de fois dans le passé et l'avait souvent fait danser à sa table.

— En tout cas, moi j'y vais, dit George.

— Bon, je finis ma bière et je te rejoins sur la route. Conduis lentement. Tu es soûl comme un Polonais.

— C'est quand je ne suis pas soûl que je fais des accidents...

Bill le suivit des yeux. Il l'aimait bien, c'était son pote, et ils avaient fait les quatre cents coups ensemble. Il trouva qu'il titubait un peu. Mais ce n'était pas la première fois. Il se débrouillerait. Le portier trouva lui aussi que George avait un peu trop bu, et le regarda monter avec une certaine inquiétude dans son énorme camion-citerne plein de pétrole. Les gars se défonçaient vraiment. Il espéra qu'il ne ferait pas de conneries.

George démarra et prit la route, en direction de l'Institut Williamson où il devait faire un bref arrêt pour remplir le réservoir privé. Il s'alluma une cigarette pour se réveiller un peu. Dieu qu'il avait la tête lourde! Pourtant, il avait l'habitude de boire. Il pensa à Jenny. Pourquoi l'appelait-elle toujours mon gros lapin? Avait-elle vraiment un faible pour lui? En tout cas, elle était plus ragoûtante que sa femme, qui ne comprenait rien aux hommes et qui était à peu près aussi séduisante qu'un sac de sable.

Il était si absorbé dans sa rêverie qu'il ne roulait pas dans sa voie, et fut tout surpris de voir arriver un autre véhicule droit devant lui. Il eut juste le temps de donner un coup de volant pour l'éviter.

— Espèce d'enculé! cria-t-il.

Mais dans sa manoeuvre, il faillit s'enfoncer dans le fossé et heurta une grosse roche qui bordait la route. Avait-il frappé un animal? Un tronc d'arbre? Il immobilisa son véhicule, et en descendit. Mais au lieu de l'inspecter, il se laissa gagner par une grosse envie d'uriner. Il avait vraiment trop bu. Il défit sa braguette et se mit à pisser sur le bord de la route. Le fait de tenir dans ses mains son sexe gonflé par l'envie d'uriner et par le spectacle du *Trucker's Paradise* lui fit à nouveau penser à Jenny. Il n'avait jamais vu des seins pareils. Des seins qui rendaient fou. Oui, il faudrait qu'il fasse un «move». Tiens, pourquoi ne la demanderait-il pas en mariage, juste question de pouvoir coucher avec elle un soir? Les bonnes femmes se laissaient toujours prendre à ce genre de proposition. Après, il lui dirait qu'il avait changé d'idée, tout simplement. Ou qu'il avait oublié qu'il était déjà marié, ce qui était la plus stricte vérité! Il éclata de rire à la perspective de ce coup. Il avait un début d'érection: il ne se rappela plus pourquoi il était descendu de son véhicule.

Il referma sa braguette et monta dans son véhicule sans se rendre compte que la roche avait brisé un des bouchons de sa citerne. Un gros filet de pétrole coulait sur la chaussée. George reprit la route, inconscient du danger, en fredonnant un air qu'il avait entendu au club.

Son camarade Bill sortit à ce moment du *Trucker's Paradise*, tellement ivre qu'il oublia lui aussi d'allumer ses phares. Le portier cria, gesticula pour lui signaler sa distraction, mais Bill crut qu'il voulait tout simplement le saluer et continua sans se rendre compte de rien. La route était de toute manière assez bien éclairée aux abords du club, et il ne s'aperçut pas de son oubli. Il était trop content de son «trophée» pour se soucier de quoi que ce fût. Il le sortit de la poche de sa grosse chemise à carreaux dès qu'il pris la route: la petite culotte rose de Jenny. Il la porta à son nez et en huma le parfum. C'était un mélange de *Poison* et de bière car Jenny s'en versait régulièrement sur les seins et le ventre au cours de son numéro.

26

Jimmy accéléra et toucha une première fois le pare-choc de la Lamborghini. Il poussa un cri de joie. Qu'est-ce qu'elle pensait de ça, la connasse? Patricia se retourna, effarée. Mais il est fou! se dit-elle. Complètement fou! Il veut me tuer! Elle accéléra encore même si elle roulait déjà à près de deux cents kilomètres.

Dans son hélicoptère, Jimmy Chopper rit à nouveau en voyant la Lamborghini le distancer légèrement. Croyait-elle vraiment lui échapper? Il plongea vers elle, mais ne réussit pas davantage à glisser ses skis sous le pare-choc qui était très près du sol. Il eut une moue de contrariété. Avec les Viets, c'était plus facile en général. Un Jeep, ou un camion militaire, ça se ramassait comme un charme!

Il fallait qu'il s'y prenne différemment, qu'il coure le risque de frôler continuellement la route, en espérant ne pas rencontrer la moindre bosse, le moindre débris. Car à cette vitesse ce pouvait lui être fatal. Mais ce danger, si grand fût-il, n'allait certes pas le faire reculer, alors qu'il s'amusait pour la première fois depuis cinq ans! Il descendit encore un peu si bien qu'à nouveau ses skis métalliques firent jaillir une traînée d'étincelles derrière l'hélicoptère.

Leur grincement sur l'asphalte exalta encore Jimmy. Cette fois, il en était sûr, il ne raterait pas son coup! A cette hauteur, il parviendrait à accrocher la Lamborghini, et il l'emporterait dans les cieux comme un aigle qui vient de capturer un rat. Le pare-choc céderait sûrement, au bout de quelques secondes, et la voiture s'écraserait au sol. Personne ne saurait ce qui s'était vraiment passé, et on en conclurait que Patricia avait perdu le contrôle de son véhicule et fait un terrible accident. Lui, à l'abri de tout soupçon, serait considéré comme un employé qui a fait son devoir. Et il serait félicité pour son beau travail.

Voyant les étincelles dans le rétroviseur, Patricia eut l'intuition de ce que préparait le conducteur de l'hélicoptère. La faire capoter — ou en tout cas l'arrêter — en soulevant l'arrière de sa voiture. Sinon, pourquoi voler si bas, en effleurant la route? Merde! dit-elle. Il est plus fou que je le croyais! C'est un criminel! Même si elle roulait déjà à une vitesse qui taxait considérablement ses nerfs, elle décida d'accélérer. C'est alors qu'elle aperçut devant elle l'énorme camion-citerne de George.

Toujours éméché, il conduisait de manière pour le moins inorthodoxe, débordant souvent la ligne blanche centrale. Patricia comprit qu'il lui fallait absolument ralentir. Elle ne pouvait prendre la chance de croiser cet inquiétant camion à cette vitesse. Elle réduisit sa vitesse, un peu brusquement, si bien que Jimmy, qui ne s'attendait pas à la manoeuvre, n'eut pas le temps de ralentir à son tour, et frappa à nouveau l'arrière de la Lamborghini, assez brutalement cette fois. L'hélicoptère en fut légèrement déstabilisé. Jimmy durcit la mâchoire, prit un peu d'altitude, et laissa un peu de répit à Patricia. Il n'aimait pas du tout comment se déroulaient les choses. Certes la difficulté l'excitait, mais une trop habile résistance finissait par piquer son orgueil. Il fallait qu'il rassemble ses forces, qu'il se concentre. Il y avait longtemps qu'il n'avait pas été au combat, et il était un peu rouillé. Mais il sentait son vieil instinct de tueur revenir à la surface. Le goût du sang lui montait à la bouche.

Dès qu'elle eut croisé le camion, Patricia reprit de la vitesse. Mais curieusement, elle éprouva plus de difficulté à maîtriser son véhicule. La chaussée était plus glissante, comme s'il avait plu. Pourtant, le ciel était étoilé et sans nuage. Elle dut à nouveau ralentir car elle dérapait et faillit perdre le contrôle de son bolide. Ce qu'elle ne pouvait savoir, c'est que ses pneus glissaient chaque fois qu'ils touchaient la longue traînée de pétrole qui s'écoulait du camion citerne de George.

Une fois qu'il eut survolé le camion, Jimmy reprit sa chasse, plus déterminé que jamais. Le petit jeu avait assez duré. Il fallait maintenant qu'il fasse le *kill*, comme il disait au Vietnam. Ce n'était pas normal qu'une folle évadée d'un asile lui donne plus de fil à retordre que les sales Jaunes vicieux du Vietnam! Il plongea en direction de la Lamborghini, que Patricia avait grand peine à maîtriser. Elle manquait à chaque virage de tomber dans le ravin.

Jimmy s'en rendit compte et émit un sifflement. Sa proie était blessée, elle perdait du sang! Elle ralentissait. La manoeuvre serait plus aisée, presque trop facile. Mais il fallait en profiter, avant que la folle ne reprenne ses forces. Il fonça vers la Lamborghini, n'hésitant plus cette fois à faire glisser ses skis sur l'asphalte. Des étincelles encore plus grosses que les précédentes jaillirent.

Tout à coup, la chaussée s'illumina dans la nuit. Les étincelles venaient d'enflammer la longue traînée de pétrole que laissait derrière lui le camion-citerne endommagé. Le long ruban de feu se déroula à une vitesse vertigineuse, non seulement derrière la voiture de Patricia, mais aussi devant elle. Patricia ne comprenait plus rien. Que se passait-il? D'où venait cette longue colonne de feu qui s'allongeait devant elle? Elle ralentit, manoeuvra de son mieux, et roula plus à droite pour éviter les flammes.

Jimmy se retrouva en plein Vietnam, en train d'incendier un village. Il avait l'habitude de voler parmi les flammes et la fumée, et, loin de l'effrayer, ce spectacle l'excitait prodigieusement. Il fut alors distrait par le bruit d'une formidable déflagration. Derrière lui, les flammes avaient rejoint le camion-citerne de George qui venait d'exploser. Il tourna la tête et vit le brasier énorme qui illuminait la nuit. Maintenant il était sûr qu'il sillonnait les cieux du Vietnam. C'était une bombe de napalm qui venait d'exploser! Il riait aux éclats. Il était de retour! La guerre avait recommencé!

190

Il y eut un grand virage vers la droite, et Patricia, qui roulait un peu vite, eut de la difficulté à le négocier et se mit à déraper. Elle mit les freins et perdit tout à fait le contrôle de son véhicule qui traversa les flammes, heureusement sans s'immobiliser. Patricia continua en fait à déraper et se retrouva dans le fossé.

Jimmy la vit disparaître derrière le mur de flammes, mais au lieu de ralentir, ou de se poser, il continua en droite ligne. Grisé, il voulait voir jusqu'où irait cette traînée de feu. Elle gravissait maintenant une côte, comme si elle prenait son élan pour s'envoler dans le ciel, tel un train aux propriétés magiques! Ne le mènerait-elle pas au Vietnam?

Dans son camion, Bill venait de tirer de sa poche la petite culotte rose de Jenny. Il n'avait pu résister à la tentation de la humer une autre fois. Il montait lentement la côte que le mur de flammes escaladait à toute vitesse. Lorsqu'il arriva au sommet, il aperçut les flammes, et freina, terrorisé. Il voulut remettre la petite culotte dans sa poche, mais n'en eut pas le temps. Son camion explosa, projetant des flammes à une trentaine de mètres dans le ciel. Jimmy voulut redresser son appareil, mais il ne put éviter l'immense brasier et son appareil explosa, quelques secondes à peine après l'avoir traversé.

Patricia eut un choc. Jamais de sa vie elle n'avait vu un tel feu d'artifice. Et puis le pilote de l'hélicoptère, aussi cinglé fût-il, était sûrement mort dans l'explosion. Elle en ressentit une certaine culpabilité. Après tout, c'était un peu sa faute, même si les circonstances qui avaient entouré son évasion étaient proprement exceptionnelles: un hélicoptère à sa poursuite, un inexplicable mur de feu au beau milieu de la route et deux explosions spectaculaires — à croire que la colère des dieux s'était déchaînée contre elle! Elle reprit peu à peu ses esprits. Elle embraya la marche arrière et tenta de sortir du fossé mais en vain.

Elle sortit du véhicule. La route devant elle était complètement bloquée par le brasier immense. Au moins, elle était saine et sauve. Elle aurait facilement pu être tuée dans cette aventure. Et elle était libre. Un bon ange devait la protéger. Mais elle déchanta vite car elle n'avait pas parcouru un demi-kilomètre que trois voitures de sécurité de la clinique — qui avaient été dépêchées en même temps que l'hélicoptère — arrivèrent alors. Elle pensa un instant s'enfuir dans les bois, mais elle ne s'en sentit pas la force. Et elle n'opposa pas la moindre résistance à son «arrestation».

27

Le lendemain matin, à la clinique, la nouvelle de la tentative d'évasion de Patricia se répandit rapidement. Il faut dire qu'elle était sur tous les postes de radio et de télévision. Il y avait même des articles dans les journaux. Le docteur Waterman était furieux. Non seulement cette évasion — même avortée — signifiait-elle que le système de sécurité n'était pas au point. Mais il y avait eu des dégâts de plusieurs centaines de milliers de dollars: une Lamborghini sérieusement endommagée, un hélicoptère et deux camions détruits. Et surtout, il y avait trois morts.

Ces événements terniraient encore la réputation de l'Institut, qui depuis l'affaire Turner avait besoin de tout sauf de ce genre de publicité. Comment expliquer qu'une patiente ait pu s'évader et faire de tels dégâts? Que diraient les maris et les familles des autres pensionnaires?

D'ailleurs, en ce moment, debout derrière son bureau, Waterman, livide, la gorge sèche, essuyait depuis quelques minutes le terrible savon de son patron William Blackwell, qui l'engueulait au téléphone:

— Oui, Monsieur Blackwell, dit-il respectueusement. Je prends tout le blâme.(...) Mais je peux vous assurer qu'un incident de la sorte ne se reproduira plus.

Blackwell mit fin abruptement à la conversation — chose qui lui était coutumière lorsqu'il ne décolérait pas —, et Waterman resta un instant le combiné à la main, l'air penaud. Il raccrocha enfin, et hurla presque à sa secrétaire, Judith, de convoquer immédiatement Patricia Stone à son bureau. La jeune secrétaire n'avait jamais vu son patron dans cet état, lui habituellement si calme, si charmant.

— Il n'est pas de bonne humeur, prévint Judith lorsqu'elle vit arriver Patricia, escortée par Miss Harper qui avait reçu comme instruction de ne plus la laisser circuler sans surveillance.

Patricia pénétra dans le bureau. Waterman l'invita à s'asseoir, et dit avec un sourire forcé:

— Vous avez fait une erreur qui va vous coûter cher. Vous ne sortirez jamais plus d'ici.

— Vous n'avez pas le droit.

— J'ai tous les droits. C'est moi, et moi seul, qui décide quand une patiente est guérie.

Patricia se leva et lui cracha au visage. Le médecin, surpris, n'eut pas le temps d'éviter le jet de salive. Patricia se dirigea vers la porte. Mais le docteur appuya sur un bouton, sous son bureau, et la porte se verrouilla à distance. Patricia essaya en vain de faire tourner la poignée.

— Laissez-moi sortir immédiatement, sinon je crie au meurtre!

— Vous pouvez crier tant que vous voulez, le bureau est parfaitement insonorisé.

Elle ne le crut évidemment pas et se mit à crier à tue-tête. Le docteur avait tiré un mouchoir de sa poche et s'essuyait le visage, l'air vindicatif. Il serra son mouchoir, se leva et avança vers Patricia qui s'efforçait en vain d'ouvrir la porte et s'était même mise à en frapper les parois capitonnées.

— Un problème? demanda le docteur qui était maintenant derrière elle.

Elle se retourna et son expression la terrorisa. Il avait l'air d'un maniaque, presque d'un tueur.

— Laissez-moi sortir immédiatement! lui cria-t-elle.

— Vous n'avez pas l'air de comprendre que j'ai tous les droits ici. Je peux faire ce que je veux, même...

Il n'acheva pas sa phrase et mit plutôt à exécution la menace qui lui brûlait les lèvres. Il tira sur le haut du corsage de la robe de Patricia et découvrit son soutien-gorge.

— Ne me touchez pas, espèce de salaud! hurla Patricia qui se mit à frapper Waterman.

Ce dernier recula, puis retourna à son bureau et appela sa secrétaire:

— Madame Stone fait une grave crise d'hystérie. Envoyez-moi du secours de toute urgence.

Il déverrouilla à distance la porte de son bureau. Miss Harper entra aussitôt et vit Patricia qui essayait de replacer son corsage. Elle ne comprenait pas ce qui avait pu se passer. Cette chipie de Patricia avait-elle tenté de séduire son beau Docteur Waterman? Elle lui lança un regard haineux de femelle rivale.

— C'est un fou, dit Patricia en voyant entrer l'infirmière-chef. Il a essayé d'abuser de moi.

— Vous allez me suivre immédiatement, dit Miss Harper qui ne crut pas un mot de ce que disait Patricia et l'agrippa sans ménagement par le bras.

— Laissez-moi, vous me faites mal, protesta Patricia. Je vous dis que cet homme est un fou!

Miss Harper ne desserra pas son étreinte. Patricia n'y tint plus et la frappa. Miss Harper aurait dû conserver son calme, mais elle laissa toute sa jalousie haineuse se déchaîner, et, au grand plaisir de Waterman — qui aurait dû réprouver une telle conduite —, elle rendit le coup à Patricia.

— Laissez-moi, laissez-moi! cria Patricia qui essayait tant bien que mal de recouvrer sa liberté.

Miss Harper était forte et parvint à l'entraîner hors du bureau du médecin en assurant ce dernier:

— Ne vous inquiétez pas. Je m'occupe de tout. Elle ne m'échappera pas cette fois.

— Vous reviendrez me voir une fois que vous l'aurez raccompagnée à sa chambre. J'ai deux mots à vous dire.

Miss Harper inclina la tête, légèrement honteuse. Elle savait fort bien ce qui l'attendait.

— Très bien, docteur, dit-elle, et elle serra encore plus fort le bras de Patricia.

— Vous me faites mal, protesta Patricia.

Dans la salle d'attente, elle supplia la secrétaire, en qui elle avait senti une amie, ou en tout cas une alliée:

— Le docteur Waterman a voulu me violer. Ne les laissez pas faire. Il faut que vous disiez la vérité aux journalistes.

— Elle fait une crise de paranoïa, dit Miss Harper à la secrétaire, qui était à la fois affligée et étonnée de voir ce qui se passait.

Cette jeune femme si sympathique pouvait-elle être aussi malade qu'on le prétendait? Il faudrait bien qu'un jour elle parvienne à accéder aux dossiers secrets, destinés uniquement au personnel traitant. Alors elle saurait... Judith aurait aimé aider Patricia. Mais comment faire quoi que ce soit, du moins en cet instant, sans risquer son poste? Ce n'était pas elle qui décidait. Elle n'était qu'une petite secrétaire, sans pouvoir, sans influence.

— Il faut que vous m'aidiez, dit Patricia. Ils vont essayer de me tuer.

Elle n'aurait pas dû dire cela. C'était un peu exagéré, pensa tout de suite Judith. La tuer? Voyons...Jamais on ne voudrait faire pareille chose dans une clinique aussi sérieuse, aussi prestigieuse, fréquentée par les célébrités du monde entier. La secrétaire eut un sourire triste. Tout compte fait, Patricia était sûrement atteinte d'un désordre nerveux. Simplement, elle avait l'air normal, la fois précédente. Mais, comme beaucoup de pensionnaires, ses périodes de lucidité étaient suivies de crises, et c'était sans doute précisément pour cette raison qu'elle était internée. Il y avait toujours une raison de toute manière...

Deux infirmiers vinrent prêter main forte à Miss Harper. Patricia se laissa entraîner hors du bureau où elle tomba sur une madame Kramer totalement transformée. Malgré son poids considérable, elle sautait de joie, comme une véritable fillette.

— Je pars, dit-elle à Patricia. J'ai enfin eu mon congé!

Et malgré la présence des infirmiers, elle prit Patricia dans ses bras et l'embrassa très fort.

Accablée, Patricia s'efforça de sourire, mais son visage redevint très vite grave lorsqu'elle aperçut deux agents de police qui s'approchaient. Elle blêmit. Ils venaient sûrement pour elle. Irait-elle en prison?

A la vérité, c'était au docteur Waterman que les deux policiers rendaient visite afin de compléter leur enquête préliminaire. Waterman lui-même eut un petit mouvement de recul en les voyant arriver et ne put s'empêcher de penser qu'il se serait retrouvé dans de beaux draps s'il avait été surpris à poser son geste obscène à l'endroit de Patricia. Mais il n'y avait pas eu de témoin. Ce serait toujours sa parole contre celle d'une folle! Il pouvait dormir tranquille.

Il accueillit avec courtoisie les représentants de l'ordre même si leur présence le contrariait suprêmement. Il répondit à toutes leurs

194

questions, et convint avec eux que, comme Patricia était une patiente, la clinique ne porterait aucune accusation contre elle. Simplement, on intensifierait les traitements et on resserrait la surveillance. Il avait parlé le matin même, à son mari, Richard Stone, qui lui donnait carte blanche.

Dès que Waterman se fut débarrassé des policiers, il manda Miss Harper à son bureau.

— Je suis très déçu de vous. Je croyais que je pouvais vous faire confiance.

— C'est que... Je peux tout expliquer... dit Miss Harper qui n'en menait pas large.

— Je ne veux pas d'excuses! la coupa Waterman. Je veux des résultats! Les excuses, c'est pour les faibles.

— Je comprends, docteur.

— Cette femme est dangereuse pour la sécurité et la réputation de notre clinique. Je veux qu'à partir d'aujourd'hui les mesures de surveillance soient resserrées. Plus de communications téléphoniques avec l'extérieur! Et je veux qu'on la mette à partir d'aujourd'hui sur le Trizophène 2000. Est-ce que je me suis fais comprendre clairement?

— Oui, docteur.

— Vous pouvez disposer, dit-il d'une voix sèche.

Elle se retira aussitôt, bouleversée mais en même temps tout émoustillée d'avoir vécu un moment si intense en présence de l'homme de sa vie. Comme il avait de l'autorité! Quel caractère! Si un jour il pouvait s'apercevoir de l'amour passionné qu'elle lui vouait, quel bonheur il connaîtrait avec elle! Si seulement il se décidait à renoncer à ces petites minettes sans cervelle qui défilaient dans son lit!

28

Patricia était terrorisée. Le docteur Waterman était un malade! Il lui avait arraché son corsage. Et elle avait vu, à son air, qu'il la désirait farouchement. Qui sait ce qu'il tenterait contre elle à l'avenir? Elle était complètement à sa merci. A la merci d'un homme dangereux qui avait sur elle tous les droits puisqu'il était le directeur de la clinique et qu'elle était considérée comme une folle. Il fallait absolument qu'elle fasse quelque chose immédiatement. Mais quoi?

Elle n'avait aucun allié à la clinique, personne vers qui se tourner. Son seul espoir se trouvait à l'extérieur de l'hôpital. Sa mère? Inutile de l'appeler à nouveau. Elle ne la croirait pas davantage. Elle était persuadée que sa fille était folle. Son mari? Elle avait maintenant la certitude qu'il avait une maîtresse. Mais cela ne voulait pas dire qu'il ne l'aiderait pas. Après tout, il n'avait pas l'esprit dérangé, comme Waterman. Et lorsqu'elle l'informerait de ce qui se passait vraiment dans cette clinique infernale, il volerait sûrement à son secours. C'était son mari, après tout.

Elle s'empressa de lui téléphoner. Mais en saisissant le combiné, elle eut une désagréable surprise. Il n'y avait pas de tonalité. D'un geste impatient, elle raccrocha, décrocha, porta à nouveau le récepteur à son oreille pour constater qu'il n'y avait pas davantage de tonalité. Franchement, elle n'avait pas de chance! Une panne dans un moment aussi crucial! Avait-elle besoin de cela? Il lui fallait se renseigner au poste de garde, ou utiliser un autre appareil. Après tout, ce n'était peut-être que le sien qui était en panne.

En sortant de sa chambre, elle aperçut un infirmier assis à sa porte. Diable! voilà qu'on la surveillait! Comment ferait-elle pour s'évader si un «pingouin» de la sorte était posté en permanence devant sa porte! Elle se dirigea vers le poste de garde. L'infirmier se leva et la suivit, conformément aux instructions qu'il avait reçues.

Patricia se retourna et, le voyant sur ses talons, lui dit:

— Vous voulez mon portrait?

— Mon nom est John. Je serai votre gardien. Vous pouvez me demander n'importe quoi.

— Allez au diable, John!

Il sourit, calmement:

— That's my job.

Elle s'empressa de se rendre au poste de garde de l'étage, et s'adressa à la première infirmière sur laquelle elle tomba:

— Mon téléphone est défectueux.

Sa nervosité frappa l'infirmière, qui lui demanda calmement son nom:

— Vous êtes?

— Madame Stone.

— Chambre?

— 213.

L'infirmière tapota le clavier de son ordinateur, où étaient consignées toutes les informations et toutes les instructions spéciales concernant les pensionnaires. Elle entra le nom Patricia Stone, dont le dossier ne tarda pas à apparaître à l'écran. Expérimentée, elle ne perdit pas de temps aux simples données de base mais se rendit tout de suite à la fin du document où se trouvaient les instructions spéciales.

— Euh, dit-elle. Votre téléphone n'est pas défectueux.

— Puisque je vous dis qu'il l'est, dit Patricia en s'efforçant de garder son calme. Me prenez-vous pour une folle?

L'infirmière sourit de cette plaisanterie involontaire. Cette femme oubliait-elle qu'elle était internée dans une clinique psychiatrique?

D'ailleurs, elle la reconnaissait maintenant. C'était la patiente dont on parlait à la télé, celle qui avait fait une tentative d'évasion spectaculaire. Mieux valait l'avoir à l'oeil. Qui lui disait qu'elle ne lui sauterait pas dessus ou ne lui jetterait pas un objet par la tête? Heureusement Lumino, l'infirmier qui la suivait, était près d'elle — il avait hérité de son surnom peu commun parce qu'il n'était justement pas une lumière — et la guettait comme un bon chien.

— Nous avons reçu des instructions, expliqua l'infirmière.

— Comment, des instructions?

— Votre téléphone est désactivé jusqu'à nouvel ordre pour des raisons de sécurité.

— Vous n'avez pas le droit! cria Patricia.

— Ce sont les instructions que j'ai reçues. Si vous voulez faire des commentaires, adressez-vous à votre médecin...

Elle hésita un instant, consulta d'un coup d'oeil rapide son écran où était inscrit le nom de son médecin traitant:

— Docteur Waterman. Il est le seul à pouvoir nous donner des instructions contraires. Je suis vraiment désolée.

Pour bien montrer à Patricia que la conversation était close et qu'il n'y avait plus rien à faire, elle se tourna vers l'infirmier, d'un ton très sérieux, comme si la situation était de la plus haute gravité:

— Tout est sous contrôle, Lumino?

— Oui, madame, répliqua-t-il avec sa politesse proverbiale qui n'avait d'égale que sa docilité à suivre les ordres.

Furieuse, Patricia retourna à sa chambre, suivie de son inséparable Lumino. Sa situation devenait de plus en plus désespérée. Mais en passant devant la chambre de madame Blackwell, elle s'arrêta tout à coup. Qu'elle était bête! Elle n'avait qu'à utiliser le téléphone de sa voisine! Elle frappa mais n'obtint pas de réponse. Elle entra quand même au risque de trouver sa voisine endormie. Madame Blackwell était absente. Parfait, se dit Patricia qui laissa Lumino derrière elle.

Elle composa le numéro de son mari au bureau. Mais quelque chose clochait. Au lieu de la sonnerie habituelle du téléphone, une voix préenregistrée lui demanda:

— Prière de nous donner votre nom et numéro de chambre.

Curieux, pensa Patricia, c'était la première fois qu'on lui faisait une telle requête. Normalement, l'appareil de sa chambre fonctionnait comme n'importe quel téléphone et il n'était pas nécessaire de se prêter à ce genre de questions. Ce qu'elle ignorait, c'est que tout le réseau téléphonique de l'étage était maintenant soumis à un régime de sécurité spécial, qu'on n'utilisait que très rarement et qui permettait d'empêcher certaines pensionnaires de téléphoner à l'extérieur lorsque les parents ou les conjoints en faisaient la demande. Comme Patricia ne répondait pas, la voix répéta:

— Prière ne nous donner votre nom et numéro de chambre.

— Madame Blackwell, répliqua Patricia. Chambre...215.

— Identification vocale insatisfaisante, dit le message. Prière de répéter l'information.

— Madame Blackwell, chambre 215, répéta Patricia qui commençait à s'énerver sérieusement.

— Identification vocale insatisfaisante. Prière de répéter l'information.

— Merde! dit Patricia en comprenant qu'elle n'y arriverait pas et que le système de sécurité était beaucoup plus sophistiqué qu'elle ne l'avait imaginé.

Elle raccrocha et rentra dans sa chambre, renversant presque au passage Lumino qui avait le nez presque collé sur la porte.

— Mais foutez-moi la paix, à la fin!

Il ne broncha pas et la suivit comme un automate jusqu'à sa chambre et se rassit calmement à son poste.

Patricia alla à la fenêtre, écarta le rideau et regarda en direction du jardin. Elle aperçut le grand chêne qu'elle avait repéré plus tôt et dont les branches ployaient à quelque distance du mur. Si seulement une branche, une seule, trop vieille, pouvait casser et tomber sur le mur, elle pourrait probablement s'évader, en supposant bien entendu qu'elle pût échapper à la surveillance de son nouveau chien de garde! Sa présence ne simplifierait certes pas les choses. En tout cas, elle pourrait difficilement rééditer le coup de l'évasion avec un visiteur. Il lui fallait sortir par un autre endroit. Mais lequel?

La fenêtre de la chambre? Impossible: elle ne s'ouvrait pas. Il faudrait la briser, et cela ameuterait l'hôpital en moins de deux. D'ailleurs la vitre était si épaisse que ce ne serait sûrement pas chose aisée.

Restait la fenêtre des toilettes. Elle alla l'examiner. Elle n'était pas très large, mais elle pourrait sûrement y passer. Il n'y avait pas de barreaux, et elle ne semblait pas trop épaisse. Elle serait sûrement plus facile à briser. Et surtout, cela n'attirerait pas autant l'attention. Mais que ferait-elle une fois dans le jardin? Elle ne pourrait sûrement pas passer le poste de garde. On devait avoir son signalement. Il faudrait qu'elle franchisse le mur. Mais comment? Elle retourna à la fenêtre de sa chambre et regarda à nouveau le chêne qui, lui sembla-t-il, représentait désormais son seul espoir.

Le soir, ce fut Miss Harper elle-même qui vint lui porter son médicament. L'air défait par le savon qu'elle avait reçu plus tôt dans la journée, elle tenait un petit plateau d'argent sur lequel étaient posés un gobelet cartonné et un verre d'eau.

— C'est le temps de prendre votre calmant, dit-elle, avec un sourire qui avait quelque chose de sadique.

— J'ai décidé de ne plus rien prendre tant que je n'aurai pas parlé à mon mari.

— J'ai reçu des ordres. Vous devez absolument prendre vos cachets.

— Je refuse.

— Préférez-vous qu'on vous administre la dose par voie intraveineuse?

Miss Harper porta sa main libre à une de ses poches et en tira une longue seringue dont l'aspect effraya Patricia. On aurait dit une seringue bonne à assommer un étalon. Voyant qu'elle n'avait pas vraiment le choix, Patricia préféra s'incliner.

Le premier cachet ne ressemblait en rien à ceux avec lesquels on la traitait depuis son admission. Elle l'examina avec défiance. Il était noir, luisant, en forme de quart de lune.

— Ce n'est pas la même chose que d'habitude, commenta Patricia.

— Non, c'est un tout nouveau remède, fait ici même, en Californie, dans les laboratoires de la Blackwell Corporation. C'est un excellent fortifiant pour vos nerfs.

Patricia avala le cachet avec une gorgée d'eau.

— Il faut prendre l'autre aussi.

— L'autre? demanda Patricia.

En regardant dans le gobelet, elle constata qu'il y avait effectivement un second comprimé, qu'elle avala aussi, pas très rassurée.

— C'est bien, dit Miss Harper. Maintenant, je suis sûre que vous allez très bien dormir.

En sortant, elle éteignit, sans demander la permission à Patricia. Cette dernière ne protesta pas, car elle sentit presque aussitôt une sorte de mollesse dans tout son corps. Au bout d'un instant, elle ne pensait plus à rien. Elle contemplait le plafond, plus précisément la suspension qui éclairait la chambre, et à laquelle elle n'avait jamais vraiment fait attention. Elle était toute de cristal et d'or, sorte d'imitation un peu tapageuse des lustres prestigieux d'une autre époque.

Curieusement, comme si elle en découvrait toute la poésie, elle la trouva extrêmement belle. Dans la demi-obscurité de sa chambre que la lumière de la lune et les réverbères du jardin éclairaient en partie, elle en examina chaque détail avec une attention maniaque. Elle éprouva même une émotion étrange en pensant à l'homme qui avait conçu cette lampe, qui avait dû y mettre tout son amour. Subitement philosophe, elle songea que l'or et le verre n'étaient pas une combinaison arbitraire. Ils étaient tous deux une sorte de cristallisation de la lumière — le bien le plus précieux entre tous —, et ils avaient de tout temps été les symboles du faste et de la royauté. Et c'est sans doute ce sentiment que le concepteur de cette lampe avait voulu immortaliser! Elle en conçut une telle admiration pour la noblesse de ses intentions qu'elle en eut les larmes aux yeux.

Puis des réminiscences envahirent son esprit. Elle revit Cléo, jeune, qui venait lui sauter dans les bras et lui léchait joyeusement le visage. Elle revécut une promenade au bord de la mer, avec un de ses amants qu'elle ne reconnut pas tout de suite. Etait-ce Jack? Mais oui... Ils couraient tous les deux pieds nus dans le sable chaud. Et voilà que son mari lui apparaissait. Il la faisait virevolter sur une piste de danse, probablement à Palm Springs. Jamais elle ne s'était sentie aussi légère, aussi heureuse.

Elle se ressaisit tout à coup, et fut prise de ce curieux sentiment de frayeur qui s'empare de nous lorsque, au sortir d'un état de concentration très profonde, nous nous rendons compte que, pendant un instant, on a oublié qu'on existait. Depuis combien de temps contemplait-elle le plafond? Comment avait-elle pu y trouver un intérêt si considérable alors que, à la réflexion, à froid, ce lustre lui paraissait non seulement tout à fait banal mais d'un mauvais goût achevé. Quel puissant effet les comprimés qu'elle venait d'absorber possédaient-ils pour pouvoir, en quelques minutes à peine, transformer complètement son état d'esprit?

Elle se rendit alors compte que, depuis quelques minutes, elle n'avait plus du tout pensé à sa situation désespérée, ni à son internement, ni à l'abandon cruel de son mari, à son mariage absurde, à sa tentative d'évasion ratée au cours de laquelle elle avait failli laisser sa peau. Même le souvenir de la grossière indécence de Waterman ne l'avait pas effleuré.

Combien de temps avait-elle passé dans cette contemplation béate? Cinq minutes? Une heure? Elle était effrayée. Comme les mangeurs de lotus dans l'*Odyssée* d'Homère, elle avait tout oublié de sa vie, et surtout de ce qu'elle devait faire dans l'immédiat, c'est-à-dire trouver un moyen de s'évader de cette clinique où elle risquait de moisir et peut-être même d'être violée par un médecin abusif et fou. N'était-ce pas à cet oubli que faisait allusion madame Blackwell lorsqu'elle l'avait prévenue qu'elle était menacée de perdre son identité? Tout à coup, les paroles de sa célèbre voisine lui revenaient avec une lucidité saisissante: «N'oublie pas qui tu es! Ils vont essayer de te voler ton identité!»

N'était-ce pas ce qui risquait de se produire si elle acceptait de prendre ces étranges pilules noires, en forme de quart de lune? Elle oublierait son passé, elle oublierait qui elle était, elle ne se soucierait même plus d'être internée ou non... N'était-ce pas d'ailleurs ce qui était arrivé à la plupart des pensionnaires, qui racontaient toutes sortes d'histoires inexactes au sujet de leur mari, qui croyaient que leur mari les aimaient encore alors que dans bien des cas ils les avaient abandonnées depuis des mois, parfois des années dans cette clinique? Et pourtant, elles n'en continuaient pas moins à se croire aimées, et à penser que tout était pour le mieux dans le meilleur des mondes...

D'ailleurs, le plus inquiétant n'était-il pas que toutes ses réminiscences étaient uniquement composées de souvenirs heureux? Le nouveau médicament avait-il la propriété de gommer tous les événements malheureux de son passé et même de sa vie actuelle? Si c'était le cas, c'était horrible. Si elle ne réagissait pas, elle sombrerait bientôt dans une sorte de bonheur artificiel qui saperait toutes ses velléités de liberté et la condamnerait à un internement permanent.

Elle pensa alors aux médicaments que Andréa Blackwell lui avait demandé de cacher dans la toilette. Y en avait-il dans le sachet? Elle décida de vérifier. En se levant un peu brusquement, elle eut un étourdissement. Diable! Cette préparation était puissante! Elle parvint néanmoins à se rendre jusqu'à la salle de bain et souleva le couvercle de la cuvette d'eau. Elle prit le sac de plastique, et constata qu'il contenait en effet des petites pilules noires en forme de quartier de lune: une dizaine environ que madame Blackwell avait dû refuser de prendre! (Elle se rappela au même moment qu'elle n'en avait pas absorbé lors de sa tentative de suicide ratée parce que leur aspect lui avait paru inquiétant.)

Elle fut victime d'un nouvel étourdissement. Mais elle trouva néanmoins la force de remettre le sachet dans la cuvette, et de la refermer avant de s'effondrer. En tombant, elle heurta le rebord de la toilette, et se blessa au front. Elle se mit à saigner mais ne s'en aperçut même pas car elle s'était évanouie.

Ce fut l'infirmière qui lui apportait son petit déjeuner qui la trouva, le lendemain matin, à l'endroit même où elle s'était évanouie. Le sang n'avait pas coulé longtemps mais avait tout de même formé sur le plancher une marre assez importante.

Patricia fut immédiatement transportée à l'infirmerie où on dut lui faire quelques points de suture avant de la panser. Elle passa toute la journée dans une demi-torpeur, n'ayant ni la force ni l'envie de quitter son lit. En proie à des hallucinations, elle rêvassait, s'absorbait, comme la veille avec le lustre, dans la contemplation de différents objets d'une grande banalité.

Mais un peu après le souper, qu'elle prit dans sa chambre et au cours duquel elle ne mangea pour ainsi dire pas, sa lucidité lui revint. Elle alla se voir dans la glace des toilettes et fut étonnée de voir son pansement. Elle le retira délicatement pour découvrir une blessure très mince, sans grande importance. Au moment où elle y touchait, par curiosité, deux choses lui revinrent en mémoire: les comprimés que Miss Harper l'avait forcée à prendre, et puis le bonheur béat, l'oubli du passé et de son internement. Un frisson de frayeur la parcourut.

Elle se rappela que sa voisine, Andréa Blackwell, lui avait parlé d'une manière de s'évader de la clinique. Il lui fallait absolument la voir au plus tôt. Cette femme représentait sans doute sa dernière chance. Mais quelle heure pouvait-il être? Combien de temps avait-elle dormi ou rêvé? Elle consulta sa montre. Près de huit heures. Elle alla immédiatement retrouver madame Blackwell. Elle n'avait plus de temps à perdre. Si elle attendait, elle risquait de sombrer dans l'inconscience et la folie.

29

Les vingt-quatre danseurs professionnels que l'agence Liberex dépêchait tous les mercredis soirs à la clinique Williamson venaient d'entrer par la porte principale, et, le soulier bien lustré, ils faisaient résonner le marbre de leur pas athlétique. Très stylés, de physique et d'âge différents — entre vingt et quarante-cinq ans — pour plaire à tous les goûts, ils portaient le smoking, d'une manière d'ailleurs théâtrale, alternant, en deux rangs parfaits, le blanc et le noir. Ils s'immobilisèrent devant la grande porte double de la salle de bal où une trentaine de pensionnaires les attendaient impatiemment, écoutant les derniers conseils du professeur de danse, un Espagnol d'une trentaine d'années, aux muscles d'acier et au regard de braise.

Devant un auditoire médusé par son magnétisme physique exceptionnel, il achevait la démonstration d'un nouveau pas de tango avec sa pensionnaire préférée, Mlle Chase. Un sentiment très puissant paraissait les unir, même si leur amour était impossible.

Le professeur s'immobilisa alors, abandonnant avec regret la main si fine, si douce de la jeune Mademoiselle Chase, et claqua des doigts en direction des deux infirmiers qui semblaient monter la garde aux portes de la salle.

Ils ouvrirent avec diligence les portes et laissèrent entrer les danseurs qui défilèrent, en rangs, conscients de leur effet. Il y eut un murmure d'émoi dans la salle. Il faut dire que ces hommes n'étaient pas exclusivement des danseurs, car moyennant de légers suppléments, ils offraient d'autres services plus personnalisés aux pensionnaires qui en faisaient la demande expresse. Les plus charmants faisaient d'ailleurs une petite fortune sur le dos — ou toute autre partie du corps — de ces millionnaires esseulées. Des clins d'oeil s'échangèrent entre pensionnaires et danseurs. On lorgna les nouveaux venus, la «viande fraîche» car l'agence Liberex se faisait un devoir de fournir chaque semaine au moins quatre ou cinq nouvelles figures — ou nouveaux corps!

A ce moment, Patricia entra dans la chambre d'Andréa Blackwell, résolue plus que jamais à trouver une manière de s'évader de la clinique. Andréa se leva pour l'accueillir, surprise de la trouver en peignoir à cette heure de la journée.

— Tu n'es pas habillée pour le cours de danse?

— Le cours de danse?

— Oui, tous les mercredis, c'est vraiment amusant. Il ne faut pas rater ça...

— Je n'ai vraiment pas envie de danser ce soir. Je...

Andréa la regarda avec méfiance, comme si ce refus cachait quelque chose de grave, un complot, une haine secrète à son endroit. En d'autres mots, elle avait l'air de prendre ce refus personnellement. Son visage s'allongea, elle tira une bouffée méditative de sa cigarette, en exhala lentement la fumée tout en considérant Patricia:

— Quel est le problème?

— Je sais que ce que vous avez dit est vrai, expliqua Patricia. Le docteur Waterman est un malade. Il a voulu me violer. Et il m'a dit qu'il ne me laisserait jamais sortir d'ici.

— Je te l'avais dit. Je suis contente que tu voies que j'avais raison. Personne ne me croit ici. On me prend pour une folle. Mais la vérité va éclater bientôt. Et je ne me laisserai pas prendre comme Icare. J'enduirai mes ailes d'une cire qui ne fond pas, et quand je m'approcherai du soleil, je ne tomberai pas. Alors je pourrai rapporter la vérité. Ceux qui doivent payer paieront. Il n'y aura pas de pitié.

Voilà qu'elle repartait dans une de ses divagations, ce qui ne manqua pas d'inquiéter Patricia. Il y avait pourtant une part de vérité dans ses propos. Mais comment départager le bon grain de l'ivraie?

— Il faut absolument que tu viennes au cours de danse, reprit madame Blackwell. Je vais te dire comment t'évader...

— Vous ne pouvez pas me le dire tout de suite?

— Non, c'est impossible. Je dois me préparer maintenant. Laisse-moi seule, s'il te plaît.

— D'accord, dit Patricia, qui préféra ne pas insister car sa voisine était trop imprévisible, trop changeante.

De retour dans sa chambre, Patricia soupesa le pour et le contre, se demandant si elle devait aller à ce cours de danse qui ne lui disait vraiment rien. Mais elle trancha enfin. S'il y avait la moindre chance que madame Blackwell pût l'aider à s'évader en lui fournissant une information, il fallait qu'elle la prenne. Elle se prépara donc et une demi-heure plus tard, toujours escortée de l'incontournable Lumino, elle se présenta à la salle de bal.

Lorsqu'elle fit son entrée, un slow finissait de jouer. Tous les danseurs étaient évidemment en service, et il restait une dizaine de pensionnaires, assises à des petites tables, autour de la piste, qui sirotaient des consommations en attendant leur tour.

Patricia éprouva tout de suite l'envie de retourner à sa chambre d'autant que sa toilette n'était pas à la hauteur des robes de gala des autres pensionnaires. Elle avait simplement passé un chemisier de satin ivoire et un très sobre pantalon noir qui soulignait admirablement la finesse de sa taille. Mais il n'y avait pas que cela. Encore sous l'effet des médicaments, elle n'était pas dans son assiette. Sans avoir de véritables étourdissements, comme la veille, elle ne se sentait pas aussi lucide, aussi forte que d'habitude.

Mais elle se rappela qu'il lui fallait absolument voir Andréa Blackwell, qui lui révélerait peut-être enfin la manière de s'évader de la clinique. Aussi, malgré ses réticences, elle s'avança dans la salle de bal. La présence de tous ces hommes en smoking lui parut curieuse. Elle avait toujours pensé — c'est en tout cas ce qu'on lui avait dit — que les hommes n'étaient pas admis à la clinique, sauf bien entendu en ce qui concernait le personnel traitant et les visiteurs. Mais ces danseurs élégants et stylés, que faisaient-ils là? Et pourquoi se montraient-ils si complaisants avec des femmes qui avaient souvent le double de leur âge?

Elle soupçonna la vérité, c'est-à-dire qu'il s'agissait de ce qu'on appelle des «escortes» professionnelles. Ce divertissement hebdomadaire n'était sans doute que le paravent, le prétexte pour fournir aux pensionnaires leur ration de romantisme et de sexualité. Bref, cette clinique à la réputation si prestigieuse était un vrai bordel de luxe!

Cette pensée lui inspira un dégoût qui ne fut cependant pas assez fort pour ébranler sa résolution de parler à sa célèbre voisine. Elle se mit à déambuler dans la salle, décrivant un cercle autour des danseurs.

Un couple la surprit pourtant, par sa tendresse et sa pureté. Il s'agissait de celui que formaient mademoiselle Chase et le maître de danse. Ils évoluaient avec une grâce, une harmonie remarquables. Le bel et ardent Espagnol ne quittait pas sa partenaire des yeux, comme s'il n'y avait qu'elle au monde! Et elle, comme elle semblait transformée, transportée par le sublime sentiment qui les unissait!

En les voyant, Patricia fut visitée par une tristesse soudaine. C'était un peu comme si, dans ce monde froid, calculateur, et préoccupé uniquement d'ambition et d'intrigue, ce couple romantique lui rappelait, comme une oasis, que le véritable amour existait encore, et que sa seule «erreur» était de ne l'avoir pas trouvé. Le spectacle de cette union si intime, si parfaite la ramenait à sa propre condition, à sa propre solitude amoureuse.

Patricia aperçut alors madame Darpel, outrageusement suspendue au cou d'un très jeune danseur d'une vingtaine d'années, qui portait déjà au poignet gauche deux magnifiques montres-bracelets Rolex, acceptées en échange de services à venir. Madame Darpel avait l'air de savoir ce qu'elle voulait. Non seulement son visage était-il proche de celui de son partenaire au point où leurs lèvres se touchaient presque, mais elle se frottait déjà le bas du ventre sur sa jambe.

Pourtant, le jeune éphèbe ne paraissait pas réagir à ses avances. A la vérité, elle n'était pas son type et il se demandait pourquoi il avait accepté de danser avec elle. Il faut dire qu'il n'avait pas le choix puisqu'un seul refus de sa part — si du moins il était rapporté — se traduirait par un renvoi automatique, la direction de l'agence étant des plus strictes à ce chapitre.

De voir que ses tentatives n'étaient pas couronnées de succès plongeait madame Darpel dans l'embarras le plus grand. Comment, ne faisait-elle donc aucun effet à ce jeune dieu? Elle décida de mettre la main à la pâte, c'est-à-dire de palper de plus près la marchandise, question de voir s'il n'y avait pas un vice de fabrication — on ne sait jamais de nos jours!

Elle décocha à son partenaire le sourire le plus allumeur possible, puis lui souffla sensuellement dans une oreille en même temps qu'elle lui pressait impudiquement les couilles. Mais comme il restait flasque, elle s'inquiéta. Lui avait-on refilé un impuissant? Ce serait le comble! Mais elle n'avait pas envie de le planter là pour en choisir un autre. Premièrement — elle ne referait plus cette erreur de donner avant d'avoir reçu! —, elle avait déjà garni son poignet de deux magnifiques montres. Et puis ce sacripant lui plaisait!

Son jeune compagnon sentit son inquiétude, comprit que la soupe était chaude et craignit de faire l'objet d'une plainte. Il s'empressa de trouver l'inspiration dans la contemplation du partenaire de madame Bloomberg, un Noir magnifique, à la musculature impressionnante, dont les fesses rebondies lui parurent irrésistibles. C'est qu'il était à voile et à vapeur: s'il acceptait d'honorer les femmes dans son travail — il les aimait quand même plus jeunes et pulpeuses — par goût il se consacrait exclusivement aux hommes. Son astuce réussit, et un magnifique sourire de triomphe éclaira le visage de madame Darpel tandis que sa main affolée trouvait enfin la preuve de ses charmes.

Involontairement témoin de cette scène, Patricia réagit violemment. D'un seul coup, elle se retrouva transportée au bal de financement de la Blackwell Corporation, au début de son mariage, et elle revit son mari danser avec madame Darpel, avec qui il avait eu — du moins au dire de la principale intéressée — une liaison torride.

Par association, elle pensa aussi à Julie Landstrom, qu'elle avait cru son amie, et qui non seulement se disputait elle aussi les faveurs de son mari mais était sa favorite, en fait probablement la seule femme qu'il aimait vraiment. Elle éprouva tout à coup l'envie de vomir, comme lorsqu'elle avait découvert la trahison de son Richard.

Maintenant, elle n'avait cure de retrouver Andréa Blackwell pour voir ce qu'elle avait à lui dire concernant une évasion possible de la Clinique. Elle ne souhaitait plus que retrouver la solitude de sa chambre pour oublier toute l'horreur de sa vie.

Elle se dirigea vers la porte, marchant d'un pas rapide, mais au moment de sortir, elle entra en collision avec quelqu'un qui entrait.

— Désolée, s'empressa-t-elle de s'excuser.

— Ce n'est rien, dit l'homme.

Patricia reconnut alors avec surprise son interlocuteur. Ce bel homme aux yeux verts et aux cheveux noirs bouclés n'était nul autre que le docteur Jonathan Lake, qui avait été le partenaire de golf de Waterman lors d'un match disputé avec Blackwell et Richard Stone. Ils s'étaient connus à l'université, et avaient vécu un amour à contre-temps — n'étant jamais libres en même temps — avant de se perdre de vue pendant des années. Mais l'amour est un labyrinthe, et on le croit souvent éteint, alors qu'un tournant le cache simplement de notre vue. En tout cas, il y eut un moment trouble, et c'est avec une émotion visible que le jeune docteur Lake demanda:

— Patricia?

— Jonathan?

Elle inclina timidement la tête, toute gênée qu'elle était de retrouver cet amour de jeunesse dans une clinique psychiatrique où elle était de toute évidence patiente, et lui psychiatre, du moins si elle en jugeait par son sarrau, ce qui était tout à fait plausible puisqu'elle se rappelait qu'il étudiait en médecine au moment de leur rencontre.

Il rougit, pas pour les mêmes raisons, mais parce qu'il avait craint un moment qu'elle ne le reconnaîtrait pas. N'était-ce pas un signe qu'elle l'avait aimé, ce dont il n'avait jamais été certain puisque, dans leur pudeur de jeunes gens, tout entre eux en était resté aux échanges de regards, de mots voilés. Ils hésitèrent, puis se lancèrent tous deux en même temps.

— Tu n'as pas changé!

Ils éclatèrent de rire car ils venaient de dire exactement la même chose en même temps. Ils restèrent un instant à sourire nerveusement, timides, comme s'ils avaient eu la même pensée: cette coïncidence était un signe.

— Je ne savais pas que tu travaillais ici, dit le docteur Lake qui, pas un instant n'avait pensé qu'elle pût se trouver à la clinique Williamson à titre de patiente.

De garde ce soir-là, c'était la première fois qu'il assistait à la leçon de danse, car certaines de ses patientes lui en avaient parlé avec enthousiasme, ce qui avait piqué sa curiosité.

— Je ne travaille pas ici, expliqua Patricia avec embarras. Disons que... je suis venu me reposer quelques jours.

— Ah bon, je vois.

Il comprit qu'elle préférait ne pas en dire davantage et respecta sa pudeur.

— Et toi? demanda Patricia.

— Je travaille ici depuis deux mois.

Il ne savait plus trop que dire. Quel curieux concours de circonstances! Jamais Jonathan n'aurait cru la revoir là... D'ailleurs, il était persuadé de l'avoir perdue de vue à tout jamais, même s'il n'avait jamais vraiment cessé de penser à elle. Il dit, pour tromper son embarras:

— C'est bien, comme clinique.

— Euh, oui, dit Patricia, pas trop convaincue.

Elle se ressaisissait. Elle venait tout à coup de voir un allié possible en cet ami d'université. Elle pourrait se confier à lui, tout lui raconter. Il l'aiderait sûrement. Elle gardait de lui le souvenir d'un homme sensible et raisonnable. Sans doute prêterait-il une oreille sympathique à son récit, et, contrairement à sa mère ou au docteur Waterman, il ne la considérerait pas comme une folle.

Elle allait solliciter une entrevue en privé, lorsque madame Tate se jeta littéralement sur Jonathan, abandonnant au beau milieu de la piste son danseur, qui, loin d'être outré de sa muflerie, poussa plutôt un soupir de soulagement.

Madame Tate s'était entichée du docteur Lake qui jouissait d'ailleurs déjà d'une popularité considérable à la clinique non seulement parce que c'était un visage nouveau — la nouveauté ayant toujours un charme en soi — mais parce qu'il était beau, sympathique et hétéro ce qui n'était pas monnaie courante parmi le personnel.

Juste avant la leçon de danse, elle avait reçu un appel troublant d'une de ses belles-soeurs: elle avait récupéré un mari infidèle simplement en s'habillant dix ans plus jeune que son âge. Madame Tate avait immédiatement chamboulé sa tenue vestimentaire, plutôt classique, pour une mini-jupe de cuir noire, un pull blanc moulant et des souliers à talon aiguille très hauts. Un sourire permanent ornait ses lèvres, habituellement tordues de tristesse, car elle était convaincue d'avoir rajeuni et d'exsuder un charme irrésistible. En la voyant, le docteur Lake dut faire à appel à tout son sérieux pour ne pas éclater de rire.

— Ah! Vous êtes venu, docteur Lake! dit-elle, extatique, comme s'il avait tenu une promesse.

Au cours de la séance de la veille, il lui avait en effet dit qu'il passerait peut-être à la leçon de danse.

— Oui, dit-il, en haussant les épaules, parce que c'était évident qu'il était venu.

Il fit un clin d'oeil complice à Patricia, l'air de dire qu'il n'y était vraiment pour rien dans la fascination qu'il exerçait sur cette patiente.

— Est-ce qu'on danse ensemble, docteur? demanda madame Tate en prononçant le mot «docteur» avec une volupté particulière, comme une mère parle de son fils nouvellement reçu par l'ordre des médecins.

— J'aimerais beaucoup pouvoir accepter votre invitation, madame Tate, mais malheureusement, c'est contre les règlements.

Pour la première fois de la soirée, elle perdit son sourire. Elle était immensément déçue, car elle avait nourri la certitude que son accoutrement achèverait de vaincre les hésitations qu'elle prêtait au jeune médecin.

— Ah, je comprends. Je... Alors on se voit demain à votre bureau.

— C'est ça, dit-il. Je vous souhaite de passer une excellente soirée.

D'un pas sautillant de fillette, le coeur gonflé d'un espoir nouveau — elle ne laissait donc pas son médecin indifférent malgré leur écart d'âge et le fait qu'il était un vrai dieu! —, madame Tate retourna vers la piste de danse. Mais elle n'avait pas l'habitude de marcher avec des talons de cette hauteur si bien que, dans son enthousiasme, elle fit un faux pas et trébucha. Elle rétablit son soulier et se tourna vers Jonathan pour vérifier s'il avait été témoin de ce petit incident disgracieux. C'était malheureusement le cas. Elle sourit, embarrassée. Il lui rendit son sourire et, en même temps qu'il lui décochait un clin d'oeil, leva le pouce pour lui signifier que, malgré sa gaucherie, elle était vraiment formidable. Elle en fut littéralement transportée. Il l'aimait, même avec ses défauts, ses travers, sa maladresse!

Dès qu'elle eut disparu parmi les danseurs, Jonathan échangea un sourire de complicité avec Patricia qui découvrait un côté de lui qu'elle ne connaissait pas, qu'elle ne soupçonnait même pas car il avait toujours été d'une grande timidité. Il avait de l'humour, il était *cool*, et sans doute moins conformiste que la plupart des psychiatres: il serait plus susceptible de prêter foi à ce qu'elle lui dirait.

— J'aimerais qu'on se voie seul à seul...dit Patricia. Est-ce que c'est possible? C'est très important.

Jonathan allait répondre lorsqu'une infirmière arriva, en proie à une grande agitation. Visiblement heureuse de trouver Jonathan, elle demanda:

— Docteur, pouvez-vous venir?

Comme Patricia était aux côtés du docteur Lake, l'infirmière n'avait pas voulu en dire davantage. Contrarié de devoir écourter sa conversation avec Patricia, le jeune médecin prit la précaution de s'assurer:

— C'est grave?

L'infirmière hésita, regarda Patricia, puis vu la gravité et l'urgence de la situation, elle passa outre à la consigne de silence, et précisa:

— C'est madame Kramer. Elle est...

Mais elle n'acheva pas sa phrase.

— Vous allez m'excuser, dit le docteur Lake qui cette fois-ci vouvoya Patricia pour ne pas que l'infirmière devine leur amitié. On se verra probablement au cours des prochains jours.

Et il suivit l'infirmière. Les paroles de cette dernière avaient provoqué une réaction immédiate dans l'esprit de Patricia. Elle venait de se rappeler que, la veille, madame Kramer, toute à la joie d'avoir obtenu son congé, s'était jetée dans ses bras. Comment pouvait-il lui être arrivé quelque chose? Et surtout pourquoi se trouvait-elle encore à la clinique à cette heure tardive alors qu'elle devait sortir le jour même? Sans trop qu'elle sache pourquoi, peut-être à cause de son imagination de romancière, ces deux événements produisaient dans son esprit une sorte de paradoxe. Quelque chose clochait, elle en avait la certitude.

Elle quitta en hâte la salle de bal, et toujours chaperonnée par Lumino qui avait patiemment monté la garde à la porte, elle se dirigea vers la chambre de madame Kramer.

30

Lorsque Patricia arriva, le docteur Lake, accompagnée de l'infirmière qui était venu le chercher, était agenouillé à côté du cadavre de madame Kramer et l'examinait, l'air grave. Psychiatre, il était peu habitué à la mort, qui lui inspirait un respect mêlé de crainte. Comme si elle avait été punie par où elle avait péché, madame Kramer était affalée directement sous la machine distributrice de coca diet dont son mari lui avait fait cadeau. Le bec verseur, curieusement bloqué, déversait sur elle un sombre filet de coca, qui avait formé une grande mare pétillante autour de sa tête.

Autant ses mains que son visage étaient bleus, ce que le jeune médecin interpréta comme les signes d'une crise cardiaque, thèse d'autant plus vraisemblable que madame Kramer avait déjà subi, au cours des dernières années, deux infarctus, dont l'un avait failli l'emporter.

Le docteur remarqua alors que, dans sa main droite mal refermée, la morte tenait une boulette de papier. Il éprouva une certaine difficulté à la dégager sans l'abîmer car la rigidité cadavérique avait déjà fait son oeuvre. Une fois qu'il l'eut dégagée, il la déplia délicatement et en prit tout de suite connaissance:

«Je ne peux plus vivre. L'amour n'existe pas, même dans les Harlequins.» Et c'était tout simplement signé: «Lynn», ce qui était le prénom de madame Kramer.

Ce fut une surprise pour le docteur Lake. De toute évidence, il tenait entre ses mains la lettre d'adieu d'une suicidée. Ce ne serait sûrement pas bien accueilli par la direction. Et puis, pour lui, c'était un échec. Madame Kramer était en effet une de ses patientes, depuis trois semaines, et peut-être avait-il signé trop rapidement son congé, sans d'ailleurs prendre la peine de consulter le docteur Waterman, ce qui serait peut-être vu comme une faute encore plus grave.

Certes il était parfaitement autorisé à le faire, mais en consultant le directeur de la clinique, il se serait couvert, et en plus il lui aurait pour ainsi dire signifié son allégeance, son respect. Pourtant, au moment de prendre sa décision, il ne faisait aucun doute dans son esprit que sa patiente était complètement guérie.

Mais parfois — le cas était fréquent — des malades réagissaient fort mal à un congé qu'ils réclamaient pourtant depuis longtemps. Car reprendre la vie normale, avec ses contrariétés, ses difficultés, ses angoisses et ses dilemmes, c'était accepter de quitter cet univers un peu artificiel où tout était facile, du moins en apparence. Cette perspective avait peut-être paru insoutenable à madame Kramer et elle avait préféré fuir dans la mort.

Comment annoncerait-il la chose au docteur Waterman et aux parents de la patiente? Après l'affaire Turner, ce nouveau suicide tombait mal, c'est le moins qu'on pût dire.

Mais, au fait, comment s'était-elle suicidée? Comment avait-elle provoqué la crise cardiaque fatale? Le docteur Lake se pencha vers la bouche encore entrouverte de madame Kramer, et, non sans une certaine hésitation, l'ouvrit davantage pour l'examiner.

Il ne nota rien de particulier, aucune substance toxique apparente, si ce n'est que la langue était brune, ce qui était sans doute attribuable aux excès de cette véritable «droguée» du coca diet. Mais il releva une forte odeur d'alcool. Oui, peut-être était-ce là l'explication. Elle avait pris un bon coup pour fêter son congé, et l'alcool, fort pernicieux pour son coeur malade, et qui lui avait été d'ailleurs interdit, avait provoqué la défaillance, comme le révélerait probablement l'autopsie.

— Que devons-nous faire, docteur? demanda l'infirmière, qui se tenait à ses côtés sans bouger, regardant le cadavre avec un certain dégoût.

— Premièrement, rester calmes. Appeler la morgue au sous-sol. Je veux la plus grande discrétion.

— D'accord, docteur.

Et l'infirmière se retira. Lorsqu'elle vit Patricia, qui avait assisté à la scène sur le pas de la porte, et regardait avec stupéfaction le cadavre de son énorme voisine, elle lui dit:

— Ne restez pas ici. Rentrez dans votre chambre.

L'infirmière aperçut alors Lumino, qui se tenait en retrait, et lui intima:

— Raccompagnez-la tout de suite à sa chambre. Elle n'est pas censée être ici.

— D'accord, dit-il.

Jonathan s'était tourné et aperçut Patricia. Que pouvait-elle bien faire là? Pourquoi l'avait-elle suivi?

— Je dois vous parler, docteur Lake, s'empressa de dire Patricia.

— Je crois que ce n'est pas le moment...

— C'est très important, ajouta-t-elle.

— Laissez-nous, dit le docteur à l'infirmière.

L'infirmière obéit et partit aviser la morgue. D'un pas nerveux, Patricia s'avança, vit le cadavre de plus près et, comme c'était la première fois qu'elle côtoyait la mort, elle eut un mouvement de recul. La vraie vie, ce n'était pas comme dans les films ou les romans! Il y avait quelque chose d'impressionnant, de grave dans la mort.

— Tu vas peut-être trouver ce que je te dis étrange, dit-elle, le tutoyant à nouveau, mais je suis sûr qu'il s'agit d'un meurtre.

L'étonnement le plus profond se peignit sur le visage du docteur Lake.

— Un meurtre? Qu'est-ce qui te fait dire ça?

— Hier, madame Kramer m'a sauté dans les bras, elle était folle de joie de partir.

— Désolé de te décevoir mais...lis plutôt ceci.

Il lui tendit la lettre d'adieu de madame Kramer, qu'elle lut en un clin d'oeil. Patricia était démontée, mais aussi impressionnée, troublée. Elle venait de lire les derniers mots écrits par un être humain avant de mettre fin à sa vie, de passer dans cette mystérieuse dimension qu'est la mort. Cela conférait à ces mots une noblesse, une beauté tragique. « L'amour n'existe pas, même dans les Harlequins»

Comme devait être grand le désespoir de madame Kramer pour en arriver à ne plus croire à ces petits romans à l'eau de rose dont elle faisait une consommation effrénée! A la vérité, les derniers mots de madame Kramer «parlaient» à Patricia de manière étrange et trouvaient écho en elle.

Car n'était-ce pas ce qu'elle avait commencé elle-même à penser? Que l'amour — le vrai ou celui des Harlequins: y avait-il une différence au fond? — n'était qu'un rêve, inlassablement pourchassé par les êtres et qui constamment leur échappait, pour la simple et bonne raison qu'il n'existait pas. Tout ce qu'on racontait sur le sentiment amoureux n'était-il pas qu'illusion: un vaste mensonge véhiculé par l'éducation, le cinéma, la littérature et la publicité?

Elle parvint cependant à surmonter son ébranlement, et, remettant la lettre au médecin, elle revint à la charge.

— On l'a peut-être forcée à écrire cette lettre.

— Il faudrait quelqu'un de bien futé pour penser à parler des romans Harlequin dans la lettre. Non, il y a des mots qui ne mentent pas. Je l'avais comme patiente, je la suivais depuis des semaines. Cette lettre est vraiment d'elle, et je ne crois pas qu'elle ait été écrite sous la menace.

Il marqua une pause puis reprit:

— D'ailleurs, même si elle a écrit une lettre qui ressemble à une lettre d'adieu, je ne crois pas qu'elle se soit suicidée. Elle en a peut-être eu l'intention, mais elle n'a pas eu le temps de passer aux actes... Bien sûr il va falloir attendre les résultats de l'autopsie avant d'en arriver à une conclusion définitive, mais je crois tout simplement qu'elle a succombé à une banale crise cardiaque.

— Une crise cardiaque?

— Oui, elle a déjà fait deux infarctus. Le dernier s'explique très simplement. Elle avait pris énormément de poids, ces derniers temps. Elle était boulimique. Je l'ai prévenu à maintes reprises de modérer. Mais les pensionnaires ont un statut un peu spécial ici. Au prix qu'elles paient, elle se sentent comme à l'hôtel.

En disant ces mots, il vint à l'esprit de Jonathan que Patricia devait sûrement être très fortunée pour pouvoir s'offrir un séjour à l'Institut Williamson. Elle ou son mari... Mais oui, bien entendu, il aurait dû y penser avant! Patricia était probablement mariée à un homme riche car ses activités littéraires ne lui avait pas assuré la fortune: en tout cas, il n'avait jamais vu un seul de ses livres en librairie, et, à moins qu'elle n'écrivît sous un nom de plume ce dont il doutait...

Cette pensée l'assombrit. Il voyait du même coup ses chances auprès d'elle s'amenuiser. Décidément, ce n'était pas sa soirée! A la mort de sa patiente, dont il se sentait en partie responsable, s'ajoutait cette déception nouvelle.

Mais il s'efforça de ne pas dramatiser. Il trouverait bien une manière de sauver la face. Il s'agissait fort probablement d'une mort naturelle: ce qui était tout de même difficile de lui reprocher.

En apprenant que madame Kramer avait déjà subi deux crises cardiaques, Patricia ne sut plus quoi dire. Ne venait-elle pas de passer pour une paranoïaque aux yeux du docteur Lake avec ses suppositions? Mais une petite voix en elle lui disait qu'il y avait quelque chose de pas vraiment normal dans cette mort, malgré les explications si rationnelles du docteur. Elle tenta alors:

— Je continue de penser que c'est un meurtre qu'on a voulu déguiser en suicide...

Il la trouvait très sympathique — mieux, il lui vouait un sentiment très vif —, mais là, franchement, elle commençait à l'agacer. C'était hautement fantaisiste, et cela pouvait ternir la réputation de la clinique, qui lui tenait déjà à coeur car il était avant tout un homme de devoir et il se sentait une dette d'honneur à l'endroit de Waterman qui l'avait embauché sous le coup d'une sympathie évidente, écartant en sa faveur nombre de candidats prestigieux.

Un meurtre! Non mais, elle n'y pensait pas, franchement! Un suicide, à la limite, passe encore — bien que ce fût plus accablant pour le médecin traitant — mais un meurtre... Pourquoi s'acharnait-elle à soutenir cette supposition ridicule? Se prenait-elle pour Miss Marple, le célèbre personnage d'Agatha Christie? Son imagination de romancière prenait-elle le dessus? Ne faisait-elle donc pas la différence entre réalité et fiction?

212

Le visage du docteur Lake s'était durci un moment, mais il préféra recourir à l'humour plutôt que de lui exprimer sa contrariété et risquer de la froisser, et peut-être pire encore de l'éloigner à tout jamais:

— Tu ne serais pas en train d'écrire un roman policier, par hasard?

Elle sourit, embarrassée. Elle se demandait comment il pouvait bien connaître ses activités de romancière, oubliant qu'elle lui avait confié ses ambitions au cours de la seule véritable conversation qu'ils avaient eue.

— Tu savais que j'écrivais?

— Oui, un jour, à l'université, tu m'en as parlé...

Il paraissait tout à coup plongé dans le passé, malgré la gravité de la situation, malgré la présence, assez peu romantique, du cadavre.

— Tu écris toujours? ajouta-t-il.

— Oui.

— As-tu publié?

Il se trouva ridicule d'avoir enchaîné avec cette question, comme s'ils se trouvaient dans un salon mais il n'avait pu résister.

— Non.

Mais elle changea de sujet — même si c'était un de ceux qui lui tenaient le plus à coeur en temps normal. Mais la situation n'était justement pas normale! Elle revint à la charge:

— Je ne veux pas avoir l'air d'insister, mais je suis sûre qu'il y a quelque chose de louche dans cette mort. Madame Blackwell, ma voisine de chambre, m'a expliqué comment les choses se passaient ici.

— Madame Blackwell? La femme de William Blackwell?

— Oui, elle est internée ici depuis cinq ans.

— Je sais.

— Elle m'a expliqué que les hommes riches envoyaient leur femme vivre ici indéfiniment pour éviter les frais de divorce qui sont exorbitants en Californie.

«C'est de la vraie science-fiction!», pensa le docteur Lake. Décidément, son ancienne camarade d'université était peut-être plus dérangée qu'il ne le croyait! Ou en tout cas, elle était bien influençable ou naïve pour avaler des couleuvres semblables. Il lui faudrait consulter discrètement son dossier, un droit dont pouvaient se prévaloir tous les médecins même si une pensionnaire n'était pas leur patiente.

— C'est plutôt fantaisiste comme histoire, dit le docteur Lake qui ne savait vraiment pas comment prendre la chose. En tout cas c'est bien la première fois que j'entends parler d'une chose pareille. Je suis évidemment tenu au secret professionnel mais je peux affirmer hors de tout doute que depuis les quelques semaines que je suis ici, toutes les patientes qu'il m'a été donné d'examiner souffraient de véritables maux. Je comprends sans peine que leur mari ou leur famille préfère qu'elles restent hospitalisées. Plusieurs présentent des désordres très sérieux et certaines sont même carrément dangereuses. Je ne peux pas citer de nom mais...

Il hésita, et comme il se sentait une sorte de complicité avec Patricia et qu'il ne la considérait pas comme une vraie patiente, il ajouta, en baissant la voix, sur le ton de la confidence:

— Je ne peux pas te donner de détails trop précis sur madame Blackwell. Mais je peux te dire que je connais très bien son dossier parce que c'est moi qui m'en occuperai à partir de la semaine prochaine, son médecin actuel étant... Disons qu'il est un peu découragé de la lenteur de ses progrès. Mais à la lumière de l'étude préliminaire de son dossier, je peux te dire que tu ne devrais croire à rien de ce que dit madame Blackwell. Je pense qu'elle prend...

Il marqua une pause, car ce qu'il allait dire était un peu désobligeant et pouvait même comporter un risque, vu la célébrité de la patiente et la puissance de son époux. Mais il se résolut enfin à compléter sa pensée:

— Je pense qu'elle prend son pied en racontant des histoires aux gens...Ca lui donne de l'importance sans doute... Enfin... Disons que...

Il s'interrompit à nouveau avant de dire:

— C'est une personne très malade.

«Une personne très malade!» C'était exactement les mêmes termes que Waterman avait utilisés avec Patricia! Elle les entendait encore résonner à ses oreilles comme si elle venait juste de quitter son bureau. Cette similitude parfaite d'expression troubla Patricia. Le docteur Lake ne faisait-il pas partie du même clan que le sombre directeur de l'hôpital? N'était-il pas complice de la terrible machination dont lui avait parlé madame Blackwell? S'était-il lui aussi laissé corrompre par l'avidité, faisant fi de tout principe humain, de toute moralité?

Mais non, cela n'avait aucun sens! Pas Jonathan! Il avait l'air si pur, si romantique, si idéaliste!

— Il n'y a pas que madame Blackwell, reprit Patricia. Le docteur Waterman lui-même, qui me...

Elle allait dire «qui me soigne» mais comme elle ne se considérait pas malade mais seulement en convalescence, elle se reprit pour dire, en une expression plus neutre qui ne la compromettait pas:

— C'est lui qui me voit. Il m'a menacée. Il m'a dit qu'il pouvait me garder ici indéfiniment. Même si je n'étais pas malade. Et que je ne pouvais rien faire.

Jonathan haussa les sourcils. Patricia avait le don de le renverser. Même s'il n'aimait pas l'admettre, elle était probablement très malade. Comment osait-elle mettre en question l'intégrité du directeur de l'hôpital, un grand spécialiste de la psychiatrie dont la feuille de route était parfaite et dont la renommée s'étendait à travers le monde?

— Franchement, Patricia, je ne sais pas quoi te dire. Je ne sais pas si tu te rends compte de...de la portée de tes accusations mais...

Elle le coupa, pour lui prouver qu'elle avait raison et ne divaguait pas:

— Il a même tenté d'abuser de moi sexuellement dans son bureau. Il a déchiré mon chemisier et a voulu me toucher...

Le docteur Lake était maintenant carrément ahuri, mais il n'eut pas le temps de répliquer à cette nouvelle accusation car sur les entrefaites les deux infirmiers dépêchés pour venir cueillir le cadavre arrivèrent. Le docteur Lake murmura à Patricia qu'il était mieux qu'elle parte maintenant, que sa place n'était certainement pas dans cette chambre et que sa présence allait finir par lui causer des ennuis, puisque tout se savait dans cette clinique. Elle n'insista pas et partit, frustrée de n'avoir pu poursuivre cette conversation, mais se promettant de la reprendre dès qu'elle en aurait l'occasion.

31

Ce soir-là, une fois qu'elle eut absorbé les deux comprimés de Trizophène 2000 — elle avait tenté de protester mais Miss Harper avait brandi, comme la veille, la menace d'une injection intraveineuse — Patricia se plongea dans une longue méditation. La conversation qu'elle venait d'avoir avec le jeune docteur Lake — un homme au-dessus de tout soupçon dont l'amitié la mettait en confiance —, lui avait enlevé une bonne part de ses inquiétudes. Au fond, Jonathan avait peut-être raison. Madame Blackwell n'était qu'une personne très malade et ses élucubrations n'étaient pas dignes de foi. Waterman lui avait pourtant déchiré son corsage! Mais après tout, c'était peut-être tout simplement parce qu'il la trouvait extrêmement séduisante, qu'il la désirait et qu'il se comportait en mufle avec toutes les femmes qu'il voulait conduire dans son lit, comme il l'avait d'ailleurs fait au bal en lui proposant une dégoûtante *golden shower* ...

Elle en vint même à se dire que Waterman n'était peut-être pas un homme si mauvais. Sans doute était-il tout simplement un timide, et le sentiment — réel — qu'il entretenait à son endroit le poussait à dire des choses, à faire des gestes contraires qu'il aurait désavoués s'il n'avait été si épris. La puissante médication faisant effet, elle s'assoupissait peu à peu et sa révolte fondait comme celle d'une adolescente qui aurait vieilli de vingt ans d'un seul coup et s'apercevrait que ses parents étaient au fond des êtres bienveillants et non pas les monstres qu'elle avait cru.

Elle pensa alors — son esprit, d'une grande mobilité, sautait d'une idée à l'autre — qu'elle avait oublié de se démaquiller avant de se mettre au lit. Elle voulut prendre le miroir circulaire sur pied, qui se trouvait sur sa table de chevet à droite du lit, mais les forces lui firent défaut. Elle se sentit étourdie et elle se laissa tomber sur le lit. Pourquoi avait-elle voulu utiliser le miroir au lieu de se rendre à la toilette où elle se démaquillait tous les soirs? Mystère des nouvelles associations d'idées que son esprit affecté engendrait. Elle se demanda alors pourquoi elle avait tendu le bras. Elle ne se souvenait déjà plus qu'elle voulait prendre son miroir pour se démaquiller.

Elle repensa à nouveau au docteur Waterman. Elle se revoyait avec une netteté hallucinante dans son bureau. Et elle se posait de nouvelles questions. Avait-il vraiment déchiré son corsage volontairement? N'était-ce pas elle qui en voulant le repousser avait accroché le haut de sa robe? Soudain l'image du directeur de la clinique lui apparut, dans la pénombre de la chambre. Il lui semblait vraiment réel. Il se tenait au pied de son lit et la regardait avec un sourire inquiétant.

— Bonsoir. Vous êtes très belle.

Elle eut un mouvement de recul et ferma les yeux. Mais elle continua de voir Waterman. Il la regardait avec la même expression, et lui répétait:

— Vous êtes très belle.

Il ajouta cependant, menaçant:

— Ce soir, je vais vous faire l'amour.

Patricia rouvrit les yeux. Waterman avait disparu. Elle entendit pourtant des bruits étouffés de pas dans la chambre. Elle tourna lentement la tête vers la fenêtre, d'où semblaient provenir les pas, et aperçut le docteur qui, perché sur une chaise, dans le coin de la chambre, paraissait vérifier quelque chose au plafond. Il revint bientôt vers elle. Elle abaissa à nouveau les paupières mais elle continuait à le voir. Elle en conclut qu'elle hallucinait probablement à cause de ces foutus médicaments qu'on lui administrait contre son gré.

Lorsqu'elle rouvrit les yeux, Waterman était penché sur elle et portait la main vers sa poitrine qu'il caressa en poussant un gémissement voluptueux. Rêvait-elle encore? Elle avait bien senti pourtant la pression des mains de Waterman sur ses seins. Elle se demanda, affolée, ce qu'il faisait dans sa chambre à cette heure. Etait-il venu la violer? Elle tenta de lever le bras pour le repousser, mais elle en fut incapable. On aurait dit qu'elle était de plomb ou que ses muscles avaient perdu toute force.

Waterman cessa pourtant de la caresser et tira alors de la poche de son sarrau un petit objet brillant, que Patricia reconnut sans peine: un simple tube de rouge à lèvres. Qu'est-ce qu'un homme — médecin de surcroît — pouvait faire avec cela dans ces poches? Elle ne tarda pas à le découvrir. Il décapuchonna bientôt le tube, le fit tourner, et le rouge apparut lentement, luisant dans la pénombre de la chambre. Waterman s'inclina au-dessus de Patricia en lui disant:

— Maintenant, ne bougez pas. Votre médecin va vous préparer pour l'amour.

Et il entreprit de lui appliquer du rouge sur les lèvres. Elle dodelina de la tête en signe de protestation, mais cela n'arrêta pas le médecin qui paraissait d'ailleurs s'amuser de ne pouvoir faire un «travail» plus convenable. Le rouge, en effet, déborda les lèvres, touchant parfois le menton, parfois les joues. Waterman s'arrêta enfin et contempla Patricia qui était peinte comme une poupée grotesque. Eprouvant de plus en plus de difficulté à rester lucide, se demandant à nouveau si elle rêvait cet horrible épisode ou si Waterman était réellement dans sa chambre, elle émit une plainte qui ressemblait à un gémissement amoureux. Cela eut l'effet d'exciter Waterman qui s'empressa de dire, le sourire aux lèvres:

— Pas tout de suite, les cris. Attends ton orgasme, salope!

Il referma le tube de rouge et le remit dans la poche. Alors Patricia, au terme d'un effort inouï, rouvrit les yeux et constata, horrifiée, que Waterman avait entrouvert son sarrau, et que son sexe pendait, flasque, en dehors de sa braguette. «Il veut me violer!» se répéta-t-elle intérieurement, sans arriver à remuer le petit doigt.

Mais au même moment, en une sorte d'hallucination, elle vit se substituer au visage de Waterman celui de son ancien amant, Jack. Et s'amadouant tout à coup, ne se souvenant plus qu'elle avait été mariée, elle dit d'une voix douce et pâteuse:

— Jack?

Cela parut donner à Waterman une sorte de courage, et dans sa folie érotique exaltée, il retira le drap qui couvrait Patricia puis lui arracha littéralement sa robe de nuit. Elle se débattit à peine, eut même un sourire léger, car elle ne voyait plus que Jack, et était habituée à la violence de ses étreintes, dont elle avait d'ailleurs gardé longtemps un souvenir nostalgique.

Lorsqu'elle fut complètement nue, il ne put s'empêcher de la contempler un instant. Comme son corps était beau! Comme ses seins, son ventre, ses jambes et la toison de son sexe étaient d'une perfection obsédante! Ne pouvant plus contenir son désir, il se mit à lui embrasser furieusement les lèvres, abondamment peintes, puis il lui prit les mâchoires à deux mains et lui ouvrit la bouche, rétive, pour y plonger sa langue assoiffée.

Emporté par une fureur de plus en plus grande, Waterman se mit alors à pétrir puis à dévorer les seins de la jeune femme, les maculant de l'abondant rouge dont il venait de se tacher en l'embrassant. Perdant de plus en plus la tête, il les mordit bientôt et commença à fourrager le sexe de Patricia. Il y sentit une moiteur invitante et surprenante. Patricia vit alors Jack — était-ce lui ou Waterman? — s'arrêter de lui embrasser les seins et se relever, affichant une érection insupportable.

Elle le reconnaissait bien, lui qui n'était jamais pris en défaut à ce chapitre!

Elle s'étonna de le voir tirer de sa poche un prophylactique: il ne prenait jamais ce genre de précautions car il avait en horreur de faire l'amour à une enveloppe de caoutchouc, comme il le disait! Il le déballa nerveusement et tenta de le passer, mais son érection avait déjà faibli considérablement si bien que la tâche ne s'avérait pas facile. Après de longues secondes d'efforts, il dut se rendre à l'humiliante évidence: il était incapable d'enfiler ce condom. Cet échec le fit rager, et il se remit à embrasser passionnément les seins de Patricia pour retrouver son éphémère vigueur.

A son grand soulagement, il recouvra bientôt la fermeté nécessaire et enfila rapidement le condom.

De crainte d'être trahi à nouveau par les caprices de la physiologie, il s'allongea aussitôt sur Patricia qui reprit vaguement conscience et sentit tout le poids de l'homme qui s'escrimait sur elle. Elle eut un regain de force, se tourna, distingua vaguement le profil de Waterman — elle ne voyait plus Jack — et comprit ce qui lui arrivait.

Elle poussa un cri et, décrivant un grand mouvement du bras droit, elle heurta le verre d'eau posé sur la table de chevet. Il tomba bruyamment au sol et se brisa en éclats.

Effrayé, Waterman se releva, remonta sa braguette et quitta en hâte la chambre de Patricia.

Patricia se réveilla fort tard le lendemain, un peu passé onze heures. Elle était toute courbaturée comme si elle avait peiné toute la nuit. Mais elle avait surtout en tête une sorte d'obsession, le sentiment aigu qu'il s'était passé quelque chose durant la nuit sans pouvoir dire quoi au juste. Elle s'aperçut qu'elle ne portait plus sa robe de nuit, détail qui confirma son intuition. Elle était certaine de l'avoir revêtue avant de se mettre au lit.

Elle l'aperçut au pied de son lit, et, s'étant levée aussitôt, elle l'examina et se rendit compte que le col était légèrement déchiré. N'était-ce pas la preuve que quelque chose d'anormal s'était passé? Elle laissa sa robe de nuit au pied du lit, et, encore perplexe, se dirigea vers la salle de bain. Mais à peine avait-elle fait trois pas qu'elle laissa échapper un petit cri de douleur. Elle regarda à ses pieds et vit des éclats de verre. Elle se tourna vers sa table de chevet. Son verre n'était plus là. Il était vraisemblablement tombé par terre. Mais comment? Dans quelles circonstances? Elle déploya un grand effort de mémoire mais ne se rappela rien.

Elle évita attentivement les autres débris de verre et se rendit à la salle de bain, toujours nue. Elle s'examina dans la glace. Sa mine épouvantable l'étonna. Non seulement était-elle très pâle, mais sa bouche et une partie de ses joues étaient barbouillées de rouge à lèvre.

Comme c'était curieux! Mais elle se mit vraiment à avoir peur lorsqu'elle vit les traces de rouge sur ses seins. Son front se plissa d'inquiétude. Elle s'approcha de la glace pour mieux examiner sa poitrine et elle y nota alors des ecchymoses, de légères contusions, comme si elle avait été mordue.

Alors tout un pan de sa mémoire lui revint brusquement. Elle voyait maintenant Waterman qui, le visage fou de désir, se penchait sur ses seins et les couvrait de baisers passionnés. Puis elle se revit allongée à plat ventre dans son lit, s'efforçant de se défendre contre les assauts de Waterman.

Elle était atterrée. Waterman était venu la visiter nuitamment et avait tenté de la violer. Avait-il réussi? Elle porta tout de suite la main à son sexe, pour en vérifier la moiteur. Elle était sèche. Mais peut-être Waterman avait-il pris la précaution d'utiliser un condom. Il lui semblait maintenant qu'elle le revoyait, dans un souvenir imprécis, s'efforçant d'en enfiler un. Elle était dégoûtée, scandalisée, blessée au plus profond de sa féminité: même si aucune trace de sperme n'était visible — le porc avait pris ses précautions! — Waterman l'avait bel et bien violée!

32

— Avez-vous un rendez-vous, madame? demanda à Patricia la secrétaire du docteur Lake.

— Non, mais dites-lui que c'est très important.

La secrétaire eut un sourire poli et dit:

— Le docteur Lake est avec une patiente en ce moment. Mais je vais voir ce que je peux faire. Vous êtes madame...?

— Stone. Patricia Stone.

— Merci.

La secrétaire parla au docteur Lake sur la ligne interne, puis informa Patricia:

— Le docteur Lake va vous recevoir dans une minute.

Effectivement, à peine une minute plus tard, madame Tate, habillée très sexy, les yeux brillants d'admiration, sortait du bureau du jeune médecin. Lorsqu'elle aperçut Patricia, elle lui jeta un regard contrarié. Ainsi, c'était à cause d'elle que sa séance avec le beau psychiatre avait été écourtée de dix minutes! Bien sûr il lui avait promis de lui accorder une séance plus longue la fois suivante, mais elle n'en était pas moins déçue. Et dire que c'était pour une femme aussi quelconque que Patricia Stone! Si au moins elle avait été aussi jolie que sa fille bien-aimée!

Elle ne la salua même pas, et quitta les lieux, l'air hautain. Patricia comprit qu'elle avait involontairement chassé la pauvre madame Tate du bureau de Jonathan, mais ce qui lui était arrivé était bien trop grave pour qu'elle se souciât de pareils détails.

Le docteur Lake l'accueillit avec un sourire inquiet.

— Qu'est-ce qui se passe? demanda-t-il.

— Quelque chose de très grave. Hier soir, le docteur Waterman est venu dans ma chambre et il m'a violée.

Elle lui aurait annoncé qu'elle était un homme ou que lui était une femme qu'il n'aurait pas été plus étonné.

— Mais...Ca me paraît très...

— Puisque je te le dis...

— En es-tu vraiment certaine? Ce sont peut-être les médicaments que tu prends...Ils occasionnent parfois certains troubles de perception et de mémoire...

Elle eut un hésitation, mais elle surmonta bientôt sa pudeur et déboutonna son chemisier. Le docteur Lake eut un mouvement de recul en voyant ses seins nus. Que faisait-elle là? Voulait-elle le séduire? C'était si peu de son genre, elle si romantique, si pudique. La vie l'avait-elle à ce point changée? Comment savoir?

— Est-ce qu'ils peuvent aussi laisser des marques comme celles-là? demanda Patricia en regardant ses seins nus, encore couverts de rouge à lèvres et de contusions.

Le docteur Lake qui avait longtemps rêvé de voir Patricia nue, de lui faire l'amour, était ahuri. Avec une certaine timidité, il regarda de plus près les seins de la jeune femme et vit qu'ils portaient des marques qui, effectivement, pouvaient provenir d'un violeur et qui en tout cas ressemblaient à celles des victimes de viol qu'il avait eu l'occasion de traiter.

Mais comment le docteur Waterman, éminent spécialiste à la réputation impeccable et aux responsabilités considérables, avait-il pu commettre un acte aussi horrible, aussi lourd de conséquences? Il n'eut pas le temps de trouver une explication, car, contre toute attente, la porte de son bureau s'ouvrit et madame Tate, qui venait à peine de le quitter, entra, suivie de la secrétaire qui avait en vain essayer de la retenir. Elle avait oublié de dire quelque chose de très important à son cher médecin. En voyant Patricia, la poitrine découverte devant le docteur Lake, Madame Tate sauta tout de suite aux conclusions. C'était proprement révoltant! Voilà donc la raison pour laquelle son psychiatre se montrait insensible à son charme! Parce qu'il couchait avec une femme plus jeune — et probablement plus malpropre au lit!

— C'est scandaleux! dit-elle.

La secrétaire, qui entrait derrière elle, haussa les épaules en direction du docteur pour lui signifier qu'elle n'avait rien pu faire pour empêcher madame Tate d'entrer. Mais alors que madame Tate sortait, outrée, elle aussi vit Patricia qui boutonnait en hâte son corsage et comprit (ou du moins crut comprendre) ce qui se passait. Elle n'eut pas la même réaction que madame Tate, mais rougit plutôt, comme si elle était coupable d'une indiscrétion, et, avec un sourire complice, elle dit au médecin, avant de s'empresser de sortir:

— Je m'excuse, je ne savais pas que vous...

— Mademoiselle...dit Jonathan qui voulut la rappeler pour lui expliquer ce qu'il en était.

Mais déjà la secrétaire avait refermé la porte derrière elle.

Le docteur Lake était dans de beaux draps! Comment expliquerait-il à sa secrétaire et à madame Tate ce qui s'était vraiment passé? Et comme tout finissait par se savoir à la clinique, cela viendrait sûrement aux oreilles de la direction. Comment expliquerait-il l'incident à ses supérieurs?

Avait-il besoin de cette nouvelle tuile, juste après le décès de Madame Kramer? (Le rapport d'autopsie, délivré rapidement le matin même, avait confirmé son verdict. Madame Kramer était morte d'une crise cardiaque, probablement provoquée par une ingestion massive d'alcool. Comment expliquerait-il à la famille et aux journalistes la négligence de la clinique qui avait laissé une patiente commettre cet excès fatal?)

— Je crois, bafouilla Jonathan en proie à une grande nervosité, qu'il vaut mieux que tu partes. Nous reparlerons de tout ça plus tard. Il faut que je commence par réparer les pots cassés.

Consciente que le fâcheux malentendu qui venait de se produire pouvait les mettre tous deux dans une situation fort délicate (madame Tate était une vraie pie et s'empresserait de faire à tous ceux qu'elle rencontrerait le récit outré de ce qu'elle avait vu dans le bureau de Jonathan) Patricia se leva et quitta le bureau de Lake.

La secrétaire la regarda avec un petit sourire entendu, comme si au fond elle l'enviait d'avoir une liaison avec le brumel de la clinique. Patricia ne fit évidement aucun commentaire et ne la salua même pas, honteuse de tout ce qui venait de se passer, mais surtout déçue de ne pas avoir pu plaider sa cause auprès de Lake. La malchance continuerait-elle longtemps à s'acharner contre elle? Jonathan avait-il cru ce qu'elle lui avait raconté? Avait-elle réussi à le convaincre? Sinon, comment diable ferait-elle pour s'en sortir? Ne serait-elle pas perdue à tout jamais, condamnée à moisir dans cette clinique?

En sortant du bureau de Jonathan, Patricia fut si contrariée de trouver Lumino posté sagement à la porte qu'elle ne put s'empêcher de laisser libre cours à sa mauvaise humeur:

— Toujours là, Lumino! Tu ne penses pas que tu pourrais me foutre la paix, juste cinq minutes?

— Non, répliqua-t-il naïvement.

Elle sourit, découragée par sa simplicité d'esprit, et pressa le pas pour retourner à sa chambre. Lumino se laissa distancer sans protester, se contentant de ne pas perdre Patricia de vue. En tournant pour emprunter une autre direction, elle aperçut madame Blackwell — qu'elle n'avait finalement pas rencontrée au cours de danse —, qui venait dans sa direction en courant. Lorsqu'elle aperçut Patricia, son visage explosa de joie, comme si c'était la personne au monde qu'elle souhaitait le plus rencontrer.

Mais elle fit un faux pas juste devant elle, faillit tomber et échappa les nombreuses disquettes qu'elle tenait dans sa main droite. Elles volèrent dans toutes les directions. Andréa Blackwell ne s'arrêta pas pour les ramasser comme si elle ne leur accordait pas la moindre importance. Patricia se rendit alors compte que sa voisine était poursuivie par deux infirmiers et le docteur Waterman qui marchait derrière eux sans se presser, assuré que son personnel réussirait à rattraper cette pensionnaire hystérique.

Lorsqu'elle arriva enfin à la hauteur de Patricia, Andréa Blackwell lui glissa quelque chose dans la main juste avant que Lumino ne tourne le coin. Elle l'aperçut et baissa la voix pour dire à Patricia:

— J'ai découvert la vérité. Tu as ton passeport pour la liberté. C'est dans l'ordinateur, dans l'ordinateur. Comme dans le film *Heaven can wait! Heaven can wait!*

Elle tourna la tête et aperçut les infirmiers qui étaient sur le point de la rejoindre. Elle se retourna vers Patricia, et, la regardant droit dans les yeux, avec un air implorant, lui dit:

— Tu es la seule qui peut nous sauver! Ne nous laisse pas tomber, je t'en supplie!

Un infirmier lui mit la main sur l'épaule. Même si elle l'avait vu venir, elle sursauta, comme si sa surprise était immense. Elle se dégagea brusquement et se remit à courir mais ne fit pas dix pas qu'elle glissa et s'affala de tout son long sur le plancher. L'infirmier la rejoignit, l'aida à se relever et la pria de le suivre jusqu'à sa chambre. Elle ne résista pas.

Patricia la regarda s'éloigner, comme une somnambule, et se demanda ce qu'elle avait voulu dire. Avait-elle vraiment trouvé la manière de s'évader? Dans l'ordinateur? Mais quel ordinateur au juste? Et que chercher dans cet ordinateur?

Le docteur Waterman ordonna au deuxième infirmier de ramasser les disquettes que madame Blackwell avait échappées et s'avança vers Patricia, qui serrait nerveusement dans sa main l'objet que lui avait remis sa voisine. Il la regarda d'un air inquisiteur. Elle fit mine de rien et s'efforça de réprimer sa pressante envie de lui crier sa révolte, de lui cracher au visage parce qu'il l'avait violée la veille. Jamais elle ne l'avait trouvé aussi laid, aussi faux, avec ses cheveux teints et la peau artificiellement tendue de son visage. Elle remarqua que sa main gauche portait un bandage.

— Vous allez bien, madame Stone?

— Très bien.

Il la regarda avec suspicion. Qu'avait pu lui dire madame Blackwell? Savait-elle quelque chose, d'ailleurs? Ou n'était-ce que de nouvelles élucubrations? Il regarda alors la main fermée de Patricia. Pour donner le change, elle s'empressa de la desserrer légèrement puis pensa à une diversion:

— Vous vous êtes blessé? dit-elle en haussant les sourcils en direction de sa main bandée.

Cette question pourtant si simple parut embarrasser Waterman.

— Ce n'est rien, dit-il, une égratignure...

— Tant mieux, dit-elle.

Il la toisa, comme s'il cherchait à lire dans ses pensées. Il parut rassuré. Patricia elle aussi respira mieux. Son astuce avait fonctionné. Ce que lui avait remis sa voisine était peut-être important. Qui sait, madame Blackwell ne délirait-elle pas, pour une fois, et peut-être lui avait-elle confié le véritable secret de la liberté! Waterman ne retint pas Patricia qui s'éloigna avec soulagement.

Elle avait le sentiment néanmoins qu'il venait de se passer quelque chose d'important. Mais il lui restait à trouver la clé de l'énigme. Si le docteur Waterman s'était donné la peine de suivre ou plutôt de poursuivre madame Blackwell, c'est qu'elle savait peut-être vraiment quelque chose, ou avait fait une découverte compromettante. Avait-elle découvert le pot aux roses?

Dès que Patricia se fut suffisamment éloignée de Waterman, elle s'empressa de regarder ce que lui avait remis sa voisine: une clé. Curieux, pensa-t-elle, une clé... Mais qui ouvrait quoi? Cette question ne la tourmenta pas longtemps car quelques secondes plus tard, lorsqu'elle referma la main sur le précieux objet, une certitude l'habitait: cette clé ouvrait le bureau du docteur Waterman!

33

Patricia arpentait sa chambre depuis dix bonnes minutes, visiblement nerveuse. Elle consulta sa montre pour la troisième fois. «Diable! Neuf heures et quart!» laissa-t-elle tomber. Qu'est-ce qu'elle peut bien faire?» L'infirmière qui venait tous les soirs lui porter ses médicaments n'était toujours pas passée. Et ce retard risquait de compromettre son plan. Car elle n'aurait que jusqu'à dix heures du soir, heure où Lumino était relevé par son remplaçant, pour tout faire. Quarante-cinq petites minutes dont sa vie — et sa liberté — dépendait. Et chaque précieuse minute qui passait, à une vitesse d'ailleurs folle tant elle était impatiente, lui ferait peut-être cruellement défaut, et ferait peut-être tout échouer...à la dernière minute!

Elle prit une gorgée de café. Elle s'en était commandé du très fort, pour avoir les réflexes bien éveillés pendant l'exécution de son plan. Elle posa la tasse près de la cafetière, une très belle cafetière en argent, comme dans les grands hôtels, qui portait d'ailleurs, gravé, le nom de la clinique.

Elle était si contrariée, et si nerveuse, qu'elle eut presque envie de sonner le poste de garde pour réclamer son médicament. Mais elle se ravisa. Cet empressement paraîtrait peut-être louche. Quelle patiente en effet réclamait ainsi ses remèdes?

Heureusement, Miss Harper parut enfin, portant les comprimés sur un plateau d'argent.

— Vous avez l'air nerveuse, dit-elle. Un problème?

— Non, non, lui assura Patricia.

Miss Harper avisa la cafetière et la tasse qui fumait:

— Vous buvez peut-être un peu trop de café.

— C'est du décaféiné, mentit Patricia.

— Sage. Très sage. Je suis contente de voir que vous faites tout ce qu'il faut pour guérir rapidement.

— Si les patients ne collaborent pas...Les médecins ne peuvent quand même pas guérir à notre place...

— Juste. Très juste! Dommage que tout le monde ne pense pas comme vous...

Elle laissa s'écouler quelques secondes puis:

— Vous avez parlé à madame Blackwell, aujourd'hui, il paraît...

— Non, pas vraiment...Elle...je pense qu'elle a encore fait une crise...

Miss Harper eut un sourire.

— Effectivement. Elle est très agitée, ces jours-ci. Soit dit entre nous, elle perd de plus en plus le contact avec la réalité. Si elle vous menace, ou vous dit des choses bizarres au sujet de la clinique ou de son mari, n'hésitez pas à nous en parler. Nous sommes ici pour vous aider, vous savez...

— Oui, je vous remercie. Mais de toute manière, j'évite de lui parler. Nous ne sommes pas sur la même longueur d'onde, dit Patricia.

— Elle n'est sur la longueur d'onde de personne, malheureusement... Bon, prête à prendre votre petit médicament pour passer une bonne nuit?

— Oui, dit Patricia. Ca va me faire du bien.

— C'est fait pour ça, dit Miss Harper.

Patricia s'était allongée dans son lit pour ne pas éveiller les soupçons de Miss Harper qui, en entrant, l'avait regardée d'un drôle d'air, comme si elle sentait quelque chose. L'infirmière-chef lui remit les comprimés de Trizophène 2000, et la regarda les prendre avec satisfaction.

— Je vous souhaite une bonne nuit.

Dès que l'infirmière-chef eut tourné les talons, satisfaite, Patricia se redressa et cracha dans sa main les deux comprimés qu'elle avait placé sous sa langue au moment de boire. Elle sauta hors de son lit et consulta à nouveau sa montre: neuf heures vingt-deux! Pas une minute à perdre.

Elle alla à sa table de chevet, versa une seconde tasse de café, — le service comprenait toujours au moins deux tasses, pour le cas où les pensionnaires voulaient prendre le café avec une voisine de chambre — et y jeta les deux comprimés. Elle agita le liquide noir avec sa cuiller pour s'assurer qu'ils se dissolvent complètement.

Elle se rendit avec empressement à sa fenêtre et ouvrit les rideaux. Puis elle entrouvrit la porte de sa chambre, et quand elle se fut assurée que Miss Harper n'était plus en vue, elle s'adressa à Lumino, qui était assis à sa porte, comme une véritable statue, dans une immobilité qui confinait à l'hébétude. «Il vit vraiment sur une autre planète!» ne put s'empêcher de penser Patricia qui, du coup, pour la première fois, le trouva sympathique même s'il était un véritable crampon: ce n'était pas sa faute après tout, il ne faisait qu'obéir aux ordres!

— Ah, Lumino, je suis contente de te trouver là. J'ai de la difficulté à fermer mes rideaux, je pense qu'ils sont bloqués. Est-ce que tu pourrais me donner un coup de main?

— Mais oui...

Il entra dans la chambre et elle referma la porte derrière lui. Elle le conduisit jusqu'à la fenêtre. Il tira le cordon, et les rideaux se refermèrent sans problème.

— Mon Dieu, je n'en reviens pas! s'exclama Patricia d'une voix admirative. Comment as-tu fait? Il y a dix minutes que j'essaie de les fermer...

— Je ne sais pas...dit Lumino, les joues cramoisies, les paumes levées vers le ciel.

— Il y en a une à la maison qui doit être heureuse d'avoir un homme aussi habile de ses mains.

— A la maison?

— Oui, je veux dire...Ta femme?

Il devint blême tout à coup, comme si Patricia venait de lui apprendre qu'il était condamné à la prison à vie ou atteint d'une maladie mortelle.

— Je...Je ne suis pas marié! bafouilla Lumino. Je vis avec ma mère.

— Hum... Je ne savais pas, dit Patricia avec un air très intéressé. Célibataire en plus!

Elle lui décocha un clin d'oeil et ajouta:

— Ce ne doit pourtant pas être les offres qui manquent...

Il rougit à nouveau, et eut un tremblement nerveux. Etait-elle intéressée à lui? En tout cas, elle avait l'air de le trouver plutôt bien de sa personne, ce qui le flattait d'autant plus que, à force de la surveiller, il s'était entiché d'elle.

— Je...J'attends la bonne personne. Je suis sûr qu'elle existe quelque part... Je...je ne veux pas sortir avec n'importe qui...J'aime mieux me préserver, attendre que peut-être un jour elle divorce...

— Tu fais bien, dit Patricia, un peu surprise de cet aveu, et qui préféra ne pas entrer dans les détails.

— Comment te remercier pour les rideaux? Tiens, j'y pense, tu vas prendre un café?

— Oh, non, je vous remercie, je n'en bois jamais! Il paraît que c'est très très dangereux pour le coeur! s'empressa-t-il de dire avec spontanéité, mais il parut tout de suite regretter ses paroles: ne venait-il pas de rater une occasion de passer quelques minutes avec Patricia qui était peut-être la femme de sa vie?

— Oh, je suis déçue, dit Patricia, en affectant une grande tristesse...J'aurais tellement aimé...

— Je...Si...

— Peut-être juste une petite tasse? Il n'est pas fort...

— Il n'est pas fort?

— Il est très très faible.

— Bon, dans ces conditions, je ne dis pas... Quoi que, je ne sais pas... Il y a le règlement...

— Mais tu peux très bien faire deux choses en même temps: me surveiller et boire ton café.

— C'est vrai...

— Bon.

Elle alla vers la table de chevet, prit la cafetière et remplit sa propre tasse, qui était à moitié vide, puis alla poser les deux tasses sur la table où elle prenait parfois ses repas. Elle invita Lumino à s'asseoir et se joignit à lui. Lumino but une première gorgée, minuscule, puis eut un mouvement de recul.

— Tu ne l'aimes pas? demanda Patricia.

— Non, non, il...Il est excellent. Mais il est chaud...

— Comme toi, j'imagine, dit-elle avec un nouveau clin d'oeil.

— Comme moi?

Il n'avait visiblement pas compris le double sens. «Décidément, pensa Patricia,» il porte bien son nom... Lumino!

— Je veux dire...Tu es très en demande...Tu travailles beaucoup ici...

Il eut un large sourire, rassuré. Il venait de comprendre ce que Patricia venait de dire. Chaud...Ce n'était pas une maladie, le paludisme, les fièvres...

— Oui, je travaille très fort...

— Et tu as de lourdes responsabilités.

— Ah ça...Les gens ne s'imaginent pas... Il faut presque être psychiatre ou même psychologue pour faire le travail que je fais... Evidemment, je ne porte pas le sarrau officiel de la médecine... Mais on peut être psychiatre dans sa tête sans que ça paraisse!

— Vrai. Très vrai. On peut même être schizo sans que ça paraisse...

— Schizo?

— Oui, une manière de parler... Psychiatre, schizo, du pareil au même...

— Ah, je vois, et il trempa à nouveau le bout des lèvres dans son café.

Patricia lui fit un large sourire d'encouragement. Diable! pensa-t-elle, s'il pouvait finir par boire son foutu café! Elle consulta sa montre le plus discrètement possible. Le temps passait à une vitesse folle.

— C'est un métier très stressant, reprit Lumino. On ne sait jamais quand une patiente peut trébucher dans l'escalier et s'ouvrir le crâne. Il n'y a pas seulement le dégât que ça ferait dans les escaliers avec le sang et les morceaux de cerveau, mais la famille... Est-ce que les gens y pensent à la famille de la pauvre femme?

— C'est vrai. Je n'y avais pas pensé...

— Des fois, je me réveille la nuit et je me demande si je ne devrais pas tout laisser tomber... Mais ensuite je me dis qu'il y a des centaines de gens qui dépendent de moi...

— C'est vrai...

Elle marqua une brève pause puis:

— Tu bois ton café très lentement, Lumino, tu n'aimes pas la manière dont je te l'ai préparé?

-Non, non, dit-il. Au contraire.

Pour lui prouver sa bonne foi, — et comme le café avait tiédi — il vida sa tasse d'un seul trait, la posa et afficha son éternel sourire niais.

— C'est bien, dit-elle, c'est très bien.

Maintenant, elle ne savait plus trop quoi lui dire. Il fallait simplement qu'elle attende que les comprimés agissent, ce qui du reste ne tarda pas car au bout de quelques secondes, Lumino émit un premier bâillement. Il s'en excusa:

— Je ne sais pas ce que j'ai, je...

— C'est normal d'être un peu fatigué, avec tes responsabilités...Tu es un vrai bourreau de travail...

— Un bourreau?

— Oui, manière de parler...

— Non, dit-il, je...

Il bâilla à nouveau.

— Je pense que je vais y aller... Je suis supposé être dans le corridor...

Merde! Il allait tout gâcher! Il fallait qu'elle le retienne! Au moins quelques secondes encore, le temps qu'il s'endorme!

— Tu ne prendrais pas un dernier café?

— Oh, non, j'ai déjà le coeur qui me sort de la poitrine... Et je suis attendu dans le corridor...

Il se leva, fit trois pas et s'effondra, évanoui. Patricia se pencha vers lui et l'examina hâtivement. Il ne s'était pas blessé dans sa chute. En tout cas il ne saignait pas! Et il dormait profondément! «Il était temps!» pensa-t-elle.

Elle vérifia dans la poche de son peignoir qu'elle avait bel et bien la clé que lui avait remise Andréa Blackwell, puis tira Lumino jusqu'à la porte de la chambre. Elle passa furtivement la tête par la porte: le corridor était libre. Elle ouvrit tout à fait et assit de son mieux Lumino sur sa chaise, le plaçant de manière à ce qu'il ne tombe pas.

Elle regarda sa montre: neuf heures trente déjà! Elle avait perdu plus de huit minutes avec Lumino! Mais la manière de faire autrement? Elle n'était tout de même pas pour l'assommer! Quoique, à la réflexion, cela aurait peut-être été plus expéditif!

Elle se dirigea vers l'ascenseur qu'elle devait emprunter pour se rendre à l'étage supérieur. Mais arrivée à l'ascenseur, elle estima que c'était téméraire de le prendre et préféra emprunter les escaliers. Elle arriva sans encombre au bureau de Waterman.

Elle sentit son coeur palpiter lorsqu'elle introduisit la clé dans la serrure qui tourna sans difficulté. Son hypothèse se vérifiait, du moins jusqu'à maintenant. Madame Blackwell n'était donc pas aussi folle que tout le monde voulait le faire croire! Patricia entra et s'empressa de refermer la porte. Il n'y avait personne dans la salle d'attente où se trouvait également le bureau de la jeune secrétaire de Waterman. Malgré l'obscurité, elle put voir que la porte du psychiatre était entrouverte. Elle jouait de chance! Elle se dépêcha d'y entrer, repéra sans peine l'ordinateur, s'y assit et l'alluma, gagnée par une nervosité grandissante.

Comme elle l'avait fait le jour où elle avait gentiment aidé la secrétaire du docteur à s'y retrouver dans ses fichiers, elle appela le répertoire principal. Si ce que la sympathique secrétaire de Waterman lui avait expliqué était vrai, il y avait un double système d'entrée pour chaque pensionnaire et toutes les informations confidentielles étaient consignées dans des fichiers auxquels on ne pouvait avoir accès que par un code, un mot de passe. Il ne lui restait plus qu'à trouver ce mot de passe! En moins de...Elle vérifia à sa montre. En moins de vingt minutes! Après quoi le remplaçant de Lumino viendrait le relever et le trouverait profondément endormi et surtout, il verrait que Patricia n'était pas dans sa chambre.

Les noms de dizaines de patientes se mirent à défiler à l'écran. Plusieurs lui étaient familiers: Kramer, Blackwell, Bloomberg... Vu que madame Kramer était décédée quelques jours avant, dans des circonstances qui lui avaient paru suspectes, elle voulut d'abord consulter son dossier. Elle déplaça le curseur sur son nom, puis appuya sur la touche «retour», espérant — sans vraiment y croire — que l'ordinateur du docteur Waterman n'était pas protégé comme celui de sa secrétaire. Mais elle ne tarda pas à constater que l'Institut n'avait pas commis une pareille imprudence. L'écran afficha en effet:

— Nom de code, s'il vous plaît?

Nom de code! Comme si elle le connaissait! Il fallait qu'elle pense vite, très vite. Il fallait non pas qu'elle cherche, mais qu'elle trouve! Il ne lui restait que quelques minutes...

Mais comment trouver un mot de passe, alors qu'il y avait des milliers, en fait des millions de possibilités? Autant chercher une aiguille dans une botte de foin! Mais elle refusa de se laisser décourager par cette désolante constatation. Il fallait qu'elle s'en remette à sa chance, à son intuition! S'il était vrai — comme elle l'avait toujours cru — que le cerveau avait une puissance, des vertus insoupçonnées, c'était le moment ou jamais d'en avoir la preuve!

Elle se rappela que les mots de code étaient en général courts, simples à retenir, et souvent si évidents que les usagers indiscrets ne pensaient même pas d'y recourir. Et elle tapa, fiévreusement:

— Kramer.

— Mot de passe incorrect, répliqua aussitôt l'ordinateur.

«Evidemment! pensa-t-elle. C'aurait été trop facile! Pas si con, tout de même! » Il fallait qu'elle trouve autre chose. Elle tenta alors le nom de l'Institut.

— Williamson.

— Mot de passe incorrect.

— Blackwell.

— Mot de passe incorrect.

— Waterman.

— Mot de passe incorrect.

Un mouvement de découragement la gagna. Elle n'y arriverait pas. C'était un travail de toute une nuit, toute une semaine même. Une tâche qui du reste était peut-être condamnée à l'avance. Le code pouvait en effet fort bien être constitué d'une série de chiffres, et là, c'était encore moins évident: elle ne le trouverait jamais. En plus, le temps qui filait à toute allure! Dix heures moins quart déjà!

Comme si elle croyait aux vertus magiques de son bracelet, elle le serra très fort. Il fallait qu'elle ait du génie, et tout de suite! C'était une question de vie ou de mort! Ce petit geste superstitieux parut lui porter chance car elle revit alors, avec une vivacité qui confinait à l'hallucination, sa brève rencontre dans le corridor avec Andréa Blackwell. Sa voisine, exaltée, courait vers elle, échappait les cassettes, lui remettait la clé et lui murmurait des paroles sans doute essentielles... Mais lesquelles au juste?

Patricia fit un effort, fronça les sourcils, frotta très fort son bracelet comme si elle était persuadée que c'était lui qui venait de la mettre sur la bonne piste, et les paroles de sa voisine commencèrent à résonner dans sa mémoire: « Tu es la seule qui peut nous sauver... Ne nous abandonne pas, je t'en supplie! La vérité est dans l'ordinateur...Dans l'ordinateur...»

Cela elle s'en doutait. Elle y était, dans l'ordinateur. Mais il refusait obstinément de livrer ses secrets! Ne devait-elle pas tout laisser tomber et se hâter de retourner à sa chambre? Sinon, elle s'attirerait de nouveaux ennuis... On resserrerait peut-être davantage la sécurité autour d'elle. Et pour ne plus prendre de chance, on lui administrerait peut-être sa médication par voie intraveineuse...

Alors, elle ne pourrait plus combattre, elle sombrerait peu à peu dans la folie... Pire encore, elle perdrait son identité et deviendrait complètement apathique comme certaines pensionnaires qui séjournaient à la clinique depuis des années, et ne paraissaient même pas s'en rendre compte!

De fines gouttelettes de sueur perlèrent sur son front, sur ses tempes. Jamais de sa vie elle n'avait dû réfléchir avec une telle intensité. Son esprit était tendu comme un arc. Alors elle eut un éclair, la certitude qu'elle avait enfin trouvé. Elle avait oublié les paroles les plus importantes de madame Blackwell. «C'est comme dans le film, comme dans le film: *Heaven can wait*! « Mais oui, ce ne pouvait être autre chose! C'était tout à fait logique!

Elle tapa à toute vitesse: «*Heaven can wait*». Sa déception fut immense lorsque l'ordinateur répliqua, comme depuis le début:

— Mot de passe incorrect.

Elle était pourtant si sûre de son coup! Elle laissa tomber la tête, découragée. Elle n'y arriverait pas. Elle avait présumé de ses forces, de son génie. Elle repensa au célèbre film mettant en vedette Warren Beatty et Julie Christie. Un joueur de football meurt prématurément, arrive au ciel, et réussit à convaincre les «autorités» célestes de le renvoyer sur terre dans le corps d'un autre homme.

Quel rapport cette histoire pouvait-elle avoir avec la clinique?

Heaven can wait...Le ciel peut attendre...Pourquoi donc? Elle repensa à la théorie de madame Blackwell. Selon elle, les maris fortunés envoyaient leur femme à la clinique pour une raison bien simple: se débarrasser d'elle sans devoir payer des frais astronomiques de divorce. Pour eux, on pouvait dire non pas que «le ciel pouvait attendre», mais bien plutôt que le ciel *ne pouvait pas* attendre. *Heaven can't wait*! C'était sûrement ce que madame Blackwell avait voulu dire! Peut-être même était-ce exactement ce qu'elle avait dit. Simplement, Patricia n'avait pas entendu le «t» de la négation. Oui, cela coïncidait bel et bien avec le but de la clinique: «accélérer» les choses, donner un petit coup de pouce — assassin — au destin, et au ciel!

Les doigts de Patricia volèrent sur le clavier et inscrivirent: «*Heaven can't wait*». Pour la première fois depuis qu'elle avait entrepris sa fiévreuse recherche, l'ordinateur afficha les mots: «Un instant S.V.P.» et émit le son caractéristique d'un travail en cours. Elle sauta de joie. Elle avait réussi! Mais elle regarda à nouveau sa montre. Elle avait passé un temps fou à percer le code. Neuf heures cinquante! Plus que dix minutes! Aurait-elle le temps de tout copier, comme elle se le proposait et de rentrer à sa chambre avant que Lumino ne soit remplacé?

L'infirmier Reagan sortit du vestiaire réservé au personnel, et marcha d'un pas pressé vers le poste de garde où il retrouva la jolie Elaine Porter. Elle parut surprise de le voir arriver si tôt — lui qui avait la réputation d'être toujours en retard — et laissa le mot croisé sur lequel elle s'échinait depuis presque une demi-heure. Elle le trouvait sympathique, sexy même. En fait, elle était entichée de lui. Le seul ennui, c'est qu'elle ne savait pas s'il était aux femmes ou aux hommes, comme hélas nombre de ses collègues.

Toujours parfaitement coiffé, finement parfumé, les ongles manucurés, il était presque trop beau, et ne voyait jamais ses avances, pourtant assez évidentes.

— Mon Dieu, mais qu'est-ce qu'il t'arrive? demanda la jeune infirmière. Tu as presque quinze minutes d'avance! Pas de panne d'essence, pas de grand-mère à l'agonie, aujourd'hui?

Elle le taquinait, utilisant les excuses usées et invraisemblables qu'il ne se gênait pas de servir à ses supérieurs et aux autres infirmiers pour justifier ses retards répétés.

— J'ai eu un avertissement hier, expliqua-t-il, sérieux. Il y a quelqu'un qui m'a mouchardé...

— Ah, je vois...Où es-tu assigné, ce soir?

— Je relève Lumino. Il surveille la patiente du 213, je crois. Peux-tu vérifier?

Elle s'empressa de le faire, dans un grand cahier où toutes les assignations étaient notées.

— Oui, c'est exact. A dix heures. Madame Stone. Celle qui a tenté de s'évader. Il faut la surveiller de près, celle-là... C'est la patiente de Waterman, et tu sais comment il est...D'ailleurs au sujet de madame Stone, connais-tu la dernière?

— Non, dit l'infirmier Reagan.

— Il paraît qu'une patiente l'a surprise à poil dans le bureau du docteur Lake...

— Eh bien, se contenta de dire l'infirmier.

Il y eut un silence, assez bref, puis l'infirmier laissa tomber:

— Bon, il faut que j'y aille maintenant, il est presque dix heures...

— Mais non, tu as tout ton temps. D'ailleurs j'aurais besoin de ton aide pour mon mot croisé. Je n'en ai jamais vu d'aussi difficile.

L'infirmier Reagan était très fort en mots croisés et avait d'ailleurs trouvé la solution de plusieurs problèmes en apparence insolubles.

— Bon, mais une minute seulement.

Il passa de l'autre côté du comptoir et se pencha au-dessus de l'infirmière, si bien qu'elle put respirer son parfum qui la troubla. Ce qu'il sentait bon, le salaud! Il faudrait bien qu'elle provoque les choses un jour, qu'elle lui fasse une passe! Elle verrait bien alors s'il était gay ou non. Et puis, même s'il l'était, il se laisserait peut-être faire: qui sait, il était peut-être aux deux!

34

Pressée par le temps qui filait à une vitesse vertigineuse, Patricia parcourait avidement le dossier confidentiel de madame Kramer. Sous son nom et sa photo (qui avait été *scannée*), se trouvaient une foule d'informations courantes: sa date de naissance, sa taille, son poids, etc... Venait ensuite la rubrique: RAISON DE SON INTERNEMENT. Il y était simplement inscrit: «Maniaco-dépressive. Alcoolique. Boulimique.»

Elle passa à la rubrique suivante.

ETAT DE SANTE: «Coeur malade, très fragile. Deux infarctus. (Suivaient les dates de ces accidents cardiaques, le dernier remontant à deux ans.) Un troisième infarctus serait probablement mortel. Plusieurs parties du coeur nécrosées. Compensation du reste du coeur insuffisante, d'où un essoufflement chronique. Diète très stricte serait souhaitable, faible en gras. Consomme avec excès du coca diet dont la caféine est très dommageable pour son coeur. Impossible de la convaincre de se ménager.»

«Le docteur Lake avait donc raison», pensa Patricia. Madame Kramer était effectivement malade du coeur, et on avait prévu qu'un nouvel infarctus lui serait fatal. Et comme elle ne suivait pas les recommandations du médecin, qu'elle mangeait comme une ogresse et consommait du coca diet d'une manière compulsive, ce qui devait arriver était arrivé. Bien sûr, son mari avait sans doute à son insu participé à sa mort en lui offrant une distributrice à coca. Mais pouvait-on l'accuser de sa gentillesse? A moins qu'il n'eût fait modifier la composition du coca en augmentant la dose de caféine...

Cette possibilité effleura un instant l'esprit de Patricia mais elle la repoussa tout de suite: cela impliquait beaucoup trop de gens, et, de toute façon, ce n'était alors plus la clinique qui était responsable de son décès mais son mari...Non, la thèse la plus vraisemblable était celle d'une mort naturelle due à une faiblesse cardiaque. Quant au billet d'adieu retrouvé dans sa main, c'était sans doute tout simplement un hasard. Comme elle était maniaco-dépressive, elle l'avait sans doute écrit dans un moment de grand abattement, qui avait coïncidé avec son ultime faiblesse cardiaque...

Patricia poursuivit néanmoins la lecture du dossier de madame Kramer. Suivaient d'autres données, plus techniques, concernant les médicaments qu'on devait lui faire prendre pour la protéger, autant que faire se pouvait, contre une diète qui la tuait à petit feu.

Sous la rubrique FRAIS D'HOSPITALISATION était noté:

«3200$ par semaine, assumés par Monsieur Kramer.»

DATE DU CONGE: (Il avait été accordé mais madame Kramer, comme on sait, ne s'en était pas prévalu. C'était la date de la veille qui était inscrite.)

COMMENTAIRE: «La patiente a succombé à un troisième infarctus. L'autopsie a révélé une quantité importante d'alcool dans son sang et près d'un kilo de pâtes alimentaires dans son estomac. Sa crise cardiaque est probablement consécutive à une indigestion aiguë et à une arythmie causée par l'alcool.»

A la toute fin du dossier, qui jusque-là n'avait rien que de normal, une dernière rubrique, quelque peu énigmatique, intrigua Patricia. Elle se lisait tout simplement comme suit:

CODE: NOIR.

«Code noir»? Les sourcils de Patricia se froncèrent. Qu'est-ce que cela pouvait bien vouloir dire? Code noir? Le noir était la couleur de la mort. Cela avait-il un rapport avec le décès de madame Kramer? Toujours sous la rubrique CODE, étaient inscrites les deux lettres: V.O.: «infarctus».

Puis: DATE.

Et on retrouvait la même date que celle du décès.

«Pourquoi ces deux dates identiques?» se demanda Patricia. Et que signifiait cette abréviation: V.O.?

Tout cela était bien mystérieux!

A la mention TARIF: 500,000$

500,000$! pensa Patricia. Pourquoi payer pareille somme? Comment se faisait-il qu'il y avait à la fois des frais hebdomadaires et un tarif de 500,000$? Curieux! Il y avait anguille sous roche. N'était-ce pas le cachet exigé par l'hôpital pour expédier au ciel la pensionnaire? 500,000$, c'était certes une somme importante, mais qui n'était rien en comparaison des coûts d'un divorce en Californie. Une aubaine, comme le lui avait expliqué madame Blackwell...Sa voisine avait-elle donc vu juste? Ou n'était-ce qu'une coïncidence? Il fallait qu'elle vérifie avec d'autres patientes si cette hypothèse se confirmait.

Elle sortit du dossier de madame Kramer, fit courir le curseur sur la longue liste des pensionnaires. Lorsqu'elle vit STONE, PATRICIA, elle ne put résister à la tentation de le consulter. A la rubrique RAISON DE L'INTERNEMENT, on pouvait lire tout simplement, sans plus de commentaire: «Dépression nerveuse».

Elle ne s'y attarda pas, même si cela lui parut curieux. On ne faisait nulle part mention du viol dont elle avait été victime! La rubrique FRAIS D'HOSPITALISATION souleva son indignation. Il y était en effet noté: «2000$ par semaine, assumés par la Blackwell Corporation à la suite d'une entente avec Julie Landstrom.»

Julie Landstrom! Ce nom la fit bondir! Ainsi donc, c'est la maîtresse de son mari qui avait tout orchestré pour faciliter son internement, peut-être même pour prolonger indéfiniment son séjour! Pour le reste, il n'y avait rien de particulier, sauf la mention CODE: BLANC qui l'intrigua.

Après V.O., un seul mot: «Indéterminée».

DATE: «Indéterminée»

TARIF: nil.

Pourquoi le mot CODE était-il suivi, dans son cas, de la mention BLANC alors que dans celui de madame Kramer figurait le mot NOIR? Etait-ce que l'énorme et pathétique dévoreuse de Harlequin était destinée à mourir, à être «exécutée» alors qu'elle, Patricia, serait épargnée — du moins jusqu'à nouvel ordre? Et, autre détail qui tendait à confirmer l'horrible vérité qu'elle avait entrevue, dans son cas — comme son code était blanc, le tarif était nul. Pas de 500,000$ comme pour un code noir. Le terrible puzzle prenait forme peu à peu.

Patricia regarda sa montre. Presque dix heures! Elle s'affola. Passionnée par ses invraisemblables découvertes, elle n'avait pas vu le temps passer. Que faire? Elle ne pouvait pas quand même pas tout refermer et repartir ainsi, les mains vides, alors qu'elle était si près du but — du moins en avait-elle la certitude! Mais il suffisait que l'infirmier eût remplacé Lumino un peu plus tôt que prévu pour que sa fugue fût déjà découverte. Ne devait-elle pas renoncer et s'empresser de retourner à sa chambre?

Non, il fallait qu'elle continue, qu'elle prenne une chance! Sa montre était peut-être en avance, celle de l'infirmier peut-être en retard. Elle se précipita vers un nouveau nom: celui d'Andréa Blackwell.

Comme c'était une des plus anciennes pensionnaires — et en plus l'épouse du fondateur de la clinique —, les informations contenues dans son dossier seraient peut-être très éclairantes. Mais elle fut déçue car elle n'apprit pas grand-chose qu'elle ne sût déjà, sauf peut-être son âge, cinquante-deux ans (elle la croyait plus jeune) et le fait qu'elle souffrait de délire paranoïaque depuis des années. Elle découvrit également qu'elle avait déjà tenté de se suicider. Comme pour Patricia, son dossier contenait les données suivantes: CODE: BLANC.

DATE: «indéterminée».

V.O.: «indéterminée».

TARIF: nil.

Patricia tenta un raisonnement. Si le CODE d'Andréa était BLANC (comme le sien) c'était peut-être que la direction avait reçu ordre non pas de la supprimer mais de la garder indéfiniment internée. Alors que madame Kramer, avec son CODE: NOIR était morte. Il y avait donc une constante: CODE: BLANC, la patiente vivait, CODE: NOIR, elle était exécutée! Il fallait qu'elle vérifie son hypothèse en voyant d'autres noms.

Mais quel nom regarder? Elle se rappela tout à coup le dossier de madame Turner, dont son mari lui avait si souvent rebattu les oreilles au début de leur mariage. Elle consulta son dossier immédiatement. Elle frissonna. Le code de madame Turner était: NOIR! Etait-ce une nouvelle coïncidence? N'était-ce pas plutôt la confirmation de son hypothèse? A la mention V.O. était inscrit: SUICIDE par absorption massive de barbituriques, (la même chose qu'on avait pu lire dans les journaux). Ces mots figuraient d'ailleurs aussi sous la rubrique COMMENTAIRE où on expliquait que madame Turner avait absorbé de fortes doses et qu'elle en était à sa troisième tentative de suicide. V.O. pensa Patricia. Cela ne voulait-il pas dire, par hasard: «version officielle»? Mais pourquoi inscrivait-on «version officielle», pourquoi cette seconde rubrique qui reprenait presque mot pour mot ce qui avait déjà été entré sous la rubrique COMMENTAIRE? N'était-ce pas inutile?

Toujours perplexe, Patricia sortit de ce dossier et parcourut à nouveau la longue liste des pensionnaires. Le nom de madame Bloomberg retint son attention — peut-être parce que c'était la toute première patiente qu'elle avait vue au moment de son entrée à la clinique.

Sans s'attarder aux données de base, elle alla tout de suite à la rubrique CODE. C'était un CODE: NOIR. Ce qui était curieux, et semblait infirmer son hypothèse, car, sauf erreur, l'originale cantatrice était toujours vivante! Elle lut la mention DATE: 23 novembre.

V.O.: «suicide, en se jetant par la fenêtre de sa chambre».

TARIF: 750,000$.

Patricia fut soudain parcourue d'un frisson d'horreur. Madame Blackwell, qu'elle avait cru un moment folle, avait vu clair! Madame

Bloomberg était encore vivante: elle ne pouvait donc s'être suicidée, et encore moins le 23 novembre, qui était le surlendemain, comme le lui confirma le calendrier au-dessus de l'ordinateur! Comme l'avait proclamé madame Blackwell, la clinique n'était donc qu'une antichambre de la mort où des hommes riches envoyaient leur femme pour s'en débarrasser choisissant soit le CODE: BLANC, qui était synonyme d'un internement permanent, soit le CODE NOIR, qui signifiait un meurtre habilement déguisé en suicide ou en mort accidentelle ou naturelle comme dans le cas de madame Kramer qui avait apparemment succombé — c'était la version officielle —, à un infarctus qu'on avait sûrement dû provoquer. Et le tarif de 750,000$ ne venait que confirmer qu'il s'agissait d'une exécution...

Le 23 novembre! Le surlendemain! Si elle ne tentait rien, madame Bloomberg se «suiciderait», c'est-à-dire serait assassinée! C'était horrible! Mais en même temps, elle ne pouvait s'empêcher de se réjouir. Elle tenait enfin sa preuve. Une preuve absolue, incontournable! Comment en effet la direction de la clinique pourrait-elle expliquer à la police ou à la famille de la future victime que, vingt-quatre heures à l'avance, on avait prévu son suicide et même la manière dont elle mettrait fin à ses jours? Oui, elle les tenait cette fois-ci! C'était indubitable!

Même si ces révélations la bouleversaient, Patricia s'efforça de garder son sang-froid. Il fallait qu'elle emporte avec elle une preuve, et la seule manière de le faire, c'était de copier tout le fichier. En espérant qu'il ne fallait pas un nouveau mot de passe pour tout copier, comme c'était parfois le cas... Elle sortit du dossier de madame Bloomberg, trouva une disquette apparemment vierge — elle ne portait aucune mention de nom de dossier sur son étiquette — l'introduisit dans le *disk drive* et passa la commande de copier. L'ordinateur demanda:

COPIER TOUT LE FICHIER? Elle poussa un soupir de soulagement. Aucun mot de passe nécessaire! Elle répondit «oui» avec un sentiment de triomphe. Elle aurait tout le fichier! Elle les tenait enfin! Et elle tenait aussi son passeport vers la liberté. Maintenant, Waterman ne pourrait plus rien contre elle. Il serait forcé de lui accorder son congé, sinon elle révélerait toute la vérité!

Une fois le dossier copié, Patricia prit la disquette, ferma l'ordinateur, et se dépêcha de retourner à sa chambre. Elle consulta sa montre. Dix heures cinq! Merde! Celui qui relevait Lumino serait sans doute déjà là! Elle était perdue! Que lui servait d'avoir cette disquette, aussi compromettante fût-elle, si on la lui confisquait dès son retour à sa chambre?

Miss Harper, qui venait d'arriver au poste de garde, trouva l'infirmier Reagan penché au-dessus de l'épaule de l'infirmière Porter. Jalouse de leur complicité évidente, elle dit:

— Reagan, vous n'êtes pas censé remplacer Lumino à dix heures?

— Oui, oui, j'y allais justement...

— Il est près de dix heures dix... Est-ce que je suis obligée de vous rappeler que vous avez déjà été l'objet d'un rapport disciplinaire?

— Non, non, j'y vais... Je...

La petite réprimande de Miss Harper servit admirablement Patricia qui arriva à sa chambre un moment avant l'infirmier Reagan.

Lumino dormait toujours, mais il avait depuis quelques minutes incliné insensiblement son buste vers l'avant, et au moment où Patricia poussait la porte de sa chambre, il tomba. Elle voulut le replacer sur sa chaise, mais elle aperçut alors l'infirmier Reagan qui s'approchait à vive allure. Elle ne pouvait pas prendre de risques. Elle s'engouffra dans sa chambre.

L'infirmier trouva curieux de voir Lumino allongé de tout son long dans le corridor.Qu'avait-il bien pu lui arriver? Il tenta de le réveiller, n'y parvint pas, mais ne se posa pas trop de questions — le pauvre simple d'esprit devait être surmené! — et le porta jusqu'à une chambre libre où il le coucha.

Patricia alla tout de suite aux toilettes, souleva le couvercle de la cuvette, en retira le sac de plastique, jeta les pilules et chassa l'eau. Il n'y avait pas d'endroit plus sûr où cacher la précieuse disquette! Qui penserait en effet à la chercher là, dans l'eau? Quant à madame Blackwell, elle comprendrait sûrement. Patricia n'avait pas eu vraiment le choix. Il n'y avait qu'une seule cachette sûre. De toute manière, elle n'aurait bientôt plus besoin de ses pilules puisqu'elle serait libre, comme toutes les autres pensionnaires! La publication du contenu de la disquette provoquerait un scandale tel que la clinique serait sans doute fermée à tout jamais. Une fois cette tâche accomplie, Patricia se coucha et dormit à poings fermés.

Le lendemain, à la première heure, elle se présenta au bureau du docteur Lake, escortée par un Lumino qui paraissait tout endormi et qui, surtout, semblait encore se demander comment il se faisait qu'il s'était réveillé dans une chambre de la clinique au lieu de la sienne. Il l'attendit à la porte du bureau de Lake.

— Puis-je voir le docteur Lake?

Elle était gênée de se trouver là, à cause de ce qui s'était passé la veille: la secrétaire de Jonathan s'était sûrement imaginé des choses. Elle accueillit d'ailleurs Patricia avec un sourire entendu, l'air de dire qu'elle était parfaitement au courant de ce qui se passait entre le beau médecin et elle, qu'elle lui enviait sa bonne fortune.

— Le docteur Lake vous attend?

Elle demandait cela en s'efforçant de garder son sérieux, comme si de toute manière elle était certaine qu'ils avaient déjà rendez-vous et qu'ils étaient tous deux impatients de terminer ce qu'ils avaient laissé en plan la veille.

— Non, dit Patricia, mais c'est très important.

— Il va falloir que vous patientiez quelques minutes. Il est avec une patiente et il a été formel. Il ne veut être dérangé sous aucun prétexte.

Patricia ne protesta pas qu'elle était pressée et que ce qu'elle avait à dire au jeune médecin était d'une importance capitale. Elle ne voulait pas donner à la secrétaire l'impression qu'elle avait des passe-droits, ce qui ne ferait que confirmer les rumeurs qui devaient courir. Si on croyait qu'elle était la maîtresse du jeune médecin, il serait moins bien placé pour défendre Patricia. Elle se résigna donc à s'asseoir, et attendit, rongée par l'impatience et l'angoisse.

35

Confortablement calée dans son fauteuil Récamier, Andréa Blackwell écoutait *The Price is Right,* une émission qu'elle trouvait ridicule et navrante. Le pire, c'est qu'elle n'arrivait à répondre à aucune question parce qu'elle n'avait pas fait les emplettes depuis des lustres et que, même à l'époque où elle était libre, c'était sa gouvernante qui s'en occupait. A la vérité, elle cherchait à se donner une contenance et cette émission était le meilleur moyen qu'elle eût trouvé.

C'était en effet le jour de son vingt-cinquième anniversaire de mariage, et son mari ne lui avait toujours pas téléphoné. Quel monstre! Elle l'avait toujours su, mais elle en avait là une preuve de plus.

Depuis son réveil, elle fumait cigarette sur cigarette — sa chambre empestait la fumée — et guettait ce satané téléphone qui s'obstinait à ne pas sonner. On frappa alors à la porte de sa chambre.

— Entrez, dit-elle avec un sursaut d'espoir mais en s'efforçant de ne pas s'emballer parce que les trois visites précédentes n'avaient été que celles d'infirmières venues exécuter des tâches routinières.

Entrèrent alors trois messagers, le premier très petit, le deuxième maigre et très grand, et le dernier rondelet, en fait carrément obèse. Gantés de blanc, ils ressemblaient, avec leur uniforme stylé et leur casquette retenue au cou par une courroie, à des grooms de la belle époque. Ils portaient tous les trois des cadeaux emballés avec une profusion de rubans et de choux.

Le gros transportait une boîte minuscule, le plus maigre semblait peiner pour ne pas échapper ce qui ressemblait à une immense boîte à chapeau, et le petit disparaissait presque derrière un colis large et haut, plus grand que lui en fait, ce qui composait une scène plutôt ridicule.

Mais Andréa Blackwell ne fut pas particulièrement frappée par le côté grotesque de cette mise en scène qui n'était sans doute pas le fruit du hasard. Elle pensa tout de suite que c'était son mari qui avait dépêché ces livreurs, et une grande exaltation l'envahit.

— Madame Blackwell? demanda le plus maigre, qui semblait aussi le plus âgé.

— Oui, dit-elle.

— C'est de la part de votre mari...

Elle exultait. Ainsi donc il n'était pas si monstrueux qu'elle avait pensé! Il l'aimait encore! En tout cas, il pensait à elle. Il n'avait pas oublié leur anniversaire de mariage. Vingt-cinq ans! C'était quelque chose, quand même! Bien sûr, ils ne vivaient plus ensemble depuis cinq ans, mais elle gardait tout de même espoir. Après tout, quel grand amour était à l'abri de certains passages à vide?

Même après cinq longues années, elle conservait la certitude qu'un jour son mari lui reviendrait et que leur vie recommencerait comme avant. Elle lui pardonnerait ses frasques, ses maîtresses — toutes des erreurs — et ils vieilliraient ensemble. Elle se voyait avec lui, marchant main dans la main, dans une des allées ensoleillées de leur domaine de Bel Air. Elle cueillerait enfin le fruit de sa patience, de son long, de son douloureux amour.

Les trois messagers vinrent alors poser les cadeaux à ses pieds, s'inclinèrent respectueusement puis formèrent un rang devant elle.

— Joyeux cinquantième anniversaire de mariage! s'exclama le plus grand.

Cette erreur la surprit. Etait-elle volontaire? Ce gringalet suivait-il à la lettre les instructions de son mari?

— Vingt-cinquième... précisa madame Blackwell.

Le messager fautif plissa le front, comme s'il réfléchissait profondément à son erreur. Ce n'était pas du tout son genre de commettre de pareilles bévues, car il se targuait de posséder la mémoire des détails, et entre vingt-cinq et cinquante, il y avait tout de même un écart. D'ailleurs, madame Blackwell avait effectivement l'air un peu jeune pour célébrer son cinquantième anniversaire de mariage. Elle ne pouvait tout de même pas avoir soixante-dix ans! De toute manière, cette femme n'avait vraiment pas l'air commode, et il préféra ne pas protester.

— De la part de votre mari pour votre vingt-cinquième anniversaire de mariage, s'empressa-t-il de rectifier.

Il sourit, puis se tourna vers ses deux compagnons et battit l'air de la main droite pour leur donner le rythme, en disant à voix basse : «un , deux, trois, quatre». Et les trois entonnèrent alors la célèbre chanson: *The Impossible Dream*, formant une véritable petite chorale, le gros faisant la basse, le grand et le petit les barytons.

— *To dream the impossible dream...*

Le visage cramoisi de colère, madame Blackwell n'en revenait pas. Une fois de plus, son mari avait voulu se payer sa tête! *The impos-*

sible dream, le rêve impossible, c'était précisément celui qu'elle caressait depuis cinq ans! Quitter enfin cette clinique où elle se mourait d'ennui, et reprendre comme avant la vie avec son mari. Comme au temps où ils étaient jeunes, comme au temps où ils étaient heureux... Et voilà que lui, devinant cruellement son rêve le plus ardent, lui envoyait trois minables messagers lui chanter *The Impossible Dream!*

Elle se leva d'un bond de sa chaise et se mit à piétiner les cadeaux.

— Sortez d'ici immédiatement!

Les messagers s'arrêtèrent d'abord de chanter, interloqués, figés.

— Je vous ai dit de sortir! Vous ne comprenez pas? hurla Andréa Blackwell.

Comme ils ne bougeaient toujours pas, elle devint carrément hystérique, prit le grand cadeau et se mit à en frapper les infortunés messagers chantants. Cette fois, ils avaient compris. Ils n'insistèrent pas et battirent en retraite. Elle les suivit jusque dans le corridor, en continuant de les frapper avec la grande boîte, cependant qu'ils tentaient de leur mieux de se défendre en parant les coups de leurs bras. Ils sortirent enfin et s'éloignèrent dans le corridor.

Mais Andréa ne décolérait pas. Pour assouvir sa frustration, elle déchiqueta le papier d'emballage, et ouvrit brutalement la boîte. Elle contenait une robe rouge qu'elle se mit à déchirer en criant:

— Je te déteste! Salaud! Je vais te tuer! Tu ne l'emporteras pas en paradis!

La jeune infirmière Elaine Porter, qui passait par là, la vit et se précipita vers elle pour l'empêcher de se blesser.

— Calmez-vous, madame Blackwell, je vous en prie.

Contre toute attente, la célèbre pensionnaire ne protesta pas, et, comme une enfant le fait avec sa poupée préférée, se mit à presser la robe contre son coeur, plongée dans une rêverie profonde. Et elle se laissa docilement reconduire vers sa chambre. Depuis la veille, Elaine Porter vivait dans les nuages, ne pensant plus qu'à son mariage prochain, si bien qu'elle ne fit pas attention et poussa par erreur madame Blackwell vers la chambre de Patricia. Le calme d'Andréa fut de courte durée.

A peine entrée dans la chambre de Patricia, elle fut visitée par l'irrésistible envie de détruire la robe. Comme si ce projet subit la plongeait dans une joie incontrôlable, elle se mit alors à rire, et entra d'un pas décidé dans la salle de bain.

Elle entreprit alors de déchiqueter sa robe mais malgré la délicatesse de l'étoffe, elle n'y parvint pas facilement. Cette résistance exalta sa colère. Et, impatiente, elle jeta tout simplement la robe dans la toilette. Riant aux éclats, elle actionna la chasse d'eau une bonne dizaine de fois, complètement hystérique, comme si cet acharnement ferait disparaître de manière plus certaine la robe.

Mais la toilette se boucha et se mit à déborder. Les pieds mouillés, madame Blackwell resta plantée là, savourant cette curieuse vengeance. L'infirmière Porter qui l'avait suivie dans la chambre vit le dégât mais ne sut pas trop comment réagir. Elle pouvait difficilement la réprimander: après tout, elle était la femme de Blackwell, le grand patron!

Miss Harper, à qui rien ne paraissait échapper — elle avait un sixième sens pour prendre les employés en défaut et en tirait du reste une jouissance secrète — avait vu, de loin, son erreur et se précipita.

— Qu'est-ce que vous faites là? dit-elle sèchement à la jeune infirmière (depuis la veille, elle la détestait encore plus)

— Je...je n'ai pas pu l'en empêcher...Je croyais qu'elle allait aux toilettes... Tout s'est passé si vite, tenta-t-elle d'expliquer.

— Ce n'est même pas sa chambre! C'est celle de madame Stone! D'ailleurs où est-elle passée, celle-là?

— Je ne sais pas. Je suis désolée.

— Allez tout de suite appeler le concierge, qu'il vienne réparer ce dégât.

— Oui, Miss Harper.

— Et vous, madame Blackwell, dans votre chambre!

36

Après de longues minutes d'une attente presque insupportable, Patricia fut enfin introduite dans le bureau du docteur Lake. Il parut à la fois légèrement ennuyé et heureux de la voir. Elle venait sûrement terminer la conversation entamée la veille. Il l'invita à s'asseoir, mais elle était si agitée qu'elle préféra rester debout. «Comme elle est nerveuse...» pensa Jonathan. «Mais en même temps, comme elle est belle! Plus belle encore que d'habitude!» Son intensité la rendait fascinante. Et la subtile odeur de son parfum, qui se répandait peu à peu dans le bureau, acheva de troubler le jeune médecin. Patricia ne perdit pas de temps en préambules ou en formules de politesse:

— Il faut absolument que tu m'aides. J'ai une preuve maintenant. Je sais que ce que madame Blackwell m'a dit est vrai.

— Madame Blackwell...? demanda Jonathan qui se désolait de voir que

Patricia retombait, avec ses accusations à l'emporte-pièce, dans son délire de persécution.

Hélas, elle était probablement beaucoup plus malade qu'il n'avait pensé. Il faudrait qu'il en parle au docteur Waterman. Son visage s'assombrit. Comme la vie était cruelle! Pourquoi certains êtres perdaient-

ils le sens des réalités, pourquoi devenaient-ils complètement déséqui-
librés?

— J'ai découvert les dossiers secrets dans l'ordinateur de Waterman.

— Des dossiers secrets?

— Oui. Chaque pensionnaire est fichée et codée. Toutes les pensionnaires qui sont décédées portaient le code noir. Tandis que des
pensionnaires comme madame Blackwell qui est ici depuis cinq ans, et
moi-même, nous avons un code blanc.

Jonathan n'y comprenait rien. Qu'est-ce que c'était que cette histoire de codes blancs ou noirs?

— Lorsqu'il s'agit du code noir, il y a un tarif de 500,000$! C'est
le prix que les maris paient pour faire tuer leur femme.

Jonathan n'en revenait pas. Décidément, son histoire tournait vraiment au délire. D'abord Patricia avait prétendu que le docteur Waterman avait tenté de la violer, et voilà maintenant qu'elle accusait la
clinique tout entière d'être ni plus ni moins qu'une organisation criminelle!

— Pourquoi les maris paieraient-ils 500,000$ pour faire tuer leur
femme?

— Parce qu'ils sont riches, expliqua Patricia. Parce qu'ils ne veu-
lent pas perdre la moitié de leur fortune en divorçant.

Jonathan plissa les lèvres, et laissa échapper un soupir de découragement. Comment expliquer à Patricia, sans la blesser, que tout ce
qu'elle affirmait relevait de la pure science-fiction? D'ailleurs, si elle
était malade — il en était maintenant persuadé — elle ne comprendrait
rien aux explications rationnelles qu'il pourrait lui fournir. La clinique
Williamson était une des plus réputées du monde entier, non seulement
pour sa clientèle prestigieuse mais pour la qualité de ses soins et de son
personnel. -Je ne sais pas quoi te dire Patricia...

— Il faut absolument faire quelque chose. Sinon ils vont aussi tuer
madame Bloomberg. J'ai consulté son dossier. La date de son décès
est déjà inscrite. Tu vois bien que c'est une machination. Comment
peuvent-ils inscrire à l'avance la date de son décès si ce n'est que sa
mort a été planifiée?

— Mais Patricia...

— Il faut que tu me croies. Sa mort est prévue pour demain.

— Demain?

— Oui. Elle va se tuer en se jetant par la fenêtre de sa chambre.

— Par la fenêtre...C'est...franchement...C'est tellement invraisemblable...

— Tu penses que je suis folle, parce que je suis internée dans une
clinique psychiatrique?

— Non, je t'assure, dit-il avec embarras parce que dans le fond
c'est ce qu'il avait commencé à penser.

— Tu mens mal. On voit que tu n'as pas l'habitude. Mais ce n'est pas grave. Moi aussi à ta place, je penserais la même chose...Mais j'ai une preuve de ce que j'avance. J'ai fait une copie sur disquette de tout le fichier secret. Viens avec moi à ma chambre, je te remets la disquette, et là tu décideras si oui ou non je suis folle.

Il ne pouvait quand même pas refuser de lui donner le bénéfice du doute. Elle avait l'air si convaincue, si sincère, même si ce qu'elle affirmait était hautement invraisemblable. Comme il ne disait toujours rien, Patricia ajouta:

— Je te le demande au nom de notre amitié...

— D'accord, dit-il. Je te suis.

37

Joe, le concierge sexagénaire, très voûté pour un homme de son âge, avait épongé de son mieux le plancher, et venait de retirer de la toilette la robe que madame Blackwell y avait jetée dans sa crise. Il l'examina. Elle était en si mauvais état qu'il la jeta sans hésitation dans son seau sur roues qu'il avait amené avec sa vadrouille pour réparer les dégâts.

Il actionna alors la chasse d'eau pour s'assurer que l'inondation était vraiment due à la robe, et non pas à quelque bris. Tout parut d'abord normal. L'eau disparut dans la cuvette, qui commença ensuite à se remplir à une vitesse régulière, mais une fois qu'elle fut pleine, il entendit encore un son, le bruit d'un écoulement. Qu'est-ce que ça pouvait bien être?

Le concierge joua avec la manette qui commandait la chasse d'eau, mais sans résultat. Bon, il fallait ouvrir et vérifier... Joe se résigna à soulever le couvercle du réservoir d'eau. En examinant le mécanisme de la manette, il aperçut le sachet plastifié. Intrigué, il se demanda ce que ça pouvait être? Il retira le sachet et constata qu'il contenait une disquette. Comme il n'y connaissait rien en informatique, il se dit qu'il s'agissait peut-être d'un jeu électronique, et pensa que ce serait un cadeau fort apprécié par son petit-fils dont il avait la garde depuis la désertion de sa bru.

Certes, il avait pour instruction de rapporter à la direction tout objet trouvé. Mais cette disquette avait sûrement été mise là par une folle... Quelle personne normale en effet songerait à ranger un jeu électronique dans une cuvette de toilette? Et puis, de toute manière, ces dingues de patientes étaient toutes riches à craquer alors ce n'était pas la disparition d'un petit jeu de rien du tout qui les ruinerait! Et puis Danny, son petit-fils, serait si content!

Il retira la disquette du sachet, qu'il jeta dans son seau, puis fourra dans sa poche sa trouvaille. Avec un tournevis qu'il gardait toujours dans la poche arrière de son bleu, il resserra le mécanisme de la manette et l'actionna à nouveau. Opération réussie! Plus le moindre écoulement!

Joe referma la cuvette et, poussant de sa vadrouille sa chaudière grinçante, il s'en retourna lentement à la conciergerie.

Suivie de Jonathan et de Lumino — qui ne cessait de réprimer de longs et inexplicables bâillements — Patricia arriva à la porte de sa chambre alors que le vieux Joe s'éloignait tout doucement, courbé sur son seau. Il l'entendit arriver, se retourna, la vit, et plissa les lèvres. Il l'avait échappé belle! Quelques secondes de plus, et on l'aurait probablement pris la main dans le sac. Il eut un sourire de satisfaction et, d'un mouvement furtif de la main, il imprima une légère pression sur la disquette dans sa poche. Il détourna la tête et pressa le pas.

En entrant dans la chambre, Patricia se précipita vers la toilette. Intrigué, Jonathan la regarda soulever le couvercle du réservoir. Qu'est-ce qu'elle pouvait bien faire? Cacher une disquette dans une toilette? Etait-elle tombée sur la tête? Il s'attrista, sentant déjà qu'il avait accordé à Patricia une confiance imméritée et qu'elle était probablement très malade. L'air stupéfait qu'elle ne tarda d'ailleurs pas d'afficher ne fit que le confirmer dans son sentiment.

— Je ne comprends pas, dit Patricia. Je ne comprends vraiment pas. La disquette n'est plus là. Je l'ai bien cachée ici, hier.

— Dans l'eau du réservoir?

— Non. Dans un sachet de plastique...

— Un sachet de plastique?

— Oui, c'est madame Blackwell... Enfin, ce serait trop long à expliquer...

Désespérée, elle examina fiévreusement le fond de la cuvette, puis le plancher, de chaque côté de la toilette.

— Je ne suis pas folle quand même! dit-elle.

Folle...Elle avait prononcé le mot clé...Le mot qui résonnait déjà dans l'esprit de Jonathan...Son ancienne camarade d'université, qu'il avait tant aimée, et qu'il avait retrouvée par un hasard extraordinaire était une déséquilibrée, une malade mentale. Comment en douter, maintenant?

Patricia était effondrée. Son ultime espoir de convaincre le jeune médecin venait de s'évanouir. Et son passeport vers la liberté venait de disparaître du même coup. Les larmes lui montèrent aux yeux.

— Je te jure que la disquette était là hier soir. Je ne sais pas ce qui a pu se passer, mais il faut que tu me croies.

Jonathan la regarda tristement et baissa la tête, sincèrement accablé. Il préféra ne rien dire. Qu'y avait-il à dire d'ailleurs? Elle n'était

pas sa patiente... Elle n'était qu'une amie, une amie qu'il avait longtemps cru être la femme de sa vie...Mais cela ne l'autorisait pas à lui
dire qu'elle souffrait probablement d'un mal très grave: délire de persécution, schizophrénie, psychose, ou simple obsession...

D'ailleurs, à la réflexion, elle lui avait probablement menti au sujet
des raisons réelles de son internement. Rusée, (enfin pas assez pour le
déjouer) elle avait inventé toute cette histoire pour qu'il l'aidât à obtenir son congé. Le silence était de plus en plus lourd entre Patricia et le
jeune médecin qui, n'en pouvant plus, finit par dire:

— Il faut que j'y aille, j'ai une patiente dans cinq minutes.

— Je comprends, dit-elle tristement.

Elle comprenait qu'il ne l'avait pas crue. Et elle comprenait que
son histoire était invraisemblable et que, dans les circonstances, personne ne l'eût crue de toute manière.

38

Même si la disquette avait disparu, Patricia n'en conservait pas
moins la certitude que le complot qu'elle avait découvert était bien
réel. Madame Bloomberg courait donc un terrible danger. Il fallait absolument qu'elle la prévienne. Qui sait, l'originale cantatrice pourrait
peut-être faire quelque chose, appeler un avocat, ou la police...

Elle s'empressa d'aller la trouver. Comme à son habitude, elle répétait, en compagnie de son jeune pianiste.

Madame Bloomberg ne trouvait pas Patricia très sympathique, et
de toute manière, en règle générale, elle se méfiait des autres pensionnaires qu'elle soupçonnait d'envier son talent. Elle lui jeta un regard
contrarié. Elle avait horreur d'être interrompue en pleine répétition.
Notant l'accueil glacial, Patricia s'empressa de dire:

— Je ne prendrai pas beaucoup de votre temps, je vous le promets.
Puis-je vous parler seule à seule?

Après une hésitation, madame Bloomberg se tourna vers son pianiste et lui intima :

— Alphonse, take a walk!

Le pianiste se leva sans protester, et alla attendre dans le corridor.
Madame Bloomberg profita de cette interruption pour engloutir deux
chocolats mais, dans son égoïsme gourmand, elle n'en offrit pas à Patricia, qui ne s'en formalisa pas. La raison de sa visite était bien trop
grave pour que cette impolitesse légère la contrariât. Elle alla droit au
but:

— Madame Bloomberg, il faut que vous quittiez cet hôpital le plus
vite possible. Votre vie est en danger.

— Ma vie est en danger?

— Oui, j'ai même toutes les raisons de croire que vous serez assassinée demain. J'en ai la preuve formelle mais malheureusement je ne peux vous la donner. Je vous demande seulement de me croire.

Madame Bloomberg crut à une plaisanterie de mauvais goût. Qu'est-ce que c'était que cette histoire?

— Ne soyez pas ridicule, ma petite dame, dit-elle d'un ton condescendant et agacé. Je ne peux pas être assassinée demain. Je chante à Carnegie Hall!

— S'il vous plaît, je vous en supplie. Il faut que vous me croyiez. Ils ont déjà tué madame Kramer. Et vous êtes la prochaine sur la liste. Ils vont vous pousser par la fenêtre de votre chambre.

Madame Bloomberg regarda vers sa fenêtre. Un instant, elle eut un doute. Patricia disait peut-être la vérité. Mais non, c'était invraisemblable. Cette jeune dinde voulait lui jouer un vilain tour. Elle éclata d'un grand rire et, prise d'une angoisse soudaine, avala deux autres chocolats. Et elle changea aussitôt le cours de la conversation, comme si elle avait complètement oublié ce que Patricia venait de lui dire ou comme si elle n'y accordait aucun intérêt.

— Qu'est-ce que vous croyez que je devrais porter pour mon concert de demain? Du rouge ou du vert ?

Comme Patricia, découragée, ne disait rien, madame Bloomberg se dirigea vers le placard, et en tira une robe de soirée écarlate.

— Que pensez-vous de cette robe-là ?

— Madame Bloomberg, je sais que ce que je vous dis est difficile à croire. Mais je vous en supplie: demain, ne restez pas seule dans votre chambre. On va essayer de vous tuer.

39

Après avoir longuement hésité, car il avait le sentiment qu'en entreprenant cette démarche il trahissait la confiance de Patricia, Jonathan Lake sollicita une entrevue avec le docteur Waterman. Le directeur de la clinique l'accueillit dans son bureau ultra-moderne la journée même, en fin d'après-midi. Il s'attendait à sa visite: le jeune médecin voulait sûrement s'expliquer au sujet des rumeurs qui circulaient dans la clinique à propos de son «histoire» avec Patricia Stone.

— Je suis venu vous parler de Patricia Stone, dit Jonathan.

— Vous vous connaissez depuis l'université, n'est-ce pas ?

La question, posée à brûle-pourpoint, embarrassa Jonathan qui rougit. Comment diable le directeur de la clinique avait-il pu obtenir si rapidement de tels renseignements? Etait-il également au courant du ridicule incident de la veille, lorsque madame Tate l'avait surpris dans son bureau avec Patricia la poitrine découverte?

— Oui, dit Jonathan, elle étudiait la littérature...

— Pendant que vous, vous l'étudiiez, elle, acheva Waterman en une plaisanterie qui embarrassa énormément le jeune médecin.

Waterman était donc déjà au courant! Il aurait dû prendre les devants et tout expliquer. Là, il avait l'air de quelqu'un qui avait voulu se cacher, et qui par le fait même avouait sa culpabilité.

— Vous savez, je suis prêt à passer l'éponge cette fois-ci, mais je tiens à vous prévenir que ce qui s'est passé hier dans votre bureau entre madame Stone et vous ne doit se reproduire sous aucun prétexte. Sinon je me verrai dans l'obligation de me défaire de vos services. J'en serais vraiment désolé, croyez-moi, mais ce n'est pas le genre de la maison. Comme les pensionnaires sont toutes des femmes, nous nous devons d'être spécialement stricts à ce chapitre.

— Il y a un malentendu, tenta le docteur Lake.

— Un malentendu? Je croyais pourtant avoir été clair au moment où je vous ai embauché. Le succès de notre clinique repose entièrement sur sa réputation. Je sais que vous avez des circonstances atténuantes, que vous venez de vous séparer de votre épouse et que Madame Stone est pour ainsi dire une amie... Mais pour l'amour de Dieu, attendez au moins qu'elle obtienne son congé!

— Ce n'est pas cela le malentendu, tenta à nouveau d'expliquer Jonathan qui trouvait de plus en plus que la soupe était chaude et qu'il devait rapidement trouver les bons mots pour se sortir de ce guêpier. Si madame Stone m'a montré sa... sa poitrine, c'est qu'elle portait prétendument des marques...

— Des marques?

— Ne soyez pas choqué par ce que je vais vous dire. D'ailleurs, je tiens à vous préciser que je soupçonne madame Stone d'être très malade, mais il faut que je vous dise ce qui s'est vraiment passé dans mon bureau hier. Madame Stone a ouvert sa robe de chambre devant moi pour me montrer des marques, des marques qui...

Il n'osait pas le dire, tant il trouvait la chose invraisemblable et tant il craignait de froisser le directeur.

— Des marques qui quoi? demanda avec irritation Waterman.

— Des marques qui lui auraient été faites par vous. Elle prétend que vous avez tenté de la violer l'autre soir dans sa chambre.

Loin de se montrer offusqué ou même étonné de cette accusation pourtant fort grave, le docteur Waterman conserva un calme parfait et se contenta de hocher la tête en plissant les lèvres d'un air paternaliste et un peu douloureux.

— Madame Stone est effectivement très malade. Votre diagnostic est hélas fort juste, docteur Lake.

Même s'il apprenait une mauvaise nouvelle concernant sa camarade d'université, Jonathan ne put se défendre contre un petit mouvement de vanité. C'était la première fois depuis son embauche que le directeur de la clinique lui exprimait une forme d'appréciation.

Jonathan expliqua:

— En fait, elle est convaincue que madame Kramer n'est pas morte de manière naturelle. Elle soutient qu'elle a été assassinée.

— Assassinée?

— Oui.

— Sait-elle que l'«arme du crime» est un troisième infarctus?

— Je le lui ai dit mais elle ne veut rien entendre. Elle est persuadée qu'il y a toute une conspiration ici. Je pense que c'est madame Blackwell qui lui a monté la tête. Elle prétend qu'il existe des fichiers secrets pour chaque pensionnaire avec des codes blancs et noirs, ou quelque chose du genre. Elle dit même que les maris paieraient jusqu'à 500,000$ à la clinique pour se débarrasser de leur femme et... enfin je ne sais plus trop quel charabia.

— Mon Dieu, elle est plus atteinte que je pensais!

— En effet, parce qu'elle a vraiment l'air de croire à son histoire. Elle m'a même dit qu'elle était venue dans votre bureau et qu'elle avait fait une copie sur disquette de ces fichiers confidentiels. Mais quand est venu le temps de me montrer la disquette, elle avait disparu, comme par miracle.

Le docteur, qui avait froncé imperceptiblement les sourcils, se leva et se dirigea vers un grand classeur noir à quatre tiroirs. Il en tira une chemise, qu'il déposa sur son bureau avant de s'y rasseoir. Il souleva le couvercle d'une boîte dorée:

— Une cigarette? demanda-t-il à Jonathan qui remarqua alors que le directeur portait un pansement à la main gauche.

— Je vous remercie. Je ne fume pas. Vous...vous vous êtes blessé?

— Oh, ce n'est rien. Une simple éraflure. Je ne suis vraiment pas fait pour les travaux manuels.

Il prit une longue bouffée de cigarette puis expliqua d'une voix sérieuse et calme:

— Il y quelques semaines, Patricia Stone a été admise à un hôpital de Los Angeles à la suite d'un viol.

— Elle a été violée?

— Elle ne vous l'a pas dit?

— Non, je... elle a prétendu qu'elle n'était ici que pour se reposer...

— Oui, bon... un mensonge de plus ou de moins, dit Waterman comme pour lui-même.

Il reprit:

— Comme après tout viol, il y a naturellement eu enquête policière, d'autant que madame Stone avait d'abord reçu des lettres de menace, des appels anonymes, une poupée défigurée, des roses ensanglantées... Elle avait même été suivie par un homme mystérieux, supposément le violeur. Mais ce qu'on croyait n'être au début qu'une enquête de routine a donné lieu à des conclusions surprenantes.

Jonathan ne disait plus rien. De fines gouttelettes de sueurs perlaient sur son front. Ce qu'il appréhendait au sujet de Patricia se confirmait. Il avait l'impression qu'il aurait pu deviner la suite du récit, qui le surprit néanmoins:

— En fait, reprit Waterman, sûr de son effet, la police a pu établir hors de tout doute qu'il n'y avait jamais eu viol. Non seulement n'y avait-il aucune trace de sperme dans le vagin de madame Stone, mais on a découvert qu'elle s'était elle-même envoyé les lettres de menace et la poupée ensanglantée...Une poupée sur laquelle on a retrouvé ses propres empreintes digitales! Quant au bouquet de roses pleines de sang, le détective a retrouvé le fleuriste qui les avait envoyées, car sa carte d'affaires était tombée au fond du bouquet. Le fleuriste a d'ailleurs identifié la personne qui avait acheté les fleurs: c'était Patricia elle-même. Elle n'a pas été très habile, elle a payé par carte de crédit et le fleuriste avait encore une copie de la transaction, avec sa signature.

Le docteur Lake paraissait profondément accablé.

— Je...je ne sais pas quoi vous dire, docteur, finit par dire Jonathan après un assez long silence. C'est une histoire vraiment triste...Je crois que...je ne vous dérangerai plus avec cette histoire de viol et de disquette...Vous pouvez oublier tout ce que je viens de vous dire...

— Vous ne me dérangez pas ...Vous avez fait ce que vous considériez être votre devoir... Vous ne saviez pas à quel point madame Stone pouvait être malade...

Le docteur Lake inclina imperceptiblement la tête, car il était tout à coup honteux d'avoir, ne fût-ce qu'un instant, soupçonné le docteur Waterman des horribles agissements que lui prêtait Patricia. Pour retrouver une contenance, et aussi pour montrer qu'il n'était pas complètement dépassé par la situation, il dit:

— Elle...Elle souffre visiblement d'un grave délire paranoïaque.

— Vous avez mis le doigt dessus, cher collègue...En fait, nous sommes en présence d'un cas évident de mythomanie.

— Ca me paraît évident. Ce qui m'a un instant confondu, c'est que Patricia est une femme très intelligente et très convaincante. Elle a vraiment une façon très habile de faire croire en ses mensonges.

— Déformation professionnelle peut-être. Je me suis laissé dire qu'elle était romancière en herbe.

— Elle s'est imaginé que sa vie était un roman.

— Le plus triste dans cette histoire, c'est qu'en fait elle a tenté de se suicider.

— Vraiment? dit Jonathan avec stupéfaction car il ne croyait pas que cette femme qu'il avait tant aimée — et qu'il avait toujours imaginé équilibrée — pût en venir à une telle extrémité, qui trahissait une perturbation profonde, un malheur certain.

— Eh oui...Elle a raconté que le pseudo-violeur l'avait forcée à avaler un pot complet de somnifères ou de tranquillisants, je ne me souviens pas au juste... En fait, elle voulait en finir. Mais par égard pour son mari ou ses parents, elle a voulu déguiser cela en tentative de viol.

— C'est vraiment une histoire incroyable... dit Jonathan, qui allait d'une révélation bouleversante à l'autre.

Bien sûr, il avait soupçonné que Patricia était mariée.

(Comment en effet aurait-elle pu défrayer seule les frais de séjour dans une clinique si dispendieuse?) Mais maintenant il était devant le fait brut, incontournable, qui lui enlevait ses derniers espoirs. Même si Patricia n'avait pas été profondément malade, elle était déjà prise de toute manière.

— Le mariage ne lui a pas réussi, apparemment, commenta Waterman. A son mari non plus d'ailleurs. Pauvre Richard! Lui qui avait attendu d'avoir quarante ans pour se marier... Il l'a pris très mal. C'est un avocat brillant, un homme très rationnel... d'une grande intelligence. Depuis qu'il a appris que sa femme était folle, il l'a pour ainsi dire bannie de sa vie... Sa famille aussi, d'ailleurs... Remarquez, je ne suis pas inquiet pour lui...C'est un vrai play-boy. Je pense qu'il ne se laissera pas reprendre de sitôt dans les filets du mariage...Heureusement, tant que sa femme est ici, ça ne lui coûte pas cher... C'est la Blackwell qui paie la note...mais si jamais il veut divorcer...Enfin j'imagine qu'il lui a déjà fait signer un arrangement prénuptial...Ou qu'il lui en fera signer un avant d'accepter de signer pour son congé...Le mariage...

— Ils étaient mariés depuis longtemps?

— Même pas un an.

C'était encore pire! Ce fut un nouveau coup pour Jonathan. Patricia était une jeune mariée, presque en lune de miel. Jamais il ne pourrait réaliser son vieux rêve. Il eut peine à dissimuler sa déconvenue, sa tristesse. Waterman lui tendit alors le dossier de Patricia en disant:

— Tenez, si vous voulez, je vous le laisse jusqu'à demain. Cela va sans doute vous intéresser d'y jeter un coup d'oeil. C'est un des plus intéressants cas de mythomanie que j'aie rencontré dans toute ma carrière.

40

Le soir, sitôt arrivé chez lui, Jonathan se plongea dans le dossier que lui avait remis le docteur Waterman. Après s'être préparé un bon café, pour se donner un peu de courage, il s'assit à sa table de salle à manger, un des rares meubles qui lui restait de sa récente séparation.

Sa femme en effet avait presque tout emporté. Humilié d'être quitté pour un homme qui — fût-il directeur de l'hôpital où il travaillait: honte supplémentaire! — avait vingt ans de plus que lui, Jonathan s'était laissé spolier sans se défendre. Peut-être avait-il jugé plus salutaire de ne rien conserver de ce qui avait appartenu à sa femme puisque, comme chacun sait, les objets ont la mémoire longue. Et, même s'il en avait les moyens, il ne s'était encore rien racheté, préférant vivre son «deuil» dans le dénuement, attendant de «recommencer une nouvelle vie» avant de se meubler à nouveau.

Au moins lui restait-il son chien, un sympathique *golden retriever*, qui était devenu d'un seul coup toute sa famille, et dont la présence lui paraissait bien plus consolante, bien plus réconfortante, qu'un canapé ou une batterie de chaudrons. Sa brave bête dormait d'ailleurs à ses pieds, sous la table.

Jonathan ouvrit le dossier, et, l'air grave, se mit à le feuilleter. Il tomba d'abord sur une grande photo de Patricia, prise avant sa tentative de suicide. Un sentiment de nostalgie l'envahit. Elle était si belle, si racée, et surtout si équilibrée lorsqu'il l'avait connue à l'université! C'était d'ailleurs ce qui l'avait immédiatement frappé, après sa beauté, cette sorte d'équilibre supérieur, de joie, de détachement par rapport aux événements: la vie semblait un véritable jeu pour elle. Comme les choses avaient changé depuis!

Aujourd'hui, Patricia n'était plus que l'ombre d'elle-même. Elle avait complètement perdu le contrôle de son existence. Déséquilibrée, mythomane, suicidaire, voilà les mots douloureux qui venaient à l'esprit de Jonathan lorsqu'il pensait à elle.

Il regarda les autres clichés, moins sympathiques, pris ceux-là par la police. L'un d'eux montrait la poupée mutilée, au sourire grotesque, barbouillé de rouge à lèvres et fendu jusqu'aux oreilles. Jonathan eut un mouvement de répulsion. Ce n'était pas beau à voir! Et le plus épouvantable, c'est que cette poupée était sortie de l'imagination de Patricia. Elle devait être vraiment malade pour penser à de pareilles horreurs!

Un autre cliché représentait la porte du condo des Stone, photographiée le jour du prétendu viol. C'était un élément nouveau dont le docteur Waterman n'avait pas parlé à Jonathan. Sur la porte — une porte dont l'apparence fort luxueuse ne fit que confirmer à Jonathan la richesse du mari de Patricia —, on pouvait déchiffrer sans difficulté les mots que formaient les grandes lettres écarlates: L'AMOUR TUE.

Cette formule lapidaire et tragique eut une résonnance étrange dans l'esprit de Jonathan. L'amour tue...L'amour ne l'avait-il pas tué, lui aussi? Non pas parce qu'il avait été abandonné par sa femme — sa séparation, même si elle l'avait affecté, avait surtout froissé son orgueil et bousculé ses habitudes — mais parce qu'il flottait depuis des années dans les limbes de son passé, parce qu'il n'avait jamais cessé de penser à Patricia, même marié à une autre femme, parce qu'il étouffait ses vrais sentiments et vivait dans le mensonge. N'était-il pas mort lui aussi puisque, malgré la grande passion qu'il vouait à son travail, le véritable but de son existence était l'amour?

Il s'efforça de chasser ces tristes réflexions et continua l'étude du dossier. Figuraient également parmi les photos les clichés de la salle de bain où Patricia avait tenté de mettre fin à ses jours. L'un d'eux retint particulièrement son attention: celui de Patricia, inconsciente, complètement nue, photographiée à son entrée à l'hôpital.

Il remarqua que les poils de son pubis avaient été rasés, et ce détail lui parut curieux et choquant. Même si les circonstances ne s'y prêtaient guère et qu'il avait l'impression d'abuser pour ainsi dire de son pouvoir de médecin, il fut fasciné par cette photo.

Comme il aurait aimé faire de Patricia sa femme! Elle était encore plus belle de corps qu'il ne l'avait imaginé. Même si leur amour était impossible, il l'avait dans la peau. Pas étonnant qu'il se fût pendant des années montré si peu affectueux avec sa femme. Elle était bien faite certes, élégante, jolie, mais le modèle idéal de la beauté féminine, c'était Patricia qui l'incarnait. Cette constatation acheva de l'attrister.

Il avait atteint ce moment difficile de l'existence où l'on doit accepter que son rêve le plus cher — un projet nourri depuis des années, une passion longtemps contrariée — ne verra pas le jour. Il n'avait même plus la force de se révolter. Il trouva seulement celle de se demander pourquoi diable il s'était épris d'une femme à jamais inaccessible?

Toutes ces photos — la poupée, le graffiti dramatique sur la porte, la salle de bain, le corps nu de Patricia avec son pubis rasé — concoururent à donner à la folie de Patricia une consistance, une réalité qu'elle n'avait pas encore dans l'esprit de Jonathan. Ce n'était plus des choses abstraites, des conjectures. C'était une histoire vraie qui avait failli se solder par une mort, et dont la triste héroïne était maintenant internée dans une clinique psychiatrique.

Comment croire que cette femme si belle, si parfaite — du moins à ses yeux — fût devenue une sorte d'épave, une déséquilibrée? Quelque chose en lui se rebiffait. N'y avait-il pas une autre explication que celle, officielle et fort crédible, fournie par la police et le docteur Waterman?

La sonnerie du téléphone fit sursauter Jonathan, tant il était absorbé dans sa triste rêverie. Il répondit au bout de deux coups. C'était son ex-femme, Judith, qui lui demanda d'une voix neutre, cordiale mais sans émotion aucune — la séparation était pour elle une affaire classée: elle n'avait aucun regret et elle vivait une passion nouvelle:

— Comment vas-tu, Jonathan ?

— Bien, je...

Son appel le surprit un peu car il y avait au moins un mois qu'il n'avait pas eu de ses nouvelles.

— Ecoute, dit-elle, je ne veux pas prendre trop de ton temps, je sais que tu es extrêmement occupé depuis que tu as ce nouveau poste à la clinique. Tu sais, ce petit secrétaire que nous avions acheté ensemble à Paris...

— Oui...

Il s'en souvenait en effet, et même, des souvenirs de leur séjour européen déferlèrent tout à coup dans son esprit. Ils avaient quand même eu de bons moments...

— Je sais que nous avions convenu que tu le garderais, mais il irait tellement bien avec le nouvel ensemble que nous...

Elle estima que ce «nous» — qui désignait son nouvel amant et elle — était accablant pour quelqu'un fraîchement abandonné, et se reprit aussitôt:

— Que j'ai acheté...Je me demandais si... si tu verrais objection à t'en séparer.

Il ne dit rien, abasourdi. Son ex-femme qui sentait qu'elle l'avait peut-être blessé, et qui craignit de voir échouer sa démarche, s'empressa d'ajouter, avec cette gentillesse froide que confère non seulement le détachement mais la force d'un amour nouveau:

— Évidemment, tu me diras combien tu en veux.

Jonathan reprenait peu à peu contenance, et réalisait la banalité de la démarche de son ex-femme. Rien à voir avec une tentative de réconciliation! Ce n'était qu'une simple question d'ordre pratique, une tentative de tirer un dernier bénéfice, si mince fût-il, d'un mariage qui n'avait plus aucune valeur à ses yeux. Il surmonta ses émotions et dit d'une voix neutre, amicale:

— Tu peux passer le prendre quand tu veux. Et pour l'argent, il n'en est pas question. Disons que ce sera mon cadeau de séparation.

Tout à coup, ce joli petit meuble qu'il avait tant aimé, parce qu'il lui rappelait leur unique voyage en Europe, le laissait totalement indifférent. Et même, d'une certaine manière, il le détestait car il paraissait incarner toute la mesquinerie, toute l'insensibilité de son ex-femme.

Elle le remercia, l'informa qu'elle passerait prendre le meuble le lendemain après-midi, et qu'elle en profiterait pour lui remettre sa clé — ce qu'elle avait oublié de faire à l'occasion de son déménagement — et ajouta en guise de conclusion:

— On ira luncher ensemble un de ces jours.

— Oui, c'est ça...

Et ce fut tout. Il raccrocha, et resta un moment pensif. Curieux comme une femme dont il avait partagé l'intimité pendant des années — presque six ans — pouvait devenir en l'espace de quelques mois à peine une parfaite étrangère, à croire qu'elle ne l'avait jamais aimé!

Avait-elle découvert auprès de son nouvel amant une passion si forte qu'elle avait brusquement effacé son passé? Ou était-ce une manière subtile de punir son mari, de se venger de lui parce qu'elle avait toujours senti qu'il ne l'avait pas vraiment aimée — sans du reste en avoir jamais eu la preuve formelle parce qu'elle avait toujours ignoré l'existence de Patricia?

Ce fut un peu comme un deuxième choc — le premier s'était produit évidemment à l'annonce de son départ — mais il fut beaucoup plus bref et moins douloureux, peut-être tout simplement parce qu'aucun espoir ne l'habitait plus. Il savait maintenant que c'était fini entre sa femme et lui, et ce qui l'attristait, ce qui lui donnait froid dans le dos, c'était plutôt une réflexion de nature philosophique sur le caractère éphémère des sentiments.

Il se leva et se dirigea vers les rayons de sa bibliothèque. Au moins, sa femme n'avait pas emporté ses livres! Son chien, que la sonnerie du téléphone avait réveillé, le suivit. Sentant visiblement la tristesse de son maître, il le regardait d'un air sympathique et se frottait contre lui. Le jeune docteur le caressa. Lui au moins, il était fidèle: il ne le quittait pas.

Il parcourut du doigt les différents tomes de son immense encyclopédie médicale et s'arrêta à la lettre «M». Il tira le volume du rayon et, suivi de son chien, le rapporta sur la table, où il l'ouvrit. Il trouva rapidement la section portant sur la mythomanie.

Certes lorsque le docteur Waterman avait, après le surprenant exposé du cas de Patricia, parlé de mythomanie, Jonathan n'avait pas été surpris. Il connaissait évidemment le terme. Mais au cours de ses études, il avait plutôt négligé ce domaine des maladies mentales. Il voulait se rafraîchir la mémoire. Et peut-être trouverait-il un indice, une explication au mal étrange qui avait brisé la vie de Patricia.

La rubrique sur la mythomanie (qui signifie, étymologiquement: la manie des mythes, c'est-à-dire la manie d'inventer des histoires) était illustrée de nombreuses planches dont certaines remontaient au siècle dernier. Leur vue ne rassura certes pas Jonathan.

L'une d'elles — une des plus frappantes — montrait une femme aux cheveux très longs, le visage grimaçant, qui brandissait un couteau en se tenant la tête. Allait-elle se tuer d'un coup fatal? Ou tentait-elle d'intimider un agresseur seulement visible dans son imagination délirante?

Sur une autre planche, tout aussi inquiétante, un homme complètement nu, à la pilosité simiesque, se tordait sous une douche que deux gendarmes lui infligeaient: traitement couramment utilisé au dix-neuvième siècle pour apaiser les crises de folie. En médaillon, une adolescente au visage larmoyant se débattait dans une camisole de force, entourée de médecins craintifs.

La rubrique était composée de différents articles dont le principal portait le titre suivant:

«AU 19 SIECLE, LES MYTHOMANES, CONSIDERES COMME DANGEREUX, ETAIENT SOUVENT TRAITES DE MANIERE CRUELLE».

Après quelques secondes de contemplation inquiète, Jonathan tourna la page et tomba sur des photographies, plus récentes. L'une représentait un sosie de Marylin Monroe, l'autre un homme passablement sinistre qui se prenait pour Richard Nixon. L'article portait le titre suivant:

«LES MYTHOMANES PEUVENT ADOPTER LA PERSONNALITE DE GENS CELEBRES».

Rompu à la lecture rapide par des années d'études fastidieuses, le docteur parcourut le texte rapidement. Un passage retint particulièrement son attention : «Les mythomanes sont rarement conscients d'inventer des histoires. C'est pour cette raison que le traitement est extrêmement difficile, souvent long, et le taux d'échec très élevé.»

Ces commentaires ébranlèrent le docteur Lake. Il leva la tête, songeur. Patricia appartenait-elle à la catégorie de mythomanes qui ne sont même pas conscients de leur délire et croient leurs histoires, aussi invraisemblables soient-elles? C'est selon toute apparence ce que Waterman pensait, lorsqu'il avait affirmé, avec tristesse, que Patricia était une personne «malade», «très malade».

Avec les années d'expérience qu'il comptait, avec la profondeur de ses vues, il devait être plutôt rare qu'il posât un diagnostic erroné. C'était donc une opinion de première main, si on peut dire. Au demeurant, le rapport policier établissait hors de tout doute les véritables événements et ses conclusions étaient incontestables.

Jonathan se posa alors la question cruciale: Patricia était-elle consciente de sa maladie? Savait-elle qu'elle avait imaginé de toutes pièces cette histoire, qu'elle n'avait jamais été violée, ni agressée, mais qu'à la place elle avait tenté de se suicider?

Ou au contraire — comme il était plus probable si on se fiait à l'encyclopédie, et aux statistiques — était-elle complètement emmurée dans son délire, dans sa mythomanie? Si c'était le cas, sa guérison était plus qu'improbable et son séjour à la clinique — ou à une autre clinique, peut-être moins coûteuse — se prolongerait fort longtemps.

Abattu par ce qu'il venait de lire et par les conclusions qu'il n'avait pu s'empêcher de tirer, Jonathan referma l'encyclopédie et ne se sentit même pas la force de la replacer sur le rayon où il l'avait prise. Son chien Harry, disparu depuis un moment, revint vers lui, agitant la queue, sa laisse dans la gueule.

— Tu veux qu'on aille se promener? Tu as bien raison! C'est peut-être la meilleure chose qu'il nous reste à faire.

Ils s'arrêtèrent dans un parc, où Jonathan laissa courir Harry en liberté, pendant qu'il respirait tristement l'air du soir. Rarement s'était-il senti aussi seul. Etonnant comme sa vie avait basculé en si peu de temps! Quelques semaines auparavant, en effet, il était encore marié, et heureux en ménage, du moins le croyait-il. Lui et sa femme ne formaient certes pas le couple idéal. Ils avaient des problèmes, mais qui n'en a pas?

Et puis un soir, elle lui avait annoncé qu'elle partait, pas avec n'importe qui du reste, non, avec le directeur de l'hôpital où il travaillait. Quelle humiliation! Il avait dû se trouver rapidement un poste ailleurs, ne pouvant souffrir de s'exposer quotidiennement aux regards sournois, aux remarques désobligeantes et pire encore, aux airs apitoyés de ses collègues. En effet, comme il arrive souvent en pareil cas, il avait été un des derniers à apprendre la liaison de sa femme et de son patron.

Puis, contre toute attente, il avait revu Patricia. Et il s'était rendu compte, à l'instant même où il l'avait vue, qu'il n'avait probablement jamais cessé de l'aimer, même si cette passion si durable avait été mise en sourdine par le temps et l'absence. L'espoir avait rejailli en lui, seulement pour retomber aussitôt, douloureusement, lorsqu'il avait appris que Patricia était non seulement mariée mais atteinte de mythomanie, une maladie grave et sans doute incurable. Quel ironie du sort!

Heureusement, il avait Harry, dont les sauts insouciants et joyeux mettaient un peu de baume sur ses plaies. C'est en tout cas ce qu'il se dit lorsqu'il rappela son chien, un peu plus tôt que prévu. Un grand vent s'était levé et de gros nuages noirs roulaient dans le ciel. Il sentit même quelques gouttes de pluie. Il y avait décidément de l'orage dans l'air. Mieux valait écourter cette promenade.

41

A peu près au même moment, soit vers sept heures du soir, une équipe de cinq infirmiers, dirigée par miss Harper, débarqua dans la chambre de Patricia et, sans fournir la moindre explication, procéda à une fouille. Patricia, debout à sa fenêtre, observait les éclairs qui commençaient à déchirer le ciel. Elle eut d'abord le réflexe de protester, puis comprit la raison de la présence des infirmiers : ils cherchaient de toute évidence la disquette. Elle n'avait aucune raison de s'inquiéter. Ils ne la trouveraient jamais, puisqu'elle n'était plus dans sa chambre.

Patricia décocha un sourire ironique à Miss Harper, qui parut d'ailleurs surprise de sa soumission, elle qui était d'habitude si explosive: les médicaments avaient sans doute commencé à agir!

Puis Patricia eut un mouvement de tristesse. Elle venait de réaliser la trahison de Jonathan. Il était la seule personne en effet à qui elle avait révélé son expédition nocturne au bureau de Waterman, et surtout le fait qu'elle avait une copie sur disquette des dossiers secrets de la clinique.

Jamais elle n'aurait imaginé pareille perfidie de la part du jeune médecin! Elle le croyait sensible à sa cause, compréhensif, loyal! Elle était pourtant certaine d'avoir trouvé en lui un allié, le seul qu'il lui restait à la clinique, à part bien entendu madame Blackwell, mais celle-ci était impuissante, malgré sa célébrité et le pouvoir de son mari, qui l'avait répudiée.

Et voilà que Jonathan s'était empressé de tout aller raconter à Miss Harper ou plus probablement au directeur de la clinique, à qui il devait se rapporter docilement: l'horrible Waterman! Pourquoi avait-il ainsi trompé sa confiance? Elle ne lui avait pourtant rien fait!

Dégoûtée, elle préféra ne pas assister au spectacle de la fouille, et alla faire les cent pas dans le corridor, surveillée par le brave Lumino. Au début, elle fut déprimée. Waterman savait maintenant qu'elle avait découvert la vérité au sujet de la clinique. Mais en fait, à bien y penser, le pouvoir qu'elle avait sur lui était encore plus grand qu'elle n'avait imaginé, justement parce qu'*elle n'avait plus* la disquette. Waterman ne la retrouverait donc jamais, en tout cas pas dans sa chambre, le seul endroit où il la rechercherait. Et tant que Waterman la croirait en possession de la disquette, il ne pourrait rien contre elle. A moins qu'il ne décidât de ne prendre aucune chance et de la supprimer...

Mais elle n'eut pas le temps de trancher la question car à peine quelques minutes après avoir fait irruption dans sa chambre, les infirmiers, précédés de miss Harper, ressortaient les mains vides.

— Vous avez trouvé ce que vous cherchiez? demanda Patricia à Miss Harper qui, outrée, ne lui répondit même pas mais pressa plutôt le pas.

Mais cinq minutes plus tard, l'infirmière-chef revenait à la chambre de Patricia pour lui annoncer que le docteur Waterman l'attendait à son bureau et qu'elle devait s'y présenter immédiatement.

— J'ai eu une conversation très intéressante avec le docteur Lake, dit Waterman avec un air supérieur aussitôt la porte de son bureau refermée sur Patricia.

Elle avait deviné juste: Jonathan l'avait effectivement trahie. Mais comme ce n'était plus une nouvelle pour elle, elle parvint à se dominer et ne manifesta ni surprise ni émotion.

— Je vous félicite, lui dit-elle comme si elle parlait à un gamin.

Il se trouva ridicule. Comment osait-elle se payer sa tête? Après tout, il était le directeur de la clinique, et elle n'était qu'une patiente parmi tant d'autres!

— Il m'a dit que vous vouliez lui montrer une disquette mais que malheureusement cette disquette n'existait pas.

— Je me doutais qu'il irait vous trouver. Alors je l'ai testé. Il a échoué, le pauvre.

Déjoué, le docteur Waterman ne put contenir son agacement.

— Ce que vous avez fait dans mon bureau est très grave. En tant que professionnels de la médecine, et surtout de la psychiatrie, nous connaissons des choses très intimes au sujet de nos pensionnaires. Nous devons garder jalousement le secret professionnel pour protéger la réputation de ces femmes. Aimeriez-vous que tout le monde sache que vous avez été violée par un maniaque?

Il ne lui laissa pas le temps de répondre et poursuivit:

— Non. Eh bien, les autres pensionnaires ont elles aussi droit au secret professionnel. C'est pour cette raison que les dossiers des patientes sont consignés dans des fichiers auxquels le personnel de la clinique n'a même pas accès, à moins de traiter directement la patiente. Et c'est aussi pour cette raison que je vous demanderais de me remettre immédiatement la disquette que vous avez copiée illégalement. Sinon je vais me voir dans la désagréable obligation d'engager des poursuites judiciaires contre vous.

— Des poursuites judiciaires, vraiment?

— D'accord, je sais qui est votre mari, et quel est son rôle dans la Blackwell Corporation, mais je ne peux pas laisser les choses aller ainsi. C'est mon intégrité de médecin qui est en cause.

— A vous entendre, on finirait par croire que vous êtes sincère, que vous êtes honnête alors que vous n'êtes qu'un criminel, un assassin!

— Je vous demanderais de bien vouloir mesurer vos paroles! dit Waterman, insulté, le visage blême.

— Code blanc! Code noir! Tarif de 500,000$! L'opération «Heaven can't wait»! Est-ce que ça vous dit quelque chose?

— Vous êtes plus malade que je ne croyais!

Mais il recouvra presque aussitôt son calme. (Ce n'était pas pour rien qu'il était directeur de la clinique: il savait s'adapter à toutes les situations.)

— Je vais me montrer beau joueur avec vous, parce que je vous trouve très sympathique. Vous me remettez la disquette, et je signe immédiatement votre congé.

— Dites plutôt que je signe mon arrêt de mort! Vous me prenez pour une idiote, ou quoi? Le seul pouvoir que j'ai, c'est la disquette.

Vous le savez. Et vous savez que je le sais. Alors n'essayez pas de m'intimider. Je veux que vous signiez immédiatement mon congé.

Elle lui tenait tête. C'était insupportable. Normalement, tout le monde pliait devant lui, sans même qu'il eût à élever la voix car il inspirait à son entourage une crainte naturelle.

— Signer votre congé? Je vais plutôt vous faire enfermer pour le restant de vos jours. Il n'y a que votre mari qui pourrait vous faire sortir d'ici, et comme vous le savez sans doute, il a une maîtresse...

Ce rappel n'était pas de nature à la réjouir, mais elle en fit abstraction. Il fallait qu'elle pense vite, qu'elle lui tienne tête et qu'elle obtienne gain de cause. Qu'elle ne plie pas surtout, qu'elle ne montre pas le moindre signe d'hésitation ou de faiblesse. Sinon, il saurait qu'elle n'avait aucun pouvoir réel, parce que la disquette n'était plus en sa possession. Et alors il la tiendrait. Et elle serait perdue...

— Vous vous croyez très fort, docteur. Mais vous avez juste un petit problème: le timing. Si vous n'avez pas pu retrouver la disquette dans ma chambre, ce n'est pas parce que vos infirmiers sont des demeurés, c'est parce qu'elle n'y est tout simplement pas. Et si elle n'y est pas, c'est que je l'ai remise à quelqu'un avec des instructions très précises: la remettre à la police et aux journaux si je n'obtiens pas mon congé d'ici le week-end prochain. Je vois d'ici les grands titres des journaux. «Scandale à la clinique Williamson»! Dommage pour votre belle carrière docteur! Je m'étais laissé dire que vous aviez de l'avenir...

Waterman serra les dents. Décidément, cette jeune femme était beaucoup plus futée qu'il ne l'aurait pensé. Elle avait préparé son coup, prévoyant toutes les possibilités. A moins qu'elle ne fût dotée d'un sang-froid admirable et d'une capacité d'improvisation hors du commun, trouvant sur-le-champ les arguments propres à ébranler sa certitude...Comme elle était romancière, ce n'était peut-être pas impossible après tout...

— Vous bluffez! dit-il.

— Libre à vous de le penser! dit-elle en se levant, décidée à mettre fin à cette discussion. Vous savez ce que je veux, et vous savez combien de temps vous avez pour me le donner. Si je ne suis pas libre ce week-end, vous pourrez dire adieu à votre petite carrière de merde!

— Vous aussi vous vous croyez très forte, madame Stone. Mais il y a une chose que vous ne savez pas et que nous, nous savons ici. Vous n'avez jamais été violée. Et votre petite histoire est inventée de toute pièce!

Patricia eut l'air médusée par cette révélation et, pendant quelques secondes, elle ne dit rien, les yeux écarquillés. Mais elle contre-attaqua bientôt:

— Vous tentez de déformer les faits. Vous avez manipulé mon dossier! Mais moi, je connais la vérité. Je sais que j'ai été violée! Je le sais avec ma tête et avec mon corps de femme. Et je peux aussi vous dire autre chose. Je sais que vous aussi vous avez tenté de me violer l'autre soir dans ma chambre. Mais vous n'avez pas réussi, parce que vous êtes un impuissant! Comme l'homme qui a essayé de me violer chez moi...Et d'ailleurs, en y pensant, tiens, je me demande s'il ne s'agit pas d'une seule et même personne... N'avez-vous pas juré, au bal, que vous finiriez un jour par m'avoir? Mais oui, c'est clair maintenant... Tout s'explique! Comme c'est vous qui me traitez, vous déclarez qu'il n'y pas eu viol, et que j'ai tout inventé, que je suis malade... C'est le viol parfait!

— Vous délirez! Mais vous oubliez un détail. C'est la police qui a fait l'enquête, pas moi! Et elle n'a pas mis de temps à découvrir votre petit jeu. Oh, c'était bien imaginé, je l'admets. Les lettres de menaces, les fleurs, la tentative de suicide déguisée en viol. Mais la police en a vu d'autres! Vous êtes une menteuse chronique, une mythomane, madame Stone. My-tho-mane! Est-ce que ça vous dit quelque chose? Vous inventez des histoires et vous y croyez!

— C'est vous qui mentez! C'est vous le mythomane! Parce que vous savez que vous êtes pris, et que la vérité va éclater.

— La vérité est produite ici même, dans nos usines, si je puis me permettre cette image, dit Waterman avec un sourire ironique. Ce sera toujours ma parole contre la vôtre. La parole d'un médecin contre celle d'une pauvre mythomane.

— Vous avez jusqu'à vendredi cinq heures pour signer mon congé. Après, vous êtes un homme mort, et votre belle clinique sera fermée à tout jamais!

Et elle sortit sans lui laisser le temps de répliquer.

42

Assis au bord de son immense piscine intérieure, Blackwell, en robe de chambre de velours noir, vérifiait, sur son terminal, le mouvement des titres boursiers cependant qu'une sculpturale pédicure de vingt ans, complètement nue, (lorsque Julie était absente, il lui demandait de retirer son sarrau) lui taillait les ongles d'orteil. Le téléphone sonna.

Blackwell répondit distraitement, encore tout absorbé par l'analyse des derniers titres. Il parut immédiatement contrarié. C'était le docteur Waterman.

— Je voulais justement te parler, «mad shrink»...

C'était le surnom pas très sympathique dont il l'affublait le plus souvent, quand il ne l'appelait pas tout simplement «doc».

— Oui, monsieur Blackwell, dit Waterman au seul homme au monde qui lui inspirait une admiration craintive comme s'il sentait qu'il gravitait dans des sphères plus élevées certes mais en même temps plus troubles, plus infernales que les siennes.

— As-tu accordé une entrevue à la presse pour le décès de madame Kramer?

— J'ai simplement émis un communiqué.

— Alors il y a un trou du cul qui n'a fait pas son travail correctement. Parce que ce con de journaliste laisse entendre que la mort de cette poufiasse ne serait peut-être pas naturelle. Il ne sait pas qu'il vient probablement d'écrire son dernier article dans le *L.A. Times*. Mais en attendant, nos actions ont perdu trois points ce matin. Je veux que tu appelles immédiatement Stanley...

— Stanley?

— Oui, le rédacteur en chef du *L.A. Times*. C'est lui le bouffon qui n'a pas fait son travail. Normalement, il réussit à baiser Turner. Mais on dirait que ce cochon de Turner cherche encore à s'enrichir sur notre dos. Les deux millions pour son hystérique de belle-soeur l'ont rendu gourmand... Il va falloir qu'il se mette au pas, sinon on va sortir les gros canons... Et on va le nourrir avec sa propre merde!

Sur la petite table près de Blackwell, était posé, à côté des croissants, du café et de l'appareil téléphonique, un exemplaire du *L.A.Times*. La mort de madame Kramer faisait la une. Une très grande photo de la richissime défunte se trouvait en mortaise, au bas d'une photo de la clinique Williamson. Blackwell asséna un violent coup de poing sur le journal.

La pédicure arrêta de travailler et leva la tête pour jeter un regard inquiet vers son irascible patron. Comme il ne lui disait pas de s'interrompre, elle s'inclina à nouveau vers ses augustes pieds — du reste petits et rongés par diverses maladies dues à son stress permanent — s'attaquant cette fois-ci à l'ongle du gros orteil du pied gauche.

— D'accord, je l'appelle immédiatement, monsieur Blackwell.

— Je veux un nouvel article très positif sur la clinique avec toutes les célébrités qui y sont passées et qui ont guéri... Même si elles sont encore folles! ajouta-t-il en manière de plaisanterie.

— Pas de problème, monsieur Blackwell.

Il y eut un bref silence puis Waterman, qui n'avait pas encore abordé la délicate question de Patricia, se lança et expliqua succinctement à Blackwell ce qui s'était passé à la clinique.

— Encore elle! Tu n'as pas réussi à la calmer après ce qui s'était passé avec l'hélicoptère et les camions?

— Elle est... Elle est vraiment impossible! C'est une tête forte.

— Et toi, je commence à penser que tu t'es fait lobotomiser.

— Je ne sais pas quoi vous dire. Les choses se sont passées tellement vite. Là, elle nous menace de faire publier le contenu de la disquette vendredi prochain si je ne lui accorde pas son congé...

— Comment diable a-t-elle eu accès à ces informations? Je pensais que le système que tu avais mis au point était infaillible!

— Il l'est.

— Il ne l'est pas puisqu'elle l'a percé.

— Je ne sais vraiment pas comment elle s'y est prise. Il y a très peu de gens qui sont au courant du mot de passe.

— Je veux que tu fasses immédiatement enquête. C'est toute la réputation de la clinique qui est en jeu. Et celle de nos clients aussi. Est-ce qu'il faut que je te fasse un dessin?

Il jeta alors un regard vers sa pédicure, comme s'il avait craint d'en avoir trop dit, puis il reprit:

— Est-ce que tu te rends compte de ce qui se passerait si nos clients étaient mis dans l'embarras à cause de cette petite idiote?

Ce sont les propriétaires de l'Amérique, nos clients! Les propriétaires de l'Amérique! Alors il va falloir que tu te remues le cul, et vite, pour mettre de l'ordre dans ta foutue baraque!

— Oui, monsieur Blackwell.

— Pour le reste, je m'en occupe. Considère que c'est une affaire réglée. Tu vas voir comment je mène rondement une affaire quand on me confie un dossier. Mais ne crois pas que je serai toujours là pour te tirer du pétrin. Je t'ai engagé pour régler les problèmes, pas pour m'en donner! J'en ai déjà assez sur les bras! Je n'ai rien à faire d'un incompétent dans mon organisation. Si j'en voulais, j'engagerais des politiciens. Mais j'en ai déjà assez sur ma liste de paye pour voir ce qu'ils valent. Est-ce que je peux me fier sur toi, cette fois-ci?

— Oui, monsieur Blackwell.

— As-tu autre chose à me dire?

— Non, monsieur Blackwell...

— Et le numéro de chambre? Est-ce que tu penses que je vais le deviner?

— Non, en effet. Chambre 213.

Visiblement contrarié, Blackwell raccrocha sans même saluer Waterman et, dans sa mauvaise humeur, il bougea avec brusquerie le pied sur lequel la pédicure travaillait, si bien qu'elle le coupa légèrement.

— Merde! pesta Blackwell. Tu ne peux pas regarder ce que tu fais?

— Je m'excuse, monsieur Blackwell.

— Allez, fous-moi la paix.

La pédicure n'insista pas, s'inclina respectueusement, et ayant remballé son nécessaire et passé son sarrau, se retira.

43

Même si Waterman lui avait révélé la mythomanie de Patricia — et même si cette dernière n'avait jamais pu lui montrer la disquette supposément incriminante —, Jonathan ne pouvait s'empêcher de penser au tragique avertissement concernant madame Bloomberg. Si Patricia disait vrai, et que l'excentrique cantatrice mourait, assassinée, ne se sentirait-il pas horriblement coupable d'avoir pris la chose à la légère? (Il se rappela d'ailleurs à ce moment qu'il avait complètement oublié d'en faire mention au directeur de l'hôpital. Pourquoi cet oubli? Etait-ce qu'il croyait inconsciemment que Patricia avait raison — et qu'il ne voulait pas vendre la mèche?)

Ne serait-ce que par acquit de conscience, il résolut donc de rendre visite à madame Bloomberg, le soir même, avant de quitter la clinique. Lorsqu'il entra dans sa chambre, elle cessa immédiatement de chanter, sensible, comme la plupart des pensionnaires, au charme romantique du jeune médecin.

Son accompagnateur, dont les tendances véritables n'étaient un mystère pour personne — sauf pour sa patronne — était lui aussi subjugué. A la vue du docteur Lake, son visage s'empourpra et fut éclairé d'un sourire timide et subtilement séducteur. madame Bloomberg le remarqua, et, contrariée, lui ordonna:

— Alphonse, take a walk!

Il se leva sans rien dire, et, profondément déçu, alla faire les cent pas dans le corridor, détestant comme jamais sa patronne.

— Comment allez-vous, madame Bloomberg? demanda Jonathan.

— Je suis très occupée. Un peu nerveuse aussi. Vous savez sans doute que je fais Carnegie Hall, ce soir. Alors bien entendu, le trac des premières...

— Ah, je ne savais pas, dit le médecin qui n'était guère au courant de son dossier mais soupçonna immédiatement que Carnegie Hall — la fameuse salle de concert new-yorkaise — devait être un fantasme de cette pauvre cantatrice sans talent.

Il n'était pas spécialiste d'opéra ni même mélomane mais se doutait bien que la manière dont elle écorchait les airs les plus célèbres n'était pas très orthodoxe et ne risquait guère de lui ouvrir les portes de l'illustre institution.

Il reprit, après une petite hésitation:

— Je... C'est très bien. Je vous félicite.

Il n'aimait pas cette partie de son travail qui l'obligeait à mentir. Il aurait mille fois préféré lui dire la vérité. Mais il ne connaissait pas encore très bien son cas et ne voulait pas compromettre le succès de son traitement.

— J'étais simplement venu vous saluer et vous dire qu'à partir de la semaine prochaine, nous allons nous voir plus souvent car nous allons travailler ensemble.

Manière polie de lui dire qu'il deviendrait son nouveau psychiatre: celui qui la traitait auparavant ayant jeté la serviette parce qu'elle était tombée éperdument amoureuse de lui et cherchait de toutes les manières du monde à faire l'amour avec lui. Cette annonce plongea madame Bloomberg dans le ravissement le plus complet.

— Mais voilà une excellente nouvelle! s'exclama-t-elle.

Elle laissa sa bouche légèrement ouverte, d'une manière vaguement suggestive qui n'eut pas l'air de plaire à Jonathan. Allait-elle reporter sur lui l'amour déçu qu'elle vouait à son psychiatre précédent? Déjà qu'elle lui faisait des ronds de jambe et des sourires supposément enjôleurs!

— Je me demandais, continua le médecin, si vous éprouviez des problèmes de santé...

— Voulez-vous m'examiner? s'empressa-t-elle de demander, une lueur d'espoir dans la voix.

Et, sans attendre la réponse du médecin, elle commença à déboutonner le haut de sa robe rouge. Pour une fois, elle ne portait pas de décolleté ni d'ailleurs de soutien-gorge, si bien que la chair de sa poitrine menaça d'exploser dès qu'elle fut libérée de l'étreinte tyrannique des deux premiers boutons.

— Non, non! protesta le médecin. Ce n'est pas la peine! Je m'informais seulement comme cela.

A contrecoeur, elle interrompit son geste mais ne se reboutonna pas. Qui sait, ce début de chair exposée troublerait peut-être le beau Jonathan... Mais il ne sembla même pas remarquer la subtile tentation dont elle le menaçait, et, à la place, l'air tout à coup préoccupé, il marcha jusqu'à la fenêtre, qu'il examina discrètement.

— Vous avez une jolie vue, dit-il.

— Oh, ce n'est rien en comparaison de la scène de Carnegie Hall, un soir de première!

— Je n'en doute pas.

Le bref examen auquel Jonathan se livra parut le satisfaire. La grande baie vitrée ne s'ouvrait ni de l'intérieur ni de l'extérieur si bien qu'il serait bien difficile, à vrai dire impossible, d'y pousser madame Bloomberg. L'hypothèse de Patricia ne supportait pas la confrontation des faits.

— Bon, dit-il, je crois que c'est tout.

— Vous partez déjà? demanda la cantatrice, dissimulant mal sa déception, presque de l'affolement.

— Oui, je vais à un tournoi de tennis ce soir.

— Vous êtes champion de tennis? demanda-t-elle avec une admiration béate.

— Non, simplement spectateur.

Pour le retenir encore un peu, elle lui offrit alors du chocolat, geste infiniment rare chez elle, qui témoignait de l'affection profonde qu'elle lui vouait. Il accepta de bonne grâce. Elle le regarda amoureusement déguster le premier chocolat et lui en offrit un autre immédiatement. Mais Jonathan refusa, prétextant qu'il devait surveiller son tour de taille. Il la remercia de sa gentillesse et, avant de sortir, eut la présence d'esprit d'ajouter:

— Ah oui, j'oubliais, pour Carnegie, ce soir, le mot de Cambronne!

— Le mot de Cambronne? demanda-t-elle avec étonnement, sans comprendre ce que le médecin lui souhaitait.

— Oui, enfin, je veux dire merde quoi...

— Merde?!

Elle ne connaissait visiblement pas les us et coutumes du monde du spectacle.

— Je veux dire, bonne chance!

— Ah, merci, dit-elle ravie.

Un large sourire épanouit son visage, mais elle le perdit dès qu'elle vit celui qui fleurissait les lèvres extasiées de son pianiste que le jeune médecin venait de saluer. Elle était déjà assez déçue de n'avoir pu se déshabiller devant le docteur, elle n'avait pas besoin qu'en plus son freluquet d'accompagnateur viennne jouer dans ses plates-bandes! Elle tendit un index impérieux en direction du Steinway et ordonna:

— Au piano, minable!

44

Encore bouleversée par la conversation qu'elle venait d'avoir avec Waterman, Patricia tournait en rond dans sa chambre comme une lionne en cage. Elle était découragée. Et elle avait peur. Waterman chercherait sans doute à se débarrasser d'elle. Parce qu'il savait maintenant qu'elle savait. Elle était un danger, une menace. Et comme elle n'avait pas vraiment la disquette, son pouvoir de négociation était mince. Waterman ne marcherait peut-être pas dans son chantage et déciderait de résoudre le problème en la supprimant.

Il fallait qu'elle se sorte rapidement de ce pétrin. Elle n'avait pas beaucoup de temps devant elle. C'était le mercredi déjà. Lorsque arriverait le vendredi — date de l'ultimatum —, si Waterman n'avait pas consenti à lui accorder son congé, elle serait perdue. Le samedi, aucun article ne paraîtrait dans les journaux, et Waterman rirait dans sa barbe.

Il comprendrait qu'elle n'avait fait que bluffer, et qu'il avait gagné la partie. Alors elle serait à sa merci! Et il se montrerait sûrement sans pitié avec elle.

Mais que faire, maintenant qu'elle ne pouvait mettre un pas hors de sa chambre sans être escortée par un infirmier, le plus souvent par Lumino. C'était peut-être un simple d'esprit mais il n'en constituait pas moins une gêne, un obstacle à son évasion?

Elle alla réfléchir à sa fenêtre. Il était près de huit heures et demie et le soleil était déjà couché. Mais il restait encore une lumière crépusculaire qui s'évanouissait rapidement. Quelques pensionnaires profitaient des derniers éclats du jour pour achever leur promenade digestive sous l'oeil distrait de deux ou trois surveillants.

Patricia remarqua aussitôt que l'orage de la nuit précédente avait fait des ravages et que les jardins de la clinique étaient parsemés de branches brisées.

Mais ce qui retint surtout son attention — et la fit frissonner d'espoir — fut le grand chêne qui poussait au fond du jardin près du mur et qu'elle avait déjà remarqué lors de ses promenades. L'arbre majestueux n'avait pas été épargné par les vents violents de la nuit, et une de ses principales branches, brisée à sa base, était tombée sur le haut du mur. Patricia ne pouvait pas laisser échapper cette chance!

Elle allait s'éloigner de la fenêtre lorsqu'un événement spectaculaire se produisit, qui vint rompre brusquement la tranquillité des jardins. Un corps revêtu d'une robe rouge fit voler en éclats une des fenêtres et s'écrasa lourdement aux pieds d'une promeneuse, madame Tate, qui poussa un cri d'horreur.

Un attroupement de curieux se forma aussitôt autour du corps, tombé face au sol. Un des infirmiers s'empressa de le retourner pour lui prodiguer, s'il en était encore temps, les premiers soins. Il reconnut immédiatement — en même temps que les autres pensionnaires et que Patricia — la pauvre madame Bloomberg, un filet de sang au lèvres, le regard fixé dans une expression de terreur, son inséparable boîte de chocolats écrasée entre les seins.

— Madame Bloomberg s'est suicidée! cria madame Tate.

— Elle a sauté par sa fenêtre, dit un autre en se tournant vers la fenêtre brisée de sa chambre.

— Au moins elle ne nous brisera plus les oreilles, dit une des pensionnaires nullement touchée par la gravité de la mort ni par le respect qu'elle inspire normalement.

— Elle est morte comme elle a vécu, dit une pensionnaire qui se croyait très spirituelle, en mangeant du chocolat! Pauvre folle...

— Elle m'avait dit qu'elle en avait assez, hier, dit une autre.

— Elle se prenait pour une autre, mais au fond elle savait qu'elle ne ferait jamais Carnegie Hall, expliqua madame Tate. Elle était loin d'avoir le talent de ma fille...

En reconnaissant madame Bloomberg, Patricia fut parcourue d'un frisson d'effroi. Sa mort correspondait en tous points — date comprise — à la description qui en était faite dans son dossier secret: elle se «suiciderait» en se jetant par sa fenêtre! Si elle avait besoin d'une preuve que ce qu'elle avait découvert dans l'ordinateur était vrai, elle en avait une sous les yeux, terrible, incontournable!

Elle eut un mouvement de révolte triste. Pourquoi Jonathan ne l'avait-il pas crue? Pourquoi avait-il pris son avertissement pour le délire d'une folle? Une mort aurait pu être évitée, et cette pauvre madame Bloomberg serait encore en train de faire des vocalises à son piano.

Patricia s'efforça de conserver son calme. Trop tard maintenant pour madame Bloomberg... Elle avait fait tout ce qui était en son pouvoir pour lui éviter cette mort. Il ne fallait plus y penser.

Il fallait agir, profiter du désordre temporaire — et de l'inévitable relâchement de la sécurité — que créerait la mort inattendue de la cantatrice.

45

Comme il l'avait confié à madame Bloomberg à peine quelques heures auparavant, Jonathan assistait en ce moment, en banlieue de Los Angeles, à un tournoi de tennis. Sans être une raquette extraordinaire, il avait assez pratiqué ce sport pour pouvoir apprécier un bon match. Et de fait, les adversaires qui s'affrontaient actuellement sur le court était non seulement classés parmi les cent meilleurs au monde, mais leur force à peu près égale rendait leur confrontation passionnante.

Pourtant Jonathan, plongé dans ses réflexions, n'accordait qu'une attention distraite au match. Sa tête immobile était la seule fausse note dans le parfait mouvement d'ensemble des spectateurs qui suivaient la balle d'un bout à l'autre du court. Quelque chose le tracassait. En fait, il ne pouvait admettre que la femme qu'il avait aimée en secret pendant des années, fût folle. Bien sûr, elle avait peut-être subi une sorte de dépression, elle avait peut-être craqué, mais lorsqu'elle lui avait parlé, elle ne manifestait aucun des symptômes d'une femme malade.

Doutait-il de sa «folie» uniquement parce qu'il était encore amoureux d'elle? Après tout, son histoire de complot était si invraisemblable!

La foule se leva pour applaudir. Le match venait de prendre fin. Jonathan regarda l'énorme cadran du terrain. Neuf heures. Il eut alors une intuition. Il devait appeler à la clinique. Il se fraya de son mieux un chemin à travers la foule et entra dans la première cabine téléphonique. La nouvelle qu'on lui annonça l'ébranla de fond en comble. Madame Bloomberg s'était tuée en se jetant de la fenêtre de sa chambre, exactement comme l'avait prédit Patricia! Il fonça vers la clinique, fou d'inquiétude. Il était sans doute trop tard pour faire quoi que ce fût pour l'infortunée madame Bloomberg, mais si Patricia était en danger, il était encore temps — du moins il l'espérait — de voler à son secours. Il savait que si jamais la moindre chose lui arrivait, pire encore si elle mourait parce qu'il ne l'avait pas crue, il ne pourrait jamais se le pardonner et serait malheureux jusqu'à la fin de ses jours.

46

Jack Burke n'aurait pu souhaiter une situation plus parfaite pour exécuter la commande spéciale que venait de lui passer Blackwell. Il régnait en effet un désordre «admirable» à la clinique, où il n'eut pas de peine à passer inaperçu. Il gara sa camionnette et alla dans le compartiment arrière préparer les derniers détails du contrat. Il mit dans une grande mallette noire une grosse clé anglaise, deux contenants d'un acide extrêmement fort, et un troisième de détergent, la referma, et se dirigea vers l'institut. Portant un sarrau blanc, mais ganté de noir — il ne travaillait jamais les mains nues — il ressemblait un peu à un médecin avec sa mallette. Il se considérait d'ailleurs lui-même comme une sorte de chirurgien, sauf que le succès de ses opérations se soldait par des décès et non des guérisons, mince nuance à ses yeux, il est vrai!

Il franchit la porte d'entrée sans encombre, et se dirigea d'un pas rapide vers l'ascenseur pour gagner le second étage. Ce contrat l'emplissait de bonheur. Par une sorte de romantisme tordu, par érotisme aussi bien entendu, il préférait tuer des femmes. En montant dans l'ascenseur, il esquissa un sourire sadique, savourant à l'avance son exécution. Il devait non seulement la tuer mais faire disparaître complètement le corps. Il avait tout de suite vu un avantage dans cette contrainte, qui aurait pu rebuter un autre tueur. Comme le corps disparaîtrait complètement, il pourrait sans aucune crainte en faire ce qu'il voulait *avant* de tuer Patricia. Il avait vu des photos d'elle, en fait les photos du rapport de police, et celle où on la voyait nue, pubis rasé, l'obsédait. Il ne pouvait attendre le moment où il la violerait, ou il caresserait ses fesses, ses longues jambes fines. Il pensa qu'il se paierait peut-être l'ultime fantaisie de l'égorger au moment même où il jouirait.

Une fois qu'elle serait morte, il mettrait son cadavre dans le bain, ferait couler de l'eau et y verserait ensuite l'acide qui la ferait disparaître à tout jamais de la surface de cette planète. Puis il laverait la baignoire avec son détergent. Et il la ferait briller comme un sou neuf! Du travail propre, c'était le cas de le dire! Et la disparition de Patricia viendrait grossir les dossiers des crimes insolubles!

47

Patricia avait arrêté son plan. Sa seule chance était de sortir par la fenêtre des toilettes. Elle s'était habillée en hâte, portant des vêtements sombres, une jupe et un chemisier noirs, avec des bas de nylon foncés. Elle avait enfilé des souliers à talons aiguilles, ce qui n'était pas idéal pour une évasion mais, comme la dernière fois, elle n'avait rien d'autre à se mettre.

Dans les toilettes, elle attendait que le soir tombe tout à fait, lorsqu'elle entendit du bruit dans sa chambre. Elle se tourna vers la porte des toilettes, qu'elle avait laissée ouverte, et crut qu'elle faisait un cauchemar: elle venait en effet d'apercevoir l'homme d'aspect sinistre qu'elle avait déjà vu lorsque, un soir, elle avait suivi son mari à l'hôtel. Malgré son déguisement, elle l'avait reconnu sans peine: il avait un regard noir qu'elle n'était pas près d'oublier.

Jack Burke esquissa un sourire de soulagement. Il avait craint un instant qu'elle fût ailleurs que dans sa chambre, ce qui aurait compliqué singulièrement sa tâche. Il s'était aisément débarrassé de Lumino, dont il n'avait pas prévu la présence, en lui expliquant qu'il était chargé de le relever et qu'il pouvait prendre congé immédiatement. Lumino, impressionné par l'air déterminé et à vrai dire plutôt menaçant de ce nouveau membre du personnel qu'il ne connaissait pas, n'avait pas osé protester.

Dès qu'il vit Patricia, Jack Burke se précipita vers elle.

— Au secours! laissa-t-elle échapper inutilement, oubliant que sa chambre était parfaitement insonorisée.

Mais elle eut aussi le réflexe de pousser tout de suite la porte, pas assez rapidement cependant pour empêcher Burke de glisser son pied dans l'entrebâillement. Elle réagit promptement, leva la jambe le plus haut possible et lui écrasa le pied de toute ses forces. Son talon aiguille — dont l'extrémité de métal était très pointue — traversa aisément le cuir mince du soulier et écrasa le petit orteil de son agresseur.

Ce dernier émit un grognement furieux, mais faisant preuve de ce courage physique typique des tueurs à gages, ne retira pas son pied. Patricia voulut relever le pied pour le frapper à nouveau, mais son talon se brisa. Ne faisant ni un ni deux, elle planta son autre talon dans le pied du tueur. Elle l'atteignit cette fois-ci de manière plus décisive, sur le coup du pied. Le talon aiguille s'enfonça en produisant un bruit sourd d'os fracassé. Burke ne put supporter cette douleur, poussa un cri, et retira son pied, dans lequel étaient plantés les deux talons aiguilles. Patricia s'empressa de fermer la porte, la verrouilla et y resta un instant appuyée, haletante et terrorisée. Jack Burke, elle le comprenait sans peine n'était pas là pour lui rendre une visite de politesse mais bien pour la tuer, exécutant sans doute les ordres de Waterman.

48

Le visage tordu de douleur, Jack Burke, qui ne savait rien de la parfaite insonorisation des chambres, tendit un instant l'oreille vers le corridor pour s'assurer que ni son cri, ni celui de Patricia n'avait alerté un membre du personnel ou un visiteur. Il n'entendit rien, et, rassuré, s'agenouilla pour retirer les deux talons aiguilles fichés dans son soulier. Il se débarrassa d'abord de celui qui lui avait littéralement écrasé le petit orteil. Il grimaça. Il ôta le second, avec un peu plus de difficulté — et beaucoup plus de douleur — et laissa échapper un grognement. La salope! Elle ne l'emporterait pas en paradis! Lui faire ça à lui, Jack Burke, un des tueurs à gages les plus futés de la Côte Ouest!

Maintenant, ce n'était plus un simple contrat comme tant d'autres! C'était devenu une affaire personnelle, une revanche. Non seulement cette petite idiote ne lui échapperait pas, mais il fignolerait. Son viol et son exécution, ce serait du cousu main!

Du sang qui avait commencé à couler à travers le cuir de sa chaussure, maculait déjà le tapis de la chambre. En d'autres circonstances, il aurait peut-être été inquiet de laisser des traces de son passage, et se serait empressé de nettoyer le sang. Mais le temps pressait, et il se moquait maintenant de ne pas travailler aussi professionnellement que d'habitude. Après tout, il n'était pas parfait, il avait le droit lui aussi d'avoir des sentiments!

Il jeta les talons aiguilles ensanglantés à côté de lui — ce n'était pas le genre de truc qu'il aurait aimé rapporter comme souvenir car il n'avait pas eu le haut du pavé dans cet incident — et s'empressa d'ouvrir sa trousse. Il en tira la clé anglaise et, un chiffon avec lequel il enveloppa la tête de l'outil pour amortir le bruit. Et, méthodiquement, le visage durci par son implacable détermination, il se mit à frapper sur la poignée de la porte.

Patricia comprit immédiatement ce qui se passait: le tueur s'attaquait à la poignée. Emmurée dans cette minuscule salle de bain, elle était perdue. Dans quelques minutes, — dans quelques secondes même

— le tueur serait dans la salle de bain et l'exécuterait froidement. Elle comprit qu'elle ne pouvait attendre qu'on lui portât secours d'autant plus que personne ne l'entendrait crier. Elle ne pouvait compter que sur elle-même.

Elle grimpa sur la toilette — suivant son plan original — et essaya d'ouvrir l'étroite fenêtre qui la surplombait. Mais, la fenêtre, apparemment scellée, ne s'ouvrait pas. Patricia s'affola. Sous les coups réguliers de Burke, la poignée de la porte commençait à vaciller de manière inquiétante. Que pouvait-elle faire, maintenant? Elle se mit à frapper de toutes ses forces sur la fenêtre dans l'espoir de la briser, même au risque de se blesser. Mais le verre, très solide, résistait à ses assauts.

Un bruit plus violent que le précédent l'avertit alors que la poignée était sur le point de céder. Elle se tourna et vit qu'elle commençait à s'incliner. Combien de temps lui restait-il maintenant avant que le tueur ne resserrât ses mains gantées autour de sa gorge? Patricia redoubla de coups dans la fenêtre mais le verre ne céda pas davantage. Dans son énervement, elle glissa de la toilette et s'effondra au sol. Maintenant, elle se savait perdue. Et elle était sur le point de se résigner.

Dans sa chute, elle avait eu le réflexe de se protéger la tête avec son bras gauche.

— Je vous en supplie, Dieu, aidez-moi.

Au moment même, elle eut une inspiration. Elle se releva d'un seul bond, retira le couvercle de la cuvette d'eau et en assena un grand coup dans la fenêtre qui vola enfin en éclats. Patricia replaça le couvercle sur la cuvette, remonta sur la toilette, et regarda par la fenêtre. Comme sa chambre était au deuxième étage, elle devait être à une quinzaine de pieds du sol. Elle ne pouvait prendre la chance de sauter, elle risquait de se briser un membre ou même de se tuer dans la chute.

Au lieu de se décourager, elle regarda autour d'elle pour trouver un autre moyen de s'en sortir. Elle avisa le rideau de douche, qui heureusement était très long. Elle l'attrapa, l'arracha d'un seul coup, fit un trou dedans, et l'accrocha à la poignée de la toilette. Elle tira dessus pour s'assurer que c'était solide. Oui! Ça l'était! Elle s'en servit comme d'une corde pour s'engager par la fenêtre, espérant qu'il tiendrait le coup au moins quelques secondes.

Elle ne gagnait que quelques pieds, mais c'était tout ce dont elle avait besoin pour éviter de se blesser. A ce moment, la poignée céda, et Burke enfonça brutalement la porte en y administrant un grand coup de pied. Patricia eut juste le temps de voir apparaître dans l'embrasure, un visage terrible, déformé par une haine inexprimable. Mais Burke changea aussitôt d'expression lorsqu'il vit Patricia disparaître comme par enchantement par la fenêtre. Il agrippa le rideau de douche et s'efforça de l'arracher de la poignée. Mais lorsqu'il y parvint, Patricia s'était déjà laissée glisser au sol.

Le parterre, amolli par l'orage de la veille, amortit sa chute. En se levant, Patricia vérifia ses membres et parut surprise de ne s'être rien brisé. En levant la tête, elle aperçut Burke, qui, à la fenêtre, pointait en sa direction un revolver muni d'un silencieux. Elle comprit que tout était fini, qu'elle avait échoué. Mais contrairement à ce qu'elle croyait elle ne vit pas sa vie défiler davant ses yeux. En effet, après une hésitation, Burke décida de ne pas tirer. S'il la tuait maintenant, il lui serait à peu près impossible de faire disparaître le cadavre. Et il y aurait probablement des témoins. Or son employeur avait été formel, pas de trace de cadavre, pas de témoins! Et Blackwell n'admettait aucun échec! C'était d'ailleurs une des raisons pour lesquelles il s'adressait invariablement à Burke pour les tâches délicates: il ne faisait jamais d'erreur! Et puis, s'il l'expédiait aussi sommmairement, il ne goûterait pas le plaisir «sentimental» de se farcir cette folle de ses propres mains, après lui avoir fait apprécier sa petite médecine érotique.

Lorsque Patricia comprit, à son air frustré, que Burke ne tirerait pas, elle ne demanda pas son reste, fit trois pas maladroits avec ses souliers sans talons, s'en débarrassa prestement et courut pieds nus vers l'immense chêne au fond du jardin. Elle y arriva sans encombre, y grimpa avec une facilité qui la surprit elle-même et arriva en quelques secondes sur la branche abattue par la foudre qui faisait un pont entre l'arbre et le mur.

Elle s'avança lentement, en tremblant presque car elle avait toujours souffert du vertige. Dans sa hâte, et à cause de l'obscurité, elle trébucha, glissa mais se rattrapa et se retrouva à califourchon sur la branche. Elle regarda au sol, mesurant la hauteur de la chute qu'elle aurait faite si elle était tombée. Elle se releva prudemment, marcha plus lentement. Mais comme cette lenteur était un supplice encore plus éprouvant à cause du vertige, elle risqua le tout pour le tout et courut jusqu'au mur, sans tomber. Ouf!

Elle se laissa pendre un instant dans le vide, puis lâcha prise, et, comme le mur n'avait qu'une douzaine de pieds de haut, elle ne se brisa rien.

Burke, qui venait, impuissant, de la voir s'éloigner en direction du chêne, tenta en vain de passer par la fenêtre, mais elle était beaucoup trop étroite pour sa charpente massive. Il laissa échapper un juron, remballa ses effets et sortit de la chambre en boîtant, s'efforçant malgré la douleur de marcher le plus vite possible pour rattraper Patricia. Dans le hall, il croisa le docteur Lake, qui, affolé à l'idée d'arriver trop tard, entrait précipitamment dans la clinique.

L'ascenseur étant au quatrième, Jonathan, impatient, décida de prendre l'escalier qu'il monta quatre à quatre. Il arriva tout essoufflé à la chambre de Patricia et frappa à la porte, que Burke avait pris soin de refermer. Comme il n'obtenait pas de réponse, il entra. Il vit d'abord les deux talons aiguilles et le sang sur le tapis (ce qui lui parut curieux) puis la porte massacrée par Burke. En entrant dans la salle de bain, il constata que la fenêtre était brisée, et le rideau de douche, arraché. Patricia s'était probablement échappée.

En sortant de la chambre, il tomba sur miss Harper. Elle vit son affolement et s'empressa de le questionner.

— Qu'est-ce qui se passe, docteur?

— Quelqu'un a essayé d'assassiner madame Stone...

— Vous n'êtes pas sérieux...dit-elle le visage défiguré par l'étonnement. Est-ce qu'elle est dans sa chambre?

Le jeune médecin ne perdit pas de temps à expliquer à l'infirmière-chef ce qui s'était passé. Le savait-il d'ailleurs? A peine dix secondes plus tard, il était dans le jardin de la clinique, sous la fenêtre de la chambre de Patricia. Il découvrit presque tout de suite les souliers sans talons et les examina un instant. Cela le confirma dans l'idée qu'elle s'était évadée et que, Dieu soit loué, elle était probablement encore vivante. Il jeta les souliers et courut vers sa voiture.

Il franchit la barrière de contrôle, puis se mit à rouler lentement sur la seule route qui conduisait à la clinique, fouillant du regard les bois avoisinants. Patricia n'était sans doute pas loin, à moins que le tueur ne l'eût rattrapée et déjà tuée...

49

Sitôt retombée de l'autre côté du mur, Patricia s'enfonça dans le bois qui s'étendait à l'arrière de la clinique. La forêt était très dense, et dès le début, elle s'écorcha les jambes et le visage. Elle ne pourrait pas marcher longtemps ainsi. Il lui fallait regagner la route même si elle risquait d'être repérée. Elle marcherait prudemment en longeant le bois ou encore elle prendrait la chance de faire du stop.

Mais quelle direction emprunter? Ce n'était pas évident. Elle s'immobilisa et tendit l'oreille, cherchant à percevoir les rumeurs de la route, qui ne pouvait pas être très loin de la forêt. Mais elle entendit plutôt derrière elle le hurlement d'une bête sauvage, un loup ou une hyène, elle n'aurait su dire. Mais ce qu'elle savait c'est qu'elle était morte de peur. Elle poussa un petit cri et se remit à courir.

Jouant de chance, elle courut dans la bonne direction et aperçut bientôt à travers les arbres, les lueurs de la route. Elle poussa un soupir de soulagement. Au moment même où elle sortait du bois, elle vit une

Porsche qui roulait lentement dans sa direction. Cela lui parut curieux. Pourquoi cette voiture roulait-elle si lentement alors qu'il n'y avait ni feu de circulation ni arrêt, si ce n'est que son conducteur cherchait quelqu'un: elle, en l'occurence. C'était évidemment le tueur!

Elle se pencha, tentant de se cacher derrière un bosquet. Mais lorsque la voiture sport passa devant elle, elle reconnut le conducteur: Jonathan! C'était providentiel! Elle se leva, vint pour l'appeler, mais fut prise d'une hésitation. Après tout, il l'avait trahie. Il s'était empressé de la «vendre» à Waterman. Mais maintenant, elle avait une preuve, infiniment triste mais incontournable: la mort annoncée de la cantatrice. Et de toute manière, si quelqu'un pouvait l'aider en ce moment, c'était bien Jonathan. Dans les circonstances, elle ne pouvait se permettre de faire la fine bouche! Le tueur à gages frustré était probablement à ses trousses, et ne tarderait pas à la rejoindre. En pleine nature, sans témoins, il ne prendrait sûrement pas des gants blancs et la tuerait à la première occasion.

Elle courut vers la route et se mit à crier:

— Jonathan! Jonathan!

Il ne parut pas l'entendre car il continua de rouler, à vitesse réduite. Elle courut plus vite, gesticulant, criant à tue-tête le nom de Jonathan. Elle aperçut alors, derrière elle, la camionnette noire de Jack Burke. Il venait de la repérer. Il appuya à fond sur l'accélérateur, faisant crisser ses pneus sur le bitume. Patricia comprit que c'était peine perdue! Mais, contre toute attente, la Porsche du jeune médecin s'immobilisa alors puis recula à toute vitesse dans sa direction: Jonathan l'avait aperçue dans son rétroviseur. Il freina à sa hauteur et ouvrit la portière. Elle s'engouffra dans la voiture en criant:

— Vite! Démarre! Un homme vient d'essayer de me tuer. Il est juste derrière nous dans la camionnette.

Jonathan ne posa pas de question, et sitôt que Patricia eut refermé la portière, il appuya sur l'accélérateur. Conducteur expérimenté et plutôt sportif, Jonathan, en l'espace de quelques secondes, fit passer la Porsche de zéro à cent cinquante kilomètres heure. Il accéléra encore, profitant d'une longue ligne droite de la route pour faire monter l'aiguille jusqu'à deux cents. Il distança aisément la camionnette qui disparut complètement de son rétroviseur. Lorsqu'il fut certain d'avoir semé le tueur, Jonathan réduisit le régime de son moteur et adopta une vitesse de croisière plus conservatrice de cent cinquante!

Patricia avait recouvré un certain calme. Elle pouvait souffler un peu après toutes ces émotions. Un air de contentement flottait sur son beau visage. Elle avait deux motifs de se réjouir: elle avait échappé à Jack Burke, et elle était libre! Tout s'était passé si vite qu'elle n'avait pas eu le temps de le réaliser.

Jonathan la regarda, esquissa un sourire. Dans quelle circonstances étranges la vie lui permettait-elle de retrouver Patricia! Une évasion rocambolesque d'une clinique! Une tentative de meurtre! Une poursuite! Mais il se rendit compte alors que jamais de sa vie il n'avait été aussi heureux. Tout simplement parce que la femme qu'il aimait tant était saine et sauve, et elle était à ses côtés, dans sa voiture. Ils roulaient tous les deux dans la nuit sans savoir au juste où ils allaient, sans savoir ce qu'ils feraient et ce que deviendrait leur vie. Et ces brefs instants, si intenses, valaient plus à ses yeux que toutes les certitudes — d'ailleurs fausses —, tous les conforts, toutes les voluptés qu'il avait pu avoir en six années de mariage.

A nouveau, il constata à quel point Patricia était séduisante, à quel point il l'avait dans la peau. Elle était d'ailleurs sexy dans sa petite jupe noire et ses bas de nylon. Mais il se rembrunit bientôt en pensant à sa trahison, qui aurait pu causer la mort de Patricia.

— Je...Je m'excuse de ne pas t'avoir crue l'autre jour...Je sais au sujet de la pauvre madame Bloomberg, je reviens de la clinique!

— C'est horrible...J'avais pourtant essayé de la prévenir...

— Est-ce que c'est le même homme qui a tenté de te tuer?

— Je ne sais pas ...Mais c'est sûrement lié à Waterman...Parce que dans la journée, j'ai eu une conversation avec lui, et il sait...enfin il pense que j'ai la fameuse disquette...D'ailleurs je me demande encore où elle a pu passer...

— Je n'aurais jamais cru...Waterman...Il a une réputation internationale pourtant...Et la Blackwell Corporation...

— Je me demande si mon mari était au courant avant de me faire interner, ou si c'est Waterman qui s'est pour ainsi dire mis au point un business...

— Pourquoi ton mari aurait-il été au courant?

— Parce qu'il travaille pour la Blackwell Corporation. En fait, c'est le bras droit de Blackwell...

— Je vois...répliqua Jonathan avec un air grave.

— Je ne peux pas croire qu'il était au courant, dit Patricia avec un désespoir dans la voix. Sinon, c'est trop horrible, c'est vraiment horrible...Et je ne comprends plus rien...Je ne lui ai jamais rien fait...Et c'est lui qui a insisté pour que nous nous mariions...Il n'avait aucun intérêt à m'épouser...enfin je veux dire aucun avantage marginal pour ainsi dire...Je ne suis pas riche, je ne suis pas célèbre...Je...

Elle s'interrompit car les larmes lui montaient aux yeux. Mais elle se durcit aussitôt. Elle ne se laisserait pas abattre. Elle était libre! Et il fallait qu'elle se batte, qu'elle aille jusqu'au bout pour tirer cette histoire au clair. Elle ne pouvait supporter ce mystère, cette énigme qui non seulement avait jeté une ombre sur toute sa vie, mais qui avait ruiné son mariage, toute son existence, quoi!

— Excuse-moi, dit Patricia en s'essuyant les yeux. Je ne veux pas t'embêter avec mes histoires de mariage...Il faut que nous soyons pratiques maintenant...Que nous gardions les deux pieds sur terre. Qu'est-ce qu'on fait? Tant que je ne serai pas sûre au sujet de mon mari, je ne peux pas retourner chez moi. Ce serait me jeter dans la gueule du loup.

— Je t'hébergerais volontiers, mais c'est peut-être risqué... Miss Harper m'a vu sortir de ta chambre...Ils vont peut-être en tirer la conclusion que nous sommes ensemble...et ...Tiens, j'ai une idée...je connais un hôtel à Venice...

— Bonne idée, dit Patricia. C'est moins risqué comme ça. Demain on décidera de ce qu'on veut faire...

50

Une demi-heure plus tard, ils arrivaient à l'hôtel Venice-by-the-Sea, un charmant hôtel au bord de la mer, qui malgré ses vingt étages, avait un cachet très européen. Lorsque Patricia descendit de la Porsche, Jonathan remarqua qu'elle était nu-pieds. Ce détail risquait d'attirer l'attention.

— Tes pieds...

— En effet, dit Patricia.

Mais Jonathan eut une inspiration. Il ouvrit le coffre de la voiture. Patricia fronça les sourcils. Pourquoi soulevait-il le capot? Comptait-il trouver dans le moteur quelque chose à lui faire porter? Elle s'avança et découvrit, non sans une certaine honte, que le coffre d'une Porsche est situé à l'avant du véhicule. Jonathan enleva le couvercle d'une grande boîte de carton brun et se mit à fouiller dedans en laissant tomber d'une voix légèrement triste et résignée:

— Les choses que ma femme a oubliées en partant...

Bien malgré elle, Patricia éprouva une très légère pointe de jalousie, en apprenant que Jonathan était marié. Pourquoi se sentait-elle ainsi? Elle n'aurait su le dire. Elle n'avait même pas remarqué qu'il était extrêmement beau, qu'il possédait un charme romantique qui faisait perdre la tête à la plupart des femmes, que son visage était illuminé de grands yeux verts qui dégageaient une tendresse, une sensibilité et en même temps une vivacité d'esprit remarquables: combinaison rare qui faisait défaut à presque tous les hommes qu'elle avait rencontrés dans sa vie. Elle était bien trop absorbée par les événements récents, et complètement obsédée par son mari pour avoir en elle la moindre disponibilité pour un autre homme.

Elle se surprit pourtant à se demander, avec un petit serrement de coeur, ce qu'il voulait dire en précisant que sa femme était partie...Etait-elle partie pour de bon, ou simplement en voyage?

— Ta femme...? demanda-t-elle sans oser aller plus loin, craignant d'être maladroite ou trop curieuse.

— Nous sommes en instance de divorce.

— Désolée, dit Patricia.

— Tiens, dit Jonathan en sortant une paire de souliers de la boîte. Essaie-les.

C'était des souliers à talons aiguilles — décidément ce genre d'escarpins qui n'était justement pas son genre, paraissait la poursuivre partout où elle mettait les pieds, à croire qu'elle était victime de quelque absurde conspiration! Elle eut une moue que Jonathan ne pouvait pas comprendre, qu'il interpréta en fait comme une curieuse jalousie ou le dédain d'une femme pour une rivale? Patricia mit les souliers, et eut l'agréable surprise de constater qu'ils lui faisaient. Elle ne pouvait vraiment pas échapper à son destin!

— Evidemment, dit-elle.

— Evidemment?

Elle voulait dire: «Evidemment, ils me font... Qu'est-ce que j'ai pu faire au bon Dieu pour qu'il me foute toujours ces talons aiguilles sur le dos enfin je veux dire aux pieds!»

Mais cela aurait été trop long à expliquer. Il aurait fallu lui raconter sa vie. Et elle n'était pas sûre d'en avoir envie, du moins pas à ce moment précis. Il y avait tellement de mauvais souvenirs, tellement de déceptions accumulées en l'espace de quelques mois seulement...

— Ils sont parfaits, se contenta-t-elle de dire. Je te remercie.

Jonathan referma le coffre et ils entrèrent à l'hôtel. Jonathan se présenta seul au comptoir pour louer une chambre pour la nuit, cependant que, à sa suggestion, aussitôt acceptée, Patricia l'attendait un peu en retrait dans le hall. Sait-on jamais? Comme elle était en fugue, elle était peut-être recherchée. Avait-on déjà transmis son signalement sur les ondes de la radio ou de la télé? Tout ce qui se passait à la clinique était si surprenant, à la vérité, qu'il en fallait plus s'étonner de rien. Mieux valait parer à toute éventualité.

Epuisée par les événements et par son séjour éprouvant à la clinique, Patricia déclina l'invitation à dîner de Jonathan. Tout ce dont elle avait envie, c'était d'une bonne douche et d'un peu de tranquillité. Jonathan n'avait pas faim lui non plus — il avait déjà dîné avant le tournoi de tennis — et il monta à la chambre avec Patricia.

Il voulait passer chaque seconde avec elle. Il y avait si longtemps qu'il attendait ce moment. Enfin pas dans des circonstances aussi particulières, bien entendu... Mais il considérait tout de même qu'il avait de la chance, que c'était une aubaine inouïe. Il allait se retrouver complètement seul avec elle dans une chambre d'hôtel et passer la nuit entière en sa compagnie!

Bien sûr, ce n'était pas comme s'ils étaient amants et se réfugiaient dans ce charmant nid d'amour au bord de la mer pour célébrer leur passion... Mais le fait demeurait qu'il serait avec elle, dans la même pièce, pendant des heures! S'il s'était attendu à cela! Certes, les circonstances n'étaient pas idéales... Elles étaient même extrêmement sérieuses, dramatiques même...Patricia était considérée par la clinique comme une patiente en fugue, et un tueur à gages la recherchait probablement à cette heure pour terminer une tâche entamée quelques heures avant: c'est-à-dire la supprimer! Et puis de toute manière, Patricia était mariée, et elle semblait totalement obsédée par son mari.

Pourtant, même s'il était conscient de toutes ces choses, et surtout du fait que leur nuit dans cette chambre n'avait rien d'un rendez-vous amoureux, sa main trembla légèrement lorsqu'il introduisit la clé dans la serrure de la porte de leur chambre. La remarque que laissa tomber Patricia en entrant ne manqua cependant pas de le refroidir et de le ramener à la réalité:

— Il n'y a qu'un seul lit?

— Je ne comprends pas, dit Jonathan dont le visage s'empourpra comme s'il était effectivement coupable de cette erreur, une erreur que Patricia croirait sûrement délibérée. J'ai pourtant bel et bien demandé au type une chambre avec deux lits doubles... D'ailleurs, j'y pense, ce n'est pas ça que j'aurais dû demander, c'est deux chambres, je suis vraiment désolé...

Elle le regarda dans les yeux. Il ne mentait pas. Il avait l'air vraiment désolé. Il était psychiatre, elle ne devait pas l'oublier. Quoique... avec l'expérience qu'elle venait de vivre avec le docteur Waterman! Non, il avait l'air trop honnête...Et dans les circonstances, il ne chercherait sûrement pas à abuser de la situation...Après tout, elle ne le suivait pas dans une chambre d'hôtel après l'avoir rencontré dans un bar ou dans la rue...

— Non, ça va, dit Patricia avec un demi-sourire. Tu n'as pas l'air du genre de type à abuser d'une pauvre fille qu'il a prise en stop.

— C'est vrai. Tu faisais du stop...

— Tu m'excuses, dit-elle, mais je meurs d'envie de prendre une douche...

Il inclina timidement la tête et la regarda disparaître dans la salle de bain, médusé à l'idée qu'elle serait nue, à quelques pas de lui. Mais il s'en voulut aussitôt d'avoir eu une pareille pensée. Pendant des années, il avait reçu une formation très poussée précisément pour éviter de tomber en amour et même de ressentir la moindre émotion, le moindre désir pour une patiente. Il est vrai que Patricia ne comptait pas parmi ses patientes. Mais elle était tout de même une malade, elle sortait d'une clinique psychiatrique, et elle vivait des événements tragiques qui auraient normalement dû la mettre à l'abri des inclinations d'un médecin, fût-il amoureux d'elle depuis des années.

Il alluma la télé. Sait-on jamais...On parlait peut-être de la fugue de Patricia sur les ondes. Rien. Seulement les émissions habituelles. Qu'il connaissait bien, car il n'aimait rien de mieux, pour se détendre du stress de son métier que de s'affaler devant la télé avec une énorme pizza qu'il engloutissait avec une insouciance d'adolescent sans jamais en souffrir les conséquences puisqu'il conservait malgré les ans sa taille de jeune homme. C'était d'ailleurs un des sujets de discorde avec sa femme qui, elle, avait horreur de la télévision et considérait que c'était un véritable abrutissement intellectuel. Jonathan s'empressa de refermer la télé lorsqu'il entendit Patricia ressortir de la salle de bain.

Elle était drapée dans un peignoir de ratine blanc marqué aux armoiries un peu pompeuses de l'hôtel — un voilier, des palmiers et une couronne d'or — et elle avait les cheveux mouillés, relevés sur le dessus de la tête en un chignon désordonné mais charmant. Peut-être partageait-elle les vues (la répulsion) de son ex-femme au sujet de la télévision.

— J'ai...J'ai vérifié à la télé s'il parlait de... Enfin de tout ce qui s'est passé...Rien.

— Il est peut-être encore trop tôt. Et puis Waterman doit chercher une nouvelle stratégie maintenant qu'il sait que j'ai échappé à son tueur...

Elle se rembrunit en prononçant ces paroles. Jonathan aussi. Ils n'eurent pas à se consulter pour savoir qu'ils avaient les mêmes sombres pensées. Elle avait certes échappé à Jack Burke, mais pour combien de temps? Ne réussirait-il pas à les retrouver, peut-être plus rapidement qu'ils ne pensaient? D'ailleurs, comment pouvaient-ils être certains de l'avoir vraiment semé? Qui leur disait que le tueur ne les avait pas tout simplement suivis discrètement à distance jusqu'à l'hôtel, où ils se croyaient naïvement en sécurité? Quelle certitude avaient-ils que, pendant la nuit, il ne leur paierait pas une petite visite mortelle?

— Nous...

Jonathan ne compléta pas sa phrase.

— Demain, reprit-il, nous aurons les idées plus claires... Il faut que tu te reposes...

— C'est vrai...dit Patricia.

Elle était timide maintenant. Sentait-elle le désir de Jonathan, même réprimé? Le lisait-elle dans ses yeux? Ils regardèrent le lit en même temps.

— Bon, dit Patricia.

Elle s'avança vers Jonathan, se demandant comment elle devait lui souhaiter bonne nuit. Elle résolut de lui tendre tout simplement la main. Il trouva cela charmant. C'était une manière un peu curieuse de se dire bonsoir mais elle n'allait tout de même pas l'embrasser, dans de pareilles circonstances. Et puis, il ne devait pas l'oublier — il avait constamment tendance à le faire — elle était une femme mariée. Il lui serra la main puis lui demanda courtoisement:

— Quel côté du lit préfères-tu?

— Celui de la fenêtre.

— Bon d'accord. Alors je prends l'autre

— C'est logique...Il n'y en a que deux...

Il sourit de sa propre bêtise, et porta machinalement la main à sa ceinture pour retirer son pantalon mais une pudeur le saisit. Même en caleçon, il serait trop gêné. Il se contenta d'ôter ses souliers et se mit au lit. Patricia, qui avait gardé son peignoir, s'était déjà réfugiée sous les couvertures, timide elle aussi, et prenait un soin extrême et ridicule, tout comme Jonathan du reste, pour rester le plus près possible de son côté du lit.

— Bon, eh bien, bonne nuit, dit Jonathan qui n'en revenait pas encore de se trouver allongé à côté de Patricia, dans un lit.

— Bonne nuit, dit-elle.

Et elle se tourna du côté de la fenêtre, mais se retourna aussitôt après vers Jonathan pour ajouter:

— Ah, j'oubliais, merci de m'avoir sauvé la vie...

— Ce n'est rien, dit-il, tout de même heureux qu'elle eût pensé de le souligner et espérant vaguement qu'elle lui manifesterait peut-être un brusque élan de reconnaissance.

Mais il n'en fut rien. Car Patricia lui tourna immédiatement le dos après l'avoir remercié. Il s'endormit néanmoins en caressant le vague espoir que quelque chose se passerait pendant la nuit. Patricia aurait peur, ou ferait un cauchemar et se serrerait contre lui. Puis, avec la chaleur des corps, dans la solitude de leur refuge de fortune, l'instinct, la passion se manifesteraient et Patricia oublierait qu'elle était mariée, qu'elle ne le connaissait pas vraiment et ils feraient l'amour comme des dieux!

Il ne sut jamais si Patricia avait fait un cauchemar, mais lui fit un rêve. Un vrai rêve d'adolescent. Il était un preux chevalier, sur un magnifique étalon blanc, et secourait bravement une princesse — Patricia — attaquée par un horrible dragon qui lançait des flammes meurtrières. De sa grande épée, il pourfendait le monstre, devant les yeux admiratifs de sa dulcinée.

Son réveil fut ironique. Le soin excessif que Jonathan mit à ne pas toucher Patricia durant la nuit, fit que le lendemain, il se réveilla sur le plancher de la chambre, où il avait en fait passé la plus grande partie de la nuit.

Il sursauta lorsqu'il aperçut, immobile sur sa poitrine, un audacieux petit lézard vert qui le regardait curieusement, l'air de se demander ce que ce grand corps faisait là. Jonathan poussa un cri, et la pauvre bête effrayée disparut aussitôt dans un coin de la chambre. Le jeune médecin s'en voulut d'avoir réagi ainsi devant un animal aussi inoffensif et s'empressa de vérifier si Patricia n'avait pas été témoin de cette scène. Il se leva et regarda en direction du lit, s'apercevant du même coup qu'il était tout courbaturé. Pas étonnant, il avait passé la nuit par terre! En tout cas, chose certaine, Patricia n'avait pas été prise d'une envie irrésistible de faire l'amour avec lui. Beaucoup s'en fallait! Parce qu'alors, il n'aurait pas passé la nuit sur le plancher mais dans ses bras.

Malgré sa contrariété, il ressentit une douce émotion en la voyant. Comme elle était radieuse dans la lumière du matin, avec sa peau satinée, et ses traits parfaitement reposés. Même sans maquillage, elle était aussi belle. Il se surprit de voir que contrairement à lui, elle ne s'était pas trop embarrassée de dormir sur le bord du lit — ce qui lui avait valu sa chute inopportune sur le plancher. En effet, elle occupait tout le lit — en fait elle était confortablement vautrée de travers sur le dos.

Mais Jonathan fut encore plus troublé lorsque Patricia, qui avait été réveillée par son cri, se mit à bouger langoureusement et exposa — son peignoir s'étant entrebâillé pendant la nuit — un de ses seins nus. Il ne voulut pas prendre la chance d'être surpris par elle en train de jouer les voyeurs — même involontairement — et préféra s'arracher à ce spectacle délicieux pour se précipiter vers la salle de bain où il s'infligea pendant cinq minutes une douche glaciale.

51

Lorsqu'il ressortit enfin de la douche, littéralement frigorifié, mais avec en compensation un teint magnifiquement rosé, Jonathan trouva Patricia réveillée, assise sur le lit, en peignoir, les cheveux libres. Elle avait ouvert les rideaux de la chambre et le soleil du matin emplissait la chambre. C'était une journée magnifique. Dans la paume de sa main tournée vers le haut, Patricia tenait un petit lézard vert, dont il aurait été difficile de dire si c'était le même que celui qui avait «terrorisé» Jonathan à son réveil. Ces reptiles inoffensifs étaient extrêmement répandus dans la région et même les meilleurs établissements ne parvenaient pas à se protéger contre leur prolifération.

— Regarde comme il est mignon, dit Patricia. Je pense que je l'ai apprivoisé.

Elle était lumineuse, souriante, insouciante surtout, comme si en une seule nuit elle avait oublié tout ce qui lui était arrivé. Elle flatta le dos du petit reptile qui se laissa faire, comme médusé par sa douceur. Puis elle s'assombrit tout à coup. Elle venait en effet de penser à sa chère Cléo. Que devenait-elle? Etait-elle encore vivante au moins? Il y avait tellement longtemps qu'elle ne l'avait pas vue...C'était fou comme elle s'ennuyait d'elle en ce moment! Jonathan nota son changement d'humeur:

— Qu'est-ce qu'il y a?

— Rien, je pensais à mon chien...

— Tu as un chien?

— Non...Enfin j'en avais un avant de me marier...

— Ah...

Mais Patricia ne voulut pas s'apitoyer sur son sort et reprit tout de suite sa bonne humeur. Elle flatta à nouveau le petit lézard:

— Tu es mignon, toi, tu es un gentil garçon...

— C'est vrai qu'il est mignon, approuva Jonathan qui se rappelait son réveil désagréable, et qui sans craindre ces sauriens, ne leur vouait pas une passion démesurée.

Il s'approcha du lit, et pour montrer qu'il partageait l'affection de Patricia, il voulut lui aussi flatter le lézard émeraude. Mais la bête se tourna brusquement vers lui et fit siffler sa fine et longue langue. Jonathan eut un mouvement de recul et ne put réprimer une exclamation si bien que le lézard prit peur, sauta de la main de Patricia sur le lit, puis du lit sur le plancher, et courut en direction du balcon de la chambre dont Patricia avait ouvert les portes en même temps que les rideaux.

— Oups, dit Patricia, le dragon est parti.

Jonathan eut un froncement de sourcils. Il venait tout à coup de se rappeler son rêve ridicule avec le terrible dragon. Patricia aurait-elle eu, par un hasard extraordinaire, le même rêve que lui? Patricia avait suivi la course affolée de la petite bête et, la voyant disparaître, vers le balcon, elle commenta:

— Il n'ira pas loin, nous sommes au seizième étage.

— En effet, dit Jonathan.

Patricia se tourna vers Jonathan en s'étirant paresseusement et remarqua son air préoccupé.

— Quelque chose ne va pas?

— Non, non, ce n'est rien.

— Tu as bien dormi?

— Oui, oui...

— Je ne t'ai pas dérangé?

— Non, non...

— Etonnant comme ces lits peuvent être confortables... déclara-t-elle en donnant une grosse tape sur le matelas juste avant de se lever pour se diriger vers le balcon.

— En effet...

Il la regarda marcher d'un pas léger vers le balcon où il ne tarda pas à la rejoindre. Elle s'accouda sur la rampe, puis se redressa et s'étira, levant les bras vers le ciel, et prit une grande respiration en fermant les yeux comme pour mieux apprécier les effluves marines. A trois cents pieds à peine, il y avait la mer, bleue, infinie, calme, où quelques véliplanchistes matinaux déployaient toutes les astuces de leur art pour tirer profit d'une brise capricieuse et faible. Patricia abaissa les bras, vit que son peignoir était légèrement ouvert, l'ajusta et en resserra le cordon.

Puis elle referma les yeux et dit à Jonathan d'une voix extatique:

— Respire, respire, c'est la vie...

Zut, pensa Jonathan comme malgré lui, car l'entrebâillement révélateur de son peignoir l'avait ravi. Il se fit à nouveau la remarque que cette femme était étonnante. Elle avait été violée, internée, menacée de mort, et maintenant, totalement insouciante, comme parfaitement absorbée dans le moment présent, elle prenait le temps de s'extasier sur les parfums marins. Il ferma les yeux et respira, se sentant un peu ridicule cependant. Comme malgré lui, il eut un mouvement de reproche à l'endroit de Patricia, la taxant d'étourderie, mais immédiatement après, il le regretta et se rendit compte qu'à la vérité il lui enviait cette faculté étonnante et rare qui lui faisait totalement défaut. Il entendit Patricia se gonfler à nouveau les poumons en une inspiration encore plus profonde que la première. Elle retint un instant sa respiration et rouvrit les yeux avant de dire:

— C'est idiot, mais je me dis souvent que tant que je prendrai plaisir à respirer, la vie vaudra la peine d'être vécue. As-tu une cigarette? ajouta-t-elle sans transition.

— Une cigarette? demanda Jonathan surpris.

— Mais non, je plaisantais. Je ne fume pas de toute manière.

— Moi non plus...

Il se trouva idiot. Il aurait dû y penser. Le parfum du vent et la cigarette ne faisaient pas bon ménage. Il y eut un silence. Patricia contempla à nouveau la mer. Jonathan en profita pour la regarder furtivement. Ce qu'il découvrait d'elle l'enchantait. Non seulement était-elle courageuse et intrépide, mais en plus elle avait le sens de l'humour. Et elle semblait avoir conservé intacte en elle cette poésie qui meurt chez la plupart des êtres au moment où, avec une fierté transmise de génération en génération, ils quittent le paradis de l'enfance pour devenir de «grandes personnes».

— Je ne sais pas si c'est le fait d'être libre...ou si c'est simplement la mer...Je ne sais pas...Est-ce que tu le sens, toi?

— Quoi?

— Que c'est un moment parfait...

— Un moment parfait?

— Oui, un moment parfait, c'est quand tu pourrais mourir à l'instant même et que tu n'y verrais aucune objection, parce que tu es tellement heureux...

— Oui...

— Il y a des instants comme ça...J'ai découvert ça pour la première fois lorsque je suis sortie de l'hôpital lorsque j'étais jeune...Une longue maladie de trois semaines...J'avais quinze ans...C'est énorme trois semaines pour une adolescente...Mais ça a été profitable parce que quand je suis enfin sortie, je me suis dit que désormais, chaque fois que je serais libre et en santé, même si je n'avais rien d'autre, je n'aurais aucune vraie raison de me plaindre et que je serais heureuse...J'ai réussi à tenir parole, enfin presque...Jusqu'à ce que je me marie...Mais ça c'est une autre histoire...A l'impossible nul n'est tenu...

Elle marqua une pause, puis reprit:

— Des fois, je me dis que le vrai but de la vie, c'est de faire en sorte que ces instants parfaits qui ne durent que quelques minutes, quelques secondes, s'étirent et finissent par durer toute la journée, toute la semaine, toute la vie...Enfin, je ne vois pas pourquoi je te dis tout ça...

Elle se surprenait elle-même de la confiance spontanée qu'elle éprouvait à l'endroit du jeune médecin.

— Parce que...parce qu'on se connaît depuis des années...

— Oui, si on veut, dit-elle avec un demi-sourire.

Le regard à nouveau perdu dans l'horizon lointain et bleu, Patricia s'assombrit car elle venait tout à coup de se rappeler la gravité de la situation, de ce tueur à ses trousses, surtout, qui ne la lâcherait pas tant qu'il ne l'aurait pas éliminée.

Et elle laissa tomber, avec une grande tristesse, comme s'il s'agissait d'une splendeur, d'un trésor, d'un bonheur qui lui échappait, comme le sable entre les doigts:

— C'est tellement beau, tellement calme...

Mais cette contemplation matinale fut brutalement interrompue par un bruit grinçant et strident. Il provenait du parterre de l'hôtel, seize étages plus bas, où un groupe d'ouvriers avaient commencé à broyer, dans une grande machine montée à même un camion, les branches des arbres qu'ils élaguaient. Patricia et Jonathan se penchèrent ensemble au-dessus du parapet du balcon et virent les hommes qui s'affairaient autour du bruyant camion.

— Un autre moment parfait à l'eau, dit Patricia.

— En effet...

Ils se regardèrent, et pour la première fois ils se sourirent, juste assez longtemps pour se troubler un peu. Et Jonathan comprit que Patricia avait raison. Le temps parfois s'arrêtait, pour former un instant de bonheur parfait. Car pendant quelques secondes, il se perdit dans le bleu de ses yeux, où brillait un éclat rieur.

En six ans de mariage, il n'avait jamais eu un pareil contact avec sa femme. Il faut dire que dès le début de leur mariage, ils s'étaient découvert le «don» de faire sortir le pire l'un de l'autre comme si leur ironique destin était de se rencontrer pour faire la preuve désolante que deux êtres somme toute raffinés et civilisés séparément pouvaient devenir, ensemble, comme chien et chat. Il avait pourtant eu, à une époque, l'impression de l'aimer, de tout partager avec elle. Il avait eu avec elle une plus grande intimité, une longue quotidienneté. Il connaissait son corps dans ses moindres recoins, car ils avaient eu leurs audaces, leurs fantaisies à une époque. Il avait eu l'impression de connaître son âme dans tous ses secrets, dans ses derniers retranchements. Mais elle n'avait jamais été vraiment *sa* femme.

Cela lui apparut si vivement, avec une telle certitude, que brusquement, il eut envie de s'agenouiller devant Patricia, parce qu'il venait d'avoir une nouvelle confirmation de ce qu'il savait intuitivement depuis longtemps: elle était la femme de sa vie, le seul être avec qui le voyage de l'existence ne serait pas à jamais solitaire. Et toute la gravité de cette constatation le bouleversa. Mais au lieu de lui faire une grande déclaration, il lui demanda simplement:

— Est-ce que tu as faim?

— Oui, mais allons sur la plage avant!

Elle avait prononcé ces mots comme une fillette. Comment lui refuser cette promenade dont l'idée l'enchantait lui aussi du reste?

— D'accord, dit-il.

Il allait quitter le balcon à sa suite lorsque le petit lézard, faisant à nouveau des siennes, le devança dans la chambre, lui passant à toute vitesse entre les pieds. Il eut un haut-le-coeur, et poussa un cri.

Décidément, il ne s'habituerait jamais à cette bestiole!

— Oh, regarde qui est là! Notre petit ami! s'exclama Patricia en apercevant elle aussi le lézard qui courait de manière désordonnée dans la chambre.

— Il me cherche, on dirait...

— Mais non, c'est parce qu'il nous aime...Il nous suit partout...

— Ouais...

Et après une pause:

— Bon, je te laisse t'habiller seule...

— Non, non...Ce n'est pas nécessaire...

Il ne fut pas sûr de comprendre ce qu'elle avait voulu dire. Le trouvait-elle déjà assez sympathique pour ne plus éprouver aucune pudeur à s'habiller devant lui? Il ravala sa salive et esquissa malgré lui un sourire de plaisir anticipé.

— Je vais rester en peignoir, dit Patricia, c'est plus amusant...

— Ah, d'accord...dit-il avec une déception visible.

Qu'est-ce qu'il était idiot, à la fin! Il avait encore oublié qu'elle était une femme mariée — nouvellement en fait —, qu'elle était très sérieuse et qu'en outre elle n'était sûrement pas d'humeur à batifoler. L'effet qu'elle lui faisait, quand même! Il était totalement subjugué, médusé.

En passant devant la porte du restaurant de l'hôtel, Patricia attrapa deux énormes oranges dans une immense corbeille débordant de fruits variés, et sans crier gare, en lança une à Jonathan en criant:

— Pense vite!

Il eut le bon réflexe — il avait la réputation à l'université où il pratiquait de nombreux sports, de posséder des réflexes exceptionnels — et capta l'orange d'une seule main.

— Bonne idée, dit-il.

Ils sortirent par la porte arrière, qui donnait sur la terrasse de l'hôtel, pressèrent le pas pour ne pas se faire écorcher les oreilles par la grosse broyeuse et arrivèrent sur la plage où le sable était déjà chaud. Patricia se mit aussitôt à courir, exaltée, fit au moins deux cents mètres et arriva jusqu'à l'eau dans laquelle elle trempa les orteils.

— Brrr, dit-elle, elle est froide.

Jonathan avait couru derrière elle:

— Je te crois sur parole...

Ils marchèrent, silencieusement d'abord. Patricia respirait à fond la brise, se grisait d'air marin. Au bout de quelques secondes, elle épluchait son orange d'une main experte, mit dans la poche de son peignoir la pelure — qu'elle avait réussi à ne pas briser: un jeu de son enfance dont elle ne s'était jamais lassée — puis fendit le fruit en deux et en offrit un quartier à Jonathan qui pour sa part s'était contenté de faire rouler son orange entre ses deux mains, ou de la faire sauter dans sa paume, comme une balle de jeu.

— Merci, dit Jonathan.

Patricia croqua à belles dents dans un quartier d'orange tellement juteux qu'il éclaboussa le visage de Jonathan.

— Oh! dit Patricia en tentant inutilement — et par jeu— de rattraper le jus, je suis désolée.

— Ce n'est rien.

Jonathan éprouva alors une envie extraordinaire de l'embrasser. Les lèvres sensuelles de Patricia, mouillées par le jus frais de l'orange, luisaient, dans la lumière du matin, comme une promesse de bonheur. Mais il se ressaisit. Il se devait d'être sérieux, très sérieux. En fait il fallait qu'il revienne sur terre. La situation, romantique en apparence, était très grave, dramatique même. Il lui fallait le plut tôt possible décider avec Patricia de la conduite à adopter. Il ne fallait pas oublier après tout que Patricia était considérée comme une patiente en fugue et lui-même comme un médecin complice de son évasion et que surtout un tueur à gages les poursuivait. Mais comme il voulait profiter de ces derniers instants de bonheur, même illusoires, il se tut. Il voulait étirer le temps. Faire durer l'illusion.

Quelques femmes qui voulaient profiter des rayons moins nocifs du soleil matinal avaient étendu leur serviette sur le sable et se préparaient minutieusement à célébrer leur culte en se huilant avec d'infinies précautions. Des joggers les croisaient, en même temps que quelques promeneurs. Un obèse méritoire qui déplaçait avec courage ses trois cents livres, courant à la vitesse d'une tortue, les fit sourire malgré eux. Le crâne complètement chauve, le front en sueur, il les salua d'une voix haletante et dit à l'adresse de Jonathan:

— Attention à elle, moi aussi j'étais mince avant de me marier...

— Merci pour le conseil, dit Jonathan qui regarda Patricia d'un air entendu, heureux de passer pour son mari.

Et lorsque le pachyderme se fut éloigné, il ajouta:

— Je me demande de quoi sa femme peut avoir l'air.

Ils ne tardèrent pas à le découvrir, car une femme très petite et très maigre, presque squelettique, apparut alors, agitant au-dessus de sa tête une ridicule petite casquette rouge:

— Mon lapin, attends! Tu oublies ton bonnet!

— Qui se ressemble s'assemble, laissa tomber Jonathan.

Patricia apprécia la plaisanterie et laissa éclater son rire cristallin, découvrant ses belles dents blanches et régulières.

Un couple à la retraite, aux tempes argentées, les croisa aussitôt après, et la femme, avec un sourire attendri, leur demanda:

— En lune de miel?

— Euh oui, dit timidement Patricia, précédant Jonathan qui était trop embarrassé pour répondre.

— Je ne me trompe jamais, proclama la femme triomphalement.

— C'est vrai, dit son mari d'un air amusé car il avait passé sa vie à la tromper sans qu'elle le soupçonne une seule fois, elle a le coup d'oeil.

— Vous faites un très beau couple en tout cas, dit-elle en se serrant, dans un élan sentimental, contre l'épaule infidèle de son compagnon. Essayez de rester en amour...

— On va essayer, dit Patricia, en croisant les doigts d'une manière qui parut charmante à Jonathan.

Ils pressèrent le pas. Patricia offrit un deuxième quartier d'orange à Jonathan. Puis ils ralentirent, et redevinrent en même temps plus sérieux, comme si leurs humeurs étaient déjà accordées.

— Ca n'a pas l'air d'avoir marché, la première fois, dit Patricia.

— Quoi donc?

— Le mariage...

— Ah ça, pas très bien en effet,...

— Pourquoi t'es-tu séparé? demanda Patricia.

— Parce que j'étais marié, plaisanta Jonathan.

— C'est une bonne raison en effet.

Il y eut une pause puis:

— En fait, elle me trouvait stupide, ennuyeux, laid et maladroit. Rien de personnel, comme elle me l'a expliqué en partant.

Patricia laissa à nouveau son rire se déchaîner. Il y avait longtemps qu'elle n'avait pas ri ainsi, depuis l'époque avant son mariage en fait. Comme cela faisait du bien! Pour la première fois depuis qu'ils s'étaient revus à la clinique, elle remarquait Jonathan, elle le voyait et le trouvait vraiment sympathique. Il avait de beaux yeux, des yeux remarquables en fait, verts et très lumineux. Et quel sourire, franc, sincère, et sensible aussi!

— Sérieusement, dit-elle.

— Je ne sais pas, dit Jonathan. Je pense simplement que nous n'étions pas faits l'un pour l'autre. En fait, c'est une véritable ironie de la vie, mais je ne peux pas imaginer deux êtres aussi opposés que ma femme et moi. On aurait pu gagner le concours du couple le plus mal assorti! Je pense que je me suis leurré. En fait je savais dès le départ que c'était une erreur...

Il parla d'une voix plus grave, embarrassée, émue:

— En fait, quand je l'ai rencontrée, j'étais amoureux de quelqu'un d'autre. Mais elle était psychiatre, comme moi, et puis il y avait les parents, l'image, et j'ai pensé que je finirais par l'aimer, par oublier l'autre... Mais on n'oublie pas quand on aime vraiment.

Il se tut. Patricia trouva graves ses dernières paroles. Etait-il vrai qu'on n'oubliait pas quand on aimait vraiment? En ce cas, comment se consolerait-elle, comment oublierait-elle la trahison de son mari?

— Mais on ne parle que de moi...Toi, qu'est-ce qui t'est arrivé, au juste?

— Moi...

Elle n'acheva pas, comme si c'était une tâche au-dessus de ses forces que de parler d'elle. Soudain un bruit très sec, comme une détonation, un coup de feu retentit derrière eux. Ils sursautèrent en même temps. Le tueur les avait-il retrouvés? Mais non, ce n'était que des enfants qui s'amusaient à faire exploser, avec des éclats de coquillage, des ballons d'hélium laissés la veille sur la plage par des fêtards nocturnes.

— Ouf, dit Patricia. J'ai eu peur.

— Moi aussi.

Cet incident anodin les rappela tous les deux à l'ordre. Le charmant intermède était terminé.

— Qu'est-ce qu'on fait maintenant? demanda Patricia. Je suis un danger pour eux. J'en sais trop.

— Je vais aller trouver la police et tout leur raconter.

— Je ne sais pas si c'est une bonne idée...Ils vont probablement te dire...

Elle s'interrompit. Elle paraissait embarrassée.

— Me dire quoi?

— Ils ont...Ils ont un dossier sur moi à l'hôpital...Ils vont te dire que je suis folle...Waterman dit que la police a fait enquête sur moi...Et que...que je suis folle...Que j'ai tout inventé...Que je suis mythomane...

— Ne t'inquiète pas...Je suis au courant...Waterman m'a montré le dossier de police...

Patricia regarda le jeune médecin, interdite.

— Et...Qu'est-ce que tu en penses?

— Je sais que tu n'es pas folle. Les policiers ont fait erreur...Ils vont comprendre quand je vais leur expliquer ce qui se passe vraiment à la clinique.

— Tu crois?

— J'en suis absolument certain.

— Alors allons-y...

— Non, dit-il, c'est trop dangereux. Mieux vaut que tu restes à l'hôtel, pour ta sécurité.

Elle ne protesta pas. Elle se sentait en confiance. Combien de temps y avait-il qu'un homme ne s'était pas occupé d'elle, entièrement, sincèrement? Ils remontèrent vers leur chambre, et juste avant de partir, Jonathan lui dit:

— Ne bouge d'ici sous aucun prétexte. Et ne téléphone à personne. Je serai de retour dans moins d'une heure.

52

Tous deux visiblement nerveux, Richard et Julie attendaient, assis côte à côte dans la grande salle d'attente du bureau de Blackwell, en buvant du bout des lèvres le café que la secrétaire venait de leur apporter. Ils avaient été convoqués pour dix heures du matin, sans la moindre explication:

— Il ne t'a rien dit? demanda Richard à voix basse et en faisant mine de rien car il craignait que la secrétaire ne les épiât.

— Non, rien, dit Julie. Je ne comprends pas.

Lui non plus ne comprenait pas, car d'habitude lorsque Blackwell désirait parler affaires avec lui, il préférait que Julie ne soit pas présente.

— C'est peut-être au sujet de Patricia, dit Richard. Tu as dû lire les journaux ce matin.

— Oui, je les ai lus. Mais pourquoi nous convoquer tous les deux?

Ils n'eurent pas le temps de poursuivre leur conversation, car la secrétaire les avisa que Blackwell les recevrait maintenant. Ils passèrent, non sans timidité, dans son bureau. Blackwell, qui n'était pas seul, trônait derrière son grand pupitre. Jack Burke se tenait debout derrière lui, légèrement en retrait, comme s'il montait la garde. Il y avait aussi son coiffeur personnel, un Italien quinquagénaire qui, ciseaux et drap en main, attendait, un sourire respectueux sur les lèvres.

Julie afficha le sourire le plus décontracté du monde et courut vers Blackwell pour l'embrasser. Mais il la repoussa sans ménagement, d'un geste sec de la main. Elle n'osa pas se plaindre de sa brusquerie comme elle l'avait fait dans d'autres circonstances. Il avait son humeur des mauvais jours. Mieux valait ne pas le contrarier.

Blackwell fit un signe à son coiffeur qui lui passa immédiatement le drap autour du cou. Dès que Julie et Richard furent assis, Blackwell, en homme pressé et expéditif, ne perdit pas de temps en inutiles préambules, et alla droit au but, dissimulant mal la colère qui le brûlait. Il prit une copie du *L.A. Times* et la jeta au visage de Richard, qui, surpris, n'eut même pas le temps de lever la main pour se protéger. Le journal tomba sur ses genoux, et Richard se contenta de plisser les lèvres. Sa femme avait foutu la clinique — et par le fait même la Blackwell Corporation — dans un merdier sans nom.

— As-tu une idée où ta femme peut se trouver? demanda Blackwell.

— Non, monsieur Blackwell...Je...

— Elle s'est enfuie avec un médecin de l'hôpital, le docteur Lake...

— Lake? Jonathan Lake? demanda Richard.

— Oui, ce jeune punk qui nous a volé au golf cet été. Ce n'était pas assez qu'il te baise au golf, tu l'as laissé baiser ta femme...

— Je...Je n'étais pas au courant...

— Est-ce qu'elle a toujours aimé les médecins, ou bien est-ce une nouvelle toquade? demanda Blackwell avec un ironie que Richard ne goûta pas spécialement, d'autant qu'il y avait des témoins.

— Euh...Je ne sais pas...C'est inexplicable...

— Il n'y a rien d'inexplicable dans la vie! Ce type doit avoir quelque chose que tu n'as pas! Peut-être que finalement tu n'étais vraiment pas fait pour le mariage...Je veux dire physiologiquement...Qu'est-ce que tu en penses, Julie?

— Je ne sais pas...

— Evidemment tu ne sais pas...Après tout, tu es seulement une femme...

Blackwell fixa Richard droit dans les yeux et ajouta en souriant:

— Un homme ne peut jamais faire confiance à sa femme, n'est-ce pas?

Il claqua alors des doigts en direction de Burke, qui boitilla vers un immense cabinet d'acajou dont il ouvrit les portes, découvrant un écran de télévision géant. Il alluma l'appareil puis actionna le magnétoscope.

Immédiatement apparurent à l'écran des images de Julie et de Richard. Assis à une table, dans un restaurant, ils se tenaient les mains, tendrement, mais avec une nervosité évidente:

— Il commence à se douter de quelque chose, disait Richard. C'est devenu trop dangereux... Je...

Julie le regardait, comme si elle s'attendait au pire. Il reprit:

— Il vaut mieux que nous nous séparions.

— Que nous nous séparions? dit Julie, affolée, comme s'il venait de lui apprendre qu'elle souffrait d'un cancer.

D'ailleurs, une telle nouvelle ne l'aurait pas autant bouleversée, car il était tout pour elle, l'homme de sa vie, son seul bonheur, sa seule douleur.

— Ce n'est pas possible, protesta-t-elle. Je ne peux pas vivre sans toi.

— Il va pourtant falloir. S'il découvre le pot aux roses, je suis mort. Je perds tout.

Dans l'immense bureau de Blackwell, Julie s'était rembrunie. Elle se rappelait cette douloureuse conversation. Elle trouvait Richard vain, de craindre pour son poste, pour son prestige, alors qu'au premier signe de lui, elle aurait tout abandonné: Blackwell, sa fortune, son luxe, pour le suivre jusqu'au bout du monde. Mais elle savait qu'elle ne pouvait lui demander cela. Elle l'avait déjà fait dans le passé, au moment où ils s'étaient rencontrés, alors qu'elle était déjà la maîtresse de Blackwell. Elle avait d'ailleurs intrigué en faveur de Richard pour qu'il obtienne son poste de vice-président, précipitant la chute de son prédécesseur en racontant à Blackwell qu'il lui avait proposé de coucher avec lui, ce qui était d'ailleurs faux. Et c'était sa manière de lui prouver sa reconnaissance en voulant la plaquer, à la seconde même où son poste était menacé! La lâcheté des hommes! Dans la vidéo, elle dissimulait sa déconvenue:

— Ne t'en fais pas, il est bien trop occupé à diriger son empire. Et de toute manière, il n'est pas aussi fûté que tout le monde pense! La seule chose qu'il sait faire, c'est manipuler les gens.

— Je te dis qu'il a des doutes. L'autre jour, il m'a demandé d'un air bizarre comment il se faisait qu'un homme aussi populaire que moi ne se mariait pas.

— Eh bien la voilà, la solution! Marie-toi!

— Me marier...?

— Mais oui. Trouve-toi une petite idiote! Eblouis-la avec ton argent. Epouse-la pour la forme et nous aurons la paix!

Le film était un montage, et la scène fut brusquement coupée sur cette singulière suggestion de Julie. Dans le bureau de Blackwell, Richard et Julie étaient dans leurs petits souliers. Blackwell était beaucoup plus fort qu'ils ne l'avaient pensé! Il savait tout, depuis des mois. Et il avait joué le jeu. Mais pourquoi avait-il fait semblant de ne rien savoir? se demandèrent Julie et Richard. Sans doute pour conserver le plus longtemps possible le pouvoir que ce secret lui conférait et ne l'utiliser que lorsqu'il en aurait vraiment besoin...

Julie se mit à trembler et à se mordre les lèvres. Ainsi pendant des mois Blackwell l'avait complètement bernée en lui jouant la comédie...Comme il devait la mépriser pour pouvoir rester stoïque alors qu'il la savait infidèle. Dans le bureau, il n'y avait pas que Julie et Richard d'embarrassés. Même Jack Burke, qui pourtant avait lui-même filmé les amants — et qui du reste était assez fier de son oeuvre — se sentait mal à l'aise. Il ne pensait pas que son patron irait au bout de son audace en passant la bande devant son coiffeur. Ce dernier, embêté, s'efforçait de couper les cheveux de son patron sans trop se laisser distraire par cette vidéo pas inintéressante.

La suite de la vidéo allait plonger Julie et Richard — de même que les deux autres spectateurs — dans un embarras encore plus grand. Car la scène suivante était à tout le moins osée. Julie, portant pour tout vêtement un soutien-gorge transparent noir, qui révélait ses minuscules mamelons d'un rouge très vif, était allongée dans un lit d'hôtel, et Richard, complètement nu, et en sueur, s'escrimait sur elle. Elle tendit alors ses fines jambes vers le plafond de la chambre, qu'ornait un grand miroir circulaire, et se mit à hurler, de cette voix impérative et désespérée qui, chez elle, précédait la jouissance:

— Fais-moi jouir, fais-moi jouir! Je veux oublier qu'il a posé ses mains horribles sur mon corps!

Mais Richard s'immobilisa alors. Sa maîtresse, déconcertée, laissa retomber ses jambes sur le lit, et l'interrogea:

— Qu'est-ce qui se passe, mon amour?

Richard s'était rejeté sur le côté, l'air torturé. Julie se mit à lui caresser doucement les cheveux, attribuant son interruption à une lassitude soudaine, ce qui était peu coutumier chez lui. Pourtant, elle l'avait bien senti en elle, fermement, profondément. Il finit enfin par s'expliquer:

— Je n'aurais pas dû l'épouser. Nous avons fait une erreur. Elle est malheureuse à cause de moi.

— Je suis sûre au contraire qu'elle est heureuse. Elle a eu ce qu'elle voulait. Elle a épousé le célibataire le plus recherché en ville.

— Non, objecta Richard. L'argent ne l'a jamais intéressée. C'est un être pur, désintéressé. Ce qu'elle voulait, c'est tout simplement se marier, aimer son mari, avoir une famille. Son rêve est brisé, maintenant.

— Souhaite-lui la bienvenue dans le club, dit ironiquement Julie.

Elle n'ajouta rien, ombrageuse soudain, comme si elle craignait que son amant ne fût soudainement tombé amoureux de son épouse, ce qui au fond arrivait peut-être dans les meilleures familles, la passion pouvant naître — ou s'user — au contact quotidien de l'autre.

— Es-tu en train de me dire que tu l'aimes? demanda-t-elle.

— Non, non, dit-il, ce n'est pas cela.

— Alors prouve-le moi.

Elle retira alors son soutien-gorge, découvrant ses seins d'adolescente, s'empara de la tête de son amant et l'attira vers sa poitrine. Il se laissa entraîner et recommença à lui faire l'amour.

Malgré lui, Jack Burke eut un sourire. Julie était vraiment une belle femme. Peut-être son patron, qui ne paraissait s'arrêter devant rien pour l'humilier, lui demanderait-il de la supprimer et lui permettrait-il de se la farcir avant...Le coiffeur quant à lui n'avait pu s'empêcher de ralentir, et jetait des coups d'oeil furtifs vers l'écran. Il avait beau avoir cinquante ans, il était Italien! Et si son patron lui avait demandé de lui couper les cheveux à ce moment précis, c'est sans doute qu'il se foutait royalement de sa présence!

La scène s'interrompit mais fut immédiatement suivie d'une autre qui semblait d'ailleurs se dérouler dans la même chambre d'hôtel. Julie et Richard étaient habillés cette fois, et ils s'apprêtaient à quitter les lieux. Julie avait ouvert la porte, dont on vit le numéro: 1234, celui-là même que Patricia avait trouvé inscrit sur un bout de papier, dans la poche de son mari, le soir du bal.

— Ce n'est qu'une question de temps, dit Julie. Il ne vivra pas éternellement. Quand il mourra, nous aurons tout. Nous serons riches. Il faut tenir le coup. Les gagnants n'abandonnent jamais, et ceux qui abandonnent ne gagnent jamais.

Elle prit alors Richard par le cou et se mit à l'embrasser passionnément.

— Ca suffit! dit Blackwell.

Burke arrêta la vidéo. L'image s'immobilisa sur l'étreinte passionnée des deux amants coupables. Complètement atterré, Richard était blanc comme un drap. Julie se mit à pleurer en poussant des cris désespérés. Le coiffeur qui avait complété son travail, malgré une brève distraction, prit un miroir qu'il plaça sur le côté de la tête de son célèbre client. La coupe parut plaire à Blackwell.

— C'est très bien.

Il retira lui-même le drap et le remit au coiffeur, qui s'inclina respectueusement et se retira. Puis Blackwell se leva de son fauteuil, s'approcha de Julie dont les sanglots ne diminuaient pas, et lui assena une violente gifle en lui intimant:

— Tais-toi, idiote!

Curieusement, comme cela arrive à des enfants sous l'ordre autoritaire d'un parent qui n'est pas dupe de leur comédie, elle s'arrêta immédiatement de pleurer, et laissa tomber la tête comme un pantin désarticulé et honteux. Quant à Richard, il se cherchait désespérément une contenance. De toute sa vie, il n'avait connu une situation aussi embarrassante. Blackwell savait tout, maintenant. Il savait non seulement que Julie et lui étaient amants, mais qu'ils le méprisaient et n'attendaient que sa mort. Que pouvait-il faire? A quoi serviraient des excuses, des explications? Tout n'était-il pas dit?

Mais comme Blackwell était bizarre! Pourquoi toute cette mise en scène? Pourquoi les convoquer, Julie et lui? Blackwell le prit par surprise quand, au lieu de le condamner et de le congédier il lui dit, d'une voix calme, presque paternelle:

— Tu as fait une erreur, Richard. Mais je suis prêt à tout oublier. Trouve simplement ta femme, et le salaud qui la saute.

— Je...

Il ne savait pas quoi dire. Il n'en revenait pas. Blackwell ne l'engueulait même pas. Il ne lui faisait pas le moindre reproche. Il ne put s'empêcher d'admirer sa force, sa puissance. C'était sans doute pour cela qu'il avait connu un succès si spectaculaire, qu'il s'était élevé si loin au-dessus du commun des mortels. Il était vraiment supérieur. Et cette supériorité le rendait complètement imprévisible. En même temps que son admiration fleurissait, Richard se sentait encore plus vil, encore plus petit d'avoir trompé la confiance de cet être exceptionnel. Et il regretta de s'être laissé entraîné par Julie. Dans le fond, il ne l'aimait plus depuis longtemps. L'avait-il d'ailleurs jamais aimée? Elle ne le tenait que par la sensualité, par une sorte de soumission totale envers lui, lui permettant de satisfaire tous ses fantasmes. Mais il la détestait précisément à cause de ce pouvoir qu'elle avait sur lui, et dont il aurait dû se défaire depuis longtemps.

— Ne vous inquiétez pas, finit par dire Richard, je vais la retrouver.

Il se leva, et dans un geste de soumission dont il ne se serait jamais cru capable, il alla embrasser les mains de Blackwell. Cette marque de reconnaissance parut agacer Blackwell. Après tout, il n'était pas le Parrain. Il était un «honnête» homme d'affaires, qui certes avait des méthodes un peu personnelles...Mais qui a jamais réussi sans sortir un tant soit peu des sentiers battus? Il savait d'ailleurs que la plupart des grandes fortunes ont eu des origines douteuses mais que les gens oublient le passé et finissent toujours par s'incliner devant la richesse, peu importe sa provenance. Il repoussa Richard en lui disant, désignant son tueur à gages dont Richard n'avait jamais connu les véritables tâches et qu'il prenait pour un simple garde du corps:

— Jack va t'aider dans tes recherches.

— D'accord, monsieur Blackwell.

53

Assise sur le balcon de sa chambre d'hôtel, Patricia contemplait les nombreux voiliers qui sillonnaient les eaux bleues de la mer. On frappa à la porte de sa chambre. Elle eut une hésitation Devait-elle répondre? Elle avait promis à Jonathan de n'ouvrir à personne. Qui sait, peut-être le tueur les avait-il retrouvés. Mais elle se frappa alors le front. Qu'elle était bête! Elle venait tout simplement de se faire monter du café et des croissants cinq minutes plus tôt, la promenade au bord de la mer lui ayant ouvert l'appétit.

— Entrez, cria-t-elle.

Elle mit ses lunettes fumées — sait-on jamais, on pouvait la reconnaître — et se dépêcha d'aller ouvrir. Le garçon entra, apportant le café et les croissants sur un plateau.

— Je dépose le tout à quel endroit?

— Ici, dit Patricia...

Et elle lui indiqua la petite table sur le balcon.

— Belle journée, n'est-ce pas, madame?

— Belle journée en effet...

Le garçon posa le plateau sur la table puis:

— Bon appétit, madame. Si vous avez besoin de quoi que ce soit, n'hésitez pas à appeler...

— Merci, dit-elle en lui tendant un billet d'un dollar.

— Vous êtes bienvenue, madame...

Il sortit. Patricia s'assit et croqua tout de suite dans un croissant, qui était encore chaud.

— Mm... soupira-t-elle avec satisfaction.

Il lui semblait qu'il y avait une éternité qu'elle n'avait pas mangé un croissant aussi délicieux. Etait-ce parce que sa liberté nouvelle — même incertaine — donnait à toute chose un goût incomparable? En même temps que le petit déjeuner, le garçon avait également apporté, comme il le faisait invariablement pour tous les clients de l'hôtel, le journal du matin, le *L. A. Times*, roulé et retenu par un élastique. Une fois assise, Patricia défit distraitement le journal et prit une première gorgée de café. Elle faillit renverser sa tasse lorsqu'elle vit sa photo en première page. Le titre de l'article se lisait comme suit: «Une patiente de la Clinique Williamson s'évade après avoir assassiné la célèbre Susan Bloomberg».

L'article était illustré de photographies saisissantes. On voyait en gros plan le cadavre de madame Bloomberg, allongé dans les jardins de la clinique, après sa chute mortelle. Il y avait également une photo de la clinique, et un portrait de Patricia. On décrivait Patricia comme une dangereuse psychopathe dont la spectaculaire première tentative d'évasion s'était soldée par trois morts. Le journaliste racontait que, dans la journée précédant le meurtre de Madame Bloomberg, de nombreux témoins avaient vu Patricia rendre visite à la victime, entre autres l'infirmier chargé de sa surveillance — Lumino.

On avait également retrouvé, sur les vêtements abandonnés dans sa chambre par Patricia, des traces de chocolat, qui avaient été analysées en laboratoire: il s'agissait du même chocolat que celui que consommait régulièrement madame Bloomberg, un chocolat belge qui n'était pas vendu aux U.S.A. mais que cette excentrique millionnaire importait directement de Bruxelles, capitale du chocolat. La preuve était d'autant plus accablante que la pauvre madame Bloomberg avait été retrouvée morte avec sa boîte de chocolats écrasée entre les seins!

Quant au mobile du meurtre, le médecin consulté — le docteur Waterman, bien sûr —, avait expliqué au journaliste que madame Patricia Stone était dans un état mental extrêmement instable, qu'elle n'en était pas à ses premiers actes violents et que, malheureusement, elle était probablement incurable, du moins avec les moyens de la médecine actuelle. Premièrement, elle souffrait de mythomanie, une maladie assez rare, expliqua-t-il au journaliste, qui poussait le patient à inventer continuellement des histoires auxquelles il croyait lui-même.

Mais ce qui était pire, c'est que cette curieuse affection était régulièrement accompagnée chez elle de crises de délire de persécution qui la poussaient à se sentir menacée par des membres pourtant inoffensifs de son entourage. La pauvre Madame Bloomberg avait probablement été victime d'une de ces crises de délire.

Patricia repoussa le journal. Elle n'en revenait pas.

C'était un tissu de mensonges! On l'accusait de meurtre! Décidément, ils étaient forts à la clinique. Ils n'avaient pas perdu une minute pour contacter les journaux et donner «leur» version de son évasion, une version qui la compromettait gravement et faisait d'elle une criminelle. Le coup du chocolat sur ses vêtements...Quel indice compromettant, et en même temps facile à façonner! Ils n'avaient eu qu'à mettre du chocolat sur ses vêtements, et le tour était joué!

Comment ferait-elle pour s'en sortir? On croirait évidemment Waterman, qui était un médecin réputé. On se fierait à la version officielle, aux témoins qui l'avaient vu entrer dans la chambre de Madame Bloomberg — ce qui était d'ailleurs vrai, mais cela s'était passé beaucoup plus tôt dans la journée — aux traces de chocolat compromettantes. Elle n'était qu'une patiente, et Waterman avait sur elle un dossier et un rapport de police accablants.

Elle aurait dû se méfier davantage de Waterman, ne pas le provoquer comme elle l'avait fait, avec insouciance, sans se rendre compte qu'il détenait sur elle et sa vie un pouvoir considérable. Maintenant, elle n'avait plus aucune crédibilité. Comme Waterman le lui avait expliqué, ce serait toujours sa parole contre la sienne, la parole d'un psychiatre à la réputation sans tache contre celle d'une mythomane. Le piège était parfait. Il allait se refermer sur elle, inexorablement. Elle irait en prison, serait probablement condamnée à vie.

Il ne lui restait qu'une chance, une chance bien mince: retrouver une disquette dont elle ne savait même pas si elle existait encore. Si elle était encore à la clinique, comme c'était bien probable, elle avait autant de chances de mettre la main dessus que de se faire frapper par la foudre au beau milieu du désert. Quant à la possibilité de faire une nouvelle copie des dossiers secrets de la clinique, elle pouvait oublier ça. Le docteur Waterman n'était pas assez bête pour avoir laissé des traces de ces dossiers si compromettants. Il les avait sûrement copiés ailleurs ou tout simplement détruits.

Non, elle avait beau retourner la situation de tous les côtés, déployer son imagination de romancière, elle était dans un cul-de-sac. Elle ne pourrait pas s'en sortir. Sans oublier qu'elle avait un tueur à ses trousses! Quel beau bilan! Si elle avait cru, il y a quelques mois, alors qu'elle se morfondait d'avoir été abandonnée par Jack, en arriver à une situation aussi désespérée...Au fond, sa vie était simple à l'époque, et ses petits malheurs, de vraies bagatelles...

Si Jonathan pouvait revenir...Peut-être trouverait-il une solution, encore qu'il aurait sûrement toute une surprise au poste de police où on voudrait peut-être l'arrêter...Merde! Bien sûr! Ils ne le laisseraient sûrement pas repartir. Ils le forceraient peut-être à les conduire jusqu'à l'hôtel où elle se cachait...

Pourquoi tardait-il autant, d'ailleurs? N'y avait-il pas déjà une heure qu'il était parti? Elle consulta sa montre. Dix heures trente. Il y avait seulement une demi-heure qu'il l'avait laissée seule dans sa chambre...

Elle vida son café d'un seul trait. Elle avait envie de fumer maintenant, mais elle n'avait pas de cigarettes. Elle décrocha le téléphone, appela le service aux chambres pour s'en faire monter, mais se ravisa au dernier moment. Elle venait de réaliser qu'elle jouait avec le feu. Avec sa photo publiée en première page du *L. A. Times*, on risquait de la reconnaître. Elle pouvait d'ailleurs se compter chanceuse que le garçon qui lui avait apporté son café ne l'eût pas regardée attentivement, et qu'elle eût l'heureuse inspiration de porter ses lunettes fumées. Sinon, il n'aurait sûrement pas manqué de la reconnaître.

Il faut dire que la photo du *L. A. Times* était fort avantageuse. Elle n'offrait certes plus la même image resplendissante de la santé et de la beauté que quelques mois auparavant, à l'occasion de son mariage. C'était en effet la photo qui avait été utilisée pour le reportage, la seule que le *L. A. Times* eût sous la main, le journal ayant dépêché un journaliste et un photographe pour couvrir le mariage du dauphin de la Blackwell Corporation. Depuis quelques années, Richard était devenu de plus en plus populaire auprès des médias, non seulement en raison de ses hautes fonctions au sein de la société qui l'embauchait mais à cause de son style de vie de *play-boy*.

Patricia reprit le journal et regarda la photo de son mariage, songeuse. Comme elle avait l'air heureuse et innocente! Mais surtout, comme les choses avaient changé rapidement depuis! Les larmes lui vinrent aux yeux. Tout cela n'avait-il été qu'une illusion, qu'un rêve? Son mari l'avait-il jamais aimée?

Elle pensa alors à sa mère, sa pauvre mère, qu'on pouvait apercevoir sur la photo de mariage. Comme tout le monde, elle avait dû lire les journaux du matin et devait se faire de la bile à cause de sa fille. Sa fille qui était en fugue et avait prétendument commis un meurtre. Malgré la promesse qu'elle avait faite à Jonathan, elle téléphona à sa mère pour la rassurer, lui dire que tout ce qui était écrit dans les journaux était faux, et qu'elle se portait bien.

54

— Patricia? C'est toi? s'exclama avec surprise sa mère qui s'était levée pour décrocher le téléphone.

Dans son modeste salon, assombri par ses vieux rideaux qu'elle n'avait pas convaincu son mari de changer, elle venait de servir à Richard et à Jack Burke, tous deux assis sur son sofa, un café brûlant. Elle se tourna vers Richard avec un large sourire — le hasard faisait bien les choses: ils parlaient justement de Patricia! Mais Burke intervint aussitôt, et fit de sa main libre un impérieux geste de dénégation: elle ne devait faire aucune allusion à la présence de Richard. Madame Wood n'eut pas l'air de comprendre tout de suite, mais Burke avait la mine menaçante de quelqu'un qu'on ne contrarie pas, et Richard approuva d'un mouvement de la tête. Elle devait faire ce qu'il voulait. La mère de Patricia eut un dodelinement d'intelligence et reprit la conversation un instant interrompue:

— Tu vas bien, maman ? lui demandait pour la deuxième fois d'affilée Patricia.

— Oui, oui, mais toi?

— Oui, oui, je vais bien...

— Je suis contente que tu m'appelles, j'étais morte d'inquiétude.

— Tu as lu les journaux du matin?

— Oui, évidemment...

— Ecoute, je ne peux pas te parler très longtemps. Je veux seulement que tu saches que tout ce qui est écrit dans les journaux est faux. Je n'ai pas tué cette femme. J'ai seulement tenté de la prévenir qu'on voulait l'assassiner. Ce sont les gens de la clinique qui l'ont tuée.

Burke posa sa tasse de café sur la table devant lui, se leva et s'approcha sans bruit de la mère de Patricia. Il articula alors, en accentuant volontairement le mouvement de ses lèvres, mais en parlant de manière quasi inaudible:

— Où est-elle?

La mère de Patricia, très énervée, ne comprit pas du premier coup. Contrarié, Burke recommença mais cette fois-ci en parlant un peu plus fort. La mère de Patricia hocha vigoureusement la tête, tout en se demandant ce que cet homme à la mine sinistre pouvait bien faire avec son gendre. Richard l'avait présenté comme un collaborateur, un ami qui pouvait l'aider à retrouver Patricia et à la tirer du pétrin dans lequel elle se trouvait, mais quand même, il n'avait pas une bonne tête...Il avait l'air hypocrite, dissimulateur.

— Je vois, je comprends. Mais dis-moi, où es-tu?

— Je...hésita Patricia à l'autre bout de la ligne. Je ne peux pas te le dire... J'ai promis.

— Tu as promis? A qui?

— Ce serait trop compliqué de t'expliquer.. Je dois te laisser, maman. Mais je vais te rappeler.

— Mais tu ne peux pas me laisser comme ça, sans me dire où tu es, protesta-t-elle. Je suis ta mère! Comment vais-je pouvoir te rejoindre s'il arrive quelque chose?

S'il arrive quelque chose... pensa Patricia. Comme s'il pouvait lui arriver quelque chose de pire que d'être en même temps poursuivie par un tueur et accusée de meurtre! Mais elle se laissa attendrir. Après tout, elle avait raison, elle était sa mère. Et puis elle n'était pas dangereuse. Elle ne ferait rien pour lui nuire. Elle ne la trahirait pas. Et pour une fois qu'elle avait l'air de se préoccuper vraiment de son sort! De toute manière, Jonathan et elle ne resteraient probablement pas longtemps dans cet hôtel.

— Ne le répète à personne. Je suis à l'hôtel Venice-by-the-Sea, finit-elle par dire.

— D'accord, ma chérie. Fais bien attention à toi...

— Je ne peux pas te parler plus longtemps, maman. Je t'aime.

— Je t'aime moi aussi.

La mère de Patricia raccrocha, et, avec la fierté du limier qui vient d'arracher une information cruciale à un témoin difficile, annonça:

— Elle est à l'hôtel Venice By-the-Sea. J'ai cru comprendre qu'elle était seule... Mais elle m'a dit qu'elle avait promis quelque chose à quelqu'un...

— Lake...dit Burke, qui ne prit pas la peine de remercier madame Wood pour le café et se dirigea vers la porte.

— Euh...Merci pour le café... dit Richard, embarrassé. Il faut que nous partions...

— Mais attendez, je veux des explications... Patricia dit que ce n'est pas elle qui a tué cette femme. Je sais que ma petite fille n'est pas une criminelle. Elle est peut-être folle, mais elle est incapable de tuer quelqu'un...

— Elle...Elle est malade...dit Richard qui maintenant était vraiment pressé parce que Burke était déjà sorti et qu'il ne voulait surtout pas le laisser aller seul à l'hôtel.

Il ne savait pas que Burke était en fait un tueur à gages, mais il se méfiait de lui. Il n'avait pas une tête d'enfant de chœur en tout cas.

— Elle a fait une autre crise...On pourra probablement prouver qu'elle n'était pas dans son état normal lorsqu'elle a commis ce meurtre, et elle sera disculpée...Mais...

— Mais quoi?

Richard avait l'air bouleversé. Il hésita un instant et finit par dire:

— Elle sera probablement obligée de passer le reste de sa vie en institution. C'est la seule manière de lui éviter la prison...

— Mon Dieu, dit la mère de Patricia en portant la main à son visage.

— Il faut que j'y aille, belle-maman.

Et il se hâta d'aller rejoindre Burke.

55

Au poste de police, l'inspecteur Spalding — celui-là même qui avait enquêté dans le triste cas de Patricia: décidément le jeune médecin jouait de malchance! — venait de recueillir, dans son grand bureau vitré, le témoignage surprenant de Jonathan. Il prenait quelques dernières notes, l'air sérieux, dissimulant avec difficulté son excitation intérieure. Car c'était une véritable aubaine que la présence de Lake dans son bureau!

— Est-ce que quelqu'un d'autre sait où elle est, docteur ? demanda Spalding, en faisant allusion à Patricia.

— Non, je voulais vous parler en premier.

— Vous avez fait ce qu'il fallait faire, le félicita l'inspecteur. Je vais m'occuper de tout.

Il marqua un pause.

— Pourriez-vous m'attendre une petite minute à l'extérieur de mon bureau, docteur ? Un petit coup de fil et je suis à vous.

— Bien entendu.

Jonathan sortit du bureau en se félicitant de sa démarche. Il décida d'en profiter pour appeler Patricia et la rassurer. L'inspecteur Spalding prendrait les mesures nécessaires pour assurer leur protection et arrêter les coupables: c'est-à-dire les directeurs de la clinique.

— Je peux utiliser le téléphone? demanda Lake à une des secrétaires dans la vaste salle commune du poste de police où travaillaient une trentaine de personnes.

La secrétaire, qui, tout absorbée dans son travail, n'avait pas remarqué Jonathan à son arrivée, fondit littéralement en le voyant. Ce qu'il était beau! Un vrai dieu, avec ses grands yeux verts romantiques et sa belle crinière noire joliment bouclée! Elle rougit et bafouilla :

— Mais...euh... bien entendu.

Elle vérifia les lignes disponibles et dit, avec un sourire extatique, comme si elle lui proposait les ultimes privautés :

— Vous pouvez utiliser la ligne 4... C'est direct, pas besoin de composer le neuf...

— Merci, dit Jonathan.

Mais, dans sa nervosité, il appuya sur le neuf au lieu du quatre. Il reconnut tout de suite la voix de l'inspecteur, et fut étonné de l'entendre dire:

— Docteur Waterman? C'est Spalding. Bonne nouvelle. On a retrouvé la fille. Et le docteur Lake est ici dans mon bureau.

Jonathan regarda l'inspecteur Spalding à travers la large fenêtre de son bureau, et comprit qu'il avait été trahi. Non seulement l'inspecteur n'avait pas cru un traître mot de ce qu'il lui avait dit mais il était de toute évidence de connivence avec la clinique. S'il ne l'avait pas arrêté tout de suite, c'était tout simplement qu'il voulait jouer le jeu jusqu'à ce qu'il les conduise à Patricia.

Jonathan raccrocha en hâte et demanda à la secrétaire:

— Les toilettes?

— Vous prenez le corridor à droite, dit-elle en tendant l'index devant elle, comme dans un rêve. C'est juste à côté de l'ascenseur.

— Je vous remercie. Vous êtes très aimable.

Et il s'éloigna d'un pas alerte. La secrétaire le suivit amoureusement du regard, jusqu'à ce qu'il disparût en tournant à droite au premier corridor.

Quelques secondes plus tard, l'inspecteur Spalding, qui avait reçu de Waterman instruction de retenir Lake, sortit en coup de vent de son bureau, et ne voyant pas le jeune médecin demanda à sa secrétaire:

— Le docteur Lake?

— Il est médecin, en plus? dit la secrétaire dont l'admiration n'avait plus de bornes.

— En plus de quoi? demanda Spalding.

— En plus d'être beau, lui, dit-elle en insinuant lourdement que l'inspecteur, lui, ne l'était pas.

Irrité, Spalding demanda très sèchement:

— Où est-il passé?

— Aux toilettes. Pourquoi? C'est un crime?

L'inspecteur ne répondit pas et se dirigea vers les toilettes. Il allait en pousser la porte, mais se ravisa, se disant que cette arrestation, pouvait bien attendre quelques secondes, que Jonathan était médecin, et qu'il avait droit à certains égards. Il décida donc d'attendre. Mais au bout d'une minute, il finit par s'impatienter et entra dans les toilettes.

Il eut un air de compassion. Dans son petit cubicule, le docteur Lake semblait éprouver d'énormes difficultés à soulager ses intestins. On l'entendait en effet forcer:

— Hu... Hu...

L'inspecteur dodelina de la tête et fronça les yeux. Oh la, la! Les intestins, il savait ce que c'était! Lui-même était souvent constipé — sans compter que le stress lui donnait régulièrement des crises d'hémorroïdes fort douloureuses!

— Huuuuu...

C'était un gémissement plus prolongé, un grognement en fait, très agressif, comme si le docteur voulait effrayer son intestin, le discipliner. *Holy shit!* se dit Spalding pour lui-même. Une vraie guerre contre la merde! Le type doit souffrir le martyre!

Puis il y eut un silence assez prolongé. Le docteur s'accordait-il une pause — d'ailleurs bien méritée? Ou avait-il renoncé, et se reculottait-il?

Spalding laissa quelques secondes s'écouler puis s'impatienta. Il ne pouvait quand même pas passer toute la matinée à attendre, à la merci des caprices intestinaux du médecin.

— Des problèmes, doc? demanda-t-il.

Il n'obtint aucune réponse. Après une courte hésitation, il enchaîna:

— Hey doc...Vous n'êtes pas obligé de tout évacuer dans la même séance. Ca va encore être là plus tard, croyez-moi...

Mais il n'obtint aucune réponse. Là, il commençait à en revenir.

— Ecoutez, patron, fit-il d'une manière familière, comme il le disait à tous les chauffeurs de taxis ou les vendeurs, il faut laisser la chance aux autres...Les toilettes ne vont pas disparaître comme ça...Il faut que je vous parle...C'est urgent...

Ses paroles portèrent fruit car il entendit alors la chasse d'eau, puis la porte du cubicule claqua avec fracas.

— Qu'est-ce que c'est ton problème, espèce d'enfant de chienne? Tu ne peux pas laisser les gens chier en paix?

— Oh, monsieur Scott, excusez-moi...Je suis vraiment désolé...

Il venait de reconnaître son patron — son vrai patron qui était sans doute d'autant plus irrité qu'il l'avait appelé «patron»! — Le visage rouge de colère, il rattachait en hâte ses pantalons.

— Désolé, mon cul! Tu devrais passer plus de temps à ton bureau et moins dans les toilettes...

— Je sais... Vous avez raison...Je pensais que vous étiez le docteur Lake...

— Et est-ce que tu penses que ta femme est Bo Derek?

— Non, non, c'est un malentendu... Je...

— Est-ce que je peux me laver les mains en paix? demanda son patron en se penchant vers le lavabo et en ouvrant un robinet.

— Bien sûr...

Il sortit, confus. Il s'empressa d'aller trouver la secrétaire, n'osant pas croire que Lake avait pris la poudre d'escampette. Il n'avait aucune raison de le faire après tout, puisqu'il n'était au courant de rien:

— Où est passé le docteur Lake?

— Je...Je ne sais pas, dit la secrétaire. Aux toilettes, je crois.

— Tu es sûre?

— Ecoutez, il ne m'a pas demandé de l'accompagner.

— Merde! laissa tomber l'inspecteur en s'éloignant.

Son patron, qui revenait des toilettes, entendit le juron et en parut contrarié. Spalding était-il en train de devenir fou? Etait-il obsédé par les excréments? Devenait-il coprophile? Il était peut-être surmené et avait besoin de longues, de très longues vacances.

— Est-ce que Spalding vous a parlé de...Est-ce qu'il vous a questionné au sujet de... votre merde? demanda-t-il à la secrétaire.

— Ma merde?

— Oui, votre merde... celle qui sort de votre petit cul rose!

— Ecoutez, vous allez être poli.

— Et vous, vous allez m'écouter. C'est très sérieux, je crois que Spalding est malade...

— C'est vous qui êtes malade... Et moi, je vous dis merde!... Et si vous continuez à me tenir des propos aussi scabreux, je dépose une plainte contre vous pour harcèlement sexuel...

— O.K. O.K. du calme...

Le patron n'insista pas et se retira en regardant Spalding à travers la vitre de son bureau. Il faudrait qu'il l'ait à l'oeil, celui-là!

La petite astuce de Jonathan — il n'aimait pas mentir, surtout à une aussi charmante personne que la secrétaire de Spalding, mais il n'avait pas eu le choix — lui avait permis de prendre la fuite et surtout de distancer les policiers à tel point d'ailleurs que Spalding renonça à le poursuivre et lança plutôt un avis de recherche sur sa personne et sur le couple de fortune qu'il formait depuis quelques heures avec Patricia.

Il s'éloigna rapidement du poste de police, s'ingéniant à emprunter le plus de petites rues possible pour être sûr de semer ses poursuivants. Juste avant de s'engager sur l'autoroute, il se rendit compte que son réservoir était presque vide. Bien sûr, il était pressé. Et il ne voulait pas laisser Patricia seule trop longtemps. Mais il ne pouvait courir le risque de tomber en panne. Cela le retarderait infiniment plus. Il s'arrêta donc au premier garage. Pendant que le pompiste faisait le plein, il sortit de sa voiture pour se délier les jambes et tromper sa nervosité. Il tomba alors sur une copie du *L.A.Times*. Il en eut le souffle coupé.

On accusait Patricia du meurtre de madame Bloomberg! C'était à n'en point douter pour cette raison que la police avait voulu le retenir. Jamais de sa vie il n'avait été aussi désorienté, et lorsque le garagiste lui dit, «ce sera douze dollars...» il sursauta. On aurait dit un somnambule qu'on réveille brusquement.

Il fouilla dans une de ses poches de pantalon et en tira un billet de vingt dollars, qu'il remit distraitement au pompiste.

— Est-ce que je peux garder le journal? demanda-t-il.

— Mais oui, bien entendu, dit le garagiste qui plongeait une de ses mains huileuses dans son bleu de travail pour lui rendre la monnaie.

Mais Jonathan retourna vers sa voiture sans attendre.

— Monsieur, dit le pompiste en tendant vers Jonathan ce qu'il lui devait.

Mais comme Jonathan ne semblait pas avoir entendu, il n'insista pas. S'il était propriétaire d'une Porsche, ce client était certainement riche, et les riches avaient de ces excentricités qu'il fallait accepter, surtout lorsqu'elles avantageaient les pauvres gens comme lui. Avec un haussement d'épaules, il fourra le billet dans sa poche, et regarda Jonathan qui roula quelques mètres avant d'immobiliser son véhicule.

— Merde! dit le pompiste, persuadé qu'il venait de se rendre compte de sa distraction.

Mais il n'en était rien. Jonathan s'était rangé le long de la route simplement pour pouvoir consulter le journal. Il s'empressa de le dévorer, comme dans un état second. On parlait des témoins qui avaient bel et bien vu Patricia rendre visite à la victime pendant la journée, et des accablantes traces de chocolat découvertes sur ses vêtements.

Alors un horrible doute se fit jour dans son esprit. Et si Patricia était vraiment folle...Si elle était vraiment mythomane, déséquilibrée, dangereuse...Si elle avait effectivement tué cette pauvre madame Bloomberg...Si elle savait avec tellement de certitude que l'excentrique cantatrice allait mourir, n'était-ce pas parce qu'elle projetait elle-même de la tuer? Et par un mécanisme inconscient bien connu — et qu'il avait d'ailleurs déjà rencontré au cours de sa pratique —, elle avait pour ainsi dire voulu le prévenir de son geste pour qu'il la protège contre sa propre folie meurtrière. Mais lui, en idiot consommé, il n'avait rien vu, il n'avait rien compris, il n'avait pas su lire son signal de détresse, alors qu'elle était au bord de cet abîme qui allait gâcher sa vie à tout jamais en faisant d'elle une criminelle...

Certes, il y avait la disquette, qui, prétendument, annonçait la mort de madame Bloomberg. Mais Patricia n'avait jamais pu lui montrer cette foutue disquette...N'était-ce pas une autre invention de sa part? Le docteur Waterman — avec à son appui un rapport officiel de police — n'avait-il pas raison de prétendre qu'elle était mythomane, et donc complètement folle? Et dans ce cas, lui aussi se retrouvait dans l'eau chaude, car en aidant Patricia à s'évader, il devenait pour ainsi dire son complice, il commettait un acte criminel...Un acte dont les conséquences seraient probablement très graves pour sa carrière, et pour sa vie... Il venait de perdre sa femme, et maintenant, il se verrait peut-être retirer son permis de pratiquer la médecine, sans compter qu'on l'emprisonnerait probablement...Tout ça ne lui arrivait-il pas au fond, parce que l'amour lui avait fait perdre tout sens critique, toute objectivité?

Jamais il ne s'était retrouvé en face d'un pareil dilemme. Il revit comme malgré lui des images de Patricia sur la plage. Cette femme si souriante, si heureuse, pouvait-elle être folle? Il pensa alors que beaucoup de malades — entre autres les maniaco-dépressifs — étaient charmants pendant leur période d'exaltation, ce qui ne les empêchait pas de commettre des actes très graves, (suicides ou meurtres) même contre leurs enfants pendant leur phase de dépression. Patricia n'échappait peut-être pas à cette terrible loi psychologique...

Mais alors, si elle était vraiment folle et criminelle, comment lui annoncerait-il qu'il lui fallait la reconduire à la clinique, que la comédie était terminée, et qu'il était vraiment temps qu'elle subisse des traitements intensifs? Il pensa d'ailleurs, comme Richard, que, probablement, ce serait la seule manière de lui éviter l'emprisonnement à vie, si ce n'est la chaise électrique, car la richissime famille de madame Bloomberg retiendrait sûrement les meilleurs avocats et chercherait à obtenir la sentence maximale!

Il reprit la route, conduisant comme dans un état second, se demandant ce qu'il ferait au moment de la confrontation avec Patricia. Maintenant, il en était presque certain, il n'avait pas été objectif, il s'était laissé influencer par ses sentiments pour Patricia... S'il avait pu s'apercevoir dans son rétroviseur, il se serait rendu compte qu'il avait les larmes aux yeux.

56

Devant la glace de la salle de bain, Patricia venait de passer ses lunettes fumées, et elle s'examinait. Elle avait modifié considérablement sa coiffure, lissant ses cheveux qu'elle avait attachés en chignon derrière sa tête. Cela lui donnait un nouveau genre, un nouveau *look*, plus agressif, plus punk, car elle s'était maquillée beaucoup plus que de coutume. Elle compléta ce qui était presque un déguisement par une généreuse application de rouge à lèvres qui agrandit sa bouche et lui donna une allure très sensuelle, presque provocante. Elle déboutonna un bouton supplémentaire de son chemisier si bien qu'elle était maintenant très décolletée et que ses seins, qu'elle s'était amusée à remonter en tordant la courroie de son soutien-gorge, étaient gonflés, comme sur le point d'éclater.

Elle esquissa un sourire. Elle était vraiment transformée! Même sa mère ne la reconnaîtrait pas! Elle n'avait pas l'air d'une *call-girl*, mais peu s'en fallait. On la remarquerait peut-être mais on ne l'identifierait pas, et c'est ce qui comptait. En tout cas elle ne ressemblait pas du tout à une pensionnaire de clinique en fugue, pâlotte, défaite et pas sexy pour deux sous. Tiens, pensa-t-elle, ça pourrait devenir mon *nouveau genre*, si jamais mon roman est publié et que je deviens un auteur connu... Et si jamais je me sors de ce guêpier!

Elle chaussa ses talons aiguilles, puis regarda à nouveau l'heure. Comment se faisait-il que Jonathan n'était pas encore revenu? Il y avait près d'une heure et demie maintenant qu'il était parti. S'il lui était arrivé quelque chose? Si la police n'avait pas cru ce qu'il leur avait raconté et l'avait arrêté?

Mais on frappa alors à la porte. Patricia poussa un soupir de soulagement. Jonathan était revenu sain et sauf! Elle s'empressa d'aller ouvrir. Elle eut la surprise de sa vie. C'était son mari, le visage figé dans un sourire embarrassé.

— Richard? dit-elle.

— Patricia? dit-il presque aussi surpris qu'elle car il avait peine à la reconnaître sous ce déguisement improvisé.

Mais il n'eut pas la chance d'en dire davantage, car Jack Burke, qui se tenait à ses côtés et que Patricia n'avait pas aperçu, le poussa brutalement dans la chambre et referma la porte.

Patricia recula d'un pas en poussant un cri d'horreur. Elle venait de reconnaître le tueur à gages!

— Cet homme a essayé de me tuer à la clinique, expliqua-t-elle à son mari.

— Mais non, dit Richard, surpris, il travaille pour Blackwell.

Jack Burke tira alors de sa poche un revolver muni d'un silencieux.

— Ne te mêle pas de ça.

— Qu'est-ce qui se passe? demanda Richard.

— Je n'ai plus besoin de toi, expliqua Burke. Tu restes ici. J'emmène ta femme.

— Mais ce n'est pas ce qui était convenu, protesta Richard qui avec un courage dont il fut le premier à se surprendre s'approcha de Burke avec un air menaçant. Mais peu impressionné, Burke assena un violent coup de crosse à Richard, en plein visage. Ce dernier, presque assommé, tomba sous la force du coup, et porta la main à son nez qui commença à saigner abondamment.

Il ne comprenait plus rien, maintenant, ou plutôt il comprenait tout. Blackwell l'avait manipulé pour retrouver Patricia. Ses intentions n'étaient pas aussi pacifiques qu'il avait cru. Sa femme avait raison. Burke était un tueur. Il fallait qu'il fasse quelque chose. Il ne pouvait pas laisser sa femme aux mains de cette brute qui l'exécuterait sans doute dès qu'il aurait le dos tourné.

Il se leva d'un seul bond et s'élança sur l'homme de main de Blackwell qui, sans broncher, ouvrit le feu en sa direction. Le coup l'atteignit à l'épaule gauche, et il s'effondra, tout surpris de la réplique étonnante de Burke. Décidément, ce type n'entendait pas à rire!

Patricia poussa un cri d'effroi, croyant que son mari était mort sur le coup. Elle s'agenouilla auprès de lui, tenta de le soulever.

— Richard, Richard, cria-t-elle.

Mais Burke avait une besogne à faire et il était pressé. Sans lui laisser le temps de s'apitoyer sur le sort de son mari, il la prit violemment par le bras et la remit sur ses jambes en la soulevant comme une marionnette. Il l'entraîna vers la porte, et, lui plantant le canon de son revolver dans le dos, il lui dit:

— Un seul mot, et tu es morte!

Richard n'avait pas perdu conscience. Simplement blessé a l'épaule, il se releva à demi, encore surpris que ce qui venait de se passer. Non, il n'était pas au cinéma mais dans la vraie vie: un tueur à gages venait d'ouvrir le feu sur lui et emmenait sa femme! Il trouva quand même la force de dire:

— Fais ce qu'il te dit, Patricia.

Elle se laissa entraîner, rassurée tout de même de voir que son mari n'était pas mort et qu'il paraissait avoir conservé toute sa lucidité, signe qu'il était probablement hors de danger. Burke la tenait très fort par le bras, lui faisait mal en fait, et la regardait avec une concupiscence évidente. La salope était vraiment sexy! Dommage qu'il eût simplement pour mandat, cette fois, de la ramener à son patron. Mais peut-être lui demanderait-il ensuite, de disposer d'elle, auquel cas, il s'offrirait une vengeance spectaculaire.

Il lui ferait subir les pires outrages érotiques de son vaste répertoire qu'il avait mis au point avec les années, dans la fréquentation assidue des prostituées les plus perverses d'Hollywood. Elle ne serait pas près de l'oublier. Mais heureusement, elle ne serait pas traumatisée longtemps: elle serait morte! Il ne laissait jamais une injure impunie. Jamais il ne pourrait oublier qu'elle l'avait non seulement ridiculisé, mais qu'elle l'avait blessé douloureusement au pied, et qu'en plus, elle lui avait valu une des pires remontrances de sa carrière, presque un congédiement de son vénéré patron Blackwell.

57

Lorsqu'il sortit de l'ascenseur, Jonathan eut la surprise de tomber sur Patricia et Jack Burke, qui attendaient, immobiles, que la porte s'ouvrît. Le tueur à gages tenait toujours son arme braquée dans le dos de Patricia. Jonathan ne comprit pas tout de suite. Qu'est-ce que Patricia faisait là, avec cet inconnu à l'air sinistre? Ne lui avait-il pas demandé de ne sortir sous aucun prétexte de sa chambre?

Mais alors tout se passa très vite. Patricia fit un raisonnement rapide. Burke la voulait sans doute vivante, sinon il l'aurait déjà abattue dans la chambre d'hôtel. Blackwell ou Waterman lui avait probablement donné instruction de la ramener saine et sauve pour la simple et bonne raison qu'il voulait récupérer la disquette avant de la supprimer, même si elle était un témoin gênant.

Aussi, malgré la présence du revolver dans ses reins, Patricia prit la chance de rééditer le coup du talon aiguille, et, d'un mouvement brusque, elle écrasa de toutes ses forces la pointe du soulier droit de Burke.

Mais, à son étonnement, le talon, au lieu de s'enfoncer, se brisa immédiatement. Jack Burke eut un sourire ironique. Depuis l'«accident» de la clinique, qui l'avait presque laissé estropié, il portait des chaussures dont la pointe était protégée — comme celles de certains ouvriers — d'un capuchon métallique. Déjouée, Patricia trouva tout de suite une solution de rechange, et profita de la légère distraction d'un Burke triomphant, pour lui assener un coup de poing entre les deux jambes.

Le sourire du tueur se transforma en grimace, et il se tordit de douleur en portant sa main libre vers son sexe. Patricia en profita pour se dégager de lui.

— Il a une arme!

Jonathan vit alors le revolver de Burke. N'écoutant que son courage — et profitant du fait qu'il était encore plié en deux —, il se précipita sur lui, et le poussa jusqu'à la porte de la chambre face à l'ascenseur. La porte céda sous le poids des deux hommes qui se retrouvèrent dans une suite luxueuse, surprenant malgré eux un octogénaire tout décrépit, qui, malgré son grand âge, portait un ridicule bonnet de poupon — son seul vêtement car sa «maîtresse d'école» venait de lui ordonner de se débarrasser de sa couche, qui traînait sur l'édredon. Il était assis dans un grand lit à baldaquin surmonté d'un miroir, en compagnie d'une femme pulpeuse qui, de toute évidence, monnayait ses charmes.

Elle portait un accoutrement plutôt *kinky*, des bottes de cuir noir qui lui montaient à mi-cuisse, et un soutien-gorge également en cuir, dont les bonnets, ouverts à l'avant, laissaient voir des mamelons distendus. Un bracelet de cuir serti de pointes métalliques complétait son accoutrement sadomasochiste. Elle venait de tremper son fouet dans une coupe de champagne et elle forçait son client à le baiser pour le préparer à des châtiments plus profonds.

Le vieillard, surpris et affolé — il était honorablement marié, père de quatre enfants et richissime — se mit à pousser des cris, comme s'il faisait une crise d'asthme. La *call-girl* s'empressa de se couvrir les seins avec le drap, et regarda avec effroi Jonathan et Burke s'affaler sur le lit.

Dans la chute, le tueur échappa son arme sur le lit. Lorsque le vieillard la vit, il se plongea la tête dans un oreiller, comme une autruche.

— Ah! cria la prostituée qui se demandait comment elle allait se dépêtrer de cette situation et qui craignait en outre que son client, fragile du coeur, l'avait-on prévenue à l'agence, ne lui claquât entre les mains, ce qui, comme chacun sait est très mauvais pour les affaires — et pour les nerfs. Et elle commença à faire une véritable crise d'hystérie.

Mais les deux hommes continuèrent à se battre comme si elle n'avait même pas ouvert la bouche. Burke n'avait pas tardé à prendre le dessus dans ce combat inégal. Il avait réussi à agripper Jonathan à la gorge et, un sourire sanguinaire sur les lèvres, il tentait de l'étrangler. Cet idiot de médecin allait apprendre à se mêler de ses affaires! Il verrait de quel bois il se chauffait! Déjà qu'il l'avait empêché de rattraper Patricia qui s'enfuyait de la clinique!

Jonathan suffoquait. Il tenta de toutes ses forces de desserrer l'étreinte de son adversaire. Mais Burke, en plus d'être rompu au combat, était beaucoup plus fort que lui.

Patricia qui venait d'entrer dans la chambre et s'était débarrassée de ses souliers à cause de son talon brisé, se jeta sur Burke et fit pleuvoir les coups de poing sur son dos. Mais cela n'eut pas plus d'effet que si elle avait été un moustique importun. Elle lui empoigna alors les cheveux — il portait une petite queue de cheval — et les tira de toutes ses forces. Ce geste lui valut une retentissante gifle qui la projeta au sol. Étourdie, elle porta la main à son visage et se massa le menton. Cette brute de Burke frappait fort! Il lui avait presque déboîté la mâchoire!

Jonathan n'avait pas eu vraiment le temps de profiter du bref répit que Patricia lui avait procuré. A peine avait-il pris une grande respiration que Burke le prenait à nouveau à la gorge, plus décidé que jamais à en finir. Il y avait longtemps qu'il n'avait pas eu le plaisir d'égorger quelqu'un, de sentir la vie se retirer peu à peu d'un être. Et c'était pour lui une sensation diablement agréable, jouissive, voluptueuse — une sorte d'orgasme même — autant sinon plus que les cachets (pourtant souvent très élevés) qu'il touchait pour ses contrats.

Pour la première fois de sa vie, Jonathan se dit qu'il allait mourir, s'il ne faisait rien tout de suite, s'il ne parvenait pas à se défaire de cette étreinte fatale. Il était tout pâle, et ses yeux s'injectaient de sang. Il ramassa ce qui lui restait d'énergie, saisit son agresseur par les poignets et tira de toutes ses forces pour se libérer de cet étranglement.

Patricia, qui s'était relevée péniblement, s'empara de la lampe sur la table de chevet et frappa Burke qui ne broncha pas. La lampe s'était brisée en éclats sur son dos comme sur un vrai roc! Patricia regarda la lampe, étonnée. Coriace, le mec!

Elle vint pour le frapper à nouveau, mais la *call-girl,* avait pris à deux mains le revolver sur le lit et le pointait en tremblant vers les deux hommes:

— Arrêtez immédiatement! hurla-t-elle.

Burke ne tint pas compte de son ordre, ce qui la contraria. On défiait son autorité parce qu'elle n'était qu'une prostituée!

Elle pointa le revolver vers le plafond et appuya sur la gâchette. Le miroir décoratif — soutien moral des fantaisies des clients! — se brisa, et ses débris tombèrent dans un grand fracas sur le lit. Un des plus gros éclats heurta la tête de Burke, et le coupa profondément. Il poussa un cri de douleur et lâcha Jonathan pour se porter la main au crâne. Il vit qu'il saignait.

Jonathan avait sa chance. Il assena à Burke un puissant coup de poing au ventre. Le tueur étouffa un grognement, mais conservant sa lucidité, arracha le revolver à la *call-girl* qui était occupée à ôter de ses cheveux les débris de miroir. Mais le revolver ne fut pas en sa possession longtemps car Patricia le frappa immédiatement au bras. L'arme fut projetée sur le plancher, un brillant plancher en marbre de Corinthe rose, et glissa vers la porte-patio, qui ouvrait sur un immense balcon, meublé d'une table avec parasol.

Burke sauta du lit et se précipita en direction du revolver. Il eut le temps de s'en emparer avant même que Jonathan, au bord de l'évanouissement, eût le temps de quitter le lit. Triomphant, le tueur pointa vers lui le canon de son arme.

— Pauvre con! Fais ta prière maintenant...Je vais te trouer la peau!

Dans un réflexe dont il fut le premier à se surprendre, Jonathan prit le fouet que la *call-girl* avait laissé tomber sur le lit, près de lui, et le fit promptement claquer en direction de Burke. Le pistolet sauta des mains du tueur et glissa sur le balcon.

— Ouh! cria admirativement Patricia.

Burke entrouvrit stupidement la bouche, étonné. Ce freluquet de médecin venait de lui faire un tour de passe-passe digne d'Indiana Jones! Mais les choses ne s'arrêteraient pas là! S'il pensait le décourager avec ses trucs de cirque! Il se tourna vers le balcon, et courut récupérer son arme.

Mais Jonathan sauta hors du lit, et fit à nouveau siffler le fouet, qui s'enroula autour des chevilles de Burke. Le tueur s'affala de tout son long, comme un veau capturé par le lasso d'un cow-boy. Jonathan jeta le fouet, et plongea sur Burke pour récupérer l'arme avant lui. Mais ni l'un ni l'autre ne put mettre la main sur l'arme, qui fut repoussée près de la balustrade du balcon.

Les deux hommes engagèrent une lutte encore plus inégale que la première. Excédé par la résistance surprenante du jeune médecin, qui était en train de le ridiculiser, Burke se mit à le frapper avec une force décuplée par la rage et la volonté d'en finir au plus vite: il n'avait pas toute la journée devant lui! Comme un boxeur habile, il alternait les attaques à la tête et celles au corps.

Complètement submergé, Jonathan se mit à saigner abondamment. C'était une vraie curée! Et ce qui allait se passer était encore pire! A chaque coup, Jonathan, qui, sur ses genoux vacillants, ne tenait debout que par miracle, reculait vers la balustrade du balcon. Burke en bavait de plaisir. Son père ne lui avait-il pas répété que la chose la plus importante dans la vie était d'aimer son métier? Il comprenait ce qui se passait, ce qui était maintenant inéluctable: et il dégustait, en fin connaisseur. L'anticipation du plaisir n'est-elle pas toujours plus grande que le plaisir lui-même? Dans quatre ou cinq coups de poings, il expédierait ce psychiatre à la manque au-dessus du balcon! Une chute de seize étages! *Adios amigos!* Il irait soigner tous les fous et toutes les folles du ciel!

Patricia était affolée. Jonathan avait le visage ensanglanté. Burke était en train de l'éborgner, de l'assommer. Il n'avait aucune chance de s'en sortir. Il fallait qu'elle fasse quelque chose sinon, dans quelques secondes, il serait trop tard. L'arme! Elle était encore là, sur le balcon: c'était sa dernière chance!

Ayant laissé tomber la lampe, elle se précipita vers le balcon, et se pencha pour récupérer le revolver. Mais Burke la vit juste à temps, et, laissant de côté Jonathan, qui était sur le point de s'effondrer, il donna un retentissant coup de pied à Patricia, en plein visage. Elle tomba sur la table du balcon, qui se renversa, et elle emporta avec elle le parasol. Burke fronça les sourcils, inquiet, se demandant s'il ne l'avait pas tuée sur le coup, mais elle remua légèrement. Il se rassura. Les salopes avaient toujours la vie dure!

Bon, vite maintenant, il fallait achever le doc! Il se remit à lui taper dessus, et trois coups de poings plus tard, il fut prêt à savourer sa victoire. Jonathan était au-dessus du mur du balcon et le prochain coup de poing l'expédierait vers l'au-delà. Burke ne put s'empêcher de s'arrêter un instant comme s'il hésitait, dans le choix du coup fatal, entre un uppercut ou un simple jab.

Patricia avait repris conscience. Elle vit Jonathan, qui chancelait près du mur, et Burke, qui se massait le poing avec plaisir. Elle se dépêtra du parasol et eut au même moment l'idée de l'utiliser comme arme. Elle s'en empara, et, comme un chevalier du Moyen Age avec sa lance, elle fonça vers Burke en criant à tue-tête pour l'empêcher d'administrer à Jonathan le coup fatal.

Burke se tourna, la vit, fit un rapide pas de côté pour l'éviter et lui arracha le parasol avec lequel il lui donna un grand coup qui cette fois l'assomma tout à fait. Dans le mouvement, il avait également heurté Jonathan qui tomba assis contre le mur du balcon.

Alors Burke eut une idée, qui l'enchanta. Il ne se donnerait pas la peine de relever Jonathan pour lui donner l'ultime coup de poing. Il y avait beaucoup mieux à faire. A la place, il l'empalerait comme un poulet avec le parasol, le soulèverait à bout de bras et le jetterait dans le vide. Ce programme le réjouit! Il avait toujours été un artiste au fond, un artiste qui fuyait la facilité pour ne s'adonner qu'au grand art! Un sourire déforma ses lèvres mesquines.

Parasol en main, il recula d'une dizaine de pas puis, le regard fou, il fonça vers sa victime. Jonathan avait ouvert les yeux, et remuait la tête. Il aperçut Burke, curieusement armé d'un parasol et mit une fraction de seconde avant de comprendre ce qui se passait. Burke allait le transpercer mortellement! Il se jeta de côté, et attrapa le parasol qu'il planta à la base du mur. Burke n'eut pas le réflexe de lâcher prise et fut soulevé comme un perchiste involontaire. Il plongea dans le vide en poussant un cri mêlé de surprise et d'effroi.

Mais le tueur avait des ressources. S'il n'avait pas eu l'instinct de lâcher le parasol, il eut cependant celui de l'ouvrir, pour ralentir sa chute et en minimiser la gravité. Il y réussit, et sa descente tout à coup devint très lente — et très élégante d'une certaine manière —, comme s'il était muni d'un immense parachute de fortune.

Il sourit à nouveau, se délectant de son intelligence qui lui avait permis à nouveau d'échapper à une mort presque certaine. Mais sa joie fut de courte durée et se transforma bientôt en horreur. Il avait joué de malchance en effet — où était-ce la justice immanente qui réclamait enfin ses comptes? — car en inclinant la tête vers le sol pour vérifier le lieu de son impact, il se rendit compte qu'il se dirigeait en droite ligne vers les grandes lames rotatives de la broyeuse que, depuis le matin, les jardiniers de l'hôtel alimentaient paresseusement de grandes branches. Dans quelques secondes à peine, il serait déchiqueté par cette stupide machine!

Il se mit à hurler de toutes ses forces, pour alerter les ouvriers. Les jardiniers s'immobilisèrent, plissèrent le front, mais le bruit de la broyeuse était tel qu'il n'était pas facile d'identifier la provenance de ces cris désespérés. Burke, qui était maintenant au cinquième étage, s'égosilla de plus belle. Un des ouvriers leva enfin la tête et l'aperçut.

Une surprise indescriptible se peignit sur son visage. Que faisait entre ciel et terre cet hurluberlu accroché à un parasol? Il ne trouva pas la réponse mais comprit en revanche qu'il se dirigeait vers une mort certaine. Mais ces brefs instants d'hésitation furent fatals au parachutiste improvisé. L'ouvrier courut vers le camion, et appuya sur le commutateur de la broyeuse. Mais il eut un mouvement de recul et de dégoût en recevant au visage des éclats de sang, de chair et d'os : les jambes de Burke venaient d'être broyées par les lames tourbillonnantes.

Et le spectacle se conclut d'une manière encore plus dégoûtante lorsque ce qui restait du corps de Burke — un tronc horriblement charcuté — tomba de la broyeuse sur le sol. Le tueur, coriace, le visage boursouflé, tenait encore le parasol dans ses mains crispées, comme un grotesque cul-de-jatte de cirque ambulant. Les ouvriers détournèrent la tête, tant la vision était épouvantable.

Sur le balcon, Jonathan s'était relevé et regardait vers le sol. Il vit les lames ensanglantées de la broyeuse, puis le cadavre sans jambes de Burke, à côté du camion, et il comprit ce qui s'était passé. Il eut une grimace de dégoût et de compassion. C'était une mort horrible, même si elle venait punir un tueur à gages. Un des jardiniers, intrigué par ce qui venait de se passer, leva alors les yeux vers les étages supérieurs de l'hôtel et aperçut Jonathan.

Ce dernier craignit qu'on ne lui mette cette mort sur le dos et s'éloigna immédiatement de la balustrade. Il retrouva Patricia, qui reprenait peu à peu conscience. Il l'aida à se lever, et, la soutenant, il l'entraîna vers la porte.

Dans la chambre, la *call-girl* calmait le vénérable vieillard, en lui appliquant sur le front une serviette humectée de champagne. Elle s'efforçait de faire abstraction du grand rond jaune d'urine qui, sous les fesses flasques de son client, tachait les draps de satin blanc, répandant dans la pièce une odeur âcre. Sa prostate capricieuse avait fléchi sous le stress!

— Maman, maman! répétait l'octogénaire, toujours coiffé de son ridicule bonnet de poupon.

— Mais non, mon chou, ne t'inquiète pas, tout va bien maintenant, maman va s'occuper de tout...

Patiente, elle lui flattait maternellement la tête en lui prodiguant ces paroles rassurantes. En voyant Jonathan et Patricia arriver, elle haussa les sourcils et regarda vers le plafond privé du miroir où elle avait l'habitude de guetter ses bâillements d'ennui et ses fausses convulsions de volupté. Elle savait. La scène était ridicule. Ah, les joies du plus vieux métier du monde! Les gens ne pouvaient pas s'imaginer! Mais il faut ajouter — pas complètement conne, la fille, quand même! — qu'elle avait négocié au vieux débris un généreux supplément, faute de quoi, elle avait menacé de l'abandonner à son sort, au bord de la crise de nerfs!

Jonathan qui tremblait et n'en revenait pas encore de ce qui était arrivé demanda à la prostituée s'il pouvait prendre le champagne.

— Pas de problème mon coco, dit-elle avec un clin d'oeil, charmé par la beauté de Jonathan même si son visage était passablement amoché. Il a déjà assez bu de toute manière, ajouta-t-elle en regardant le rond d'urine.

— Merci.

Il but une grande rasade de champagne et en fit boire un peu à Patricia qui revenait lentement à elle.

— Si un jour tu as besoin de services, je ne fais pas seulement dans l'âge d'or...

— Merci, dit Jonathan avec une certaine gêne. Je ne veux pas vous dire quoi faire mais je crois que vous êtes mieux de débarrasser les lieux...Il y a un mort et ...Vous voyez ce que je veux dire...

— Je n'aime pas les morts... dit la *call-girl* en regardant son vieux client. Ca ne sent pas bon. Allez, mon chou, il faut qu'on parte maintenant.

Jonathan prit la bouteille et, soutenant toujours Patricia, il s'empressa de quitter les lieux, avant que la police n'arrive.

— Mon mari, dit Patricia dans le hall de l'hôtel.

Elle venait de se rappeler que Richard était resté dans leur chambre, blessé.

— Ton mari?

— Oui, il était avec le tueur et il a été blessé. Il est resté dans notre chambre.

Mais ils entendirent à ce moment les sirènes de la police.

— Nous n'avons pas le temps de remonter, dit Jonathan, la police arrive.

Patricia se rappela que son mari était seulement blessé à l'épaule et pensa qu'il s'en sortirait probablement. Après une courte hésitation, elle se laissa entraîner par le jeune médecin.

58

L'interminable limousine noire de Blackwell s'immobilisa devant la porte de la luxueuse villa que, quelques années avant, Waterman avait rachetée d'un vieil acteur. Il devait être près de minuit, et un vent marin très frais soufflait sur la petite communauté de Malibu. Blackwell avait près d'une heure de retard mais il brillait rarement par sa ponctualité et son horaire, toujours très chargé, avait été bousculé par tout ce qui venait de se passer à la clinique.

Accompagné du garde du corps qui avait immédiatement remplacé Burke et qui semblait sortir exactement du même moule — en plus sinistre, si du moins la chose est possible —, le digne président de la Blackwell Corporation informa son chauffeur, de sa voix grave et presque toujours teintée d'une menace latente:

— Ce ne sera pas long.

Le garde du corps s'empressa d'ouvrir la portière devant lui, mais comme il faisait noir, Blackwell ne vit pas la flaque d'eau dans laquelle il posa un pied irrité.

— Shit! s'exclama-t-il. Tu n'aurais pas pu me prévenir...

Il avait horreur de porter des souliers sales, car il avait coutume depuis des années de juger les gens par leur manière de se chausser et se faisait un devoir — et une fierté d'ailleurs un peu compulsive — d'être toujours irréprochable à ce chapitre: sa garde-robe comptait plus de trois cents paires de souliers divers.

— Je suis désolé, monsieur Blackwell...Je...

Méprisant, Blackwell ne répondit pas — se contentant de se dire que cet incompétent ne ferait pas vieux os à son service — et se dirigea de sa démarche imposante vers la porte de la villa. Avant de sonner, il prit dans la poche droite de sa veste sombre de fins gants de cuir brun et les passa avec un air préoccupé.

— Tes gants, idiot, dit-il à son garde du corps dont les grosses mains de brute étaient nues.

Le garde obtempéra, et, se mordant les lèvres d'avoir été pris deux fois en défaut en si peu de temps, se hâta de mettre ses gants.

C'est Waterman lui-même qui vint ouvrir, drapé dans une magnifique robe de chambre de soie noire, le cou protégé des courants d'air et surtout des «rigueurs» de l'air climatisé par une lavallière rouge nouée avec un soin extrême. Malgré sa richesse, il vivait seul, et préférait que sa gouvernante, son cuisinier et sa femme de ménage passent la nuit à l'extérieur de la villa.

Il recevait souvent des femmes, et tenait régulièrement de petites parties, qui dégénéraient souvent en véritables orgies et se serait mal accommodé de la présence, même discrète, des membres pourtant fort stylés de son personnel. Il avait une réputation à protéger, et de nos jours, les valets n'avaient plus le sens de l'honneur du passé et étaient prêts à se laisser débaucher par le premier éditeur véreux qui ferait miroiter devant leurs yeux cupides, quelques milliers de malheureux dollars pour raconter la vie secrète de leur célèbre patron.

Waterman, conscient que les événements de la clinique — dont il avait l'entière responsabilité — mettaient son patron et sa société sur la sellette, esquissa un sourire un peu forcé et tendit la main à Blackwell qui la lui serra du bout des doigts, sans même retirer ses gants.

Le directeur de la clinique invita ses deux visiteurs à passer dans son bureau, une pièce très grande, avec une large baie vitrée qui donnait sur la mer.

Malgré son cynisme, le docteur Waterman était à sa manière un raffiné. Amateur de grands crus et de musique classique, il vouait une passion sans borne à Bach dont il écoutait, lorsque Blackwell avait sonné, le célèbre *Art de la fugue,* tout en dégustant un Baron Rothschild, qu'il avait religieusement laissé vieillir depuis dix ans dans son imposante cave à vin. Il avait ouvert cette bouteille prestigieuse spécialement pour Blackwell qu'il savait lui aussi amateur de bons vins.

— Un verre de rouge, monsieur Blackwell ?

Il osait parfois, dans les moments de grande familiarité, l'appeler William, ou Bill mais ce soir-là, il préférait ne pas prendre la chance de l'irriter.

— Non merci, dit sèchement Blackwell. Je n'ai pas beaucoup de temps. J'ai un autre rendez-vous dans vingt minutes.

— Ah, je vois, dit Waterman.

Comment savoir si son patron disait la vérité? C'était un homme si impénétrable! Même s'il le fréquentait depuis des années, il ne pouvait pas dire qu'il le connaissait. Il aurait en tout cas été incapable de trouver la formule qui le *résumait,* comme il avait l'habitude de le faire, par déformation professionnelle, avec tous ceux qu'il rencontrait.

Waterman se dirigea alors vers un des murs de son bureau que décorait une lithographie de Chagall. Il tira la toile vers lui, révélant un coffre-fort dont il composa rapidement le numéro. Il fouilla dans le coffre qu'il referma aussitôt. Puis il replaça le tableau et tendit une enveloppe à son patron en expliquant:

— Voici les 500,000 dollars de Kramer. Et 250,000 de la part de Bloomberg.

Blackwell prit l'enveloppe sans remercier le psychiatre, ne se donna pas la peine de vérifier la somme mais parut immédiatement contrarié et demanda:

— Qu'est-ce que tu veux dire 250,000? Où est l'autre moitié ?

— Bloomberg a des problèmes de liquidité en ce moment. Il a promis qu'il paierait dès qu'il pourrait.

— Ce n'est pas comme ça que je mène mes affaires, Doc, dit Blackwell en fourrant l'enveloppe dans la poche intérieure de sa veste.

Espérant calmer l'irritation de Blackwell, le docteur dit :

— Voulez-vous que j'appelle Bloomberg ?

— Non, ce n'est pas nécessaire. Je vais m'en occuper moi-même.

Il marqua une pause puis dit, résumant la situation dont il n'était pas certain que Waterman connût les détails ni même les grandes lignes :

— Burke est mort. L'hystérique est toujours en liberté avec l'énergumène que tu as embauché. Et ils ont encore la disquette. Qu'est-ce que tu proposes ?

— Je ne sais pas, dit Waterman.

— Je vais te dire ce que tu vas faire, dit Blackwell.

Il lui remit alors une lettre. Le psychiatre s'empressa de l'ouvrir. Très brève, elle tenait en une seule page, si bien que Waterman ne mit guère de temps à la parcourir. Il pâlit. Il savait qu'il était fautif, que s'il avait été plus prudent, rien de tout cela ne serait arrivé, mais il ne s'attendait tout de même pas à ce que Blackwell lui prépare une lettre de démission qu'il ne lui restait plus qu'à signer, sans pouvoir se défendre.

Voyant la mine déconfite de Waterman, et craignant qu'il ne se rebiffe et ne refuse de signer tout de suite, Blackwell expliqua, d'une voix presque paternelle:

— Tu as besoin de repos, Roger. La situation est trop tendue, ici. Demain matin tu te rendras à l'aéroport. Il y a un billet d'avion à ton nom au comptoir de Swissair avec une enveloppe contenant un chèque de 250,000.00 $. Tu fais la belle vie pendant quelques mois, le temps que les choses se tassent. Puis tu reprends ton poste ici.

Si elle était surprenante, cette proposition n'en avait pas moins quelque chose de séduisant. La Suisse avait la réputation d'être très chère, exorbitante sans doute, mais avec une pareille somme en poche, — sans compter son argent personnel — Waterman avait quand même la possibilité de voir venir et de se la couler douce. Et puis, sans y être jamais allé, il y comptait des confrères qui travaillaient dans des cliniques pour milliardaires. Il pourrait peut-être prendre quelques clientes, pour garder la main, ou mieux encore séduire une riche héritière, veuve ou divorcée, aussi dépressive que fortunée, et rigoler un peu, quoi! D'ailleurs, avait-il vraiment le choix? Non seulement son patron n'était pas le genre d'homme à essuyer un refus, mais si la police découvrait le pot aux roses au sujet de la clinique, il n'avait pour ainsi dire aucune chance de s'en sortir.

Il était conscient du risque lorsque, cinq ans auparavant, Blackwell lui avait proposé ce poste singulier, mais, dans son optimisme, il avait toujours cru que rien ne serait jamais découvert. Il avait également la conviction profonde que sa supériorité le plaçait au-dessus des lois et de la moralité conventionnelle à laquelle obéissait le commun des mortels. Et il était persuadé que sa bonne étoile le protégerait toujours. Mais maintenant, la soupe était chaude.

— Tu vas voir, dit Blackwell, le lac Léman est magnifique à ce temps-ci de l'année.

D'ailleurs, ton séjour là-bas sera peut-être écourté si on attrape cette hystérique avant qu'il ne soit trop tard. J'ai confié le nouveau contrat au meilleur spécialiste de la question.

— Je vois, dit Waterman.

— J'ai inclus dans le nouveau contrat ce punk de médecin qui a eu l'audace de me laver au golf...

— Bonne idée, dit Waterman.

Il se réjouissait à la perspective de cette vengeance car il estimait que Jonathan l'avait trahi, mordant littéralement la main de celui qui l'avait nourri.

— Si tu veux signer la lettre maintenant... ajouta Blackwell.

Waterman s'assit à son bureau, prit la Mont-Blanc dans son porte-plume et signa le document avec un sourire inquiet, pas très certain de faire la bonne chose.

Blackwell fit alors un signe de tête à son garde du corps qui s'avança rapidement en direction du docteur, revolver en main. Le docteur Waterman vit l'arme, regarda Blackwell et comprit le sort qu'on lui réservait. Mais, curieusement, comme si la vie qu'il menait depuis des années le dégoûtait profondément, il ne protesta pas, ne prononça pas un mot, ne fit même pas un geste pour s'évader. La mort le libérerait de cette existence odieuse qui lui pesait depuis si long-temps. Blackwell lui fit des adieux brefs et ironiques:

— See you in Disneyland, Doc!

Avec précision et calme, le garde du corps prit Waterman par le cou, lui introduisit le canon de l'arme dans la bouche et appuya sur la détente. Le coup fit un bruit sourd car l'arme était munie d'un silencieux.

Du sang gicla derrière la tête de Waterman et éclaboussa la belle lithographie de Chagall. Le garde du corps posa alors la tête de Waterman sur la table, retira le silencieux du revolver qu'il plaça dans la main droite du médecin pour simuler un suicide. Une flaque de sang s'était déjà formée sur la lettre de démission lorsque les deux hommes quittèrent l'étude de Waterman.

59

Jonathan et Patricia roulaient en direction du Sud, en longeant la Côte. Patricia était encore très ébranlée, et sa tête tombait d'un côté puis de l'autre. Elle ouvrait parfois les yeux, pour les refermer aussitôt après. Jonathan se tournait constamment vers elle. C'était plus fort que lui. Jamais il ne l'avait trouvée aussi belle. Il faut dire que sa jupe, déjà très courte, s'était retroussée lorsqu'elle s'était assise dans la Porsche, et Jonathan pouvait voir non seulement le haut de ses cuisses magnifiques, serrées dans des bas noir, mais aussi ses jarretelles et sa petite culotte, en nylon rose, transparente, à travers laquelle il devinait le duvet de son sexe. A un moment, il pensa ajuster sa jupe mais une crainte le retint: si Patricia redevenait tout à fait lucide et qu'elle le «surprenait», elle interpréterait peut-être son geste d'une manière qui le mettrait dans l'embarras. Mieux valait ne pas prendre de risque...Et puis, somme toute, le spectacle n'était pas désagréable même si les circonstances se prêtaient mal à de telles pensées...

Blackwell ou Waterman (il ne savait pas lequel des deux mais c'était du pareil au même) cherchait à se débarrasser de Patricia coûte que coûte, et maintenant, lui aussi, faisait probablement partie du «contrat». S'il n'y avait eu que cela d'ailleurs. Mais la police était également à leurs trousses. Et si Patricia était effectivement coupable du meurtre de madame Bloomberg, lui Jonathan, devenait son complice, et il risquait gros, très gros: la radiation de l'ordre des médecins, et l'emprisonnement... Ce n'était pas une manière très sympathique de conclure des retrouvailles amoureuses dans lesquelles il avait fondé tant d'espoir.

Un soubresaut souleva la poitrine de Patricia — si appétissante d'ailleurs, serrée dans ce chemisier entrouvert à la limite de la décence. Jonathan se demanda tout à coup pourquoi Patricia avait choisi, pour s'évader, une tenue si audacieuse, un déguisement presque. N'était-ce pas parce qu'elle était vraiment mythomane, comme le docteur Waterman le prétendait. Et ce déguisement n'était qu'une des conséquences de ses diverses affabulations. Elle se prenait pour une *call-girl*...

Il fallait absolument qu'il ait une conversation avec elle. Il ralentit et se rangea le long de la route. Il sortit son mouchoir de sa poche, l'imbiba du seul liquide à sa disposition, — du champagne — et humecta délicatement le front de Patricia. Il en profita pour l'admirer. Avec ses cheveux lissés, tirés vers l'arrière, ses traits fins, sa bouche parfaitement dessinée, elle le troublait infiniment, même si son maquillage était excessif et si son visage était marqué de diverses contusions. Burke n'y était pas allé de main morte. Mais pourquoi diable la situation était-elle si compliquée? Pourquoi était-elle mariée, poursuivie par la police et probablement par un nouveau tueur à gages? Il se dit que malgré tout, malgré ces complications considérables, il était heureux d'être avec elle.

La fraîcheur du champagne opéra et, au bout de quelques secondes, Patricia ouvrit les yeux. Jonathan en profita pour tendre le goulot de la bouteille de champagne vers ses lèvres, et tout en lui soutenant la tête:

— Bois, dit-il, ça va te faire du bien.

Elle but une longue gorgée, et se ranima tout à fait, ce qui soulagea Jonathan. Les diverses contusions qu'elle avait subies n'étaient pas trop graves, du moins selon toute apparence. Elle vit que sa jupe était relevée de manière indécente et la replaça tout de suite, avec un plissement embarrassé des lèvres. Jonathan l'avait sûrement vue, même involontairement. Bon, elle ne pouvait rien y faire de toute manière. Ce n'était pas dramatique. Ce qui l'était, en revanche, c'était leur situation.

— Qu'est-ce qui s'est passé avec le tueur? Est-ce qu'il est toujours à nos trousses? demanda-t-elle.

— Non, il est ... Il est mort...

— Ah...C'était lui ou nous...

— En effet...Il est tombé dans la broyeuse...

— Oh, c'est dégueulasse...

Et comme pour se remettre de cette annonce horrible, Patricia arracha presque la bouteille de champagne des mains de Jonathan et but une grande rasade, d'ailleurs un peu maladroitement car un mince filet doré lui coula sur le menton et quelques gouttes se perdirent entre ses seins. Même si le vin était maintenant tiède, Patricia poussa un petit cri, et se pencha, pour éviter que le champagne ne mouillât son chemisier qui, déjà échancré, devint encore plus béant. Elle donna quelques petites tapes rapides pour l'assécher, mais ce faisant, elle effleura un bouton qui s'ouvrit si bien qu'on vit tout à fait son soutien-gorge. Jonathan eut un sourire embarrassé, et, pour se donner une contenance, enleva à Patricia la bouteille de champagne et en but à son tour une longue gorgée. Patricia s'aperçut alors que sa tenue était à tout le moins provocante, et qu'elle devait une explication à Jonathan. En reboutonnant son chemisier, elle s'empressa de dire:

— Je m'étais déguisée en fille sexy.

— C'est réussi...

Il but une autre gorgée, puis offrit la bouteille à Patricia qui ne la refusa pas.

— Il faut qu'on parle, dit Jonathan, prenant son courage à deux mains.

— Je sais.

— Est-ce que tu as lu les journaux?

— Oui.

— Ils t'accusent du meurtre de madame Bloomberg.

Il la regardait droit dans les yeux, pour lire dans sa pensée.

— Je sais, c'est scandaleux...

— Ils ont des preuves...enfin je ne sais pas si on peut parler de preuves mais des témoins t'ont vu entrer dans sa chambre le jour du meurtre...

— Je sais, j'ai tenté de la prévenir qu'elle était en danger...

— Ils ont trouvé des traces de chocolat sur tes vêtements...

Patricia fronça les sourcils. Pourquoi Jonathan lui disait-il toutes ces choses? La soupçonnait-il du meurtre de cette pauvre femme?

— Je ne l'ai pas tuée, Jonathan, si c'est ça que tu veux savoir.

Il eut un instant d'hésitation. C'était un moment de vérité. Il fallait qu'il fasse un acte de foi, ou qu'il tente de confondre Patricia.

— Je...

— Il faut que tu me croies, tu es la seule personne qui peut m'aider, dit Patricia. Je sais que mon dossier clinique est accablant, qu'on me croit mythomane...Mais pourquoi aurais-je tué cette pauvre femme? Quel motif aurais-je eu?

C'était vrai. Il n'y avait pas de motif. Mais les malades mentaux avaient-ils besoin de motif pour perpétrer des crimes? Si elle avait posé son acte au cours d'une crise de paranoïa, en état de «légitime défense», elle ne se souvenait peut-être même plus de ce qui s'était passé. Et elle était donc de bonne foi en niant toute responsabilité. Jamais de sa vie il n'avait eu une décision aussi difficile à prendre. Ou bien il n'ajoutait pas foi à la version de Patricia — qui était tout de même difficile à croire — ou il plongeait, il la croyait, et il prenait tous les risques avec elle: il allait jusqu'au bout. Il la regarda à nouveau, tentant de sonder son être. Il était psychiatre, après tout. Une femme si belle, si pure, ne pouvait pas avoir tué quelqu'un, même en état de crise. Il eut une ultime hésitation. Son jugement n'était-il pas biaisé par les sentiments qu'il lui vouait.

— Je te crois, dit enfin Jonathan.

— Ne restons pas ici, dit Patricia, qui avait aussitôt concentré son attention sur la situation.

— La police a sûrement donné le signalement de la voiture, et le numéro de plaque.

— Et une Porsche rouge, c'est un peu voyant.

— Il faut qu'on s'en débarrasse le plus tôt possible.

Jonathan reprit la route, vers le Sud, sans trop savoir encore ce qu'ils devaient faire pour s'en sortir. Y avait-il vraiment une manière? N'était-ce pas une cause perdue?

60

Mercenaire à la retraite, s'étant distingué par ses faits d'armes dans plusieurs pays du monde, le Baron Rouge, (il avait emprunté son nom au célèbre pilote allemand de la Première Guerre mondiale) lassé, à trente ans, d'un travail qui lui rapportait trois fois rien, avait fondé sa propre compagnie: *Baron Rouge, Ex-Terminateur*. C'était évidemment un «couvert» pour des activités moins humanitaires que l'élimination des insectes et des rats, sa prétendue spécialité.

Dès le début, son efficacité, son sang-froid, son intelligence et sa discrétion lui avaient valu une réputation qui avait attiré des contrats pharamineux. En outre — ce qui facilitait son travail —, il bénéficiait auprès des milieux policiers et même de la C.I.A. et du F.B.I. d'une sorte d'immunité diplomatique. Non seulement aucun policier n'aurait osé se frotter à lui, mais il lui arrivait souvent d'exécuter des contrats délicats pour les services secrets américains.

Lorsque Blackwell lui proposa — par personne interposée — cent mille dollars pour la double exécution de Patricia Stone et de Jonathan Lake, (et surtout l'élimination de la disquette compromettante qu'ils avaient probablement en leur possession) il accepta immédiatement.

Une heure plus tard, il était déjà à l'oeuvre. Il venait de garer son camion à la porte du vieil immeuble qu'habitait Patricia avant son mariage. C'était un véhicule tout-terrain tout noir, d'une taille très imposante, acheté dans un surplus militaire. Il était monté sur des roues gigantesques, et doté d'un moteur extrêmement puissant qui lui permettait d'atteindre des vitesses surprenantes pour sa taille. De chaque côté, on pouvait lire le nom de son agence, et voir son sigle, en lettres rouges, sous un château du Moyen Age. Le Baron passa ses gants métalliques et posa aussitôt son pied botté de noir sur le trottoir.

Du haut de ses six pieds quatre pouces, avec ses larges épaules, son cou de boeuf, la fixité de son regard bleu et son visage angulaire couronné de cheveux blonds coupés en brosse, il n'avait pas l'air du type qu'on contrarie, surtout qu'il portait une longue combinaison noire, marquée elle aussi, à la hauteur de la poitrine, aux «armoiries» rouges de sa compagnie. Son magnétisme physique était tellement menaçant que les adultes autant que les enfants s'éloignaient instinctivement de lui lorsqu'ils le croisaient.

Il transportait son «instrument de travail» préféré, un lance-flammes portatif, dernier modèle, très performant, qui pouvait cracher le feu pendant près d'une demi-heure à plus de cinquante mètres. L'appareil pouvait aisément passer pour une version légèrement modifiée — et améliorée — des vaporisateurs conventionnels utilisés par les exterminateurs.

Au moment de l'attribution du contrat, on lui avait donné l'ancienne et la nouvelle adresse de Patricia, et il avait décidé de commencer par la première, ne laissant rien au hasard. Les «criminels» retournent souvent dans des endroits qu'ils ont déjà fréquentés ou habités, et Patricia avait peut-être caché la disquette dans son vieil appartement dont elle connaissait peut-être le nouveau locataire.

Dans l'escalier qu'il monta de son pas militaire, il croisa et dépassa monsieur Kaplan, qui était tout heureux car il venait enfin de trouver un candidat sérieux pour l'appartement encore vide de Patricia. Orgueilleusement drapé dans son bel habit blanc que ne déparaient pas ses souliers de cuirette tout aussi blancs, il s'apprêtait à lui faire faire une première visite du logis et lui expliquait combien les lieux étaient propres, bien tenus, calmes, et la clientèle de qualité.

En voyant le Baron, monsieur Kaplan se demanda tout de suite ce qu'il faisait là. Il ne se souvenait pas d'avoir fait appel à une agence d'extermination. Cela ne faisait pas tellement bonne impression devant ce futur locataire.

— Hé! vous! demanda-t-il, où allez-vous?

Le Baron fit comme s'il n'avait rien entendu et poursuivit son chemin.

— Je me demande ce qu'il fait ici, c'est sûrement une erreur, dit le propriétaire à son futur locataire. Nous n'avons pas vu un insecte ici depuis les vingt dernières années. C'est interdit, plaisanta-t-il. Vous n'avez pas l'intention d'en garder? demanda-t-il avec un humour douteux.

— Non, dit le locataire dont le front venait de se plisser d'une ride d'incertitude.

Arrivé devant la porte de Patricia, le Baron Rouge vérifia le numéro sur sa montre-bracelet, qui était en fait un ordinateur miniaturisé dernier cri: 202. C'était le bon numéro. Il appuya sur un bouton pour chronométrer son travail, et administra un grand coup de pied dans la porte, qui céda immédiatement. Il entra et se dirigea tout de suite vers la cuisine où, soulevant le canon de son lance-flammes portatif, il fit cracher un premier jet de feu qui embrasa les armoires et la cuisinière. Il sortit calmement de la cuisine, sans émotion, puis s'occupa de la chambre à coucher, de la salle de bain et enfin du salon, dont il arrosa copieusement les murs et les planchers. Si une disquette était dissimulée dans cet appartement, peu importe où, elle ne serait bientôt plus qu'un petit amas de plastique calciné inutilisable.

En ressortant de l'appartement, qui était un véritable brasier, il appuya sur un des boutons de sa montre-ordinateur et immobilisa le chronomètre. Il exprima une première émotion visible en esquissant une légère moue de déception. L'opération lui avait pris en tout et partout seize secondes, trente-trois centièmes. Il avait été lent. Il devait être un peu rouillé. Il se reprendrait pour la suite des opérations.

— Mais vous êtes complètement fou! dit le propriétaire qui arrivait à la porte de l'appartement et avait vu les flammes. Qu'est-ce que vous faites là?

Imperturbable, ne se laissant pas distraire par les «insectes» qui ne pouvaient pas comprendre son «art», le Baron ne daigna même pas répondre.

— Je vous ordonne de vous arrêter immédiatement! cria Kaplan qui voyait le Baron s'éloigner aussi calmement qu'il était arrivé.

La voisine, madame Flemming, qui avait été prévenue de la visite d'un éventuel locataire parut alors sur le seuil de sa porte avec une chaudronnée de sa fameuse sauce à spaghetti. Sa passion pour le propriétaire n'avait pas diminué même si elle n'accusait aucun progrès. Elle entendit la rumeur du brasier, et vit des flammes qui commençaient à s'échapper de l'appartement de Patricia. Que se passait-il? La scène à laquelle elle assista alors la révolta profondément.

Téméraire, son bien-aimé rejoignit le Baron et osa lui assener un coup de poing dans le dos. Mais il se heurta à un véritable mur de roc et faillit se fouler le poignet , qu'il s'empressa aussitôt de secouer dans les airs pour le soulager. Le Baron, étonné de l'audace de ce «sous-homme», se tourna lentement vers lui et le toisa d'un regard plein d'une fureur contenue.

— Un problème?

Effrayé, Kaplan sourit de manière niaise, découvrant sa dent sertie d'un diamant. Cette pierre disgracieuse ne fit qu'accroître le mépris du Baron. Il se demanda un instant s'il devait punir l'insulte de l'insecte par la mort, mais il ne faisait pas partie du contrat et il n'était pas vraiment menaçant. Il se contenta de lever le bras, ce qui eut un effet immédiat, car monsieur Kaplan s'effondra immédiatement sous ce poing menaçant comme s'il l'avait reçu en plein visage.

Le sang de madame Flemming ne fit qu'un tour. Cette grande brute sans manières avait osé intimider son petit chéri! Chaudron en main, elle fonça en direction du Baron. Il la vit, se méfia de ce que pouvait contenir ce chaudron, et ne prenant aucune chance, souleva son canon et, délibérément, visa juste à côté de madame Flemming. Le long jet de flamme l'effleura et lui fit roussir les cheveux. Elle fut si effrayée qu'elle perdit pied et s'affala de tout son long, échappant son chaudron qui vola dans les airs jusqu'à l'infortuné monsieur Kaplan qui le prit en pleine poitrine.

La sauce, encore chaude, faillit l'ébouillanter, et il se mit à se débattre comme un vrai diable dans l'eau bénite, tandis que le futur locataire, devant une scène si inattendue, se mit à pleurer comme un enfant. Le Baron Rouge tourna les talons et s'éloigna calmement pendant que les flammes et la fumée se propageaient dans le corridor et gagnaient les autres appartements. Les locataires se mirent à sortir en courant de leur logis.

Madame Flemming se releva et s'empressa d'aider Kaplan à se relever. Ils quittèrent les lieux en même temps que sept ou huit locataires affolés. Lorsqu'ils se retrouvèrent sur le parterre de l'immeuble, les flammes avaient déjà embrasé les étages supérieurs et s'attaquaient maintenant au toit de l'immeuble. Monsieur Kaplan, qui essuyait machinalement son bel habit couvert de sauce à spaghetti, jurait:

— Je suis ruiné! Je suis ruiné!

— Mais non, mon chou...dit madame Flemming qui se permettait pour la première fois ce sobriquet affectueux, vu les circonstances plutôt dramatiques. Les assurances vont te rembourser...

— Justement, je ne les ai pas renouvelées cette année pour sauver de l'argent...

A quelque chose malheur est bon, se dit madame Flemming. Elle avait enfin une occasion de tirer son épingle du jeu, de venir à la rescousse de l'amour de sa vie en faisant valoir ses économies:

— Ne pleure pas, mon petit poulet.

Ce diminutif l'irrita suprêmement, mais il ne protesta pas.

Elle s'enhardit, lui serra l'épaule pour concrétiser ce qui avait l'air d'un premier rapprochement entre leurs deux coeurs. Et elle poursuivit:

— Je peux te prêter tout ce que j'ai à la banque.

— Combien? hasarda-t-il.

— Quarante-cinq mille...

Un sourire d'espoir fleurit ses lèvres, et il tourna vers sa locataire un regard brillant d'une cupidité à peine voilée. Il se sentait tout à coup très amoureux d'elle!

61

Le Baron Rouge immobilisa son véhicule devant la luxueuse tour à condos qu'habitaient Richard et Patricia, et vérifia l'adresse sur l'ordinateur de son camion, un appareil très puissant qui le reliait à différents informateurs à travers le pays, et également à nombre de postes de police. Il ne s'était pas trompé. Toujours muni de son lance-flammes portatif, il enfila ses gants métalliques qu'il avait retirés pour conduire (hédoniste, il aimait le contact de son volant en bois!) et il décida cette fois-ci de porter la casquette. Dans les établissements luxueux, il y avait en général des caméras de surveillance. Mieux valait jouer la carte de la prudence.

La vue du Baron surprit le portier, qui jeta un regard rapide à son véhicule, vit sa raison sociale, et se demanda ce qu'une pareille compagnie pouvait venir faire dans un établissement si bien tenu.

— Vous devez faire erreur. Il n'y a pas d'insectes ici.

— Il y a des insectes partout, répondit le Baron Rouge d'une voix si autoritaire que le portier n'osa le contredire et s'empressa de lui ouvrir la porte.

Au poste de contrôle, le gardien, impressionné par sa tenue et son allure, lui demanda:

— Votre nom?

— Dick.

Le gardien se pencha vers sa feuille de registre et inscrivit le prénom puis demanda:

— Dick qui?

— Head.

Le gardien ne fut pas sûr de bien comprendre.

— Dick Head? s'assura-t-il.

— Oui, Dick Head, dit le Baron, qui en profitait pour repérer autour de lui les caméras de surveillance.

Le gardien eut une hésitation mais compléta l'inscription.

— Et vous êtes ici dans quel but?

— Nettoyer.

— Si vous voulez bien signer ici, dit le gardien en tendant timidement au Baron un stylo Bic.

Au lieu de prendre le stylo, le Baron empoigna la tête du gardien par les cheveux et l'assomma contre le comptoir. Il tira alors de l'étui plaqué contre sa cuisse droite un revolver automatique, véritable fusil mitrailleur miniaturisé qui pouvait tirer une dizaine de balles à la seconde et fit sauter en un rien de temps les deux caméras de surveillance.

Il monta ensuite calmement vers le condo des Stone, et lui réserva le même sort qu'à l'appartement de Patricia. Il s'était chronométré à l'entrée et vérifia son temps à la sortie. Dix-huit secondes, vingt-deux centièmes. Il parut déçu. Bien sûr, il y avait des circonstances atténuantes. Le condo était beaucoup plus grand que l'appartement de Patricia. Et puis il s'était peut-être laissé un peu impressionner par le luxe des lieux, ce qu'il ne manqua pas de se reprocher tout de suite. Il s'était montré vulgairement petit-bourgeois! Il eut honte.

Il redescendit. Dans le hall, le gardien, encore évanoui, était entouré de deux propriétaires de condos qui se demandaient ce qui avait bien pu lui arriver. Le Baron passa son chemin discrètement et réintégra son véhicule. Il retira religieusement ses gants, pour ne pas profaner son volant, et interrogea immédiatement son ordinateur qui avait pour lui de bonnes nouvelles. On avait repéré la Porsche rouge de Jonathan sur Pacific Road, au sud de Laguna Beach, devant le restaurant chez *Benny's*. Le Baron eut un sourire de satisfaction: c'était à leur tour maintenant. Ni Patricia ni Jonathan ne lui échapperaient.

62

— Vraiment? demanda avec étonnement l'homme d'un certain âge à qui Jonathan venait de proposer d'échanger sa Porsche contre son Jeep.

Le jeune médecin et Patricia s'était arrêtés sur la route, juste à la sortie de Laguna Beach, au restaurant *Benny's*. L'homme à qui Jonathan venait de faire cette proposition surprenante craignait visiblement l'arnaque. Pourquoi un homme voulait-il se défaire d'une voiture de ce prix en échange d'un véhicule qui valait quatre ou cinq fois moins?

— Parce que j'en ai marre. J'ai failli me tuer avec. Elle est trop rapide.

— Trop rapide? demanda l'homme.

Sans le savoir, Jonathan avait trouvé l'argument qu'il fallait. Le visage de l'homme s'illumina d'un large sourire. Il souleva la main, et frappa aussitôt la paume que lui tendait Jonathan. C'était marché conclu. Ils réglèrent quelques détails, échangèrent les papiers d'immatriculation, les clés, se serrèrent la main et se souhaitèrent bonne chance.

Patricia et Jonathan montèrent dans leur nouveau véhicule tandis que le nouveau propriétaire de la Porsche rentra chez *Benny's* et se mit à raconter sa bonne fortune. Lui propriétaire d'une Porsche: les copains n'en reviendraient pas!

— Nous allons où, maintenant? demanda Jonathan.

— San Diego, suggéra Patricia.

— Bonne idée...

— Et demain on avisera...

Juste à côté du restaurant, sur le bord de la route, une Mexicaine de vingt ans, mais qui prématurément vieillie, en paraissait trente, donnait le sein à un nouveau-né tout en vendant différents articles de cuir: sacs à main, ceintures, et...sandales!

— Arrête, dit Patricia, au moment où Jonathan s'apprêtait à reprendre la route.

Patricia en avait assez de se promener pieds nus. D'abord, c'était dangereux. Et puis, cela pouvait attirer l'attention. Elle repéra tout de suite une paire de sandales en cuir noir qui lui plut.

— Oh, le joli bébé, dit Patricia.

La Mexicaine se contenta de sourire.

— C'est combien?

— Pour vous, quinze dollars, dit la Mexicaine.

Etonnée de la modicité du prix, Patricia tendit un billet de vingt dollars: la vendeuse voulut lui rendre la monnaie, mais Patricia fit de la main un geste de refus.

— Ca va. Gardez tout. Pour le petit...

— *Muchas gracias*, dit la Mexicaine. La madona...

Elle allait dire autre chose, mais le nourrisson se mit à geindre.—

— Cette fois, impossible de briser les talons, dit Patricia à Jonathan en glissant les pieds dans les sandales.

Ils remontèrent dans la Jeep, et foncèrent vers le Sud.

Une demi-heure plus tard, le Baron Rouge arriva chez *Benny's* et se gara juste à côté de la Porsche dont il vérifia, sur sa montre ordinateur, le numéro de plaque. C'était bel et bien la voiture de Jonathan. Le nouveau propriétaire de la Porsche ressortit à ce moment du restaurant avec de nouveaux copains — quelques minutes avant, il avait fièrement montré sa nouvelle «merveille» à d'autres sceptiques — qui ne croyaient pas un traître mot de ce qu'il venait de leur raconter au sujet de son acquisition. Lorsqu'il vit cet étranger à l'aspect sinistre qui rôdait autour de sa voiture, il s'inquiéta tout de suite:

— Hey, vous là-bas? Qu'est-ce que vous faites là?

Le Baron ne répliqua pas, ne broncha même pas, comme à son habitude. Il se pencha vers la portière du passager et tenta en vain de l'ouvrir. Comme elle lui résistait, il donna un grand coup de poing dans la vitre, qui se brisa. Il put à son aise fouiller le coffre à gants, qui ne contenait rien d'intéressant, en tout cas pas la disquette.

Le nouveau propriétaire voulut arrêter cet inexplicable massacre, mais il s'arrêta net dans sa course lorsqu'il vit le Baron Rouge soulever le canon de son lance-flammes et, s'étant reculé précautionneusement de quelques pas, mettre feu à la Porsche. Il entra ensuite chez *Benny's*, cependant que les badauds s'écartaient craintivement sur son passage.

Dans le restaurant, où une trentaine de clients buvaient, mangeaient ou jouaient au billard sur deux vieilles tables, le Baron jeta un regard circulaire et ne vit ni Patricia ni Jonathan. Il se dirigea ensuite vers les toilettes. Il entra d'abord dans celle des femmes. Une cliente, qui refaisait son maquillage devant un miroir mal lavé, s'offusqua de sa présence:

— Hey vous, c'est une toilette pour femmes ici.

Il ne répondit pas, ouvrit plutôt d'un grand coup de pied les portes des cabinets particuliers, qui étaient inoccupés. Il ressortit. La cliente, outrée, le suivit et courut aviser le gérant.

Le Baron visita aussitôt après les toilettes pour hommes. Un client remontait sa braguette, devant la pissotière. Ce n'était pas le jeune médecin. La porte d'un des cabinets était fermée. Il l'enfonça d'un grand coup de pied, et surprit un homme, déculotté, qui, constipé, patientait en feuilletant un *Penthouse*. Le client fut si étonné, et si frappé par la mine antipathique du Baron, qu'il ne protesta pas et, la bouche ouverte, laissa simplement tomber son magazine.

Le Baron ressortit rapidement de la toilette. Quelque chose clochait. Comment se faisait-il que Jonathan et Patricia n'étaient pas dans le restaurant? C'était pourtant bien leur voiture qui flambait devant la porte.

Le gérant du restaurant, alerté par la cliente outrée, quitta le comptoir du bar et s'approcha du Baron:

— Qu'est-ce que vous faisiez dans les toilettes pour femmes? Vous ne savez pas lire?

— Non, je ne sais pas lire. J'écoute la télévision. Est-ce que c'est grave?

— Non, non... balbutia le gérant, intimidé par l'aspect belliqueux du Baron.

Le tueur à gages sortit de sa poche la première page du *L.A. Times*, qui était pliée en quatre, la déplia et, pointant du doigt la photographie de Patricia, demanda:

— Avez-vous vu cette femme?

— Non, dit le gérant sans même se donner la peine de regarder la photo, ce qui offusqua le Baron.

Contrarié par son manque d'attention, le Baron l'agrippa alors par le cou, et le tira vers une table sur laquelle il l'assomma quasiment. Il lui releva la tête et lui fourra l'article sous le nez:

— Avez-vous vu cette femme?

Le propriétaire, dont le nez s'était mis à saigner, regarda cette fois plus attentivement la photo de Patricia. Mais comme il s'agissait de sa photo de mariage, et que Patricia avait beaucoup changé depuis, il eut une hésitation et dut avouer:

— Non, vraiment...

Bill, le dur à cuir de la place, n'aimait pas ce qu'il venait de voir. Cet étranger venait de se montrer impoli, et même brutal, avec son bon ami le gérant. Il quitta la table de billard où il passait le plus clair de son temps et, vint briser sa queue de billard sur le dos du Baron qui n'en fut nullement ébranlé. Il laissa cependant tomber le gérant, qui s'écroula au sol en tenant son nez sanguinolent, puis se tourna vers Bill, qui tenait le manche brisé de sa queue de billard et se demandait comment diable il se faisait qu'il n'avait pas ébranlé davantage cette brute. Il le prit à bout de bras, le souleva, et le lança par-dessus le comptoir du bar dont il fracassa le grand miroir.

Une telle démonstration de force créa tout un émoi et le silence se fit dans le restaurant.

— Est-ce que quelqu'un a vu cette femme? demanda le Baron à la ronde. Elle est avec un jeune médecin...

— C'est eux...C'est sûrement eux...dit un des clients, un petit maigre à l'air hypocrite.

Son copain voulut le faire taire. Pourquoi trahir le couple sympathique et généreux qui venait d'échanger une Porsche pour un simple Jeep? Le Baron se tourna en direction de l'homme maigre:

— Tu sais quelque chose?

— Non, dit-il, en se mettant à trembler. Je ne me souviens plus...

Le Baron s'approcha de lui, lui encercla la tête de ses deux mains, le souleva de sa chaise comme un vulgaire pantin, et, à l'aide de ses deux pouces exerça une pression formidable sur son front:

— Pense fort. Il faut que tu te souviennes!

L'homme maigre, le visage soudain rouge, sentit que sa tête allait éclater s'il ne faisait rien, et les yeux exorbités, les pieds dans le vide, il avoua enfin:

— Ils ont échangé leur Porsche contre le Jeep de Burny.

Pour tout remerciement, le Baron le laissa retomber au sol et se dirigea vers la porte. Mais il aperçut le barman qui appelait la police. Cela lui déplut. Il dirigea son lance-flammes vers le bar et projeta une grande traînée de feu qui embrasa rapidement les bouteilles. Ce fut la panique dans le restaurant, que le Baron quitta pourtant avec son calme habituel. Dehors il retrouva Burny, le propriétaire de la Porsche, qui tentait vainement d'éteindre les flammes en jetant du sable sur sa pauvre voiture et obtint facilemnent les informations qu'il désirait: la marque du Jeep, sa couleur, et son numéro d'immatriculation.

63

Dans un silence angoissé, guettant continuellement les véhicules de police, Patricia et Jonathan roulèrent longtemps, ne s'arrêtant que quelques minutes pour manger un hot-dog dans un vieux stand sur le bord de la route. Puis vers dix heures, ils décidèrent de passer la nuit dans un petit motel de troisième ordre. Ils avaient depuis longtemps dépassé San Diego et se sentaient plus en sécurité. Dans la région, très hispanique, puisqu'ils approchaient des frontières du Mexique, rares étaient les gens qui lisaient le *L.A. Times*. Et en parcourant rapidement les journaux de San Diego, Patricia et Jonathan s'étaient vite rendus compte que leur histoire n'avait pas fait la une. En fait, il n'en était fait nulle mention. C'était tout de même rassurant. On ne risquait guère de les reconnaître dans la rue, ou dans un restaurant.

Le motel *Don Pedro* était vraiment lugubre, mais Patricia et Jonathan étaient épuisés et ils se dirent que c'était plus sécuritaire de choisir un tel endroit plutôt que de passer la nuit dans un hôtel plus important, ou membre d'une grande chaîne. Jonathan précéda Patricia au comptoir, la priant poliment de se reposer en l'attendant, invitation qu'elle ne refusa pas. Elle était claquée, et en profita pour aller se rafraîchir un peu. A la réception — qui en fait n'était guère accueillante: les clients avaient vraiment l'air de déranger! — le préposé parlait un très mauvais anglais avec un terrible accent espagnol, ce qui rassura Jonathan. Ils avaient pris la bonne décision en débarquant dans ce motel minable. En revanche, il eut beaucoup de peine à expliquer au préposé qu'il désirait deux chambres pour la nuit. Il lui fallut tirer de son portefeuille les quatre-vingts dollars qu'il en coûtait pour que le visage de l'Hispanique s'éclaire d'un large sourire. Deux chambres! Mais oui, il n'avait qu'à le dire!

— Voici ta clé...dit Jonathan à Patricia lorsqu'il la retrouva dans le hall fort exigu du motel.

— Ah, merci...

Elle prit la clé. Elle semblait légèrement déçue. Ou bien était-ce une idée que Jonathan se faisait? Projetait-il son désir? Ou craignait-elle de passer la nuit seule après ce qu'il leur était arrivé durant la journée, et avec la menace d'un nouveau tueur lancé à leur poursuite?

Il s'était bien promis de ne pas refaire la même erreur que le premier soir, alors qu'il avait loué une seule chambre qui en plus, — ce n'était pas sa faute mais quand même — ne comptait qu'un lit. Ils quittèrent le hall et se dirigèrent vers leur chambre respective, qui étaient voisines et qui donnaient sur le terrain de stationnement.

— Bon, dit Patricia avec un certain embarras, alors bonsoir.

Jonathan brûlait de lui proposer de partager la même chambre, par sécurité, parce qu'il pourrait veiller sur elle au cas où le tueur les retrouvait. Il se trouvait idiot tout à coup. Il aurait mieux valu louer une seule chambre. Patricia n'aurait pas protesté, puisqu'au fond ç'aurait été la deuxième nuit passée ensemble. Il s'était montré un parfait gentleman avec elle, elle n'avait absolument rien à lui reprocher. Enfin, il était trop tard maintenant. Il ne pouvait revenir sur ses pas. Ca lui semblerait alors très bizarre, suspect.

Les paroles qu'il entendit sortir de sa bouche lui parurent d'une banalité extraordinaire. Pourquoi ne réussissait-il jamais à exprimer ce qu'il pensait vraiment lorsqu'il se retrouvait devant Patricia? Pourquoi perdait-il tous ses moyens? Etait-ce précisément parce qu'il était éperdument amoureux d'elle même si elle était mariée, même si sa passion pour elle était d'avance vouée à l'échec?

— Le premier qui se réveille vient frapper à la porte de l'autre. Il va falloir qu'on décide rapidement ce qu'on va faire, demain matin...

— D'accord, dit Patricia.

Elle eut une hésitation, pensa de l'embrasser mais à la place lui tendit la main, qu'il serra. Ils se séparèrent. Patricia introduisit la clé dans la serrure, la fit tourner, poussa la porte, mais juste avant d'entrer dans sa chambre, elle parut se raviser:

— Ah Jonathan...

— Oui? Quoi?

Avait-elle changé d'idée? Allait-elle lui suggérer de partager la même chambre, le même lit?

Il tourna vers elle un visage vibrant d'espoir.

— Merci de m'avoir sauvé la vie, dit Patricia. C'est la deuxième fois en moins de vingt-quatre heures.

Dans sa nervosité, dans sa déception, il faillit faire une bévue et répliquer «jamais deux sans trois», mais il se rattrapa à temps et se contenta de dire:

— Ce n'est rien...N'importe qui aurait fait la même chose à ma place...

— Merci quand même...

Et elle lui fit un sourire d'une grande tendresse, un sourire qu'elle ne lui avait jamais fait jusqu'alors. Il la regarda, le coeur plein de rêves. Dans la pénombre, les yeux de Patricia brillaient d'un éclat envoûtant. Comme elle était désirable, avec sa petite jupe courte, son chemisier plutôt sexy et ses sandales de cuir noir qui donnaient une élégance toute rustique à ses longues jambes fines. Pourquoi ne lui disait-il pas carrément qu'il l'aimait follement? Qu'il était prêt à tout recommencer avec elle? Qu'ils pourraient s'enfuir, le plus loin possible, loin de tout, de la vie ordinaire et tout recommencer? Mais la vie était là, incontournable, avec son poids de plomb, qui pesait sur ses épaules.

— Bonne nuit, dit-il.

— Bonne nuit.

Et comme si elle avait elle-même eu une hésitation coupable à son endroit, elle parut se hâter de disparaître dans sa chambre. Avait-elle le même désir, la même tentation? se demanda Jonathan en faisant tourner la clé dans la serrure de sa porte. Il se dit qu'il ne le saurait probablement jamais. Lorsqu'il referma la porte derrière lui et alluma, il eut une très mauvaise impression. Rarement une chambre lui avait-elle paru aussi lugubre. C'était vraiment plus minable qu'il n'aurait pensé. Il faut dire que pour quarante dollars, de nos jours, même dans un petit motel dans le Sud de la Californie, il ne fallait pas s'attendre à des miracles. *You get what you pay for...* Il posa sur une petite table le *six pack* de bière qu'il avait acheté sur la route, juste avant d'arriver au motel. Il se félicita d'ailleurs d'en avoir acheté. Il n'y avait évidemment pas de petit bar dans une chambre aussi minable. Même pas de frigo...

Il alla dans la salle de bain, fit couler l'eau de l'évier. Elle était brune. Il devait y avoir des siècles que cette chambre n'avait pas été louée, à moins que ce ne fût la couleur naturelle de l'eau dans la région. Il ouvrit les robinets de la douche. Mais il n'y avait ni eau chaude ni pression. Lamentable!

Il ouvrit la télévision, mais l'écran était enneigé. Merde! Que ferait-il pour tromper l'ennui? Malgré une journée éreintante et de nombreuses heures sur la route, il n'était pas fatigué. Il avait même ce curieux regain tardif d'énergie qui lui valait régulièrement des insomnies. Il alluma la radio. Au moins elle fonctionnait. C'était déjà ça! Il tomba sur un poste qui faisait une rétrospective des années cinquante.

Il s'assit sur le lit, s'appuya contre la tête, et se laissa aller à la nostalgie. Cette musique le ramenait à ses années d'études. Il se demanda ce qu'aurait été sa vie s'il s'était montré plus audacieux, ou plus insistant lorsqu'il avait connu Patricia. A l'époque où il l'avait rencontrée, elle sortait avec un étudiant en littérature. Il avait été intimidé. Il avait «respecté» cette liaison, qui pourtant n'avait duré que quelques mois, le temps pour lui d'entamer une relation avec une très jeune femme professeur, fraîchement séparée. Il n'avait pas eu le courage de la laisser lorsque Patricia était devenue libre. Elle l'avait aidé financièrement, lui prêtant de l'argent à un moment critique de sa vie où il pensait devoir abandonner ses études. Puis elle l'avait quitté pour retourner avec son mari. Et Jonathan était à nouveau arrivé trop tard pour Patricia qui avait entamé une liaison nouvelle.

Accablé, Jonathan se dit que l'histoire se répétait. Il ne serait jamais heureux en amour. Un mauvais sort semblait s'acharner sur lui. Il avait retrouvé Patricia certes, mais ironiquement, elle n'était pas plus libre qu'à l'époque. Elle était mariée. C'était du sérieux. Et son mari était millionnaire. Bien sûr, il exerçait lui-même une profession honorable et assez lucrative. mais il ne pourrait jamais offrir à Patricia le train de vie luxueux auquel elle devait être habituée. Elle avait bien changé d'ailleurs. Plus jeune, elle était si insouciante, si bohème, si peu attachée aux biens de ce monde.

Une profession honorable...En exerçait-il encore une à la vérité? Avec tout ce qui se passait, ne serait-il pas radié à vie, ou en tout cas pendant des années? Et ne perdrait-il pas sa réputation?

On frappa à la porte de sa chambre. Il sursauta. Il était si absorbé dans sa rêverie.

Il se leva pour aller répondre, puis se ravisa. Comme il était naïf! Si c'était un nouveau tueur à gages envoyé par Blackwell ou Waterman. Une peur subite l'envahit. S'il répondait, il serait peut-être mort dans quelques secondes. On frappa à nouveau, un peu plus fort cette fois.

Que faire? Demander qui c'était? Mais alors, le tueur éventuel saurait à coup sûr qu'il était dans sa chambre. Il enfoncerait la porte, ou la criblerait de balles. A cette pensée effrayante, Jonathan s'écarta légèrement, de telle manière qu'il ne se trouvait plus devant la porte. S'il venait à l'esprit du tueur d'envoyer une rafale, il le raterait.

D'ailleurs, plus Jonathan y pensait, plus il se persuadait qu'il agissait du tueur. Sinon, il aurait sans doute parlé. C'était le silence maintenant. Le tueur renonçait. Jonathan, dont le front était couvert de grosses gouttes de sueur, commença à souffler un peu. Il avait pris la bonne décision.

Dehors, à la porte de la chambre de Jonathan, Patricia plissa les lèvres. Elle allait frapper une troisième fois mais renonça. Jonathan dormait sûrement déjà. Sinon, il aurait déjà répondu. Elle tourna les talons, et s'éloigna lentement.

Jonathan pensa alors subitement à elle. Il lui était peut-être arrivé quelque chose. Le tueur lui avait peut-être rendu visite, ou il s'apprêtait à le faire. Jonathan ne pouvait rester tranquillement dans sa chambre pendant que Patricia était aux prises avec un tueur. Il s'empressa d'aller ouvrir. Il n'y avait personne. Il s'avança, et aperçut alors Patricia qui s'apprêtait à entrer dans sa chambre.

— Patricia...

— Ah, tu es là, dit-elle. Je croyais que tu dormais...

— Non, je...

Il ne voulut pas dire qu'il dormait, comme si cela était un signe de faiblesse.

— Je prenais une douche, expliqua-t-il.

— Ah, ta douche fonctionne, toi? La mienne ne marche pas et je venais justement ...

Merde! pensa Jonathan. Il venait de dire une belle connerie! Pourquoi avoir ainsi menti? Et pourquoi ce mensonge plutôt qu'un autre, comme si la malchance s'acharnait contre lui...

— Mais ne reste pas là, entre.

Patricia entra, avec un certain malaise.

— Lorsque je disais que je prenais une douche, j'ai un peu exagéré, j'ai plutôt essayé, dit Jonathan.

— Elle ne fonctionne pas?

— Pas vraiment. Il n'y a pas d'eau chaude.

— Ah bon, je vois...

Elle paraissait embarrassée. Jonathan le sentit. Et il craignit qu'elle ne repartît tout de suite. Que pouvait-il dire pour la retenir?

— Prendrais-tu un peu de champagne, plaisanta-t-il?

Elle sourit.

— C'est minable comme chambre.

— Plutôt.

Il se dirigea vers la table, ouvrit deux canettes de bières et en tendit une à Patricia.

— Merci, dit-elle.

Elle but une gorgée.

— Assieds-toi, dit Jonathan.

Ils prirent tous deux place à la petite table circulaire.

Patricia prit une nouvelle gorgée et devint tout à coup très grave:

— Il y a quelque chose que je voudrais te dire...

Elle s'interrompit. Jonathan avala nerveusement une gorgée de bière. Voulait-elle passer la nuit avec lui?

— Mais oui, dit-il n'hésite pas. Tu sais que...tu peux tout me dire...

— Il y a longtemps que je voulais te le dire en fait, mais je ne pouvais pas...Il ne fallait pas que tu saches ce que je vais te dire, sinon, tu ne m'aurais pas crue pour le reste...

Une ride se dessina sur le front de Jonathan. Elle ne s'apprêtait sûrement pas à lui faire une proposition amoureuse. Loin de là! Au contraire, on aurait dit qu'elle voulait lui avouer le meurtre de madame Bloomberg! Horrible! Que ferait-il? Il deviendrait du même coup le complice d'une meurtrière...

— Mais maintenant, il faut que je te dise tout...Tu m'as fait confiance depuis le début, et j'ai honte de te mentir... D'ailleurs, je sais que tu vas comprendre...

Jonathan s'impatientait. Qu'elle le dise à la fin, quoi! Il était devenu grave. Il avala une longue gorgée, comme pour se préparer à cette révélation qui n'avait rien de réjouissant selon toute apparence.

— Ce qui est écrit dans mon dossier à la clinique est vrai...lâcha-t-elle d'un seul coup.

Il ne fut pas sûr de comprendre.

— Dans ton dossier?

— Oui, mon dossier...Tu l'as lu je suppose...

— Oui, avoua Jonathan avec une sorte de honte. Le docteur Waterman a voulu que je l'examine vu que...

— Eh bien tout est vrai. C'est moi qui ai tout inventé... Les lettres de menace, les fleurs, la poupée, et le viol...Ce n'est pas vrai...J'ai... Je n'ai jamais été violée... J'ai tout simplement voulu me suicider...Mais j'avais trop honte, pour ma famille , et j'ai voulu qu'on croie à un meurtre...Mais c'est tout ce que j'ai fait...

Jonathan était ahuri. Il ne savait pas quoi dire. S'il s'attendait à pareille révélation...Cela remettait en cause tout ce qu'il pensait au sujet de Patricia. Le docteur Waterman ne lui avait donc pas menti. Et le rapport de police disait vrai. Patricia avait tout inventé! Elle était donc mythomane! Savait-elle au moins ce que cela voulait dire? Etait-elle vraiment consciente de la gravité de cette maladie? Et comment départager la vérité du mensonge? Pourquoi la croire maintenant? Chose certaine, elle avait été gravement malade, et dépressive au point de vouloir attenter à ses jours...Quelle tristesse!

— Mais je ne suis pas mythomane, s'empressa d'ajouter Patricia comme si elle avait lu dans ses pensées. Waterman s'est servi de cela pour abuser de moi sans que je puisse rien faire pour me défendre. Il a compris que j'étais prise, qu'on ne me croirait jamais...J'étais un peu comme le garçon dans la fable qui crie au loup alors que le loup n'est pas là...Lorsque le loup arrive pour vrai, le garçon est pris...Waterman savait très bien que ce serait toujours sa parole contre la mienne, qu'il pourrait abuser de moi tant qu'il voudrait...Tant qu'il n'y aurait pas de témoin, il serait à l'abri de tout soupçon. Comment croire une mythomane avec un dossier comme le mien?

— Je vois...dit Jonathan qui en vérité ne voyait rien et qui était extrêmement confus.

Non seulement la fatigue de la journée alourdissait-elle son esprit, mais ce que lui racontait Patricia était si surprenant, si inattendu, qu'il ne s'y retrouvait pas du tout. Etait-elle en train de faire une autre crise, et d'inventer une autre histoire?

— Je sais que c'est difficile à croire, dit Patricia qui sentait bien le scepticisme de Jonathan. Mais c'est la vérité. Et tout ce que j'ai découvert à la clinique est vrai...C'est une vaste organisation criminelle...Ils s'enrichissent en tuant des femmes de millionnaires...Si ce n'était pas vrai, comment aurais-je pu savoir à l'avance que madame Bloomberg allait mourir?

— En la tuant toi-même...dit Jonathan.

— Mais je ne l'ai pas tuée! Ils ont voulu me mettre son crime sur le dos à cause de la disquette...

— La disquette...

— Oui, je sais, tu ne l'as jamais vue. Mais moi je sais qu'elle existe, je ne suis pas folle... Je l'ai tenue dans mes mains...Et surtout, j'ai vu les dossiers secrets dans l'ordinateur de Waterman...Ils ont des dossiers secrets sur toutes les patientes avec des instructions précises...

Jonathan paraissait encore sceptique. C'était trop d'informations en même temps.

— Tu ne me crois pas, n'est-ce pas?

— Je...Pourquoi ne m'as-tu pas dit toutes ces choses avant?

— Parce que j'avais peur que tu ne me croies pas. Si je t'avais avoué que j'avais un dossier de mythomane, tu ne m'aurais pas cru au sujet de la disquette et de madame Bloomberg...D'ailleurs tu ne m'as pas crue, puisqu'elle est morte...

Jonathan s'assombrit. Patricia disait vrai. Et il ne pouvait se défendre contre un sentiment de culpabilité. Si madame Bloomberg était morte, c'était un peu de sa faute. Parce qu'il s'était montré incrédule. Patricia pensa alors à l'argument auquel elle aurait dû recourir dès le début:

— Et le tueur, est-ce que je l'ai inventé, lui?

— Non, avoua immédiatement Jonathan.

C'était l'évidence même. Il aurait dû y penser. Jamais Waterman ou Blackwell n'aurait envoyé un tueur à gages si Patricia n'avait pas découvert des informations extrêmement compromettantes pour la clinique. Et ce tueur, non seulement il l'avait vu de ses yeux vu, mais il s'était battu avec lui et il l'avait même tué. L'histoire de Patricia avait beau être invraisemblable, — la tentative de viol de Waterman, le complot criminel à la clinique — elle semblait tout à fait vraie. Et c'était le tueur à gages qui lui donnait toute sa réalité, tout son poids, toute son horreur.

Mais Jonathan se demandait encore s'il n'était pas en train de faire un mauvais rêve, s'il n'allait pas se réveiller dans quelques minutes dans son lit chez lui, auprès de son brave chien Harry, pour s'apercevoir que rien de ce qu'il vivait depuis quarante-huit heures n'était vrai. Il but une très longue gorgée de bière, en regardant Patricia, vibrante, touchante, plus belle que jamais. Il savait qu'elle avait raison maintenant. Elle l'avait convaincu. Mais une question continuait de le hanter.

— Je sais que...Je te crois...dit-il. Mais il y a quelque chose que je ne comprends toujours pas...Pourquoi tout ça?

— Mais je ne sais pas...Pour l'argent je suppose...

— Pour l'argent? Tu t'es mariée pour...

Il n'acheva pas. L'explication de Patricia l'étonnait au plus haut point, le choquait même. Elle s'était mariée parce que son mari était riche, tout simplement. Il ne l'aurait jamais crue aussi cynique, aussi peu romantique. Décidément, elle avait bien changé depuis l'université.

— Je ne comprends pas...

Il y avait visiblement un malentendu. Un malentendu ironique et troublant du reste, qui touchait peut-être en Patricia quelque chose de très profond. S'était-elle en effet mariée pour l'argent? Elle n'avait pas le temps de répondre à cette question, peut-être trop complexe d'ailleurs. Comment en effet démêler l'écheveau de tous les fils qui l'avaient poussée à se marier si hâtivement?

— Non, expliqua Patricia. Quand je dis que c'est pour l'argent, je parle de la clinique...C'est une sorte de business, du moins à ce que j'ai pu comprendre. Ils peuvent charger jusqu'à un million pour un meurtre.

— Oui, je sais, tu me l'as déjà dit, mais ce n'est pas ce que je te demandais...Ce que je voulais savoir, c'est à ton sujet à toi...Pourquoi tout ça? Les lettres, la poupée, enfin toute cette histoire que tu as inventée...Je ne comprends pas...

Patricia s'assombrit. En fait, tout son visage prit une expression que Jonathan ne lui avait jamais vue. Pour la première fois, elle avait l'air malheureuse, vraiment malheureuse. Elle attendit quelques instants, puis elle dit enfin, les yeux voilés, comme si elle revivait une des périodes les plus tristes de sa vie, ce qui était précisément le cas:

— Dès les premiers jours de mon mariage, mon mari a commencé à m'ignorer...Au début, je me suis montrée compréhensive...C'est un homme très occupé, qui a des responsabilités énormes...Mais bon, au bout de deux ou trois mois, j'ai commencé à me poser des questions... Il ne s'occupait pas du tout de moi...C'était comme si je n'existais pas... En trois mois, nous n'avons pas fait...

Elle s'interrompit, saisie d'une pudeur soudaine, puis elle se dit que cela n'avait guère d'importance, au point où elle en était. Mieux valait tout dire pour que Jonathan comprenne.

— Nous n'avons pas fait l'amour cinq fois. Alors j'ai commencé à penser qu'il avait peut-être une maîtresse...Et surtout je me suis demandé pourquoi il m'avait épousée si rapidement, si c'était pour me négliger ainsi...

— Il voulait peut-être des enfants...

— Non il ne m'en parlait jamais. En fait, nous ne parlions presque jamais... Et puis les enfants, pour les avoir, il faut commencer par les faire...Ma vie est rapidement devenue un véritable enfer... Je suis devenue comme obsédée. Je ne pouvais plus écrire, je ne pouvais plus rien faire... Je ne voulais qu'une chose: savoir *pourquoi*. Pourquoi il m'avait épousée, pourquoi il ne s'occupait jamais de moi, pourquoi il ne me touchait pas comme si nous étions mariés depuis vingt ans... Alors j'ai pensé à un plan...pour attirer son attention, pour faire en sorte qu'il soit plus souvent à la maison et qu'il s'occupe de moi... J'ai commencé à inventer des choses, à lui dire que j'avais reçu des appels de menace...Je me suis écrit des lettres, je me suis envoyé des fleurs...Tout ce qui est dans le dossier enfin...Au début ça a marché un peu...Mais son intérêt a vite retombé...Alors j'ai été obligée d'en remettre...Je me suis pour ainsi dire fait prendre à mon propre jeu...J'ai voulu aller plus loin...Et quand j'ai vu que ça ne marchait pas, que mon mari ne m'aimait pas plus, qu'il me négligeait autant, alors j'ai cru que j'allais devenir folle, je n'ai pas pu supporter la situation...Personne ne m'aurait comprise autour de moi...Mes amis, mes parents étaient convaincus que j'avais fait le mariage idéal...Alors j'ai voulu en finir...C'était simple...Je n'avais qu'à aller jusqu'au bout de mon histoire, de mon invention. J'ai fait couler l'eau dans mon bain, je me suis déshabillée, je me suis rasée le sexe, pour faire croire à un maniaque sexuel, et j'ai avalé les pilules...

Elle se tut alors, et pencha la tête. Elle pleurait.

Jonathan était si ému qu'il ne savait pas quoi dire. Il connaissait maintenant toute son histoire. Et il savait qu'elle n'était pas une véritable mythomane. Elle avait eu un but précis en inventant cet épisode macabre: attirer l'attention d'un mari négligent. Au fond, son histoire n'était que l'histoire d'un amour malheureux, d'un mariage qui n'avait pas fonctionné. La seule question qui restait en suspens était la suivante: pourquoi son mari l'avait-il épousée? Mais cela, comment le savoir. Les gens se marient pour d'innombrables raisons, de bonnes et de mauvaises. Et on en perdrait sûrement la raison à vouloir savoir pourquoi. Comme cela était arrivé à Patricia. C'est en tout cas ce que Jonathan se disait, dans la grande émotion qui l'étreignait. Il s'approcha de Patricia et lui caressa les cheveux.

— C'est fini maintenant, c'est fini.

Elle leva vers lui ses beaux yeux mouillés de larmes.

— Mais non, ce n'est pas fini. Je suis toujours mariée. La police nous poursuit, peut-être un tueur aussi...Ils croient que j'ai tué madame Bloomberg...

— Moi je sais que tu ne l'as pas tuée...

— Mais tu es mon complice...Notre seule chance, ce serait de mettre la main sur la disquette...

— Ne pense plus à ça, dit Jonathan, ne pense plus à ça. Il faut que tu te reposes maintenant.

Il l'aida à se lever.

— Je ne peux pas croire que mon mari savait, dit Patricia.

— Qu'il savait quoi?

— Ce qui se passait à la clinique. Pourquoi aurait-il voulu me faire tuer? Les autres hommes font ça pour éviter les frais de divorce. Mais pourquoi m'avoir épousée si c'était pour se débarrasser de moi au bout de quelques mois?

— Ne pense plus à rien, Patricia, dit Jonathan qui l'avait prise par l'épaule et la frottait affectueusement.

Cette caresse lui parut soudain très douce, très chaleureuse. Pour la première fois depuis des mois, elle sentit qu'elle n'était pas seule. Il y avait un être humain à côté d'elle. Un homme. Un ami. Qui prenait vraiment ses intérêts à coeur. Qui se faisait du souci pour elle.

A la radio, les premières mesures de la célèbre chanson des Beatles, *Hey Jude* se mit à jouer.

— Te souviens-tu? demanda Jonathan

— Oui, dit-elle.

Ils avaient dansé une seule fois ensemble, à l'université, à une partie de fin de session. Et c'était sur cet air. Jonathan ne l'avait jamais oublié, et il avait remercié le ciel que ce fût une pièce si longue, plus de sept minutes. Sept minutes...les seules minutes où il avait pu serrer Patricia dans ses bras, frôler ses cheveux, respirer son parfum, et même sentir contre sa joue la douceur de sa joue... Un *slow* inoubliable. Un des meilleurs moments de sa vie. Et en même temps un des pires. parce qu'en comparaison, il avait rendu tous les autres pâles, insipides, même les étreintes beaucoup plus intimes, beaucoup plus sensuelles, carrément physiques avec les autres femmes qu'il avait connues dans sa vie...Etait-ce le souvenir, le temps qui embellissait à ce point cet instant? Il avait l'impression que non, en entendant *Hey Jude*...

D'ailleurs le hasard qui faisait jouer cette chanson était-il vraiment une coïncidence? N'était-ce pas un clin d'oeil de la vie? De la vie qui voulait lui dire quelque chose...Mais quoi? *Hey Jude...Don't make it bad...Take a sad song, and make it better*...N'était-ce pas cela qu'il devait faire avec sa vie? Prendre une chanson triste, et la rendre meilleure... la triste chanson de sa vie avec Patricia, la transformer, par le coup de baguette magique de l'amour...En ce moment même...Ne pas hésiter, ne pas être timoré...Comme il l'avait été dans le passé...Saisir l'occasion quand elle se présentait...parce qu'elle ne se représenterait peut-être jamais plus...

Il vint pour l'embrasser mais se dit que c'était odieux. Ce serait abuser de la situation. Se conduire comme un mufle. Patricia venait de lui faire des aveux déchirants. Elle s'était ouverte complètement à lui. Et il allait tirer profit de cette occasion? Non.

Patricia rompit le silence pour dire, avec nostalgie:

— Nous étions jeunes... C'est drôle que nous soyons ici, ce soir... Et...

Alors ce fut comme un tourbillon dans son esprit, tout se brouilla, elle se sentit emporter par un grand vent et se pencha vers Jonathan pour l'embrasser. D'abord surpris, il ne réagit pas. Puis il la serra très fort et ils échangèrent un baiser passionné. Jonathan n'en revenait pas. Ils se retrouvaient enfin, après des années, et la femme qu'il n'avait jamais cessé d'aimer était dans ses bras.

— Je t'aime, dit-il, en la repoussant un instant.

Elle ne répondit rien, l'embrassa à nouveau. Ils roulèrent bientôt sur le lit et firent l'amour, avec un mélange de tendresse, de passion, et de désespoir comme s'ils cherchaient non pas tellement à se retrouver après une trop longue absence, mais plutôt à oublier. A oublier que si c'était leur première nuit ensemble, c'était peut-être aussi la dernière. Parce que demain ils seraient peut-être emprisonnés pour des années. Parce que demain peut-être, ils seraient morts.

64

Le lendemain, Jonathan se réveilla le coeur en fête. Lorsqu'il s'était endormi la veille, il avait hâte de se réveiller, non pas tant pour que ce soit son premier matin avec Patricia, mais pour être vraiment certain qu'il n'avait pas rêvé. Ils avaient ouvert l'oeil presque en même temps.

— Partons! s'exclama Jonathan.

C'était un véritable cri du coeur.

— Partir? demanda Patricia dont la peau était parfaitement claire, lisse, nullement froissée par la nuit, ou par l'angoisse.

Un instant, elle eut l'impression qu'elle était une jeune mariée, qui s'apprêtait à partir en voyage de noces. Partir...N'en rêvait-elle pas depuis longtemps, depuis qu'elle était mariée, depuis bien avant son mariage même? Elle se rappela qu'elle était nue. Cela lui fit tout drôle d'être à côté de Jonathan. C'était pour elle un étranger même si elle le connaissait depuis des années. Elle se rappela alors leur étreinte de la veille. Comment se faisait-il que leurs corps s'étaient accordés si aisément, comme s'ils faisaient l'amour depuis des mois, des années? Elle tira vers elle le drap, et se couvrit jusqu'au cou, comme si elle avait froid. La chambre était pourtant chaude et humide, car l'air climatisé ne fonctionnait pas, comme tout le reste d'ailleurs.

— Oui, partons le plus loin possible. J'ai une dizaine de mille dollars dans mon compte. On les prend et on part le plus loin possible. C'est la seule manière de s'en sortir. Dans deux ou trois mois, quand les choses se seront tassées, on reviendra...

Patricia parut d'abord enchantée par cette proposition. Partir...Elle en rêvait depuis longtemps. Ils pourraient voir un peu de pays, et même, de préférence sortir des Etats-Unis le plus rapidement possible car ils risquaient d'être traqués par la police américaine.

— On descend jusqu'au Mexique en voiture et on prend l'avion à Mexico. Ils ne peuvent pas faire surveiller tous les aéroports pour une affaire qui n'est somme toute pas si importante. Après tout, on n'est pas des criminels de guerre ni des trafiquants de drogue... Qu'est-ce que tu en penses?

— Oui, dit-elle, c'est...

Puis elle se ravisa. Une gravité nouvelle avait assombri son visage.

— Je ne peux pas laisser Andréa Blackwell dans cette clinique infernale. Si je ne fais rien, ils vont peut-être la tuer. C'est grâce à elle que j'ai pu sortir. C'est elle qui a découvert toute la machination et qui m'a fourni la clé du bureau de Waterman et le mot de passe. Et puis il y a toutes ces autres femmes qui sont innocentes et dont la vie est en danger...

Le rêve de Jonathan venait de se briser comme une vague sur les rochers. Il protesta:

— Mais nous n'avons aucune chance. Il y a la police, probablement un nouveau tueur à gages...

— Il faut absolument trouver la disquette.

— Je veux bien, mais comment? On ne peut quand même pas retourner à la clinique. Ce serait suicidaire.

— Je sais, dit Patricia en plissant les lèvres. Mais je suis sûre qu'il y a un moyen. Cette disquette ne peut pas s'être volatilisée comme ça.

Ils se turent un instant. Jonathan savait qu'au fond Patricia avait raison. Partir ainsi était sans doute excitant, mais c'était lâche. Lui aussi avait des obligations envers ces pauvres femmes dont plusieurs étaient ses patientes et qui risquaient de subir le même sort que madame Bloomberg. Mais comment faire pour mettre la main sur cette disquette? C'était vraiment une mission impossible. Ils n'avaient aucun indice, aucune piste, rien!

Ils se taisaient tous les deux, et se creusaient les méninges, mais sans vraiment y croire lorsque la femme de chambre, une Mexicaine, traînant une vadrouille et un seau métallique sur roulettes, entra sans frapper, car ils n'avaient pas pensé de mettre l'affiche «*Do not disturb*» à leur porte. Lorsqu'elle vit Patricia et Jonathan au lit, elle se confondit en excuses:

— Sorry, sorry, señora...

— No problema, dit Jonathan que cette scène avait amusé et qui ne connaissait que quelques mots d'espagnol.

La femme de chambre s'empressa de ressortir. Jonathan, souriant, se tourna vers Patricia.

Il fut étonné de voir qu'elle était comme en transe. En fait, Patricia avait eu une sorte d'illumination, de flash. Elle s'assit brusquement dans le lit, découvrant ses seins nus et oubliant complètement la gêne qui, quelques secondes auparavant, l'avait poussée à tirer le drap.

Elle venait de se rappeler ce qui s'était passé à la clinique, le fameux matin où elle avait entraîné le docteur Lake dans sa chambre pour lui montrer la disquette cachée dans la cuvette de la toilette. Elle voyait la scène comme si elle y était. La fatigue de leur nuit passionnée, et l'énervement des derniers jours donnaient à sa mémoire une acuité inhabituelle, un peu comme lorsqu'elle passait beaucoup d'heures à sa table de travail tard la nuit.

En revenant à sa chambre, à la clinique, avec Jonathan qu'elle avait «arraché» à son bureau, elle avait vu le vieux concierge Joe qui s'éloignait lentement dans le corridor, traînant derrière lui sa vadrouille et son seau, un seau similaire à celui de la Mexicaine.

Elle se souvint également que le plancher de la salle de bain était humide, un détail auquel elle n'avait pas porté attention sur le moment. Alors les choses s'ordonnèrent brusquement dans son esprit. Pour une raison ou une autre, la toilette avait dû déborder, et le concierge, appelé à sa chambre pour réparer le dégât, avait ouvert la cuvette et trouvé la disquette qu'il avait emportée. C'était cela, elle en était convaincue! Elle ne pouvait pas se tromper! Tout ce qu'il fallait, maintenant, c'était un petit peu de chance: pourvu que le concierge n'ait pas jeté la disquette!

Jonathan observait Patricia et se demandait ce que diable il pouvait lui être passé par la tête, et ce qu'elle faisait ainsi, assise dans le lit, l'air à la fois absent et surexcité, comme une véritable somnambule.

— Patricia? demanda-t-il, craignant qu'elle ne fût peut-être atteinte d'une crise nouvelle, mais il n'aurait pas su dire une crise de quoi au juste.

Elle se tourna vers lui, surexcitée:

— J'ai trouvé, s'exclama-t-elle. Je sais qui a pris la disquette dans ma chambre, à la clinique, le jour où j'ai voulu te la montrer!

Elle ne lui fournit pas plus d'explications mais décrocha plutôt le récepteur du téléphone qui était sur la table de nuit à sa gauche.

— Le numéro de téléphone de la clinique? demanda-t-elle.

— Je...voulut-il pour protester, mais elle avait l'air si sûre d'elle, si excitée. Et, dans sa nudité encore plus grande depuis qu'elle s'était penchée vers la table de nuit, elle était si séduisante, qu'il n'osa pas exiger d'explications.

Il lui donna le numéro de téléphone qu'il connaissait évidemment par coeur. Elle le composa fébrilement. Lorsqu'elle fut en ligne, elle demanda le bureau du docteur Waterman. Heureusement, la secrétaire, avec qui elle était devenue un peu copine, travaillait ce jour-là. Elle parut extrêmement surprise d'entendre la voix de Patricia.

— Patricia?

— Oui, oui, c'est moi.

— Est-ce que tu vas bien?

— Très bien. Mais je ne peux pas te parler longtemps. Il faut que tu me rendes un service. C'est très important. Tu es la seule personne qui puisse me sauver. Il faut absolument que je parle au concierge.

Le concierge? demanda avec surprise la secrétaire qui ne comprenait vraiment rien et se demanda si au fond ce qu'on racontait à la clinique et dans les journaux au sujet de Patricia, était peut-être vrai.

— Oui, c'est extrêmement important. Je ne peux pas t'expliquer mais il faut absolument que je lui parle.

— Je...

Elle hésita. Commettait-elle un crime en aidant une femme accusée de meurtre et poursuivie par la police? Sûrement. Mais elle avait toujours conservé un doute au sujet de ce que les journaux racontaient. Patricia était une femme aux apparences si avenantes, si douces. Elle s'était montrée si sympathique avec elle, l'aidant à se démerder avec son foutu ordinateur. Patricia commença à s'inquiéter. La secrétaire ne disait rien au bout de la ligne. Elle hésitait.

Elle se refusait peut-être à l'aider, mais ne savait pas comment le lui dire.

— J'ai besoin de ton aide, Judith.

Elle venait de se rappeler son nom tout à coup. Et peut-être ce détail fut-il décisif. Aucune patiente ne se rappelait comment elle s'appelait à la clinique, peut-être parce qu'elle était jeune et jolie — un douloureux rappel de leur âge.

— Ce qui est écrit dans les journaux est complètement faux. Je suis innocente. Ils essaient de me compromettre parce que je sais ce qui se passe vraiment à la clinique.

— Je n'ai pas le numéro de son local... Mais attends, je... je peux appeler au central... Si tu veux patienter, je vais prendre l'autre ligne.

Patricia attendit, fébrile. Elle s'aperçut alors qu'elle était à moitié nue, et elle regarda Jonathan d'un air embarrassé. Elle ramassa son chemisier qui était au sol près d'elle, et entreprit de le mettre tout en tenant le combiné contre son oreille.

— Il faut qu'elle l'ait, dit Patricia à Jonathan qui ne comprenait toujours pas où elle voulait en venir.

La secrétaire reprit enfin la ligne.

— Il ne travaille pas aujourd'hui.

Le visage de Patricia tomba. Tout s'écroulait!

— Je n'ai pas son numéro de téléphone non plus mais j'ai son adresse. Il habite juste à l'extérieur de Malibu, un petit village... expliqua Judith.

— Ouh! Tu m'as fait peur. Tu ne le regretteras pas. Merci mille fois.

Patricia se tourna vers Jonathan, en achevant de mettre son chemisier qu'elle n'avait pas encore boutonné, et lui demanda:

— Un crayon?

Il en trouva un, le lui remit. Patricia chercha un bout de papier, n'en trouva pas et finalement nota l'adresse sur sa main, ce que Jonathan trouva charmant. Décidément cette femme était pleine de poésie!

— Un dernier détail, dit Patricia. Ne dis à personne que tu m'as parlé. C'est extrêmement important.

— Je ne dirai rien, c'est promis, dit Judith.

Patricia sauta hors du lit et expliqua:

— Pas une minute à perdre. Nous avons peut-être une chance de mettre la main sur la disquette.

Quelques minutes plus tard, ils avaient réglé la note d'hôtel et roulaient en direction de Los Angeles. Ils avaient au moins cinq ou six heures de route devant eux. Ce fut un trajet angoissant. A chaque fois qu'ils croisaient une voiture de police, ils se demandaient si on ne les reconnaîtrait pas. Ce fut un voyage silencieux. Non seulement y avait-il l'angoisse d'être repéré par la police, mis aussi la crainte de tomber sur un nouveau tueur dépêché par Blackwell pour remplacer le précédent.

Ils s'arrêtèrent pour avaler en vitesse un hot-dog dans un stand sur la route, et achetèrent une disquette comme celle qu'ils recherchaient. Ils arrivèrent bientôt près de Los Angeles. En s'approchant du charmant petit village de Malibu, ils passèrent devant le domaine de l'excentrique millionnaire qui hébergeait des centaines de chiens et Patirica eut une pensée pour Cléo. Que faisait-elle? Comment était-elle? Vivait-elle encore? Avait-elle pu s'acclimater à sa vie nouvelle? Ou était-elle morte de chagrin et d'ennui, parce que sa maîtresse l'avait abandonnée pour se marier?

A Malibu, ils s'arrêtèrent pour demander des informations à une passante. Heureusement, elle put les renseigner. Ils n'étaient qu'à une dizaine de minutes de la petite localité où habitait Joe, le concierge.

— Elle m'a regardée d'une drôle de manière, dit Patricia.

— Je n'ai pas remarqué...

— Espérons que je me trompe...

65

Il fallait d'abord gravir une petite colline, sur un chemin de campagne. Puis au fond d'une vallée, dans un champ, on apercevait la maisonnette de Joe.

— C'est là! s'exclama Patricia au sommet de la colline.

Elle tendit le doigt en direction de la petite maison blanche et rouge du concierge. Jonathan appuya sur l'accélérateur et dévala la pente. Un nuage de poussière s'allongea derrière eux jusqu'à la résidence de Joe, où Jonathan immobilisa la Jeep. Patricia vérifia l'adresse sur sa main. C'était bien ça! Ils sautèrent de la Jeep et frappèrent à la porte.

— Pourvu qu'il soit là... répéta Patricia.

On mit du temps à leur répondre. Mais il y avait un vieux *pick-up* à la porte, sûrement le véhicule du concierge. Il leur ouvrit enfin. Il reconnut tout de suite le docteur Lake, qu'il avait eu l'occasion de croiser à plusieurs reprises dans les corridors de la clinique, et parut à la fois honoré et surpris de sa visite.

Il ne lisait pas les journaux, et n'avait guère de temps pour les ragots, si bien que, même si c'était la nouvelle de l'heure, il n'était pas au courant de l'évasion de Patricia. D'ailleurs, il ne la reconnut même pas. La patiente pâlotte, toujours en robe de chambre, qu'il avait connue, n'avait rien à voir avec cette jeune femme séduisante. Il les pria tout de suite d'entrer et leur demanda:

— Docteur...Qu'est-ce que vous faites ici?

— Il faut que nous vous parlions, c'est très important...

Il les pria de s'asseoir au salon. Même s'ils étaient extrêmement pressés, ils acceptèrent. Il fallait qu'ils le mettent en confiance. Il appela sa femme qui épluchait des pommes de terre à la cuisine pour le repas du midi, qu'ils prenaient à une heure, parce que ce jour-là leur petit-fils qu'ils hébergeaient, jouait au base-ball et rentrait plus tard.

— Stella...

A la cuisine, Stella, une sexagénaire vieillie par la vodka et la cigarette, laissa tomber son couteau sur la première page de l'édition de la veille du *L.A. Times*, celle où figurait la photographie de Patricia. Elle s'essuya calmement les mains à même son tablier et parut bientôt sur le seuil du salon. Joe ne prit même pas la peine de présenter sa femme et dit plutôt:

— Je crois que le docteur Lake et sa charmante compagne prendraient un café.

Patricia et Jonathan dodelinèrent poliment de la tête en regardant la femme du concierge.

Avant de retourner à la cuisine, le regard de Stella s'attarda sur le visage de Patricia. Il lui semblait l'avoir déjà vue quelque part. Où? Impossible de le dire. Elle se trompait sûrement.

De retour à la cuisine, elle mit de l'eau à bouillir, sortit les tasses, le sucrier, et le lait, puis se remit à éplucher les pommes de terre. C'est alors que, regardant machinalement le journal, elle reconnut la jeune femme qui accompagnait le docteur Lake, même si on ne pouvait pas voir son visage en entier. Elle laissa tomber son couteau, repoussa les pelures. Il n'y avait pas de doute. C'était bien la même femme! Elle lut l'article le plus rapidement qu'elle put, c'est-à-dire fort lentement car elle devait former chaque mot avec ses lèvres comme un écolier à ses débuts.

Elle eut bientôt un mouvement de recul, et laissa pendre, stupéfaite, sa lèvre inférieure, tandis que ses yeux s'écarquillaient. Cette femme, Patricia Stone, était une dangereuse folle, évadée de l'asile! Et elle était recherchée pour meurtre!

Stella se dit qu'elle toucherait peut-être une récompense et sans hésitation, elle saisit le téléphone, qui était juste devant elle et composa le 911, pour prévenir la police.

Au salon, ni Patricia ni Jonathan ne prirent le temps de faire la conversation.

— Nous sommes ici pour une raison très importante, commença Jonathan.

Mais Patricia, fébrile, ne lui laissa pas le temps de terminer.

— Je suis une patiente de la clinique Williamson. Madame Patricia Stone, la patiente du 213. Je ne sais pas si vous vous rappelez de moi...

— Non, je...dit le concierge.

— Enfin, c'est sans importance... On a essayé de me tuer à la clinique... C'est difficile à croire mais c'est ainsi...J'ai absolument besoin de vous pour prouver mon innocence et arrêter ce qui se passe à la clinique...

— Je ne vois vraiment pas comment, dit le concierge désolé et abasourdi.

Mais il pensa tout à coup à la chambre 213. C'était la chambre dont la toilette avait débordé il y a quelques jours et où il avait trouvé — et pris! — la disquette. Cela pouvait-il avoir un rapport avec cette histoire? Il éprouva un sentiment de culpabilité et d'embarras.

Il le savait. Il n'aurait pas dû prendre cette disquette. Il l'avait regretté d'ailleurs. Il avait toujours été d'une honnêteté scrupuleuse. Mais c'était pour le petit, une bonne cause en somme...Et si on avait foutu cette disquette dans une cuvette de toilette c'était sans doute qu'elle ne valait pas grand-chose...

— Je vous dis d'entrée de jeu que je ne veux pas que vous vous sentiez coupable pour quoi que ce soit que vous ayez pu faire, expliqua Patricia.

Le concierge fut estomaqué et ses épaules s'inclinèrent imperceptiblement comme s'il reconnaissait d'emblée sa culpabilité. On aurait dit qu'elle avait lu dans sa pensée. En fait, c'était certain maintenant, elle était ici pour cette disquette. Il serait puni, ou en tout cas réprimandé pour son larcin. Peut-être perdrait-il son emploi. Les règlements de la clinique étaient si stricts, et on ne savait jamais avec ces riches patientes...Un rien pouvait les offusquer. Et les riches sont toujours plus radins que les gens ordinaires de toute manière...

— Il y a quelques jours, vous êtes venu dans ma chambre, pour nettoyer un dégât d'eau...Probablement ma toilette qui avait débordé...Il y avait une disquette dans la cuvette d'eau. Une disquette qui avait été placée dans un sachet de plastique... Est-ce que vous l'avez vue en faisant la réparation?

Le concierge ne dit rien. Il avait encore l'air sous l'emprise de la surprise. Son silence embarrassé ne parut pas décourager Patricia. A la place, elle revint à la charge avec plus d'énergie et de conviction:

— Il faut absolument que vous vous souveniez. C'est une question de vie ou de mort! Je vous jure que vous n'aurez aucun ennui en nous disant la vérité. Avez-vous vu cette disquette?

Le concierge regarda Jonathan. Il cherchait son approbation. Le médecin représentait la clinique, l'autorité. S'il lui promettait qu'il n'y aurait pas de sanction, il parlerait peut-être.

— C'est vrai, dit Jonathan, vous n'aurez aucun problème. Je vous donne ma parole de médecin. Si vous savez quelque chose au sujet de la disquette, vous pouvez vraiment nous être d'une grande aide...

— C'est une disquette comme celle-là, dit Patricia en sortant de sa poche la disquette 3.5 qu'elle avait pris la précaution d'acheter en route.

Joe ouvrit la bouche pour répondre mais c'est ce moment que choisit son petit-fils Danny pour entrer, coiffé d'une casquette de base-ball, son gant accroché à son bâton. Timide, il ne prisait guère la compagnie des adultes depuis le divorce de ses parents. Il traversa le salon sans saluer personne, en s'efforçant même d'éviter les regards qui convergeaient vers lui. Il allait retrouver ses jeux d'ordinateur: son refuge contre la méchanceté et la bêtise des adultes. Joe eut un sourire affectueux à l'endroit de son petit-fils puis dit:

— Hey Danny, où est ce truc d'ordinateur que je t'ai donné l'autre jour?

— Un truc comme ça, renchérit Patricia en lui montrant la disquette.

— Une Maxell, 3.5, double densité, 2 méga-octets? demanda-t-il avec une précision étonnante.

— Euh, oui, dit Patricia qui se trouvait bête d'avoir sous-estimé le gamin.

— Sur la table à côté de l'ordinateur, répondit un Danny désinvolte en désignant sa chambre.

Mais au lieu de s'y diriger, comme il paraissait en avoir l'intention avant ce bref échange, il se contenta de jeter son gant et son bâton de base-ball, et ressortit en courant.

Patricia et Jonathan foncèrent vers la chambre du garçonnet, suivis de Joe, qui marchait d'un pas plus las. Patricia était extatique! Ils avaient retrouvé la disquette! Ils touchaient au but! Jonathan eut un mouvement de honte. Il avait douté de Patricia à nouveau, comme un véritable Thomas! Comme il manquait de foi! Si jamais elle le repoussait, même après la nuit passionnée qu'ils avaient eue, il comprendrait. Il n'aurait eu que ce qu'il méritait. Ce serait la juste punition de son incrédulité.

Le visage de Patricia tomba — en même temps que ses espoirs — lorsqu'elle se rendit compte en entrant dans la chambre de Danny, et en apercevant son ordinateur, qu'il y avait une bonne trentaine de disquettes identiques: des Maxell 3.5 double densité, 2 méga-octets! Elle regarda Jonathan, l'air découragée. Ce ne serait pas de la tarte!

— Bon, dit-elle, il faut se relever les manches.

Elle s'assit devant l'ordinateur, commença par éliminer toutes les disquettes qui étaient étiquetées, et portaient des noms de jeux électroniques. Elle en fit sauter ainsi une dizaine. Bon, c'était déjà ça de pris! Elle alluma ensuite l'ordinateur et y inséra une première disquette. Elle en passa en revue ainsi une bonne dizaine avec une vitesse de plus en plus grande: *Lakers vs Celtics, Centurion: defender of Rome, Hard Nova, Indianapolis 500, 688 Attack Sub, LHX Attack Chopper...*

Une pensée horrible effleura l'esprit de Patricia. Le garçonnet avait sans doute été déçu par le contenu de la disquette que lui avait apporté son grand-père , — ce n'était tout simplement pas un jeu! — et l'avait peut-être utilisée pour faire une copie pirate d'un jeu! Et en copiant le jeu, il avait évidemment effacé à tout jamais le contenu de la disquette! Mais oui, c'était de plus en plus évident que c'était ce qui s'était passé! Quel intérêt en effet pouvait avoir pour un garçonnet une disquette contenant les dossiers médicaux de vieilles femmes riches?

Patricia commença à se décourager. Des fines gouttelettes de sueur perlaient sur son front. Que feraient-ils? La disquette était leur dernière, leur seule chance! Elle se tourna vers Jonathan et lui lança un regard angoissé. Il ne restait plus qu'une dizaine de disquettes.

— Je suis sûr qu'elle est là, dit Jonathan.

Cette parole redonna un certain courage à Patricia. Elle examina en hâte quelques autres disquettes. Toujours rien. Patricia commença vraiment à s'énerver. Les probabilités de retrouver la disquette étaient bien minces maintenant. Elle s'arrêta de chercher et considéra les cinq disquettes qui restaient, se concentrant, comme si elle cherchait à deviner laquelle était la bonne. Elle pria le ciel, arrêta son choix sur une disquette, et lentement, presque religieusement, l'introduisit dans le lecteur et croisa les doigts. Un fichier apparut, sur lequel des choses étaient écrites. Une lueur d'espoir!

Mais c'était des devoirs faits par Danny. Peut-être Patricia retrouverait-elle plus loin le dossier secret de la clinique. Elle parcourut le document, passant de plus en plus rapidement d'une page à l'autre, avec un désespoir croissant. Rien! Le dossier était introuvable!

Des larmes de rage et de désespoir commencèrent à embuer ses yeux cependant que Jonathan assistait, impuissant, à ce désolant spectacle et que Joe se mordillait la lèvre inférieure, comme s'il se sentait coupable de l'angoisse horrible de cette pauvre femme.

Maintenant elle rageait. Elle le savait: elle avait échoué. La disquette avait été perdue ou effacée pour copier un jeu.

Mécaniquement, et plus par acquit de conscience, elle retira la disquette et en introduisit une autre. Elle fit une commande et attendit sans vraiment y croire. Alors, à sa grande surprise, les noms des différentes patientes de la clinique apparurent sur l'écran. Jonathan éprouva un grand frisson devant l'horrible vérité. Tout ce que lui avait raconté Patricia était donc vrai! Les pensionnaires tuées pour de l'argent, ou maintenues indéfiniment à la clinique selon les instructions de leur riche mari...

— Nous l'avons! s'écria Patricia

Jonathan, qui se tenait derrière elle, lui serra les épaules pour lui manifester sa joie, et Joe se détendit en laissant échapper un grand soupir. Elle retira la disquette et se leva.

— Je vous remercie infiniment, dit Patricia. Vous ne pouvez pas savoir à quel point nous vous sommes reconnaissants!

Sa femme parut à l'entrée de la chambre, avec le plateau de café.

— C'est prêt, dit-elle.

— Vous êtes bien gentille, madame, mais nous n'avons vraiment pas le temps, s'excusa Patricia.

— Nous vous tiendrons au courant, dit Jonathan au concierge.

— Vous êtes sûrs que vous n'avez pas une minute pour un café, insista la femme de Joe, contrariée de perdre son éventuelle récompense et qui risquait de passer pour une idiote auprès des policiers.

— Vous êtes très gentille, madame, dit Patricia. Mais on ne peut vraiment pas rester.

Et ils sortirent presque en courant.

66

Sur le balcon, une surprise désagréable les attendait. Au sommet de la colline, six voitures de police étaient alignées, immobiles. Une dizaine d'agents, agenouillés à côté de leur véhicule, pointaient dans la direction de Patricia et de Jonathan, des carabines ou des revolvers. Le policier responsable des opérations leur cria alors dans un porte-voix:

— Levez les mains en l'air! Vous êtes en état d'arrestation!

Patricia et Jonathan se regardèrent, découragés. Echouer si près du but: quelle ironie! Que faire? Ils n'étaient tout de même pas pour risquer leur vie maintenant, en prenant la fuite. D'ailleurs ils n'avaient lit-téralement aucune chance d'échapper à cette douzaine de policiers armés jusqu'aux dents. Avec la Porsche, ils auraient peut-être eu une chance. Mais pas avec le vieux Jeep dont ils avaient hérité en échange du bolide de Jonathan.

— Qu'est-ce qu'on fait? demanda Patricia.

— Levez les mains, répéta le policier dans son porte-voix.

Une pensée sombre venait de traverser l'esprit de Jonathan. Pour-quoi faire confiance aux policiers? Qui lui disait qu'ils n'étaient pas de connivence avec Blackwell, et qu'ils n'avaient pas pour ordre de les supprimer? Ils n'auraient qu'à prétendre qu'ils avaient dû les abattre en état de légitime défense, parce qu'ils avaient résisté à l'arrestation ou tiré sur eux? Qui viendrait les contredire? Certainement pas le vieux concierge ou sa femme, qui seraient faciles à intimider. Ils mourraient comme d'innocentes victimes, sans avoir eu la chance de se défendre, de se justifier.

— Lève les bras, dit Jonathan, mais avance vers le Jeep. On va es-sayer de s'enfuir.

— Mais c'est fou, ils vont nous tirer dessus.

— C'est probablement ce qu'ils vont faire de toute manière. Aus-si bien vendre chèrement notre peau.

Patricia et Jonathan levèrent docilement les bras et s'avancèrent lentement vers le Jeep. Mais ils entendirent alors un curieux siffle-ment, comme le bruit d'un avion à la fois hyper rapide et invisible.

Ils regardèrent en direction de la colline et furent éberlués de voir la voiture du policier en chef exploser tout à coup pour devenir et se transformer en un immense brasier: elle venait d'être atteinte par une *rocket* propulsée par un canon portatif! La consternation frappa les policiers dont plusieurs se relevèrent et se mirent à regarder à gauche et à droite pour savoir d'où venait le projectile. Ce n'est qu'au moment où une deuxième voiture explosa à son tour qu'ils découvrirent que leur redoutable adversaire se trouvait cent mètres derrière eux.

— C'est le Baron Rouge, cria un des policiers, qui connaissait les méthodes pour le moins particulières du légendaire tueur à gages, et qui avait vu un cliché de lui, si bien qu'il le reconnut sans peine avec sa combinaison noire et sa haute stature.

Le Baron, qui se tenait debout à côté de son camion noir, avait choisi pour cette opération le lance-roquettes qui avait fait des ravages dans différents pays, et qui, dans la hiérarchie de ses prédilections, venait immédiatement après son lance-flammes. Comme il avait des informateurs dans la police, il avait appris avec quelques secondes de retard à peine, où se trouvaient Jonathan et Patricia. Plus tôt dans la journée, on lui avait rapporté le passage de la Jeep de Jonathan en direction de Los Angeles et il avait immédiatement rebroussé chemin.

S'il s'en prenait aux policiers, ce n'était pas parce qu'il voulait sauver Patricia et Jonathan. Il craignait tout simplement qu'ils mettent la main sur eux avant lui. Il ne pourrait plus les supprimer, ni récupérer ou détruire la disquette, et son contrat serait un échec, le premier de sa carrière: une insupportable humiliation. Et, contrariété supplémentaire, il perdrait les cent mille dollars de prime!

Comme il aimait son travail, il prenait plaisir à cette corvée. Lorsque le troisième véhicule explosa, il vérifia le temps sur sa montre-chronomètre: une minute quatre secondes! Pas mal! D'autant qu'il devait recharger son arme chaque fois!

Il prit cependant un certain retard lorsqu'un jeune policier, qui, dans son inexpérience, ne le connaissait pas, eut l'audace de tirer en sa direction. Les balles sifflèrent autour de lui, frappèrent son camion, et vinrent même égratigner l'emblème dont il tirait une si grande fierté. Il se pencha, et essaya d'identifier ce qui lui semblait être un véritable tireur fou. Bien sûr, ce jeune policier portait une combinaison anti-balles, mais elle serait de bien faible utilité contre une *rocket*, surtout si elle l'atteignait à la tête! Et c'est là qu'il viserait, pour donner une leçon définitive à ce jeune écervelé! Le Baron ragea. Comme s'il avait du temps à perdre! Il rechargea son lance-roquettes.

— Back off! cria en gesticulant le policier en chef qui n'avait plus de véhicule. Tout le monde se retire.

Il savait qui était le Baron Rouge, et ne voulait pas exposer ses hommes à une mort certaine. De toute manière, la lutte était inégale. Ce malade était armé d'un lance-roquettes. Avec leurs carabines et leurs pistolets, ils avaient l'air de véritables gamins. Ils ne faisaient pas le poids. Obéissant sans discuter à leur chef, les policiers abandonnèrent leur voiture pour prendre la clé des champs.

D'où ils étaient, Patricia et Jonathan ne pouvaient voir le Baron Rouge et n'en revenaient pas. Quelle intervention providentielle! La foudre du ciel tombait sur ces vilains policiers venus les arrêter dans leur glorieuse mission! Ils se regardèrent, agréablement surpris, baissèrent les bras et montèrent à toute vitesse dans le Jeep, sous le regard furieux de la femme du concierge qui voyait sa récompense s'envoler en fumée. Heureux de les voir s'échapper, Joe fit un petit salut d'encouragement à Patricia et Jonathan, en levant le pouce. Puis, sans trop comprendre ce qui se passait, il continua à regarder les véhicules des policiers exploser, comme par magie.

— Pour une fois, la chance souriait à Patricia et à Jonathan. Ils disparurent bientôt à l'horizon, fonçant à toute vitesse en direction des bureaux du *L.A. Times*. Le Baron Rouge, irrité par l'«insecte» qui avait osé ouvrir le feu dans sa direction, vit le Jeep s'éloigner à toute vitesse, laissa échapper un «holy shit!» convaincu et se dit qu'il n'avait vraiment pas de temps à perdre s'il voulait avoir une chance de les rattraper.

— Le chef se tourna ensuite en direction du jeune policier qui avait ouvert le feu en direction du Baron, et lui ordonna:

— Cesse le feu immédiatement. On débarrasse!

— C'est un hors la loi. Il a tiré sur nous. Il faut le désarmer.

— C'est le Baron Rouge. Tu ne comprends pas qu'il va tous nous tuer!

Faisant fi des ordres de son chef, le jeune policier prit le porte-voix qui était tombé des mains de son chef qui s'éloignait en courant de son véhicule en flammes et s'adressa témérairement au Baron:

— Ici la police de Los Angeles. Je vous ordonne de jeter votre arme et de lever les mains. Vous avez le droit de rester silencieux. Tout ce que vous allez dire peut et va être retenu contre vous.

— Es-tu complètement fou? lui demanda son chef. C'est le tueur à gages le plus dangereux des Etats-Unis.

Mais comme le jeune agent ne réagissait pas, il renonça:

— Je t'aurai averti, pauvre con!

En entendant les ordres du jeune policier qui jouait les héros, le Baron fut estomaqué. Il ne savait vraiment pas à qui il avait affaire. Lui ordonner de laisser tomber ses armes et de lever les bras! Non mais, franchement! Qui était ce trou du cul? Il visa le véhicule qui se trouvait juste à côté de lui mais le rata. A la place, il fit un gros trou dans le chemin. Il n'en revenait pas. Lui manquer un coup! Ce freluquet l'avait-il rendu nerveux par son audace? Avait-il ébranlé sa confiance? Le jeune policier courut jusqu'à un des véhicules abandonné et y prit un fusil mitrailleur. Il plongea au sol, puis ouvrit le feu en direction du Baron et le toucha à une épaule. Le Baron grimaça et porta la main à sa blessure qui se mit tout de suite à saigner abondamment. Il n'en revenait vraiment pas. Cette recrue l'avait touché, et l'obligeait à battre en retraite. Il plongea derrière son camion.

Le policier fit feu à nouveau en sa direction et troua son camion. Il atteignit un des pneus qui se dégonfla aussitôt. Une expression de haine intense défigura le Baron. Il étriperait ce jeune effronté de ses propres mains!

67

— Qu'est-ce qui te fait croire qu'ils accepteront de publier? demanda Jonathan à la porte du journal *L.A. Times*.

— Turner. Il tient la vengeance de sa soeur.

— Turner?

— Comme Jonathan n'était pas à l'emploi de la clinique à l'époque, il n'avait pas suivi de près l'affaire Turner.

— C'est le propriétaire du L.A.Times, expliqua Patricia qui, grâce à Richard, connaissait toutes les péripéties de cette histoire. Sa belle-soeur s'est suicidée à la clinique, il y a quelque temps. La famille est convaincue qu'il y a eu négligence. Lorsqu'ils vont apprendre ce qui se passe vraiment à la clinique, je ne pense pas qu'ils vont hésiter. Et puis, nous avons la disquette...C'est une preuve, tout de même.

— C'est vrai, dit Jonathan. De toute manière, nous n'avons pas une minute à perdre.

Ils pénétrèrent en hâte dans le hall du journal, très vaste, décoré de marbre et de verre. Il y avait un préposé à l'information, assis derrière un grand comptoir, mais ils jugèrent risqué de s'adresser à lui. Avisant un grand tableau, sur un des murs, ils apprirent que les bureaux de la rédaction se trouvaient au quatorzième étage. Ils se dirigèrent donc vers les ascenseurs. Il y en avait deux. La porte du premier s'ouvrit, mais ils préférèrent de pas le prendre. Il était bondé et il descendait. Ils furent soulagés de voir que le second était vide.

Un couple très élégant, composé d'un quadragénaire aux tempes argentées et d'une blonde incendiaire pénétra en même temps qu'eux dans l'ascenseur. L'homme et la femme se mirent aussitôt à observer Jonathan et Patricia, avec une insistance à la limite de la bienséance. Est-ce parce que Patricia et Jonathan étaient visiblement très nerveux, ou parce qu'ils formaient un joli couple? Patricia pensa tout de suite que ces gens l'avaient reconnue même si elle ne ressemblait guère à la photo publiée à la une de tous les journaux.

Patricia se sentit embarrassée et, en une réminiscence soudaine, elle se rappela sa première journée à la Blackwell Corporation lorsque, dans l'ascenseur, elle s'était sentie tout à coup mal à l'aise, complexée, car elle avait l'air d'une véritable cendrillon à côté de Richard et de Julie Landstrom qui la détaillaient. Elle détourna les yeux et chercha à se donner une contenance. Après tout, même si ces gens les rappor-taient à la police, il serait trop tard. Ils ne pourraient plus les arrêter maintenant. Ils étaient rendus au journal.

Arrivé au huitième étage, l'ascenseur ralentit puis s'arrêta mais la porte ne s'ouvrit pas. Curieux... Quelques secondes se passèrent. Jona-than et Patricia se regardèrent avec une certaine inquiétude. Etait-il possible qu'une défectuosité technique les empêche d'atteindre leur but? Comme personne dans l'ascenseur ne faisait rien, Patricia appuya sur le bouton qui commandait l'ouverture de la porte. Rien. Elle tour-na vers Jonathan un regard alarmé. Vraiment bizarre...Elle martela littéralement le bouton « ouvrir porte». Et la porte s'ouvrit enfin.

Un agent de sécurité grassouillet, qui lisait son journal replié tout en dégustant assez salement un gâteau *May West*, fit son entrée dans l'ascenseur sans même lever la tête, absorbé qu'il était par les résultats sportifs. Patricia et Jonathan éprouvèrent un soulagement simultané, et esquissèrent un sourire. Ils se rapprochèrent l'un de l'autre. Jonathan lui prit un instant la main et la serra. Il n'eut pas l'audace de la garder longtemps dans la sienne, car même s'ils étaient devenus amants la veille, il n'avait pas l'impression d'avoir encore de droit sur elle, de pouvoir se permettre cette intimité. Peut-être s'était-elle abandonnée au charme de l'instant, ou à l'angoisse... Peut-être avait-elle simplement voulu se montrer reconnaissante, parce qu'il lui avait sauvé la vie à deux reprises...Elle regrettait peut-être déjà cette nuit...

Entre le onzième et le douzième étage, l'ascenseur se mit à nouveau à ralentir puis s'immobilisa tout à fait. Décidément, cet ascenseur était bien capricieux! Les passagers attendirent quelques secondes, puis Patricia appuya sur le même bouton que la première fois. Rien. Après quelques secondes, elle appuya à nouveau. Aucun résultat. Le couple élégant s'impatienta:

— Qu'est-ce qui se passe? demanda l'homme.

Sa nervosité gagna immédiatement sa compagne qui se mit à dire:
— Mais fais quelque chose, bon sang!

Faire quelque chose... Il aurait bien aimé, mais il ne s'appelait pas James Bond, et encore moins Indiana Jones! Il se tourna plutôt vers l'agent de sécurité qui, complètement absorbé dans sa lecture, ne s'était même pas rendu compte que l'ascenseur s'était arrêté.

— Monsieur l'agent, pouvez-vous faire repartir l'ascenseur, s'il vous plaît? Nous sommes très pressés.

L'agent ne parut même pas entendre et prit plutôt une grosse bouchée de son *May West*, dont des miettes tombèrent sur son uniforme. Avec les années, il avait développé une sorte de «surdité» fort pratique et n'entendait pour ainsi dire pas les questions que les nombreux visiteurs et usagers de l'immeuble lui posaient à longueur de journée.

L'homme regarda sa compagne. Cet enfoiré était-il sourd? Patricia, elle, appuya sur le bouton du douzième étage, au lieu de celui «ouvrir porte». L'ascenseur reprendrait peut-être sa course. Non. Elle pressa le bouton du onzième. Sans résultat.

La blonde, qui était claustrophobe, commença à s'énerver sérieusement, mais lorsque l'électricité manqua subitement et que la lumière s'éteignit, la panique s'empara d'elle et elle se mit à pousser des cris:
— Fais quelque chose, fais quelque chose, mon chou! J'étouffe! Je ne veux pas mourir.

Elle faisait une crise d'angoisse, ou d'asthme, avait de la difficulté à respirer, haletait. L'agent de sécurité, privé de lumière, dut enfin s'arracher à sa lecture. Il alluma sa lampe de poche et en dirigea le faisceau vers le plafonnier pour constater ce que chacun savait déjà: il ne fonctionnait pas.

— Qu'est-ce qui se passe? demanda Patricia au gardien.

— Je ne sais pas, dit-il en dirigeant la faisceau de sa lampe de poche vers le panneau de contrôle.

— Est-ce que ça arrive souvent? demanda Jonathan.

— Non, jamais, expliqua le gardien.

Il n'aurait pas dû dire cela. La blonde le prit mal et fut prise d'étouffements encore plus violents.

— Je ne veux pas mourir, je ne veux pas mourir! se remit-elle à crier.

— Mais non, tu ne mourras pas, ma chérie, voyons, ce n'est qu'un petit incident technique, lui dit son compagnon en la serrant contre lui.

Jonathan aperçut alors le bouton rouge de l'urgence et le pressa à plusieurs reprises, sans résultat. Le téléphone, il y avait un téléphone, justement pour les urgences! Il le décrocha, et s'efforça de garder son calme:

— Hello? Il y a quelqu'un? Est-ce que quelqu'un m'entend? C'est une urgence. Nous sommes pris dans l'ascenseur, entre le onzième et le douzième étage.

Il attendit quelques secondes, puis tourna vers Patricia un visage inquiet.

— Il n'y a personne, on dirait, chuchota-t-il.

Puis son visage s'éclaira:

— Oui, hello! Je vous entends mal, parlez plus fort s'il vous plaît...

La voix qui lui parvenait était en effet très faible, presque inaudible. Ses prières parurent sans effet.

— Nous sommes pris dans l'ascenseur. Pouvez-vous faire quelque chose?

Il n'entendit rien pendant quelques secondes, puis une sorte de râle, assez inquiétant. Son interlocuteur était-il en train de mourir?

— Monsieur, parlez, dites quelque chose...Nous sommes bloqués dans l'ascenseur...

— Vous êtes...dit faiblement la voix, une voix masculine, assez âgée, vous êtes en danger...Un maniaque m'a attaqué et essaie de bousiller l'ascenseur...Je ne peux pas vous parler davantage... je...

La voix s'interrompit. Et Jonathan entendit un bruit sourd, comme une déflagration lointaine.

— Monsieur, parlez-moi. Qui êtes-vous? Qu'est-ce qu'on peut faire? Monsieur, s'il vous plaît?

Il attendit quelques secondes supplémentaires. Il rassembla ses pensées, prit une grande respiration et, pesant ses mots, il dit:

— Je demanderais à tout le monde de rester calme. Il y a une situation d'urgence. Un... homme a causé certaines difficultés techniques à l'ascenseur...Mais nous n'avons qu'à attendre ici dans l'ascenseur, la sécurité va s'occuper de tout...

La blonde platinée, qui ne paraissait pas du tout satisfaite par cette explication, se précipita vers Jonathan, lui arracha littéralement le téléphone des mains et hurla:

— Allô? Quelqu'un répondez-moi! M'entendez-vous? C'est un ordre, répondez-moi!

Ce qu'elle entendit alors au bout de la ligne était affolant: des râlements humains et des bruits de flammes!

— C'est un feu! L'édifice est en feu, j'en suis sûre! J'ai entendu les flammes!

Son mari voulut vérifier si elle n'était pas folle, et vint à son tour lui arracher le téléphone des mains:

— Allô, demanda-t-il à son tour. Il y a quelqu'un?

Comme il n'obtenait pas de réponse, il colla l'oreille contre le combiné et comprit que sa femme disait vrai: on percevait effectivement des bruits de râle et dans le fond, le grondement de plus en plus menaçant d'un incendie. Si l'édifice n'était pas complètement en feu, une partie l'était en tout cas et c'était sans doute ce qui expliquait la panne de l'ascenseur. S'ils ne faisaient rien, ils mourraient probablement, grillés dans l'ascenseur comme de vulgaires poulets ou asphyxiés, car la température deviendrait rapidement insupportable. Il constata d'ailleurs qu'elle avait déjà commencé à augmenter car le système de climatisation ne fonctionnait plus. Son front était baigné de sueurs.

— Il y a un incendie, cria-t-il au garde de sécurité, qui devait en principe garder son sang-froid mais qui fut le plus secoué par cette annonce. Faites quelque chose!

— Je ne suis que garde de sécurité ici...dit-il, ridicule, en laissant tomber ce qui lui restait de son *May West*.

— Justement, vous devriez savoir comment réagir dans une telle situation.

— On ne m'envoie jamais dans les situations d'urgence, je n'ai pas passé tous mes examens d'entrée...Quand j'étais petit, ma mère me battait et j'ai développé un complexe pour les situations dangereuses...

L'homme n'en revenait pas. De quel idiot avaient-ils hérité! Un gardien de sécurité qui n'en était pas vraiment un, qui n'avait pas réussi ses examens et qui paniquait en situation d'urgence.

— On ne veut pas savoir votre vie, on veut que vous nous sortiez d'ici, pauvre con!

— Je ne suis pas Superman...

Jonathan se désintéressa de cette dispute et se pencha vers Patricia pour lui murmurer à l'oreille:

— C'est Blackwell. Il a envoyé un nouveau tueur. Il faut absolument que nous fassions quelque chose. C'est lui qui a bloqué l'ascenseur. Il faut absolument trouver un moyen de sortir d'ici, sinon il va tous nous tuer...

Emporté par l'émotion, Jonathan avait parlé un peu fort et prononcé les mauvais mots: «tueur» et «tuer», et la blonde les avait entendus.

— Il y a un tueur? Il va nous tuer?

Jonathan se mordit les lèvres. Il avait gaffé. Inutile de se dédire.

— Il y a un tueur? demanda le mari.

— Nous...Enfin, c'est un déséquilibré... C'est ce que le gardien m'a expliqué...

Il n'eut pas le temps d'achever car tout à coup, la cage de l'ascenseur se mit à trembler inexplicablement puis au lieu de descendre, tomba littéralement vers le bas, comme si quelqu'un avait tranché les câbles qui la retenaient. Les cris de terreur fusèrent. Ils plongeaient vers une mort certaine. Mais l'ascenseur s'arrêta soudain, au bout d'une dizaine de mètres, et tout le monde se retrouva sur le plancher de l'ascenseur.

— Es-tu blessée? demanda Jonathan en aidant Patricia à se relever.

— Non, non, ça va... Toi?

— Ca va.

La blonde, qui s'était relevée tant bien que mal, en même temps que les autres, se mit à répéter:

— Il faut que je te dise quelque chose, George, avant de mourir...

Il se relevait lui aussi et se demandait ce qu'elle pouvait bien vouloir lui dire.

— Oui? dit-il.

— Je t'ai menti au sujet de ton frère Bill. J'ai couché avec lui.

— Tu as couché avec mon frère?

— Oui, je... je n'ai pas fait exprès... Je te jure que je t'ai toujours été fidèle... Mais il y a aussi eu ton partenaire, James...

— James? hurla-t-il outré.

Mais cette scène conjugale fut interrompue par une nouvelle chute dans le vide. Tous les passagers crurent que ce serait la dernière, qu'elle serait fatale, mais au bout d'une douzaine de mètres, l'ascenseur s'arrêta comme par enchantement après avoir projeté tout le monde par terre à nouveau.

Patricia se releva la première, suivie immédiatement de Jonathan à qui elle demanda:

— Aide-moi, nous allons essayer de voir ce qu'on peut faire du côté du plafond. On ne peut pas rester ainsi sans rien faire. Nous allons nous écraser au sol comme des tomates.

Elle se tourna vers le garde, qui, plutôt corpulent, éprouvait plus de difficultés que les autres à se relever:

— Eclairez le plafond, dit-elle.

Il obéit sans demander d'explications, pendant que le mari, qui venait d'apprendre qu'il était cocu, regardait sa femme avec une haine indescriptible, oubliant que sa vie était en danger et que ces infidélités seraient peut-être bien peu de choses dans quelques minutes, dans quelques secondes puisqu'ils seraient tous morts. Elle lui jetait des regards coupables, et regrettait visiblement ses aveux. Sa crise s'était interrompue comme par miracle, malgré la nouvelle chute dans le vide. Elle replaçait ses cheveux. Au moins, elle mourrait dignement.

Jonathan se pencha pour faire la courte échelle à Patricia qui atteignit bientôt le plafond. La grille était plus lourde qu'elle ne l'aurait pensé. Elle dut pousser très fort pour parvenir à la soulever. Elle glissa la main droite dans l'ouverture. Mais l'ascenseur se remit subitement à descendre, très lentement. Patricia perdit l'équilibre et tomba dans les bras de Jonathan, qui la serra. Embarrassé, il s'empressa de la laisser descendre jusqu'au sol. Il s'aperçut alors qu'elle était blessée à la main et saignait abondamment. Il fouilla dans sa poche. Il n'avait pas de mouchoir. Il arracha prestement une manche de sa chemise et en fit un pansement de fortune. Le sang s'arrêta.

— Ca va aller, dit Patricia.

L'ascenseur descendait toujours, à une vitesse lente mais très régulière. Patricia eut le même réflexe que Jonathan et regarda alors vers le tableau de contrôle. Ils venaient de dépasser le neuvième étage. Dans quelques secondes, ils atteindraient le huitième, et, à ce rythme, dans une minute ou une minute et demie au plus, l'ascenseur s'arrêterait inexorablement au rez-de-chaussée où le tueur les attendait pour les éliminer sans pitié. Pris dans cette cage d'ascenseur, ils n'auraient aucune chance d'échapper à la mort.

68

Pour la première fois de la journée, le Baron Rouge souriait, même s'il était blessé à l'épaule et saignait encore légèrement. Derrière lui, à une cinquantaine de pieds, au poste de contrôle en flammes, le garde gisait, à demi inconscient, près du téléphone resté ouvert. Ce qui réjouissait le Baron, c'est qu'il était enfin parvenu, à grand renfort de gadgets électroniques, à maîtriser le tableau de contrôle de l'ascenseur et à le faire redescendre. Ce n'était pas aussi rapide qu'il l'aurait souhaité, et la police pouvait arriver d'une minute à l'autre. Mais au fond c'était une manière de faire durer le plaisir.

Il appuya sur sa montre-chronomètre pour évaluer le temps que mettrait l'ascenseur pour atteindre le rez-de chaussée. Une minute quatre secondes, selon son évaluation. Un petit rictus défigura ses lèvres. Dans une minute quatre secondes, il pourrait faire brûler cette petite idiote en fuite avec son psychiatre, dans le fond de l'ascenseur, leur lit de mort: un vrai four crématoire! Son lance-flammes pointé en direction de la porte, il attendait patiemment lorsque s'ouvrit la porte de l'autre ascenseur. Sans hésitation, sans vérifier qui se trouvait dans l'ascenseur, il en aspergea l'intérieur. Heureusement, il n'y avait personne. La porte de l'ascenseur se referma bientôt, emportant son brasier vers les étages supérieurs.

Persuadée que la mort les attendait au rez-de-chaussée, Patricia se mit à appuyer, avec l'énergie du désespoir, sur tous les boutons du tableau de contrôle. Mais rien n'y faisait. Elle regarda au-dessus de la porte de l'ascenseur les numéros d'étage. Ils venaient de franchir le sixième étage. Dans une minute, peut-être un peu moins, ce serait la fin. En se tournant vers Jonathan, pour solliciter son aide, Patricia se rendit compte que le garde de sécurité portait une arme.

Elle se pencha vers lui et, sans lui demander son autorisation, arracha littéralement son pistolet de l'étui et le pointa vers le tableau de contrôle, mais elle n'ouvrit pas le feu tout de suite. A la place, entre le cinquième et le quatrième étage, elle calcula le temps que mettait l'ascenseur à parcourir la distance entre deux étages: neuf secondes. Il ne fallait pas qu'elle se trompe. Sinon, l'ascenseur s'arrêterait devant un mur, et ils ne pourraient pas s'en échapper. Entre le quatrième et le troisième, Patricia se mit à compter à voix haute, un, deux, trois, quatre, cinq, six, sept... devant les autres passagers médusés qui se demandaient ce qu'elle pouvait bien faire. Et au compte de huit, elle ouvrit le feu à trois reprises sur le tableau de contrôle qui se mit à dégager des flammèches puis à flamber dans un crépitement de sons électriques.

L'ascenseur continua à descendre pendant une fraction de seconde puis s'immobilisa, à l'instant même où le numéro trois s'illuminait sur l'écran qui indiquait les étages. Elle s'empressa d'appuyer sur le bouton «ouvrir porte» et, à son grand soulagement, la porte s'ouvrit, même si le panneau de contrôle était à moitié détruit. Elle n'aurait su dire comment elle avait fait son compte. Mais la chance l'avait favorisée, pour une fois. L'important était le résultat. Elle se tourna vers Jonathan, triomphante. Ils étaient sauvés, du moins pour le moment. Elle songea un moment remettre au garde son pistolet, mais elle pensa ensuite qu'elle en aurait peut-être besoin et préféra le garder. Tout le monde s'empressa de sortir de l'ascenseur, de crainte que les portes ne se referment.

Un petit rictus au coin des lèvres, le Baron Rouge, toujours au rez-de-chaussée, impatient, fit cracher des flammes à son engin, léchant les portes de l'ascenseur, comme un dragon affamé. Mais son sourire se transforma en une grimace de surprise, puis d'incrédulité et enfin de colère lorsqu'il vit l'ascenseur s'immobiliser au troisième. Comment! Ces amateurs avaient à nouveau réussi à le déjouer! Savaient-ils à quelle vengeance sauvage ils s'exposaient en jouant ainsi avec ses nerfs? Il attendit encore quelques secondes, puis appuya furieusement sur les boutons de contrôle, mais l'ascenseur ne bougea pas. Il était bloqué au troisième! Il lui faudrait gravir à pied les quatorze étages qui menaient aux bureaux de la direction où Patricia et Jonathan se rendaient fort probablement.

69

En sortant de l'ascenseur, Patricia appuya tout de suite sur le bouton de l'autre ascenseur, qui était au sixième étage et redescendit en leur direction. Mais les portes de l'ascenseur s'ouvrirent quelques secondes sur une fournaise d'enfer pour se refermer aussitôt. La blonde piqua une nouvelle crise d'hystérie tandis que Patricia et Jonathan se regardaient avec un air d'intelligence: le maniaque qui était au journal était de toute évidence le même que celui qui avait fait exploser les voitures de police et leur avait permis, malgré lui, de s'évader! Il n'y avait plus une seconde à perdre. Il fallait absolument qu'ils remettent la disquette avant d'être interceptés.

— Vous êtes mieux de rester ici, dit Jonathan au couple et au gardien qui tremblaient de peur et remerciaient le ciel d'être enfin sortis de cet ascenseur en panne.

Ils montèrent les escaliers à toute allure et arrivèrent, essoufflés au quatorzième étage, dans l'immense salle de rédaction du *L. A. Times*, où près de deux cents personnes s'affairaient dans la fébrilité coutumière des grands journaux, pas vraiment inquiétées par la sonnerie de l'alarme de feu. (Il y avait de fausses alertes toutes les semaines... Seulement quatre ou cinq employés s'étaient arrêtés de travailler et sourcillaient, se posant des questions.) Ils tombèrent sur deux jeunes journalistes, un homme et une femme, qui attendaient l'ascenseur en échangeant des oeillades complices.

— Le bureau de monsieur Turner? demanda Patricia complètement essoufflée après cette course dans les escaliers.

Les deux journalistes notèrent non seulement l'essoufflement inquiétant de cette femme, mais le revolver qu'elle tenait. Patricia se rappela qu'elle tenait une arme, comprit la réaction des deux journalistes et s'empressa de s'expliquer.

— Ce n'est pas ce que vous pensez. Il y a un maniaque qui nous poursuit. Il est armé et il est dangereux. Il a incendié un des ascenseurs.

Quelle histoire à dormir debout! Les deux collègues se regardèrent de plus en plus inquiets. Ne s'agissait-il pas de deux fous, comme hélas, il y en avait de plus en plus à L.A. qui, depuis quelques années supplantait New York comme ville la plus violente des Etats-Unis? Mais que faire avec ces deux énergumènes? Comment les calmer jusqu'à l'arrivée de la police?

Patricia comprit qu'elle n'avait pas réussi à convaincre les deux employés de bureau de la véracité de son récit qui, elle en était bien consciente, était pour le moins invraisemblable. Mais ils n'avaient vraiment pas de temps à perdre. Elle leva son arme dans leur direction et dit:

— Ecoutez, je n'ai pas le temps de discuter. Le bureau de Turner!

Les journalistes n'eurent pas le temps de répondre. Les portes de l'ascenseur qu'ils attendaient depuis de longues minutes venaient en effet de s'ouvrir sur les flammes qui diminuaient, faute de combustible. L'ascenseur n'était plus qu'un amoncellement de métal tordu et de cendres. Effrayés, les journalistes s'enfuirent et Patricia ne put rien faire pour les retenir.

— Prenons chacun notre côté, décida Patricia.

— D'accord...

— Tiens, dit-elle, en lui tendant la disquette. Mieux vaut que tu la gardes. Tu es moins facile à reconnaître que moi.

Il la prit, la serra dans une de ses poches, regarda Patricia dont le courage et le sang-froid ne cessaient de l'émerveiller et accepta sa suggestion même s'il n'était pas sûr s'il trouvait très prudente l'idée de cette séparation. Mais il n'avait pas beaucoup de temps, et après tout, Patricia était armée. Ils se séparèrent. Heureusement, sur la porte de chaque bureau se trouvait une petite plaquette métallique, avec le nom de son occupant.

A la troisième porte, Jonathan rencontra un des jeunes messagers de la compagnie qui passait tous ses temps libres à vendre aux employés des balles et des bâtons de golf usagés.

Il ne connaissait pas Jonathan, — c'était sans doute un nouvel employé — mais peu lui importait. Il avait l'air sympathique et, surtout, il avait une gueule de sportif.

— Des balles de golf, monsieur? dit l'adolescent qui avait à l'épaule un sac de golf rempli de bâtons — uniquement des *putters* et des *drivers* — et portait une énorme boîte de balles de toutes marques.

— Je n'ai pas le temps. Peux-tu me dire où se trouve le bureau de Turner?

— Turner? Le grand patron? demanda le jeune homme.

— Oui, dit Jonathan.

— Vous m'achetez combien de balles si je vous le dis? demanda le jeune homme qui était plutôt mercantile.

— Toutes celles que tu veux, mais avant, dis-moi où se trouve le bureau de Turner.

Et il tira de sa poche un billet de vingt dollars qu'il lui remit. L'expression du jeune homme le déconcerta. Ce n'était pas de la joie, ni même de la surprise, mais de l'effarement. En fait son visage s'allongea et il laissa tomber sa boîte. Une centaine de balles de golf se mirent à rouler dans toutes les directions. Le jeune homme leva un index tremblant pour indiquer quelque chose derrière Jonathan.

Ce dernier se tourna et aperçut le Baron Rouge qui s'avançait dans sa direction, poussant devant lui Patricia qu'il tenait d'une main cependant qu'il la menaçait de l'autre, en pointant vers sa tempe son fusil-mitrailleur. Jonathan comprit son erreur, son imprudence. Il n'aurait jamais dû accepter de se séparer de Patricia. Maintenant, elle était entre les mains de ce maniaque armé jusqu'aux dents dont la stature était si impressionnante que Jack Burke avait l'air d'un véritable amateur à côté de lui.

— La foutue disquette! cria le Baron Rouge, sinon je lui fais sauter la cervelle.

Jonathan prit quelques secondes pour rassembler ses esprits puis osa demander:

— Qui me dit que vous ne la tuerez pas lorsque je vous aurai remis la disquette?

— Moi, répondit laconiquement le Baron Rouge, qui commençait à écumer, et, pour prouver qu'il ne plaisantait pas, écarta le canon de la tempe de Patricia et appuya sur la gâchette. Une quinzaine de balles trouèrent le mur du corridor, et brisèrent des parois vitrées, faisant un bruit formidable et créant une véritable panique dans la salle de rédaction. D'une éducation spartiate, le Baron avait horreur du désordre, et, irrité par ce brouhaha, il lâcha une nouvelle salve puis ordonna:

— Tout le monde par terre, sinon vous êtes morts!

Toute la salle de rédaction se jeta par terre, terrorisée. Le jeune vendeur n'osa pas désobéir mais il eut peur d'abîmer ses bâtons et, avant de s'allonger au sol, il remit le sac de golf à Jonathan, qui, surpris, n'osa pas protester. Alors, mû par une inspiration curieuse et suicidaire, il sélectionna un *driver*: un énorme *Ping* métallique. Il le retira du sac et le brandit comme un bâton de base-ball.

Avait-il complètement perdu la tête? Il ressemblait à David affrontant Goliath, mais avec quelque chose de plus risible parce qu'au moins le jeune héros de la Bible avait une fronde, une fronde dont la portée était plus grande que celle d'un driver, fût-il un Ping!

Surpris par l'audace suicidaire du jeune médecin, le Baron s'était mis à rire. Il aurait volontiers puni sa témérité en le trouant de balles, mais il ne voulait pas prendre de risque, surtout dans un journal, qui pouvait tout publier le lendemain même. Il lui fallait absolument la disquette. Qui sait, ce freluquet de médecin l'avait peut-être déjà remise à un journaliste. Si c'était le cas, il voulait savoir à qui. Une fois qu'il aurait récupéré la disquette, il serait sans pitié, et lui ferait payer chèrement son outrecuidance.

— Vous êtes drôle, doc, dit le Baron Rouge. Vous pourriez faire du stand-up comic. D'ailleurs, tiens, si vous ne me donnez pas tout de suite cette disquette, je vais vous en faire faire, du stand-up comic pendant cinq minutes en vous gardant debout par la seule force des balles de ma mitraillette. Qu'en pensez-vous?

— Lâchez la fille immédiatement! répliqua Jonathan, qui souleva encore plus haut son *driver*. Sinon, je vous mets en pièces!

Celle-là était encore meilleure que la précédente! Le Baron, en tout cas, la trouva irrésistible. Ce médecin avait sûrement fini par perdre la boule à force de travailler avec des malades mentaux. Un rire immense souleva sa poitrine. Il y avait longtemps qu'il n'avait pas ri de si bon coeur.

Alors tout se passa très vite. Jonathan entra dans une sorte d'état second et comprit qu'il avait une chance, une toute petite chance, de s'en sortir et d'éliminer le Baron, malgré la flagrante inégalité de leurs armes respectives. Car il venait de réaliser en un éclair que son bâton de golf pouvait avoir une portée aussi grande que la fronde de David. La pierre qui jusque-là lui faisait défaut venait d'apparaître à ses pieds. Elle était blanche, brillante, lisse et ronde: c'était une balle de golf, — une de celles échappées par le jeune homme — qui, après avoir frappé un des murs du corridor avait roulé vers le médecin. Pas n'importe quelle balle d'ailleurs: une *Pinnacle Gold*, sa marque préférée. Quelle coïncidence extraordinaire!

La *Pinnacle* No 1 s'était immobilisée juste à ses pieds, en position parfaite, comme s'il l'avait lui-même placée pour un coup de départ. C'était sa seule chance, il ne pouvait pas reculer, même s'il risquait de tuer Patricia ou de la blesser gravement. Il lui fallait exécuter le coup parfait, comme à l'université, dans ces tournois où souvent tout se décidait au dernier trou, souvent sur un coup de départ. Sauf que cette fois, ce n'était pas simplement un trophée, une bourse ou son honneur qui était en jeu, c'était sa vie, et surtout, c'était la vie de la seule femme au monde qu'il eût jamais aimée!

Alors il se concentra intensément, et cependant que la poitrine du Baron continuait à être soulevée par un gros rire, il pencha la tête, se répéta qu'il fallait absolument garder les yeux sur la balle, puis frappa de toutes ses forces. Ni Patricia ni le Baron n'eurent le temps de comprendre ce qui se passait. La jeune femme crut mourir lorsqu'elle entendit siffler la balle à ses oreilles. Quant au Baron, il ne crut rien. La balle de golf venait de l'atteindre au milieu du front avec une telle puissance qu'elle s'était complètement enfoncée dans le crâne au point qu'on pouvait à peine discerner la marque: *Pinnacle Gold* no 1. Elle disparut bientôt sous le sang qui se mit à gicler.

Terrassé, les yeux figés dans une expression de surprise et de colère, le Baron laissa tomber son arme, lâcha Patricia et s'écroula face contre sol. Le jeune homme qui vendait des balles et qui n'avait rien raté de cette scène extraordinaire, se tourna vers Jonathan avec un regard admiratif:

— Je n'ai jamais vu un coup pareil! Vous pouvez garder le driver!

Jonathan sourit. Lui non plus n'en revenait pas. En fait, il tremblait, pris d'une nervosité à retardement, tout son courage venait de le lâcher. Il ne faudrait pas qu'on lui demande de recommencer ce coup! Il regarda le *driver*, comme s'il était doté de propriétés miraculeuses. Il jouerait peut-être de très belles parties avec ce Ping!

Patricia, enfin libérée de l'emprise du Baron Rouge, courut en direction de Jonathan et se jeta dans ses bras. Elle pleurait nerveusement. Elle avait échappé aux griffes d'un tueur. Et elle avait failli se faire éborgner par une balle de golf!

— Jonathan, Jonathan, disait-elle.

Et ces paroles pourtant banales étaient pour lui la plus suave, la plus délicieuse des musiques. Dans la salle de rédaction, les employés avaient commencé à se relever et certains s'approchaient de la scène, curieux. Une grande mare de sang s'était formée autour de la tête du Baron. Un journaliste spécialiste des affaires criminelles reconnut immédiatement le Baron Rouge à son uniforme noir. Il n'en revenait pas. Un type sans défense avait eu raison de son invincibilité!

— C'est le Baron Rouge! dit-il.

Et son étonnement se mêlait de frayeur. On aurait dit qu'il craignait que le Baron se relève, prenne son arme et les élimine tous pour venger son honneur sali.

Sur ces entrefaites, le propriétaire du journal, Turner, alerté par les nombreux coups de feu, arriva à grandes enjambées. C'était un homme dans la soixantaine, très élégant, qui, avec son abondante chevelure blanche et son impeccable complet trois pièces sombre avait quelque chose de noble, d'aristocratique. Il avait lui-même fondé le *L. A. Times*, et ayant débuté comme journaliste, avait conservé un sens aigu de l'observation si bien qu'il reconnut sans peine Patricia.

— C'est lui, dit le jeune vendeur de balles de golf en voyant arriver monsieur Turner.

— Lui? demanda Jonathan.

— Oui, monsieur Turner.

— Qu'est-ce qui se passe? demanda Turner, impressionné par le cadavre du Baron même si, dans sa longue carrière, il en avait vu de toutes les couleurs.

— Je suis Patricia Stone...

— Je sais...

— Il faut absolument que nous vous parlions, expliqua Jonathan.

— Docteur Lake, je suppose? demanda Turner.

— Oui...

Turner considéra un instant Patricia et Jonathan, les scrutant de ses yeux bleus perçants. Il estima que c'étaient des gens bien: il pouvait leur faire confiance.

— Suivez-moi, dit-il, en les entraînant vers son bureau.

70

— Je dois commencer par analyser soigneusement le contenu de la disquette, dit Turner qui avait écouté le récit de Patricia avec une oreille favorable, pour voir si tous les détails coïncident avec les morts suspectes. Et puis je dois consulter les avocats du journal...

— Je comprends, dit Patricia, qui était tout de même déçue qu'il ne montrât pas un plus grand enthousiasme.

— Je l'apprécie, dit Turner avec un sourire affable. Il faut aussi que vous compreniez que cette affaire implique une foule de gens très riches, très célèbres et surtout extrêmement influents. Si je publie le contenu de cette disquette, je vais provoquer un scandale national. Il faut que je couvre mes arrières. Le journal peut se retrouver avec des centaines de millions de poursuites en diffamation... S'il n'en tenait qu'à moi, je publierais immédiatement. Je ne pardonnerai jamais à Blackwell ce qu'il a fait à ma belle-soeur... Mais je dois aussi prendre en considération les intérêts supérieurs du journal...

— Mais ce sont des assassins, ils ont tué au moins deux femmes pendant les quelques jours que j'ai passés à la clinique. Il ne faut pas que vous l'oubliiez.

— Ce qui compte, ce ne sont pas les faits, ce sont les preuves. Ils ont beau être des assassins, si je ne peux pas le prouver, je ne peux rien...

— Il a raison, dit Jonathan en se tournant vers Patricia qui commençait à se décourager.

Allaient-ils échouer si près du but, à cause des hésitations de ce propriétaire de journal?

Elle décida de contre-attaquer. Elle ne se laisserait pas faire ainsi, pas après avoir risqué sa vie!

— Ecoutez, dit-elle. Je veux que vous me donniez tout de suite une réponse. Si vous n'avez pas l'intention de publier le contenu de cette disquette, je vais la reprendre et la proposer à un autre journal. Je suis sûre qu'ils vont être ravis d'avoir ce scoop...

Turner demeura imperturbable. On ne le faisait pas céder si facilement.

— Ils vont avoir les mêmes hésitations, les mêmes réserves que moi. Plus grandes en fait, car ils n'ont pas les reins pour affronter les poursuites judiciaires... Et si vous pensez aux petits journaux à scandale, ils le publieront peut-être, mais je vous préviens que votre histoire n'aura aucune crédibilité auprès des médias sérieux et du grand public...

— Il a raison, dit à nouveau Jonathan qui ne savait trop pour quel parti prendre.

Patricia se sentit ébranlée. Turner lui opposait des arguments solides.

— Et puis, reprit Turner, ils n'ont aucune raison personnelle de publier ce dossier, tandis que moi, à cause de ma belle-soeur qui m'est chère...

— Quelles sont les chances que vous publiiez?

— Difficile à dire, mais j'appelle tout de suite Stanley, mon éditeur en chef. Si vous voulez le rencontrer...

— Non, dit Patricia en se levant. Nous ne pouvons pas rester.

La police arriverait bientôt, — si elle n'était pas déjà sur les lieux — et il lui semblait préférable de l'éviter tant que la disquette ne serait pas publiée. Jonathan, qui avait deviné les raisons de Patricia, se leva lui aussi.

— Est-ce qu'il y a une autre copie de cette disquette? demanda alors Turner.

Patricia hésita. Devait-elle mentir et prétendre qu'elle avait fait des copies? Elle n'avait jamais été méfiante de nature mais depuis quelques mois elle avait été tant de fois trompée, dupée... Elle toisa Turner, sonda le bleu profond de ses yeux. Il avait l'air d'un homme de principe, d'un homme juste. Il fallait qu'elle prenne ce risque...

— Non, dit-elle.

— Vous pouvez donc m'assurer que j'ai le scoop? Vous ne parlerez de cette affaire à personne d'autre?

— Promis. Mais je vous donne vingt-quatre heures.

Il eut un sourire. La menace n'était pas très inquiétante. La disquette était entre ses mains. Il était maître du jeu. Patricia et Jonathan quittèrent aussitôt son bureau et parvinrent à traverser la salle de rédaction sans vraiment attirer l'attention. Ils dévalèrent les escaliers. Dans le hall, les pompiers s'affairaient à éteindre le feu, et une dizaine de policiers entraient dans l'immeuble.

— Merde, dit Jonathan. La police! Nous sommes cuits! Ils vont nous reconnaître...

Ils rebroussèrent chemin, et trouvèrent une autre sortie, moins importante, à l'arrière de l'immeuble. Ils retrouvèrent leur véhicule intact. Ils s'éloignèrent doucement des lieux, qui étaient envahis par une masse de plus en plus grande de curieux, de policiers, d'infirmiers et de pompiers.

71

Stanley, l'homme de confiance de Blackwell au *L. A.Times*, entra dans le bureau de Turner à peine quelques minutes après le départ de Patricia et de Jonathan. En réunion éditoriale au moment des événements spectaculaires qui venaient de se passer au journal, il n'était pas au courant de tous les détails et ignorait même que Patricia Stone était impliquée dans la mort du célèbre Baron Rouge. Il trouva le grand patron assis à son ordinateur, une chose qui n'arrivait pas souvent, et ce détail lui parut curieux. Normalement, il dictait toutes ses lettres et ne s'«abaissait» pas à écrire quoi que ce soit lui-même.

— Ah, Philip, te voilà enfin, dit Turner.

Stanley eut un sourire ambigu. Pourquoi le grand patron l'appelait-il par son prénom? C'était la première fois que ça lui arrivait en cinq ans! Avait-il une mauvaise nouvelle à lui annoncer, comme son renvoi? On ne savait jamais avec lui. Il était extrêmement imprévisible. Turner fit une commande à son ordinateur puis retira du *disk drive* la disquette que lui avait remise Patricia et se tourna vers Stanley.

— Patricia Stone vient de sortir de mon bureau.

— Patricia Stone, la...?

— Oui, la célèbre Patricia Stone...Elle était avec le docteur Jonathan Lake, le psychiatre qui l'a aidée à s'échapper de l'institut Williamson...Ils étaient poursuivis par le Baron Rouge... Et c'est Lake qui l'a tué, avec une balle de golf en plein front...

— Vraiment? C'est étonnant.

— Etonnant en effet. Je ne sais pas qui est derrière toute cette histoire, mais ça doit être quelqu'un de gros, pour pouvoir engager le Baron Rouge. Il paraît qu'il prend un minimum de 50,000$ par contrat.

— C'est ce qu'on dit, fit Stanley.

Il y eut un bref silence. Turner toisa Stanley. Depuis quelques mois, il avait des réserves à son endroit, surtout depuis le suicide de sa belle-soeur. Il n'avait pas aimé la manière dont Stanley avait traité l'affaire dans le journal. On aurait dit qu'il avait tenté de minimiser la responsabilité de l'institut Williamson. Il avait fouillé dans son passé et fait ressortir deux tentatives de suicide très anciennes. Il l'avait aussi peinte comme une femme profondément déséquilibrée et surtout très jalouse de la réussite sociale de sa soeur. Les Turner, extrêmement riches et surtout très influents à cause du *L.A. Times*, vivaient sur un pied très élevé, alors que la soeur avait épousé un homme d'affaires sans envergure.

Mais il n'y avait pas que cela. D'autres détails laissaient croire à Turner que son éditeur en chef n'était pas tout à fait neutre dans la manière de traiter l'information, qu'il subissait peut-être des influences occultes, et recevait même des pots-de-vin. En un mot comme en mille, il ne lui accordait plus la même confiance que celle qu'il lui témoignait à ses débuts au journal.

Mais Stanley était tout de même un employé, un meneur d'hommes que la plupart des journalistes respectaient même s'il n'était pas vraiment aimé. Son jugement était assez sûr, et c'était tout de même lui qui, avec le directeur de l'information, décidait des premières pages et surtout de la pertinence de publier certains dossiers chauds. Turner montra la disquette à Stanley et dit:

— Patricia Stone m'a remis cette disquette...Je viens juste de la parcourir. C'est de la dynamite. Il y a là-dedans assez de matériel pour envoyer Blackwell à la chaise électrique. Et pour faire condamner la moitié du jet set de la Côte Ouest...Kramer, Bloomberg...name it. C'est un vrai Who's Who!

Stanley avait pâli et il avala sa salive avec nervosité. La fameuse disquette que tout le monde cherchait...Blackwell, Waterman, la police...Elle était là, devant ses yeux. Elle existait donc! Ce n'était pas de la fiction! Il fallait absolument qu'il mette la main dessus avant qu'elle ne soit publiée. Son occasion de devenir enfin millionnaire, il la tenait enfin. Il aurait sa revanche sur tous ces gens riches qui le méprisaient même s'il était éditeur en chef du journal le plus important de Californie. Blackwell serait prêt à lui donner un million *cash* pour cette disquette. Et il gagnerait son estime pour des années. Il pourrait obtenir de lui toutes les faveurs qu'il souhaitait. Parce qu'il l'aurait sauvé, lui et son empire!

Mais comment mettre la main sur la disquette? Il ne pouvait quand même pas sauter à la gorge de son patron et la lui arracher des mains! Il fallait plutôt ruser, trouver une astuce. Au moins pour le dissuader de publier le contenu de la disquette.

— J'ai déjà entendu parler de cette disquette, dit Stanley en s'allumant une cigarette avec une nonchalance affectée.

Il s'aperçut qu'il n'en avait pas offert à son patron, et juste avant de refermer son étui à cigarettes se reprit:

— Une cigarette?

— Oui, merci, dit Turner, qui le regarda avec un scepticisme croissant.

Son éditeur en chef était habituellement d'une politesse irréprochable. Pourquoi ce petit manquement? Pourquoi cette nervosité? Qu'est-ce que cela cachait? Il essayait de lire dans son esprit, de le sonder. En allumant sa cigarette, il plongea son regard bleu dans celui de son éditeur, qui eut un mouvement de recul à peine perceptible. Stanley prit deux bouffées d'affilée, puis reprit:

— Patricia Stone est romancière, comme vous le savez. Et elle a un dossier médical très lourd. Elle a tenté de se tuer, en déguisant son suicide en tentative de viol et de meurtre. Elle est une mythomane reconnue.

— Je sais...

— Elle peut très bien avoir poussé encore plus loin son délire paranoïaque et inventé de toutes pièces cette histoire. Elle avait un ordinateur à la clinique, elle a très bien pu composer ces dossiers, en faire une copie, et se mettre à faire du chantage.

— Elle avait un ordinateur? demanda Turner, surpris d'apprendre ce détail. D'où tenez-vous ce détail?

— J'ai...je me suis permis de faire ma petite enquête personnelle...J'ai beau être éditeur en chef, j'ai fait mes débuts comme journaliste, et...bon, c'est ma déformation professionnelle...

— Je vous félicite, dit Turner, vous m'impressionnez beaucoup...Un éditeur en chef qui n'a pas peur de mettre la main à la pâte...

Stanley rougit.

— Je n'ai pas vraiment de mérite. Depuis la triste histoire de votre belle-soeur...j'ai...j'ai conservé un intérêt particulier pour l'Institut Williamson. Tout ce qui s'y passe m'intéresse...Sans oublier d'ailleurs le surprenant suicide du directeur, le docteur Waterman. Nous en discutions justement en réunion quand vous m'avez convoqué.

— Oui, c'est un suicide curieux. Décidément, il y a quelque chose qui ne tourne pas rond dans cette clinique. Ce suicide me porte justement à croire que Patricia Stone dit vrai...

Sinon, pourquoi ce psychiatre de réputation internationale se serait-il ôté la vie?

— Le taux de suicide est très élevé chez les psychiatres. Je crois que c'est le deuxième plus élevé après les dentistes...

— Eh, bien, dit Turner, je n'aurais pas cru...

— A force de traiter des gens suicidaires et complètement tordus on doit finir par se laisser influencer, ça doit être déprimant....

— Sans doute...

Turner fit tourner la disquette dans sa main. On aurait dit qu'il cherchait à en évaluer la valeur:

— Bon, dit-il, qu'est-ce qu'on fait? Nous avons une décision à prendre. Si le dossier secret qui est sur cette disquette est vrai, je vais publier. Même si nous risquons des poursuites. Je suis un partisan de la vérité, peu importe le prix. Mais si c'est faux, si c'est une élucubration de mythomane, je ne veux pas me couvrir de ridicule et me ruiner en frais d'avocat pour défendre le journal contre les dizaines de causes qui ne manqueront pas de nous tomber dessus...

— C'est faux.

— C'est faux? demanda Turner qui ne comprenait pas et se montrait insulté.

— Oui, la disquette, c'est un faux. Je ne sais pas pourquoi, mais c'est mon sentiment profond. Vous voulez mon avis vous l'avez. C'est une question de feeling, de nez...Cette fille, Patricia Stone, ne me revient pas.

— Elle a l'air très sincère pourtant. Et elle est très convaincante...

— Je sais qu'elle est convaincante. C'est en fait une manipulatrice hors pair. Elle a réussi à se faire épouser en moins de deux semaines par un des célibataires les plus courus de la Californie, alors qu'elle n'était qu'une sans-le-sou, une obscure petite secrétaire qui se prenait pour une romancière...Et elle a convaincu un jeune psychiatre de lui apporter son aide, au risque de compromettre toute sa carrière.

Turner plissa les lèvres, hésitant. S'était-il fait manipuler par cette femme qui, de toute évidence, était très habile, surtout avec les hommes? Avait-il succombé à son charme, discret peut-être, mais d'autant plus redoutable?

— C'est une seconde nature chez elle de mentir. La police ne s'est quand même pas trompée à son sujet. Et puis, au cours de ma petite enquête, j'ai fait une découverte très intéressante. On a trouvé dans son ordinateur, à la clinique, le plan d'un roman qui est une réplique exacte de tout ce qu'elle a inventé: un médecin qui veut abuser d'elle, une clinique qui accepte de l'argent de maris riches pour les débarrasser de leur femme indésirable et leur permettre de vivre avec leur maîtresse sans se ruiner en frais de divorce...

Turner paraissait étonné, ébranlé même par cette révélation. S'était-il fait posséder par cette jeune femme en apparence si honnête, si franche?

— En effet, c'est plutôt troublant, je ne savais pas...finit-il par dire.

— Elle ne fait pas du tout la différence entre la réalité et la fiction, mais comme elle est très intelligente, elle réussit à duper tous les gens autour d'elle...

— J'en ai bien peur.

Il y eut un silence, puis Stanley, qui sentait qu'il avait marqué des points et qu'il était bien près de la victoire, eut l'idée de dire:

— Je suis moi aussi partisan de la vérité. Je ne crois pas qu'il faille avoir peur du scandale, si c'est pour faire triompher la justice. J'étais au Washington Post quand l'affaire du Watergate est arrivée. Et malgré les implications politiques très graves, j'ai voté pour la publication. Nous prenions des risques, mais nous avions des preuves, nous avions du solide...Ici, ce n'est que du vent...Patricia Stone est une malade mentale qui cherche à se faire de la publicité sur le dos d'une clinique respectable et qui surtout il ne faut pas l'oublier est prête à tout pour se trouver un alibi qui la disculperait du meurtre de madame Bloomberg pour lequel la police la recherche.

Turner avait complètement oublié l'accusation de meurtre, qui était très accablante. Un témoin avait vu entrer Patricia dans la chambre de la victime, peu de temps avant sa mort. Et on avait retrouvé des traces de chocolat sur ses vêtements. En se remémorant ces détails, il inclina la tête. Il paraissait tout à fait vaincu, il se rendait aux arguments de son éditeur en chef, et se félicitait intérieurement de l'avoir convoqué. Il lui avait probablement évité une gaffe monumentale.

Pourtant, Patricia paraissait une femme si honnête, et il y avait une accumulation de coïncidences étranges...Les morts suspectes de deux femmes en si peu de temps, madame Kramer et madame Bloomberg...Patricia ne les avait tout de même pas tuées toutes les deux...En tout cas, elle n'avait certainement pas tué sa belle-soeur, morte quelques mois avant....Il avait pensé jusque-là qu'elle s'était suicidée à cause d'une négligence de la clinique.

Mais qui sait, elle avait peut-être été tuée elle aussi parce qu'elle avait appris au sujet de la clinique des choses compromettantes, peut-être l'existence même de tout cet odieux business de meurtres organisés...Il se souvint d'ailleurs, très vaguement, d'une conversation qu'il avait eue avec sa femme quelque temps avant le suicide de sa soeur. Elle avait eu une conversation téléphonique avec elle et lui avait parlé de madame Blackwell, et d'une conspiration, quelque chose d'absurde qui impliquait Warren Beatty et Julie Christie... Un film...Quel en était le titre au juste? Ah oui...*Heaven Can Wait*...Du délire pur auquel il n'avait guère prêté attention car madame Blackwell était internée à la clinique Williamson depuis cinq ans et n'avait pas la réputation de briller par son équilibre et son bon sens, bien au contraire...

Et puis il y avait la présence pour le moins inexplicable, sinon vraiment curieuse du Baron Rouge. Les intérêts qui l'avaient embauché devaient être bien puissants...De plus, on semblait accorder une grande importance à cette pauvre malade et à la disquette qu'elle avait en sa possession puisqu'on n'hésitait pas à recourir à des moyens aussi extrêmes et coûteux...Au moins 50,000$, peut-être 100,000$

Mais peut-être, tout simplement la clinique, déjà considérablement éclaboussée par les différents suicides (dont entre autres celui de son directeur qui était pour le moins gênant) était-elle tout simplement prête à payer le prix pour protéger sa réputation contre un scandale nouveau, même s'il était basé sur un tissu de faussetés. Les rumeurs finissaient toujours par faire du tort, même si elles étaient formellement démenties...Jamais de fumée sans feu, dit la sagesse populaire... Il était bien placé pour en savoir quelque chose puisque, à la tête d'un des plus importants quotidiens des Etats-Unis, il pouvait influencer l'opinion de millions de gens, et connaissait l'impact d'une nouvelle, même fausse...

Mais il fallait trancher maintenant. Il ne pouvait tergiverser indéfiniment. Il n'eut pas le temps de parler car Stanley dit alors:

— Evidemment, il y a la question des concurrents. Si nous ne publions pas, cette folle offrira peut-être son dossier à un autre journal qui lui n'aura pas notre professionnalisme et qui cherchera seulement à faire de l'argent avec une nouvelle à sensation...

— Non, dit Turner, encore absorbé dans la rapide réflexion qui venait de se dérouler dans son esprit, elle m'a promis qu'elle n'avait pas fait de copie de la disquette. Je sais que vous allez me dire qu'elle est mythomane, mais elle avait l'air très inquiète de me laisser cette copie unique, alors je ne crois pas qu'il y ait de double...Enfin, c'est un risque que nous devons prendre si nous décidons de ne pas publier...

Stanley ne put réprimer un sourire. La petite connasse n'avait pas pensé de protéger ses arrières. Elle était baisée. Maintenant plus que jamais il lui fallait mettre la main sur cette disquette. Cela fut beaucoup plus facile qu'il ne croyait. Turner lui dit:

— Il faut prendre une décision dans les minutes qui vont suivre. Nous allons sous presse dans quelques heures, et si nous voulons avoir le temps de faire un article sérieux, il faut se mettre au boulot sans perdre de temps, je veux dire dans l'hypothèse où nous publions...

Et Stanley lui répondit, recourant à l'argument le plus simple, le plus naturel possible:

— Ecoutez, si vous voulez que je vous donne un avis définitif, laissez-moi la disquette une petite demi-heure. Le temps de l'étudier, et je vous reviens. Puis nous voyons si nous devons aller de l'avant ou pas. Pendant ce temps, si je puis me permettre une suggestion, consultez les avocats du journal.

— Excellente suggestion, dit Turner.

Il eut une petite hésitation, puis tendit la disquette à Stanley qui s'était déjà levé, comme pour hâter les choses. Mais il le prévint:

— C'est la seule preuve que nous avons. Prenez soin de cette disquette comme de la prunelle de vos yeux.

— Bien entendu, dit Stanley avec un large sourire.

Et il prit la disquette en s'efforçant de son mieux de dissimuler la vague de joie qui montait en lui. Il triomphait. Il n'était plus qu'à un pas de toucher son million. Pendant la conversation avec Turner, il avait pensé à une astuce irrésistible pour négocier avec Blackwell le prix de la disquette. Une fois l'argent en poche, s'il le voulait, il enverrait tout promener, et il se paierait du bon temps. Il ne se ferait plus chier à prendre les ordres de son patron qui avait pour tout mérite d'être né avec une cuiller d'argent dans la bouche! Il la lui ferait avaler, sa foutue cuiller! Ou il se la mettrait où il pensait. Il s'inclina respectueusement devant Turner. Ce dernier le regarda, un petit éclat amusé au fond des yeux, et un sourire imperceptible sur les lèvres.

Stanley courut littéralement jusqu'à son bureau, et, sans prendre le temps d'étudier le contenu de la disquette, il s'empressa de téléphoner à Blackwell.

— Monsieur Blackwell, Stanley à l'appareil. J'ai deux nouvelles pour vous. Une bonne et une mauvaise.

— Commence par la mauvaise.

— Le Baron Rouge est mort, ici même, au journal.

— Shit! laissa tomber Blackwell. Est-ce que l'hystérique de Patricia Stone est morte elle aussi?

— Non.

— Je croyais que c'était ça, la bonne nouvelle. Elle est mieux d'être vraiment bonne, ta foutue bonne nouvelle!

— Elle l'est, elle l'est! Ne vous inquiétez pas.

— Alors dis-la, je n'ai pas toute la journée devant moi.

— J'ai la disquette.

— La disquette?

— Oui, la fameuse disquette. C'est Patricia Stone elle-même qui l'a remise à Turner, qui me l'a remise à son tour. Il ne sait pas si nous devons publier son contenu...ou la vendre à un de nos concurrents...

C'était cela son astuce pour arracher de l'argent à Blackwell sans se le mettre à dos. C'était bien pensé, car Blackwell avait déjà eu l'occasion de se frotter à Turner et cela lui avait coûté plusieurs millions.

— L'enfant de chienne!

— Apparemment le *New York Time* serait prêt à payer un million pour la disquette. Ils se sont fait doubler dans l'affaire de l'Irangate, alors cette fois-ci ils sont prêts à mettre le prix pour avoir un scoop!

Blackwell réfléchit une fraction de seconde puis dit, d'une voix sèche et autoritaire:

— Il y a un million en cash pour toi dans une heure si tu détruis immédiatement la disquette.

— Vous ne préférez pas avoir la disquette en main?

— Non! hurla-t-il. Je ne veux pas prendre ce risque! Détruis-la immédiatement! Je sais que tu n'essaieras pas de me doubler, comme Waterman...

Il venait de lui avouer indirectement le meurtre de Waterman. Il venait surtout de le menacer de mort. Stanley le comprit. Il répondit d'une voix nerveuse, parce qu'il venait de subir une menace mortelle et de faire un million de dollars en quelques secondes:

— Pas de problème, monsieur Blackwell. C'est comme si c'était fait. Et pour...pour l'argent , on fait comment?

— Rends-toi au Beverly Hills Hotel, chambre 1234, dans une heure. Un de mes hommes te remettra l'argent.

— Merci, monsieur Blackwell.

— C'est moi qui te remercie, Stanley. Il faudra que je pense à toi pour la compagnie. Il y a beaucoup de postes vacants à combler à la haute direction. Tu m'impressionnes, Stanley. Tu travailles vraiment bien. Il est temps qu'on te trouve un vrai travail.

La conversation prit fin. Stanley alluma son ordinateur, introduisit la disquette, et l'appela à l'écran. C'était la bonne disquette! Patricia et

Turner étaient deux parfaits imbéciles! Il rigola. Le premier million est toujours le plus difficile à faire! pensa-t-il. Lui venait de le faire en quelques secondes, comme un jeu d'enfant. Avec quelle facilité il gagnerait les suivants!

Par simple curiosité, Stanley parcourut rapidement le dossier secret, passant d'un nom de femme célèbre à un autre. Mais il s'interrompit au bout de quelques secondes. Il n'avait pas de temps à perdre. Il passa la commande: «effacer fichier». L'ordinateur lui demanda: «Are you sure?»

Il tapa «Yes» sur le clavier. Et le fichier disparut. Il entra à nouveau dans la disquette, pour vérifier qu'elle était bel et bien effacée. Rien! Il n'y avait plus rien. Plus de trace de cet accablant dossier. Plus aucune preuve contre la clinique. Patricia Stone venait de perdre son alibi, sa cause, tout! Dès que la police la retrouverait, elle serait inculpée de meurtre et probablement condamnée à vingt ans de prison, ou au mieux, internée pendant dix ans si son avocat plaidait la démence...

Il se mit à rigoler. Il n'avait jamais eu de chance. Il avait toujours dû travailler comme un forcené pour obtenir ce qu'il voulait, écraser les autres, intriguer...Et voilà que la chance lui souriait enfin. Il se dit qu'il le méritait et se trouva tout à coup encore plus intelligent que d'habitude. Génial même!

Le téléphone sonna. Il sursauta tant il était absorbé par sa joie et la contemplation ravie de sa propre intelligence. C'était Turner qui voulait connaître son verdict. Il n'avait pas prévu qu'il se manifesterait si rapidement et dut chercher ses mots, ce qui du reste rendit encore plus vraisemblable l'excuse qu'il inventa:

— Monsieur Turner, je ...je m'apprêtais justement à vous téléphoner...je...J'ai une très mauvaise nouvelle...Je ne sais pas comment j'ai fait mon compte...C'est peut-être à cause du nouveau traitement de texte qu'ils ont installé la semaine dernière mais...

— Mais quoi? Vous n'êtes pas en train de me dire que ...?

— Oui, monsieur Turner, j'ai effacé le contenu de la disquette...je suis vraiment désolé...je voulais en faire une copie avant de vous la remettre, et, dans l'énervement, j'ai fait la mauvaise commande mais...à mon avis, cela ne change rien...J'ai eu le temps d'analyser sommairement la disquette...C'est de la véritable science-fiction...Nous nous serions couverts de ridicule en publiant ça...

— Vous croyez, Stanley? demanda Turner d'une voix très calme.

— J'en suis absolument persuadé, dit Stanley, tout à la fois surpris et ravi du calme olympien de son patron: quelle naïveté, quelle stupidité, c'était à en pleurer!

Il gobait tout! Sans protester.

— Vous êtes congédié, Stanley.

— Congédié? Je ne comprends pas.

— Je vous demanderais d'avoir quitté votre bureau dans cinq minutes. Un garde de sécurité viendra vous aider à ramasser vos effets personnels. Vous êtes un grand journaliste, Stanley. Je vous souhaite bonne chance dans votre nouvelle carrière.

Et Turner raccrocha sans ajouter une seule explication. Encore étonné du calme de son patron, qui ne concordait pas avec la violence de sa réaction (il l'avait renvoyé sans le laisser se défendre), Stanley eut envie de lui téléphoner pour lui dire sa façon de penser. Mais il y renonça. Il s'en foutait maintenant. Il était millionnaire! Et il n'avait pas une minute à perdre, d'ailleurs. Il se rendrait tout de suite à l'hôtel pour mettre joyeusement la main sur son magot! Il vint pour prendre ses effets personnels mais changea d'idée. Il ne voulait rien emporter, ne garder aucun souvenir de cet endroit infect. Il recommencerait à zéro.

Il n'aurait pu mieux dire. Ce qu'il ignorait cependant, c'est qu'il ne recommencerait pas sur cette terre, mais dans une autre dimension, car une heure et demie plus tard, un employé du Beverly Hills Hotel retrouva son cadavre dans la salle de bain de la chambre 1234. Il s'était pendu au pommeau de la douche, dont l'eau bouillante coulait encore sur lui, emplissant la pièce d'une épaisse vapeur.

72

Ce n'était plus maintenant qu'une question de temps. De temps et de chance. C'est du moins ce que se disaient Patricia et Jonathan. Il était huit heures du soir. Ils avaient roulé une bonne partie de la journée, inquiets, craignant d'être reconnus. Jonathan était particulièrement ébranlé. Ils s'étaient éloignés de Los Angeles, roulant vers San Francisco, mais en fin de journée, ils se ravisèrent. Ils voulaient être à Los Angeles lorsque paraîtrait l'article le lendemain, et revinrent donc vers le centre-ville. Il y avait un risque certes, mais après tout, Los Angeles était une grande ville, et ils n'étaient ni l'un ni l'autre de véritables célébrités. Ce n'est pas parce que votre photo paraît une fois en première page du journal que tout le monde vous reconnaît dans la rue...

Ils choisirent un grand hôtel, le Sheraton centre-ville. Par prudence, Patricia s'enregistra sous son nom de jeune fille, Patricia Wood.

— Wood? demanda le préposé au comptoir.

— Oui, Wood, dit-elle.

Pourquoi lui posait-il cette question stupide? Wood, c'était un nom comme un autre. Il se mit alors à vérifier sur son ordinateur. Patricia et Jonathan se regardèrent nerveusement, se préparant à pendre leurs

jambes à leur cou au premier signe de danger. Le nom de Patricia —
même son nom de jeune fille: mais oui, au fond son astuce n'était pas
très brillante, la police en avait vu d'autres! — avait-il été transmis à
tous les hôtels?

— Je n'ai rien sous ce nom. Avez-vous réservé?

— Non, dit Patricia, soulagée, un large sourire aux lèvres.

Le préposé la regarda, étonné. Rarement avait-il vu une cliente
aussi aimable et polie.

— Je vais voir ce qui nous reste. Il me reste très peu de chambres
libres parce que nous avons ce soir le concours annuel de danse pour
amateurs. Plus de deux cents couples qui viennent des quatre coins de
la Californie... Mais je ...Vous êtes peut-être ici pour le concours, justement...

— Non, non, dit Jonathan. Nous ne sommes pas de très bons danseurs.

— C'est ouvert à tout le monde, vous savez, expliqua le préposé.
Bon, je vois ce qui me reste.

— Nous ne sommes pas très difficiles, expliqua Patricia.

— Nous prendrons ce que vous avez, dit Jonathan.

Le préposé interrogea son ordinateur pendant quelques secondes,
puis leur revint:

— Vous avez de la chance. J'ai une suite exécutive avec un lit
king, mais je vous la fais au prix d'une chambre ordinaire.

— Bien aimable, dit Jonathan.

— C'est parfait, ajouta Patricia.

Par distraction, Patricia signa de son nom de femme mariée mais
s'en aperçut juste à temps. Que faire?

— Un problème? demanda le préposé.

— Rien, une distraction, j'ai signé de mon nom de jeune fille.

Le préposé la regarda avec une certaine suspicion et nota sa nervosité. Pourquoi portait-elle des verres fumés, le soir? Avait-elle quelque
chose à cacher?

— Ce n'est pas grave, dit l'employé, qui considéra un instant la
fiche d'inscription. Signez simplement votre vrai nom au-dessus.

— Ma femme est nerveuse, se permit de dire Jonathan qui voulait
rassurer le préposé et lui montrer qu'ils n'était qu'un couple parmi tant
d'autres, un couple conventionnel, sans histoire. Patricia signa à nouveau, amusée par le petit mensonge de Jonathan, dont elle comprenait
le sens. Le préposé récupéra la fiche puis demanda:

— J'aurais besoin d'une carte de crédit. Visa Master Card, American Express...

Nouvelle source d'embarras. Patricia n'avait pas prévu le coup!
Ses cartes de crédit, qu'elle s'était procurées après son mariage, portaient évidemment le nom de Stone.

— J'ai...Je n'ai pas mes cartes sur moi...Mon sac à main est resté dans l'auto...Est-ce que tu as une carte sur toi, mon chéri?

— Oui, bien entendu, dit Jonathan, ravi de voir que Patricia jouait le jeu, et l'appelait «mon chéri» comme s'ils étaient vraiment mari et femme.

Il tira de son portefeuille une *American Express Gold*, dont la vue plut au préposé. Jamais de problème avec des détenteurs d'American Express Gold. Son front pourtant se plissa lorsqu'il vit que le nom de famille de Jonathan n'était pas Wood, mais bien Lake. Décidément ce couple était bizarre. Pourquoi l'appelait-elle mon chéri, pourquoi en parlait-il comme son épouse s'ils ne portaient pas le même nom? Que cachaient-ils? Il eut un petit sourire vite réprimé. C'était sans doute un couple marié, mais pas l'un à l'autre, et ils voulaient cacher une liaison. Il les regarda avec un large sourire d'intelligence, que Patricia et Jonathan lui rendirent après une seconde d'hésitation. Ils venaient eux aussi de comprendre ce qui lui était passé par la tête. Ils étaient amants, et non pas mariés, et c'est ce qui expliquait leur nervosité, leur conduite un peu bizarre. Le préposé, qui se trouvait très futé, eut même l'impolitesse de leur demander, avec un clin d'oeil complice:

— C'est la première fois?

Patricia et Jonathan se regardèrent, puis, en choeur, avec un rougissement coupable:

— Oui...

— Félicitations...dit le préposé.

Et il compléta rapidement leur inscription. Jonathan récupéra sa carte, et le préposé lui remit les clés de la chambre en faisant un petit lapsus qui n'en était pas vraiment un car il l'agrémenta d'un clin d'oeil:

— Merci, monsieur Wood...

— Merci...euh...Jeff, ajouta Jonathan en lisant rapidement son nom sur l'affichette épinglée sur sa poitrine.

Patricia et Jonathan s'éloignèrent d'un pas rapide du comptoir.

— Ouf, j'ai eu peur...dit Patricia. Le nombre de gaffes que nous avons commises...

— Heureusement que nous sommes tombés sur un idiot, dit Jonathan.

— Au début, j'étais certaine qu'ils nous avait reconnus...

— Moi aussi.

Pour se rendre aux ascenseurs qui menaient à l'étage de leur chambre, il fallait passer par la grande salle de bal où avait lieu le concours de danse, si bien que Patricia et Jonathan se retrouvèrent bientôt pris dans un flot de couples de tous âges, de tous milieux, et de toutes origines, qui, déjà en retard, se pressaient à l'entrée. Patricia et Jonathan échangèrent un sourire ironique et tentèrent tant bien que mal de se frayer un chemin à travers la foule compacte et nerveuse des danseurs dont les accoutrements n'étaient pas toujours du meilleur goût. Il y avait des smokings trop petits, d'autres trop grands, des tutus extravagants, des jabots exubérants, des perruques, des coiffures grandiloquentes, des maquillages criards, et le tout formait un défilé à la fois ridicule et pathétique. Plusieurs couples, agités d'une grande nervosité parce qu'ils s'étaient préparés toute l'année pour cet événement, se disputaient, échangeaient des paroles acides. D'autres posaient pour la galerie, silencieux et nobles, visiblement fiers de leurs costumes, et certains de remporter, sinon la palme, du moins une distinction quelconque.

— Attendez votre tour comme tout le monde, protesta un couple qui avait l'air hargneux, presque monstrueux.

— Nous ne participons pas au concours, expliqua Jonathan.

Mais le couple suivant se retourna à son tour, et le mari vociféra:

— Pour qui vous prenez-vous?

— On ne fait pas partie du concours, dit Patricia.

— Hey, vous, là, les apostropha une femme très fardée qui se mêlait au concert des protestations.

Qu'est-ce que c'est votre problème?

— On s'excuse, madame, dit Jonathan.

Ils parvinrent enfin à dépasser la longue file d'attente, et se regardèrent, soulagés, avec une envie de rire extraordinaire qui s'estompa brusquement lorsqu'ils aperçurent un policier en uniforme qui marchait d'un pas rapide dans leur direction.

— Merde, dit Jonathan, ils nous ont retracés.

— Qu'est-ce qu'on fait?

Ils se retournèrent vers les couples de danseurs qui les regardèrent avec très peu de sympathie. Il était exclu d'affronter à nouveau cette horde hostile en rebroussant chemin.

— On n'a pas le choix, dit Jonathan, entrons.

Ils se précipitèrent vers la porte d'entrée et s'y engouffrèrent en faisant fi des nombreuses protestations.

— Mes fesses que vous ne faites pas partie du concours, lança un des danseurs.

— Votre numéro, dit l'employé à la porte d'entrée en leur tendant deux brassards portant le même numéro.

— Merci, dit Jonathan.

Dans la salle, immense, il devait déjà y avoir près de deux cents danseurs, dont la majorité évoluaient sur la piste de danse qui était entourée d'une centaine de tables circulaires pouvant asseoir huit personnes. A l'avant de la salle, sur une très grande scène, un orchestre composé d'une vingtaine de musiciens jouait un cha-cha, sous l'oeil prétentieux du maître de cérémonie. A la gauche de la scène, se trouvait la table des cinq juges — trois hommes et deux femmes —, d'un âge certain, vêtus de manière très chic, qui semblaient tous prendre leur rôle très au sérieux. La compétition n'était pas encore commencée, mais les danseurs s'exerçaient.

Patricia et Jonathan marchèrent d'un pas rapide pour s'éloigner de la porte d'entrée puis avisèrent une table libre:

— Tiens, assoyons nous ici, dit Jonathan.

Ils prirent place à la table, et Jonathan regarda les brassards qu'on lui avait remis à la porte. Ils avaient le numéro 113. C'est bien ma chance! pensa-t-il. Il lui semblait qu'il avait toujours été pourchassé par un sort quelconque. Bien sûr, il était d'une certaine manière privilégié. Il était médecin, il avait de très bons revenus, il paraissait bien, il était en santé, mais son mariage venait de s'effondrer, et il lui semblait que ses chances avec Patricia étaient très minces, même s'il avait passé la nuit dans ses bras. Il ne savait pas pourquoi au juste. Mais quelque chose lui disait que cet amour était condamné d'avance. Et au fond c'était la seule chose qui comptait vraiment pour lui. Tout le reste, il s'en moquait, car il était persuadé qu'il ne trouverait le bonheur qu'avec Patricia. Mais pour cela, il fallait que le mauvais sort qui paraissait le suivre depuis des années fût rompu. Le seul ennui était qu'il ne savait pas comment, il ne connaissait pas la formule magique... Après tout, peut-être n'existait-elle tout simplement pas...

Il remit à Patricia son brassard, mais elle ne fit pas attention au numéro.

— Qu'est-ce qu'on fait avec ça? demanda-t-elle.

Jonathan n'eut pas le temps de répondre. Un serveur arriva à leur table, et leur demanda:

— Qu'est-ce que je peux vous servir?

— Euh, scotch sur glace, dit Jonathan distraitement.

— La même chose, dit Patricia.

— Je vous souhaite bonne chance pour le concours, dit le garçon avant de s'éclipser.

— Merci, dit Jonathan avec un sourire un peu forcé.

— J'espère que le policier ne nous a pas vus, dit Patricia qui regardait avec inquiétude vers la porte.

— Je ne crois pas, dit Jonathan.

Puis ils regardèrent tous les deux en direction de la piste où les danseurs se réchauffaient, souvent maladroitement. Chaque couple avait sa spécialité et il était évident que le cha-cha n'était pas celle de tout le monde.

— L'important c'est de participer, pas de gagner, dit ironiquement Jonathan.

— Si je pensais me retrouver un jour dans un concours de danse amateur... dit Patricia.

Ils se regardèrent en souriant. Puis Patricia se tourna à nouveau vers la porte et aperçut le policier:

— Il est là, c'est lui...

Jonathan se tourna à son tour et réagit immédiatement:

— Allons danser... Tiens, mets ton brassard.

Ils se dépêchèrent de se mêler aux danseurs. C'était une rumba qui avait commencé à jouer, et ils ne s'y connaissaient pas plus qu'en cha-cha. Ils firent de leur mieux pour ne pas trop se faire remarquer. Ils regardaient les autres danseurs, s'efforçaient de leur mieux de les imiter, ce qui n'était pas une tâche facile. Un, deux trois, un deux trois! Ils se heurtèrent l'un à l'autre, une première fois, puis une deuxième, faillirent même trébucher, et les couples qui dansaient près deux se mirent à les remarquer et à passer des commentaires. Bien sûr, c'était un concours pour amateurs, les règlements étaient très démocratiques, et tout le monde avait le droit de participer...Mais quand même! Il y avait amateur et amateur! Eux, on aurait dit que c'était la première fois qu'ils mettaient les pieds sur une piste de danse! Des fronts se plissaient, des sourcils se soulevaient autour d'eux. Ils le remarquèrent bien entendu, et multiplièrent les sourires.

— On a l'air de deux idiots, dit Patricia.

— Je sais, mais on n'a pas le choix...Faisons de notre mieux...

Leurs efforts redoublés ne furent pas couronnés de succès bien au contraire, car dans leur maladresse, ils heurtèrent bientôt un autre couple qui faillit tomber.

— Vous ne pouvez pas faire attention? jeta l'homme, un danseur très mince, presque maigre, vaguement latin, à la peau du visage très plissée.

Sa compagne et lui étaient vêtus comme des danseurs de flamenco, ce qui était visiblement leur spécialité.

— Quand on ne sait ni danser ni s'habiller en danseur, on reste chez soi.

— C'est vrai, dit Patricia, c'est vrai. Nous sommes vraiment désolés. Nous sommes débutants... Heureusement, la musique s'interrompit, ce qui minimisa la gravité de l'incident.

Le couple outré se désintéressa de Patricia et de Jonathan. Ils examinaient leur tenue, très voyante, toute en rose et noir.

— On devrait peut-être quitter la piste de danse, dit Jonathan...

Il venait à peine de prononcer ces mots qu'ils virent à nouveau le policier qui passait devant leur table. Il regardait vers la piste de danse. Il cherchait visiblement quelqu'un.

— Il est encore là, dit Patricia.

Jonathan prit Patricia par le bras, et l'entraîna plus profondément vers le milieu de la piste mais, ce faisant, il bouscula à nouveau le couple de danseurs de flamenco.

— Est-ce qu'il y a un problème? demanda le danseur.

— Vous nous cherchez ou quoi? surenchérit sa compagne.

— Je suis vraiment désolé, dit Jonathan. Je ne sais pas quoi vous dire...

L'orchestre entama alors une musique de tango. Aussitôt, les danseurs de flamenco, qui paraissaient aussi versés dans le tango, prirent la position caractéristique de cette danse latine, très noble, très hautaine — en fait assez ridicule dans leur cas —, et, jetant un regard de mépris à Jonathan et à Patricia, et ils s'éloignèrent d'un pas dramatique, les deux bras tendus.

— Merde! Un tango, dit Jonathan terrorisé. Tu sais danser ça?

— Autant que le cha-cha, dit Patricia.

— Ca promet...

Comme ils n'avaient pas vraiment le choix, ils regardèrent rapidement autour d'eux, prirent la position qui ressemblait le plus à celle de la plupart des couples, et se mirent à danser plutôt gauchement ce tango passionné et dramatique. Comme cette danse permet de grands déplacements latéraux, et de nombreuses virevoltes, ils en profitèrent pour s'éloigner de la partie de la piste où se trouvait le policier. Ce dernier, le regard soucieux, le front plissé, scrutait toujours la piste de danse.

— Ouf, dit Jonathan après avoir manoeuvré assez habilement, il ne peut plus nous voir...

— Bravo, dit Patricia.

Mais en revanche, ils avaient contrarié ou surpris nombre de couples. Ils arrivèrent bientôt à l'autre bout de la piste, près de la scène. Mais cette position les gêna. Les juges, tout près, pourraient les voir et, même si le concours était ouvert à tous, signaleraient peut-être leur présence, qui somme toute déshonorait la danse. Il fallait tout de même conserver une certaine décence, même dans une compétition ouverte au grand public. De toute manière, ils n'eurent pas le choix de rebrousser chemin rapidement vers le milieu de la piste, car le policier s'était rapproché. Il était juste devant l'orchestre. Sa présence ne manqua pas de surprendre les musiciens, ni d'inquiéter les juges. Que pouvait-il faire là?

— Il va finir par nous voir, dit Patricia, entraînée à toute vitesse par Jonathan, en un mouvement très inorthodoxe qui surprit tous les danseurs. Cherchaient-ils à se faire remarquer, ou à prendre toute la place? Chose certaine, ils étaient de véritables nullités, et ils nuisaient aux autres danseurs, et ce serait une bonne idée de les rapporter aux organisateurs.

— Je me demande comment il a fait pour nous retracer.

— C'est peut-être l'employé au comptoir de l'hôtel qui nous a reconnus.

— Peut-être, en effet...

Alors qu'ils se croyaient à l'abri des regards du policier, ils virent ce dernier qui marchait à toute vitesse en leur direction, enragé. Il les avait repérés. Ils étaient perdus. S'ils tentaient de prendre la fuite, il ouvrirait peut-être le feu sur eux. Pas la peine de résister. Ils se regardèrent tristement. La malchance s'acharnait vraiment contre eux. Échouer si près du but... Mais peut-être, une fois l'article publié, seraient-ils exonérés, et libérés... Si du moins Turner se décidait à aller de l'avant...

Ils cessèrent de danser — ce qui n'était pas une grande privation car ils se couvraient de ridicule depuis le début et avaient vraiment esquinté le tango, cette danse si noble — et se préparèrent à être arrêtés. Mais à leur grande surprise, le policier passa à côté d'eux comme s'il ne les avait pas vus. Et il prit plutôt par le bras une danseuse, juste à côté d'eux, une femme d'une quarantaine d'années qu'il arracha littéralement au bras de son accompagnateur, un jeune éphèbe d'à peine vingt ans.

— Je t'ai dit que je ne voulais pas que tu participes à ce concours, ragea-t-il en l'empoignant par le bras.

— Lâche-moi, tu me fais mal, protesta-t-elle.

— Laissez-la, dit le jeune homme qui n'avait pas l'air trop sûr de son fait.

— Toi, tu vas me faire le plaisir de déguerpir d'ici immédiatement, dit le policier qui, n'y allant pas par quatre chemins, dégaina son arme. C'est ma femme, et elle me doit obéissance.

Le jeune homme n'insista pas et quitta rapidement la piste, devant les yeux ahuris des autres danseurs. Le policier, qui tenait toujours sa femme solidement par le bras, l'entraîna vers la porte.

— Ouf, dit Patricia. Cette fois, je croyais vraiment que ça y était...

— On peut dire qu'il nous a fait peur, le con.

La musique de tango avait cessé, et l'orchestre enchaîna immédiatement avec une valse, qui ressemblait à une valse de Strauss, légèrement modifiée puisqu'il n'y avait pas de section de cordes. Patricia et Jonathan allaient quitter la piste, que de nombreux couples nouveaux envahissaient, mais en entendant cette musique, le jeune médecin laissa tomber:

— Dommage, une valse, la seule chose que je sache danser...

— On danse? lui demanda Patricia, avec un air enjôleur.

— Oui, dit-il avec une certaine surprise.

Il prit sa main, enserra sa taille, et l'entraîna dans un grand mouvement giratoire qui la ravit. Plus il la faisait tourner, plus elle souriait, plus elle riait, comme exaltée. Elle adorait danser, de toute évidence. Et toute sa nervosité, toute sa tension se dissipaient. Pour la première fois, ils n'avaient pas l'air de deux canards. Les autres couples ne se moquaient pas de leur gaucherie, ne semblaient pas les remarquer en fait, si ce n'est pour leur grâce, leur aisance, l'espèce d'harmonie parfaite qui régnait entre eux.

Après de nombreuses virevoltes, Jonathan ralentit le rythme. Quelque chose se passait entre eux, il le sentait. Il y avait une électricité, une chimie. Peut-être ses chances étaient-elles meilleures qu'il ne l'avait d'abord cru. En tout cas, Patricia paraissait absolument ravie de valser avec lui. Ils échangèrent un long regard, d'une intensité exceptionnelle. Leurs têtes se rapprochèrent, leurs lèvres se touchèrent presque. Mais Jonathan parut se raviser au dernier moment, même au risque de briser le charme de cet instant magique. C'était trop tôt. Il voulait d'abord avoir une conversation avec Patricia. Il voulait savoir à quoi s'en tenir au sujet de leur liaison, de leur amour. Alors, le temps parut s'arrêter. Ou plutôt, Jonathan eut l'impression qu'il redevenait un jeune homme. Il était revenu à l'époque de l'université. Il dansait avec Patricia, la seule danse qu'il eut jamais dansée avec elle. Et cette fois, il ne raterait pas sa chance de lui déclarer son amour. Il lui dit alors, d'une voix tremblante:

— Je t'aime, Patricia. Je veux t'épouser.

Elle ne dit rien d'abord, mais parut réfléchir intensément. Elle semblait vraiment embarrassée.

— Mais je suis déjà mariée, Jonathan.

— Tu m'as dit que ça ne marchait plus avec ton mari.

— Il faut que je parle avec lui... Il y a des choses que je dois savoir avant...

— Avant quoi? demanda Jonathan avec une lueur d'espoir.

Avant de lui dire qu'elle aussi elle l'aimait? Elle ne répondit pas, se contenta d'incliner la tête comme si elle ne pouvait plus soutenir son regard. Elle rassembla ses forces et dit:

— Il ne faut pas, Jonathan. Il ne faut pas.

— Pourquoi?

— Parce que je suis mariée, je te l'ai dit. Parce que ce serait trop tôt de toute manière. Même si ça ne marchait plus avec mon mari, je ne me sentirais pas capable de sauter d'un homme à l'autre...C'est justement ce que j'ai fait lorsque j'ai rencontré mon mari, et tu vois le résultat...

Elle plissa tout de suite les lèvres, comprenant qu'elle en avait trop dit. Elle venait en quelque sorte d'admettre que sa décision de se marier avait été prématurée, et que son mariage était peut-être un échec...De quoi redonner de l'espoir à Jonathan. Ce que précisément elle ne voulait pas.

— Mais hier, ce qui s'est passé entre nous...Tu ne peux tout de même pas le nier...

Elle prit soudain un air fermé, presque dur, et rétorqua:

— Il faut que tu oublies ce qui s'est passé entre nous. Pour moi, ça n'avait aucune signification. J'étais angoissée, nerveuse...Je sentais que tu en avais envie, et que je te devais bien ça pour m'avoir sauvé la vie à deux reprises.

— Ah, dit Jonathan, infiniment déçu. Je...J'avais cru...

Mais il n'acheva pas sa pensée. Il était effondré. Son mauvais sort l'accablait à nouveau. Il ne s'en libérerait jamais. Cette nuit n'avait rien été pour Patricia...Seulement une manière de soulager sa nervosité, un acte tout au plus amical, pour lui montrer sa reconnaissance...Lui qui, un instant, dans l'ardeur de l'étreinte, l'avait crue amoureuse, passionnée... Comme il s'était leurré! Ce n'avait été qu'un rêve... Leur danse lui parut tout à coup ridicule. Il s'immobilisa. Patricia comprit qu'il ne voulait plus danser et ne protesta pas lorsqu'il la prit par le bras pour l'escorter à travers la foule jusqu'à la porte de la salle de bal. Elle avait baissé la tête, regardait ses pieds. Des larmes mouillaient ses yeux.

73

La première chose que Patricia et Jonathan firent, à leur réveil, fut de se précipiter au kiosque à journaux de l'hôtel pour mettre la main sur le *L.A.Times*. Mais sur les tablettes, il y avait tous les journaux sauf le *L.A. Times*.

— C'est bizarre, dit Patricia. C'est...Je ne comprends pas...

— On dirait qu'ils n'ont pas publié aujourd'hui...

— Mais non, ce n'est pas possible...dit Patricia qui perdait son calme.

— Leurs avocats se sont peut-être ravisés à la dernière minute, après l'impression du journal, et ils ont décidé de ne pas le distribuer...

Patricia ne dit rien. C'était une explication plausible. Très plausible même. Si c'était le cas, ils avaient échoué. Tout s'effondrait. Le scandale n'éclaterait pas, et maintenant, ils n'avaient plus aucune preuve puisqu'ils avaient donné la disquette.

— Nous aurions dû faire un double de la disquette, dit Patricia. Nous avons été stupides.

— Nous étions pressés, nous ne pouvions pas savoir...

— Nous avons été stupides quand même, dit Patricia, qui rageait.

Mais il y avait peut-être une autre explication.

— Je vais demander au vendeur.

C'était un homme dans la cinquantaine, très gras, à la mine triste. Mais son visage s'éclaira lorsqu'il aperçut Patricia et il s'empressa de prendre un crayon sur son comptoir en disant, en proie à l'énervement:

— Madame Stone!

— Viens vite, dit Patricia en tournant les talons. J'ai été reconnue.

Et ils sortirent en courant du kiosque, laissant derrière eux un vendeur intrigué et déçu. En passant devant le comptoir de l'hôtel, ils pensèrent régler leur note mais se ravisèrent. Ils expédieraient cette corvée plus tard. Le vendeur de journaux avait peut-être alerté la sécurité. Il n'y avait pas une minute à perdre.

A la porte de l'hôtel, Jonathan s'écria, comme saisi d'une brusque illumination:

— Peut-être l'hôtel reçoit-il le *L.A. Times* plus tard. Allons voir ailleurs.

— C'est vrai, dit Patricia, qui retrouvait un peu d'espoir.

— Il y a une distributrice automatique, là-bas.

Ils coururent vers la distributrice, qui normalement, contenait des copies du *L.A. Times*. Mais elle était vide.

— Je n'en reviens pas, dit Patricia. C'est impossible! J'étais certaine que Turner allait publier notre histoire. C'est la vérité, pourtant.

Jonathan la regarda sans rien dire. Il était sincèrement désolé, pour elle et pour lui. Rien n'allait plus dans sa vie. L'article n'était pas publié. Il serait arrêté tôt ou tard, radié de l'ordre des médecins pour pratique douteuse, et traduit en justice pour complicité de meurtre, peut-être même pour meurtre. Il ne fallait pas oublier qu'il avait tué deux hommes, même si c'était en légitime défense. Comment ferait-il pour le prouver? Et puis, la femme de sa vie, avec qui il avait cru tout possible depuis leur nuit, l'avait repoussé, ne lui laissant miroiter aucun espoir.

— Il y a une autre distributrice de l'autre côté de la rue, dit Patricia.

— Ah, dit Jonathan, qui avait perdu tout espoir.

Elle traversa la rue en courant, sans regarder, et faillit se faire frapper par un énorme camion, dont le conducteur la klaxonna copieusement. Elle s'arrêta dans sa course, au beau milieu de la rue, sous le choc. Jonathan s'empressa de la rejoindre, la prit par la bras, et lui fit traverser la rue. Ils marchèrent lentement sur le trottoir, cependant que Patricia reprenait son souffle et se calmait. «Dans le fond, pensa-t-elle, il aurait peut-être mieux valu que je me fasse happer par ce camion. Tout serait fini maintenant».

Mais une seconde après, elle crut rêver. Ils arrivaient à la hauteur de la distributrice du *L.A. Times*, qui, elle, n'était pas vide. Sur la page frontispice, on voyait entre autres, des photos de Patricia, de l'institut Williamson et de William Blackwell. Patricia se tourna vers Jonathan et l'embrassa de joie.

— Ils ont publié! Ils ont publié.

Ils se précipitèrent vers la distributrice, Jonathan eut de la difficulté à trouver de la monnaie. Quand il en eut enfin trouvé, il introduisit nerveusement les pièces dans la machine et il prit deux ou trois copies du quotidien — dont l'édition s'était envolée en quelques heures — devant les yeux indignés d'une vieille dame qui passait par là. Aujourd'hui, même les gens biens volaient!

74

Vers sept heures trente, le matin même, le jeune livreur de journaux du prestigieux quartier de Bel Air jeta sur le perron de la villa de Blackwell l'édition du matin du *L.A. Times*. Patricia et Jonathan avaient gagné leur pari. Turner avait tendu un piège à Stanley, qu'il soupçonnait depuis longtemps, en fait depuis le scandale qui avait impliqué la soeur de sa femme. Il avait fait une copie de la fameuse disquette qu'il lui avait remise. Lorsque Stanley lui avait annoncé qu'il avait par erreur effacé la disquette, Turner avait tout de suite compris. Stanley était un traître qui protégeait des intérêts autres que celui du journal, probablement ceux de Blackwell, et s'il s'était empressé de détruire cette disquette si précieuse, c'est qu'il avait une raison: toute cette histoire était vraie et extrêmement compromettante. La décision de le publier avait suivi immédiatement.

Le journal publiait à la une des photos de Blackwell et des principales personnalités impliquées dans le scandale de l'institut Williamson: Kramer, Bloomberg, tous les deux veufs de fraîche date, et Waterman, qu'on voyait photographié dans son bureau, la tête posée dans une mare de sang, sur sa lettre de démission. Et il y avait également une photo de la prestigieuse clinique Williamson.

L'article était titré ainsi:

«Scandale à la clinique Williamson. Des femmes de millionnaires assassinées en série».

Un autre article était intitulé: «Comment divorcer de votre femme sans lui donner la moitié de votre fortune, ou la machine à divorce».

Comme on pouvait en juger par la seule lecture de ces accroches, Turner n'y était pas allé avec le dos de la cuiller et avait mis toute la gomme, jouant le tout pour le tout.

La veille, Turner avait convoqué une réunion exceptionnelle des principaux membres de son journal et avait décidé de consacrer dix pages à la couverture de ce scandale, appuyant ses déclarations à l'emporte-pièce sur la publication intégrale de la disquette que lui avait remise Patricia. On pouvait d'ailleurs voir une photo d'elle en première page, avec cette vignette: « La jeune femme grâce à qui la vérité a éclaté.»

Blackwell n'avait pas eu besoin de prendre connaissance de l'édition matinale du *L.A. Times* pour s'apercevoir qu'il avait perdu la partie et qu'il était dans l'eau chaude, comme jamais dans sa vie. Toutes les radios et les télévisions de la ville ne parlaient que de cette affaire. Il avait d'ailleurs appris, par un autre informateur au *L.A. Times*, — une secrétaire qui arrondissait grassement ses fins de mois en « surveillant» Stanley et en rapportant à Blackwell toute information susceptible de l'intéresser et qui aurait échappé à Stanley —, que Turner avait décidé d'aller de l'avant et de tout publier. Stanley était un imbécile qui s'était fait posséder par Turner et il n'avait eu que le sort qu'il méritait. Pauvre con qui pensait faire fortune sur son dos!

En ce moment, le magnat se trouvait dans son vaste bureau et, tout en s'affairant à prendre ses dossiers les plus importants, il écoutait la télévision. L'émission «Good Morning America» consacrait toute l'heure au surprenant scandale de la Clinique Williamson. Le téléphone ne dérougissait pas chez Blackwell. Il venait juste de raccrocher avec humeur. Le téléphone sonna à nouveau. Il répondit avec brusquerie :

— Allô!

— ...

— Oui, bien sûr que je l'ai vu, Bloomberg. Mais je te dis qu'ils n'ont aucune preuve! Ce n'est qu'un tissu de mensonges! Nous allons les poursuivre! Ils ne peuvent pas nous toucher. Ils ne savent pas à qui ils ont affaire. Nous sommes propriétaires de toute la Californie for chrissake!

Et il raccrocha sans attendre la réponse de Bloomberg. Il était si furieux que, lorsque le téléphone sonna à nouveau, il le jeta par terre. Au moins, il aurait la paix. Il prit sa serviette et s'approcha d'un des murs de son bureau, pour fouiller dans son coffre-fort, déjà ouvert. Il fourra dans son porte-documents quelques dossiers et tout l'argent liquide qui s'y trouvait. Il devait y en avoir pour quelques millions. A la télévision, le reporter disait:

«Tout porte à croire que William Blackwell, le richissime homme d'affaires californien, serait le cerveau à la base de cette machination, baptisée non sans ironie : «Heaven can't wait»

— Bastard! cria Blackwell au moment même où Julie paraissait dans le bureau, élégamment vêtue d'un tailleur mauve assez décolleté mais de facture classique.

Elle tenait d'une main son sac et de l'autre une petite valise qu'elle posa en entrant dans le bureau. Elle était évidemment au courant du scandale qui venait de frapper son célèbre amant et sentait que cette fois-ci, malgré toutes ses ressources, son argent et son influence, il ne réussirait pas à s'en tirer facilement, d'où ce départ précipité qu'il lui avait annoncé le matin même.

Ils devaient en effet partir dans l'heure pour la Suisse où Blackwell avait des associés et des amis, en plus de plusieurs comptes en banque et d'une luxueuse villa à Gstaad. De là, ils pourraient voir venir, laisser la poussière retomber, presque assurés d'une sorte d'immunité diplomatique, car la Suisse n'avait pas la réputation d'extrader facilement ses citoyens richissimes, même si les requêtes à cet effet étaient fondées sur des motifs extrêmement graves.

— Je suis prête, dit Julie avec une certaine fierté car Blackwell lui avait annoncé seulement une heure avant son intention de partir pour la Suisse, et elle s'était préparée très rapidement, elle qui habituellement était plutôt lente.

Blackwell regarda d'un air curieux sa maîtresse avec qui il n'avait plus fait l'amour depuis le visionnement de ce film embarrassant qui prouvait hors de tout doute son infidélité.

— Prête à quoi ? demanda-t-il ironiquement.

Cette réplique, qu'elle prit pour une plaisanterie, la désarçonna. Comment pouvait-il plaisanter en pareilles circonstances alors que la télévision, la radio et les journaux s'acharnaient contre lui et que la police ne tarderait sans doute pas à procéder à son arrestation?

Elle tenta un sourire pour lui montrer qu'elle était de la même race que lui, de ceux qui dominent les événements et se moquent de tout.

— Mais à partir, mon chéri...

Il referma la porte du coffre-fort, boucla sa serviette, l'air préoccupé, impatient.

— Partir? Pour aller où?

— Mais en Suisse, avec toi, mon chéri.

— J'ai décidé de partir seul.

Elle s'avança vers lui. Elle ne comprenait plus rien. Tout basculait.

— Tu ne peux pas me laisser ici!

— Pourquoi pas? Tu auras tout ton temps pour t'envoyer en l'air avec ton amant.

— Je ne l'aime plus...

Elle venait de faire une gaffe. Elle s'enfonçait, à cause de cette petite trahison de son subconscient. Elle tenta de se rattraper:

— Je ne l'ai jamais aimé!

— Moi non plus, dit ironiquement Blackwell. Je viens d'ailleurs de lui suggérer de prendre des vacances prolongées. Disons pour les vingt prochaines années. Tu vois, tout s'arrange bien. Tu te plaignais toujours que je travaillais trop. Avec lui, tu vas avoir tout le temps libre que tu veux.

Il laissa échapper un petit rire. Il avait quand même eu sa vengeance!

— Je te jure que je ne l'ai jamais aimé, protesta Julie qui perdait de plus en plus pied. Il m'a manipulée. Il s'est servi de moi.

— Arrête. Tu vas me faire pleurer.

Elle savait que tout s'effondrait, qu'elle ne pourrait pas le convaincre de partir avec elle. Elle ne pouvait pas le laisser faire. Il lui fallait s'accrocher. Elle ne voulait pas se retrouver seule, dans la rue, sans un sou, surtout après avoir vécu la grande vie pendant plus de cinq ans d'autant que Richard avait mis un terme à leur liaison dès que Blackwell les avait confrontés. Son amant l'avait d'ailleurs cruellement blessée en lui avouant qu'il ne l'avait jamais aimée, et que la femme qu'il aimait, c'était Patricia, même s'il l'avait épousée simplement pour étouffer les soupçons de Blackwell.

— Tu ne partiras pas sans moi, lança Julie d'une voix pleine d'assurance, presque autoritaire.

En l'entendant, Blackwell ne put s'empêcher de laisser à nouveau échapper un rire, plein de mépris. Franchement, elle était ridicule jusqu'à la fin! Mais en relevant les yeux, il se rendit compte que sa maîtresse braquait en sa direction un tout petit pistolet qu'elle venait de tirer précipitamment de son sac à main.

— Ne fais pas l'idiote! Tu sais très bien que nous ne sommes pas faits l'un pour l'autre. Tu as fait semblant de m'aimer parce que je suis riche, et j'ai fait semblant de t'aimer parce que tu étais jeune et que tu faisais bander mes amis. Mais tu as vieilli et puis tu me trompes depuis un an avec un minable...

— Toi aussi tu m'as trompée...

— Je ne suis pas un magicien. Je ne bande pas sur les vieilles chattes ratatinées.

— Pourquoi es-tu si cruel avec moi? Je sais que nous avons eu nos problèmes, mais nous nous aimions, nous étions de la même race...Ce n'est pas pour mon cul que tu m'aimais, c'est parce que je méprisais les gens comme toi.

— Excuse-moi, mais je ne vois pas pourquoi cette discussion se prolonge. Nous n'avons plus aucune raison de rester ensemble. Serrons-nous la main et séparons-nous bons amis.

— Mais je t'aime, William!

— Si tu m'aimes, tu vas me donner immédiatement ce pistolet ridicule.

Et il marcha en sa direction, persuadé qu'elle bluffait, qu'elle n'ouvrirait jamais le feu, pas sur lui, William Blackwell, qui l'avait toujours dominée totalement.

Il avait à peine fini sa phrase qu'une détonation retentit et que son visage se tordit en une grimace de surprise et de douleur. Julie avait eu le courage de tirer et elle l'avait atteint à la main gauche. Il échappa sa serviette, qui s'ouvrit en heurtant le sol, laissant voir les billets de banque et les documents. L'air ahuri, Blackwell tenait sa main blessée. Sa maîtresse avait plus de cran qu'il n'aurait cru.

Le coup de feu avait alerté le garde du corps de Blackwell, qui fit immédiatement irruption dans le bureau, revolver au poing, l'air tendu. Il vit la main armée de Julie et celle, ensanglantée, de son patron. Sur le coup, il n'eut pas l'air de comprendre. Prise de panique, Julie pointa son revolver en sa direction.

Blackwell en profita pour faire un bond vers elle et lui administrer une gifle si retentissante qu'elle s'effondra au sol. Il aurait pu laisser son garde du corps l'achever, mais parce qu'elle avait eu l'audace infinie de le menacer et même de le blesser, il se jeta sur elle pour l'égorger de ses propres mains. Il venait de commettre une erreur fatale car une seconde détonation retentit. Le visage de Blackwell se figea dans une stupeur indescriptible: il venait de recevoir une balle en pleine gorge, et le sang giclait, coulant à flots de l'artère qui avait été tranchée net.

Julie mit quelques secondes à comprendre ce qui venait de se passer. Elle n'avait pas tiré volontairement. Elle laissa tomber son arme, se dégagea de son amant qui s'effondra face contre sol. Elle se pencha aussitôt sur lui, le retourna en le prenant par les épaules, et se mit inutilement à le secouer:

— Non, criait-elle, ne meurs pas, ne meurs pas! Tu ne peux pas me faire ça!

Mais Blackwell avait perdu beaucoup de sang. Une immense flaque rouge maculait le tapis du bureau. Tout était fini.

Le garde du corps eut une hésitation. Que devait-il faire? Il avait lu comme tout le monde les journaux du matin, et il savait que dans peu de temps la police débarquerait avec un mandat d'arrestation contre son patron. Contre lui aussi, peut-être. Après tout, il n'était pas sans tache. Il avait assassiné Waterman. On le forcerait peut-être à avouer son crime. Il serait condamné. Mais le sentiment du devoir, le désir de venger son patron fut plus fort, et il se précipita vers Julie et s'empressa de ramasser son revolver. Il leva alors son arme vers la tête de Julie et jeta haineusement:

— Tu vas payer ton crime!

Elle se tourna vers lui, vit son arme, mais n'eut pour ainsi dire aucune réaction. Etait-elle sous l'effet du choc que lui avait causé la mort de son amant? Tout lui était indifférent. Elle avait perdu Richard, elle venait de perdre Blackwell... La mort serait douce, elle serait une délivrance, elle la libérerait de la laideur de sa vie ratée. Elle abaissa les paupières, pour mieux se recueillir. Le coup de feu retentit. Elle ne sentit rien, et se dit que les gens étaient idiots de tant craindre la mort. Ce n'était pas douloureux du tout. Elle était libre maintenant!

Elle ouvrit les yeux, pour voir de quoi avait l'air l'au-delà. Mais elle ne vit ni tunnel de lumière, ni anges venus l'accueillir comme elle l'avait lu dans certains ouvrages. En fait, la ressemblance avec le monde qu'elle venait de quitter était saisissante. Le décor était le même. Blackwell était toujours allongé sur le tapis, dans une mare de sang de plus en plus grande. La seule différence était que le garde du corps était venu le rejoindre, terrassé par le coup de feu que venait de tirer l'inspecteur Spalding.

Elle eut envie de prendre le revolver du garde du corps qui était tombé juste à côté d'elle, et d'en finir avec la vie. Mais elle n'en fit rien, elle baissa simplement la tête, honteuse.

75

Patricia et Jonathan prirent un petit déjeuner au champagne pour fêter leur victoire. Patricia dont toute la nervosité s'était subitement évanouie après avoir mis enfin la main sur le journal, engloutit trois immenses crêpes aux fraises, mais Jonathan se contenta d'un café et d'un bol de fruits. Il ne pouvait s'empêcher de se rappeler la conversation décisive de la veille alors que tous ses espoirs amoureux s'étaient effondrés. Au moins, ils avaient fait triompher la vérité. Il en était fier. Et il devait admettre qu'il avait vécu en quelques jours les heures les plus excitantes de son existence.

Vers neuf heures, après avoir fait un saut chez Jonathan pour lui permettre de récupérer son chien Harry — sa voisine de pallier, qui avait la clé de son appartement, l'avait heureusement nourri — ils se mirent en route vers l'Institut, non seulement pour y récupérer leurs effets personnels, mais pour voir ce qu'il advenait des pensionnaires, et plus particulièrement d'Andréa Blackwell, celle grâce à qui tout avait été possible.

Devant l'ampleur du scandale, les autorités municipales avaient décidé de mettre sous tutelle la Clinique, et la première décision de l'administration provisoire avait été de fermer *sine die* l'Institut, jusqu'à ce que la lumière fût complètement faite sur cette sombre affaire. Il y avait eu trop de morts récemment, pour qu'on pût prendre de risques. En outre, le directeur de la clinique et son propriétaire avaient été trouvés morts: il était donc évident que les allégations du *L.A. Times* avaient un certain fondement.

Lorsque Patricia et Jonathan arrivèrent en Jeep, une foule de curieux et de journalistes étaient déjà sur les lieux à la recherche de renseignements supplémentaires et d'entrevues choc. L'ampleur de cet attroupement les surprit un peu.

— Puis-je avoir un autographe, Madame Stone? demanda le garde au poste de contrôle, qui depuis le matin, n'exerçait plus une surveillance très stricte et laissait entrer à peu près tout le monde sans poser de questions.

Patricia regarda Jonathan, étonnée par cette célébrité instantanée. Et, plus par gentillesse que par vanité, elle accéda à la demande du garde et griffonna son nom sur un bout de papier qu'il lui tendit. Parmi les curieux qui entraient à la clinique, une femme reconnut Patricia.

— C'est elle, dit-elle.

Et elle tira elle aussi une feuille de papier et un crayon de son sac à main et se dirigea vers Patricia, pour obtenir elle aussi un autographe, suivie par sept ou huit personnes qui se groupèrent autour de la Jeep. Patricia s'exécuta de bonne grâce mais trouva rapidement ridicule cette séance de signature improvisée. Après tout, elle n'était pas une star de cinéma ni un auteur de best-seller! Elle adressa une moue de contrariété discrète à Jonathan, qui la regardait, admirativement, plus amoureux d'elle que jamais. Elle était si aimable et si souriante, même si elle n'avait pas vraiment envie de se plier à cette corvée inattendue. Les gens la félicitaient, la photographiaient, la pressaient de questions, voulaient la toucher.

— Allez-vous vous marier? demanda un curieux en désignant Patricia et Jonathan, le couple le plus célèbre de l'heure.

— Nous n'avons pas de projets dans ce sens dans l'immédiat, dit Jonathan.

Ils se regardèrent, rougissant de l'incongruité de la question. Patricia signa un dernier autographe puis fit signe à Jonathan qu'elle en avait assez.

— Je dois y aller maintenant, expliqua-t-elle le plus gentiment du monde aux curieux qui se pressaient de plus en plus nombreux autour d'elle, réclamant les uns des autographes, les autres des photos avec elle.

Il y eut un mouvement de déception dans l'attroupement, mais on comprenait somme toute que l'héroïne du jour eût d'autres obligations, plus importantes que de satisfaire ses nouveaux admirateurs. La Jeep fendit lentement la foule, puis Jonathan alla la garer, et décida après une hésitation, d'y laisser son chien Harry, estimant que ce serait trop compliqué de l'emmener avec lui.

Il se sépara de Patricia à l'entrée de la clinique, après être parvenu à échapper à l'attention des journalistes et des photographes, qui, il faut le dire, avaient beaucoup de choses à se mettre sous la dent car de nombreux maris célèbres s'étaient empressés, dès que le scandale avait éclaté, de venir chercher leur épouse. Peut-être risquaient-ils moins d'être accusés d'avoir voulu s'en débarrasser. La présence des photographes n'était pas de nature à réjouir ces hommes, et plusieurs cherchaient à les éviter, ou repoussaient leurs pressantes questions par le traditionnel: «NO COMMENTS».

— On se retrouve ici dans quinze minutes, dit Jonathan. Ca va?

— D'accord, dit Patricia, qui éprouva un malaise immédiat en entrant dans la clinique.

76

En se retrouvant dans le hall, elle se rappela le jour de son admission à la clinique mais aussi la triste découverte de la liaison de son mari avec Julie, qu'elle croyait pourtant être une amie. D'ailleurs, elle ne savait plus trop quoi penser maintenant. Tout était confus dans son esprit. Son mari l'avait-il vraiment trompée? Bien sûr, elle les avait vus ensemble, dans le hall de la clinique, mais était-ce une preuve? Et madame Darpel s'était montrée on ne peut plus catégorique au sujet de la liaison de Julie et de Richard. Mais c'était une femme si médisante, si intrigante, qu'elle avait peut-être simplement voulu briser son bonheur, en lui racontant une histoire invraisemblable. Elle ne pourrait vraiment apprendre la vérité que de la bouche de son mari. D'ailleurs, où pouvait-il bien être en ce moment? Elle eut une pensée affectueuse et inquiète à son endroit et espéra que la blessure qu'il avait subie à l'hôtel n'était pas trop grave. Dans l'ascenseur, elle fut surprise de constater, à quel point elle avait peu pensé à son mari depuis les derniers jours... Elle qui avait été si obsédée, si amoureuse de lui! Etait-ce le signe qu'elle ne l'aimait plus? Et lui l'avait-il jamais aimée? Bien sûr, il avait été le premier homme à lui proposer de l'épouser...Mais était-ce une véritable preuve d'amour?

En sortant de l'ascenseur, Patricia tomba sur nul autre que Lumino, l'infirmier qui avait assuré sa surveillance les derniers jours de son séjour à la clinique. Le visage éclairé d'un large sourire, il lui tendit la main.

— Madame Stone, c'est un honneur...

Elle lui serra la main.

— Est-ce que ma chambre est ouverte? demanda-t-elle.

— Mais oui, si vous voulez, je vous y accompagne.

— Ce n'est pas nécessaire.

— J'insiste.

— Je veux voir Andréa Blackwell, avant. Savez-vous si elle est encore à la clinique?

— Je...Je ne crois pas. Je ne l'ai pas vue depuis deux jours...

Patricia eut un serrement au coeur. Sa célèbre voisine avait peut-être été tuée. Mais oui, c'était évident. Waterman avait du faire le lien entre son évasion et madame Blackwell. Et il l'avait supprimée, parce qu'elle en savait trop. Elle pâlit soudain.

— Vous vous sentez bien? demanda Lumino.

Il ne cessait de la regarder, émerveillé, parce qu'il avait vu sa photo dans le journal ce qui lui conférait à ses yeux un statut nouveau.

— C'est vraiment incroyable, ce que vous avez fait, dit-il.

— N'importe qui aurait fait la même chose à ma place. J'essayais surtout de sauver ma peau.

— Mais quand même, il fallait le faire, moi je n'aurais jamais pu, ajouta-t-il avec une candeur désarmante.

— Je suis sûr que vous êtes plus courageux que vous ne le pensez. Si vous croyez en vous-même, vous pourrez accomplir des choses étonnantes.

— Vous croyez?

— J'en suis sûre. Dépêchons-nous, conclut-elle. Il faut que je voie madame Blackwell immédiatement.

Encouragé — c'était une des seules paroles gentilles qu'on lui ait adressées de toute sa vie —, Lumino bomba le torse, et parut flotter sur un nuage, tant et si bien qu'il ne vit pas le cendrier sur pied près d'une porte, et le heurta, perdant presque pied. Patricia eut un sourire amusé.

— Evidemment, ce n'est pas une raison pour ne pas regarder devant vous.

— Oui, c'est vrai, bafouilla-t-il, un peu honteux.

Patricia le suivit dans le corridor, rendant les saluts aux membres du personnel qui l'avaient reconnue et la gratifiaient d'un sourire. Ils la félicitaient pour cet exploit peu commun, qui cependant, dans l'immédiat les mettait tous au chômage, comme quoi rien n'est parfait en ce bas monde! Quelques secondes plus tard, avec une politesse exagérée, comme celle qu'on accorde aux grands de ce monde, Lumino ouvrit devant Patricia la porte de la chambre d'Andréa Blackwell.

77

Lorsqu'elle aperçut Andréa, Patricia éprouva une grande émotion. Elle était vivante! Elle avait été épargnée! Attendue par un chauffeur en livrée, qu'elle s'était empressée de faire venir dès qu'elle avait appris qu'elle était enfin libre (nouvelle étonnante, s'il en fût, après une captivité de cinq ans!), elle bouclait en hâte ses malles, tout en regardant plutôt distraitement la télévision.

— Patricia! cria-t-elle, le visage illuminé d'un sourire radieux. J'ai eu tellement peur qu'ils te tuent!

Les deux femmes se jetèrent dans les bras l'une de l'autre et s'étreignirent pendant un long moment. Puis Andréa Blackwell repoussa Patricia et, la prenant par les épaules, les larmes aux yeux, la regarda, comme une mère qui aurait retrouvé sa fille après une longue absence. C'était, elles le sentaient toutes deux, le commencement d'une très belle amitié. Patricia trouvait à Andréa un air léger, serein et gai comme elle ne lui en avait jamais vu. La liberté semblait lui donner des ailes. Leurs touchantes retrouvailles furent alors interrompues par un communiqué spécial à la télé. Le reporter, l'air grave, annonça:

— Nous interrompons notre émission pour vous informer que le magnat William Blackwell a été trouvé mort ce matin à sa résidence de Bel Air. Le célèbre hommes d'affaires, dont la réputation vient d'être compromise par l'affaire de la clinique Williamson, a été selon toute apparence abattu par sa maîtresse au moment où il allait prendre la fuite pour la Suisse. Sa serviette contenait près de trois millions de dollars liquides ainsi que des documents ultra-confidentiels qui, dit-on, auraient un rapport direct avec le scandale impliquant des dizaines d'hommes riches des Etats-Unis.

Des images apparurent alors à l'écran, montrant l'intérieur de la résidence de Blackwell, puis son corps gisant dans une mare de sang. On vit également Julie Landstrom, menottée et encadrée par deux policiers.

Andréa Blackwell poussa alors le cri le plus aigu, le plus désespéré que Patricia eût jamais entendu de toute sa vie.

— Non! Ce n'est pas vrai! Tu n'as pas le droit!

Elle avait repoussé Patricia et s'était approchée du téléviseur. La joie anticipée de retrouver son mari après cinq ans de séparation venait de s'effacer d'un seul coup, et à jamais. Andréa se mit à suffoquer, comme si elle faisait une crise d'asthme. Prise de faiblesse, elle chercha un appui autour d'elle. Patricia s'empressa de la soutenir et l'aida à s'asseoir sur le lit. Elle y prit place également, et se mit à lui caresser affectueusement les cheveux. Le chauffeur crut bon d'aller fermer la télé, et personne ne protesta dans la chambre. Andréa ne disait plus rien, elle se contentait de pleurer. Patricia préféra respecter son silence. Que pouvait-elle dire d'ailleurs pour la consoler, devant cette perte inattendue — et surtout définitive?

Pourtant, les sanglots d'Andréa diminuèrent bientôt. Elle se releva, fit quelques pas, comme pour se donner une contenance, et trouva une cigarette, qu'elle alluma. Elle en tira plusieurs bouffées sans rien dire, le regard perdu. Puis elle considéra Patricia avec un mélange de mélancolie et de tendresse:

— C'était un monstre, il me trompait, il me détestait, mais il avait quelque chose... Et je sais que, quelque part en lui, il m'aimait...

Elle se tut à nouveau, puis, comme si elle comprenait que ses paroles avaient quelque chose de paradoxal, elle crut bon d'ajouter:

— Ca peut te sembler fou, mais un jour tu comprendras. L'amour, le véritable amour, est au-delà de la haine, de l'infidélité, de tout...

Elle avait prononcé ces mots avec gravité, comme un testament spirituel. C'est ainsi en tout cas que Patricia les interpréta et elle en fut très troublée. Andréa regarda alors autour d'elle, à la recherche d'un mouchoir, vit une boîte de Kleenex sur sa table de chevet mais n'eut pas le temps d'en prendre un car Patricia la devança.

— Je dois avoir l'air d'un vrai bouffon, dit Andréa. Je venais juste de me maquiller.

— Mais non, s'empressa de dire Patricia, vous êtes parfaite. Il n'y a pas de dégâts.

Avec un sourire très affectueux, madame Blackwell, qui s'essuyait les joues et les paupières sous les yeux, dit alors:

— Tu es gentille. Vraiment gentille. J'espère que nous allons avoir l'occasion de nous revoir. C'est idiot, je ne sais pas pourquoi, mais j'ai l'impression que tu es la fille que je n'ai jamais eue.

— Et moi, je me sens comme votre fille, se contenta de dire Patricia qui n'osa pas lui expliquer à quel point sa vraie mère avait toujours été odieuse, égoïste et cruelle avec elle.

Andréa alla prendre ses lunettes fumées sur sa coiffeuse, les mit et déclara, d'une manière à la fois surprenante et drôle:

— Au fond, c'était un con. Il s'est toujours cru plus intelligent que moi. Mais il est mort et je suis encore vivante.

Patricia ne put s'empêcher de sourire.

78

Ce ne fut pas sans émotion que Patricia pénétra dans sa propre chambre, tout de suite après s'être séparée de madame Blackwell. Elle eut même des frissons lorsqu'elle vit, sur le plancher qui n'avait pas été bien nettoyé, des traces du sang de Jack Burke. Elle se rappela sa lutte désespérée pour lui échapper. Elle se rappela aussi l'épisode terrible à l'hôtel... Elle jeta un coup d'oeil dans la salle de bain et vit que la fenêtre n'avait pas encore été réparée. L'émotion passée, elle se hâta de faire ses malles.

Elle jeta sa valise ouverte sur le lit et y jeta pêle-mêle ses vêtements. Elle vint à bout de cette corvée en quelques minutes à peine. Bon, va pour les vêtements! Le reste maintenant... Devait-elle tout emporter? Il ne fallait pas en tout cas qu'elle oublie la boîte de chocolats que lui avait si gentiment offerts Jessica! Elle la plaça délicatement sur le dessus de ses vêtements et se demanda pourquoi diable son amie ne lui avait pas donné de nouvelles... depuis combien de temps déjà? Une éternité, lui semblait-il! C'est vrai, elle était en voyage à Paris, mais elle aurait quand même pu lui téléphoner, lui écrire, enfin lui donner signe de vie d'une manière ou d'une autre, non!

En refermant son ordinateur portatif, elle vit la photo de Cléo. Une grande nostalgie la submergea. Comme sa brave fille lui manquait! Comme elle aurait aimé la revoir, une fois, une seule fois! Ce qu'elle aurait donné pour avoir cette chance, ce privilège...Mais Cléo était peut-être morte à cette heure...Elle avait toujours mal supporté les séparations, et puis, elle était très vieille, une grippe, un refroidissement l'avait peut-être emportée, si elle ne s'était pas laissée mourir de chagrin, parce que sa maîtresse adorée l'avait abandonnée pour se marier... Le pressentiment qu'elle avait depuis longtemps ne fit que se renforcer lorsque en voulant mettre le portrait de Cléo dans sa valise, elle l'échappa. Le verre se brisa. C'était un signe, elle le savait. Lili était morte. Elle n'était plus de ce monde...

— Oh ma belle fille, dit elle en ramassant les débris de verre inutiles, je m'excuse... Maman n'aurait jamais dû te laisser...Est-ce que tu vas me pardonner un jour?

Elle prit le portrait à deux mains et, même si elle risquait de se couper, elle baisa le beau visage de Cléo. Puis, pressée, — Jonathan lui avait donné rendez-vous dans quinze minutes et il ne lui en restait plus que sept ou huit tout au plus — elle serra la photo dans sa valise. Elle s'apprêtait à la boucler lorsqu'elle entendit derrière elle une voix joyeuse et légère qui demandait:

— Hey, la folle! Où penses-tu que tu vas comme ça?

Cette voix, Patricia, l'avait reconnue immédiatement. C'était celle de Jessica. Elle se retourna. Elle ne rêvait pas. C'était bien sa copine Jessica qui courut se jeter dans ses bras, la souleva et la fit tourner comme une poupée. Elle ne la déposa qu'après lui avoir fait faire trois ou quatre tours.

— Je n'en reviens pas, dit Jessica qui regardait Patricia des pieds à la tête. J'ai l'impression qu'il y a une éternité qu'on ne s'est pas vues.

— A cause de toi, espèce d'ingrate. Je pensais que tu étais morte, tu aurais pu m'appeler, m'écrire...lui reprocha Patricia mais d'un air pas vraiment sérieux.

— J'ai téléphoné au moins dix fois ici. On me répondait toujours que tu dormais ou que tu subissais des examens.

— On ne m'en a jamais informée.

— Et tu n'as pas reçu mes cartes postales? interrogea Jessica, surprise de ce qu'elle apprenait.

— Non, rien. Je n'ai rien reçu.

— Je ne comprends pas.

— Ce sont des salauds.

Un homme, la quarantaine élégante, entra alors dans la chambre. Il accompagnait Jessica mais elle lui avait demandé de la laisser seule avec sa copine, quelques minutes, le temps des retrouvailles. Jessica le vit et dit:

— Viens, Bill.

Il s'approcha.

— Patricia, je te présente mon mari, Bill.

Il serra la main de Patricia en déclarant:

— Je suis très honoré de vous rencontrer, Patricia. Vous êtes devenue une véritable célébrité. On ne parle que de vous à la télévision et dans les journaux.

— C'est une célébrité dont je me serais volontiers passée.

Puis, se tournant vers Jessica:

— C'est vrai, vous êtes mariés?

— Mais oui! A Paris, sur la Tour Eiffel, nous avons finalement décidé de faire le grand saut. Et nous avons pris l'avion le lendemain même pour Las Vegas.

Pour preuve, elle exhiba sa magnifique alliance.

— Mes félicitations! Je suis heureuse pour toi. Pour vous, se reprit Patricia.

Patricia était réellement heureuse pour eux. Il y avait tellement longtemps que son amie souhaitait se marier. Elle l'embrassa chaleureusement. Le mari de Jessica s'approcha de Patricia et l'embrassa lui aussi, acceptant ses félicitations. Il consulta alors sa montre-bracelet et dit:

— Je ne voudrais pas jouer les trouble-fête, mais notre avion part dans une heure.

— Vous partez? dit Patricia.

— Oui, expliqua Jessica, en voyage de noces. Au Japon. On se reparle à mon retour. Attends, je vais te laisser mon numéro de téléphone.

Galant, son mari la devança et tira de sa poche un stylo en or et un calepin dans lequel il nota leur numéro de téléphone et leur adresse. Il arracha la page et la remit à Patricia.

— C'est à Bel Air, expliqua Jessica. La maison a seulement huit mille pieds carrés habitables sur quatre étages, la piscine intérieure est plutôt petite, mais les voisins sont sympathiques et nous avons de jolies fleurs...Et il faut bien commencer quelque part, quoi!

— Get out of here! dit Patricia.

Les deux femmes éclatèrent de rire, s'embrassèrent une dernière fois, puis Jessica et son nouveau mari laissèrent Patricia seule dans sa chambre.

79

Lorsqu'elle arriva sur le perron de la clinique, où se bousculaient pensionnaires, maris, parents, curieux, journalistes et membres du personnel, Patricia, son unique valise à la main, et son ordinateur en bandoulière, ne trouva pas Jonathan. Il avait sans doute rencontré des collègues, et s'était attardé. Elle aperçut la jeune mademoiselle Chase, immobile, pâlotte, qui attendait sa famille. Elle était superbe dans son manteau de drap noir, sans doute un peu chaud pour la saison mais néanmoins d'une élégance raffinée. Le regard vide, elle paraissait complètement absente, indifférente au brouhaha qui l'entourait. Ce qui l'attristait n'était pas tellement l'idée de retrouver une vie normale, pour laquelle elle ne s'était jamais sentie aucun talent.

La clinique fermée, elle ne verrait plus son professeur de danse, à qui elle vouait une passion sans bornes. Elle n'avait pas de moyens de le rejoindre. Elle avait demandé à l'administration son numéro de téléphone ou son adresse, mais on lui avait refusé l'information, lui expliquant que c'était confidentiel. Le pire est qu'elle ne connaissait même pas son nom de famille si bien que dans ces conditions, ses chances étaient pour ainsi dire nulles. Et madame Darpel, qui décidément avait un don pour deviner ce qui faisait le plus souffrir les êtres, lui avait même dit qu'il était retourné dans son Espagne natale, ce qui avait mis un comble à son désespoir. Sans trop savoir pourquoi, peut-être parce qu'elle aussi avait eu des amours malheureuses, Patricia s'identifia à mademoiselle Chase.

Mais tout à coup, le regard de la jeune femme s'illumina, son visage prit vie. A une dizaine de mètres devant le perron, un homme entièrement vêtu de noir, en fait déguisé en Zorro, l'illustre justicier puisqu'il portait cape, bottes, chapeau et loup, s'était mis à tournoyer vers elle, en une danse mystérieuse et belle. Faisant virevolter sa cape avec une adresse étourdissante, il gravit toutes les marches de l'escalier et vint s'immobiliser juste devant mademoiselle Chase.

Le coeur de la jeune femme se mit à battre à tout rompre. Un pressentiment venait de la visiter. Elle en eut sans tarder la confirmation lorsque le danseur retira son loup et la regarda droit dans les yeux avec une intensité extraordinaire. C'était lui! L'homme qu'elle n'attendait plus, qu'elle croyait avoir perdu à tout jamais! Il était venu la chercher, l'enlever, comme elle en avait toujours rêvé, comme seul un danseur pouvait le faire: c'était bien son maître de danse, son bel Espagnol. Il s'agenouilla devant elle, prit sa main, et y posa le front, comme un esclave devant son maître. Elle suffoquait d'émotion, radieuse, elle avait peine à croire à son bonheur.

— Je suis venu te chercher, dit l'Espagnol, en relevant la tête vers elle. Je ne peux pas vivre sans toi.

Elle ne disait rien, tant le bonheur la bousculait. Elle le prit par la tête, l'attira à elle, le forçant à se relever. Ils s'embrassèrent passionnément, en un baiser qu'ils brûlaient depuis des mois d'échanger. Puis le maître de danse prit la valise de mademoiselle Chase, et dit simplement:

— Viens, partons.

Patricia les regarda s'éloigner avec attendrissement, étrangers à la foule, seuls au monde, comme le sont toujours les amants. Ils passèrent à côté de madame Tate qui, toujours égale à elle-même, attendait que sa fille vienne la chercher, l'oreille collée à son téléphone cellulaire. Le charme de la scène fut rompu par des cris furieux derrière Patricia.

80

— J'ai payé jusqu'à la fin de l'année! Il n'est pas question que je parte tout de suite, protestait avec véhémence madame Darpel, portant comme à son habitude un décolleté vertigineux dans lequel l'infirmier qui l'escortait ne manquait de jeter des regards furtifs.

— La clinique ferme, madame Darpel, lui répéta pour la centième fois l'infirmier.

— Je vais poursuivre la clinique, menaça-t-elle.

— C'est votre droit, dit philosophiquement l'infirmier.

Mais soudain sa colère s'évanouit, comme par enchantement. Elle venait d'apercevoir un jeune reporter, qui correspondait exactement à ses canons de beauté, et qui en outre avait trente ans de moins qu'elle! Comme elle avait toujours aimé les fruits verts...

Elle s'empressa de tirer de son sac une montre Rolex, arbora le sourire le plus conquérant de son répertoire et se jeta littéralement sur le jeune homme. Elle ne change pas, se dit Patricia.

La vue de cette Rolex lui donna d'ailleurs l'idée de consulter sa propre montre. Il devait maintenant y avoir une bonne vingtaine de minutes que Jonathan et elle s'étaient laissés. Pourquoi Jonathan tardait-il autant? Une pensée horrible la traversa. S'il fallait qu'il lui fût arrivé quelque chose? Qui sait, peut-être restait-il à la clinique des hommes de main de Blackwell, qui avaient toujours un contrat sur Jonathan et elle, et qui, aussi invraisemblable que ce fût, ignoraient la mort de leur patron. Elle eut un frisson à cette idée.

Elle fut alors surprise de voir Miss Harper, l'air enragé, menottée, encadrée par deux policiers. L'infirmière-chef l'aperçut et lui lança un regard haineux:

— Vous me le paierez un jour! hurla-t-elle pendant que les photographes s'empressaient de l'immortaliser.

Patricia ne crut pas bon de lui répondre et n'en aurait même pas eu le temps, car un journaliste la reconnut alors. Elle avait réussi jusque-là à leur échapper, sans d'ailleurs faire vraiment d'efforts. Il faut dire qu'il y avait tant de pensionnaires plus célèbres qu'elle, — femmes de banquiers, d'industriels, de politiciens influents — que même si elle était celle par qui le scandale avait éclaté, on avait tout d'abord cherché à interviewer et à photographier des visages connus du grand public. Mais une entrevue avec l'héroïne du jour ne pouvait évidemment pas manquer d'intéresser les spectateurs. Les cameramen s'empressèrent de suivre le reporter, qui planta son microphone devant Patricia et la bombarda de questions auxquelles elle n'eut pas le temps de répondre parce qu'une véritable meute de journalistes suivirent leur confrère et posèrent eux aussi leurs questions, tous en même temps, dans un désordre indescriptible, sous le crépitement des flashes. Patricia répondit à quelques questions, nerveuse, dans son inexpérience des médias.

Mais heureusement son supplice fut de courte durée, car la meute de journalistes l'abandonna subitement lorsque parut sur le seuil de la clinique, altière, madame Blackwell. Protégée par ses verres fumés, elle laissa les journalistes l'entourer avec bonne grâce. Veuve depuis quelques heures à peine, elle devenait l'héritière d'une fortune colossale, et du même coup un objet d'attraction extraordinaire pour les médias.

Patricia en profita pour s'éclipser et se mêler à la foule, dévalant l'escalier le plus rapidement possible.

81

Mais avant d'atteindre la dernière marche, elle s'arrêta net et laissa tomber sa valise. Elle avait l'impression de rêver. Pas n'importe quel rêve d'ailleurs, mais le plus inattendu, le plus extraordinaire de sa vie. Une vieille Rolls Royce blanche venait de franchir lentement la grille de la clinique. Elle ne fut pas tout à fait sûre au début, puis à mesure que la limousine approchait, ce fut une certitude. C'était la vieille dame excentrique à qui elle avait confié Cléo. La vénérable millionnaire la vit à son tour et fit un signe à son chauffeur qui immobilisa la Rolls.

Aussitôt, Cléo et son petit compagnon, le colley miniature, sautèrent gaiement de la limousine et se mirent à gambader, sur le parterre de la clinique. La vieille dame descendit et les suivit. L'émotion submergea Patricia. Son pressentiment était erroné. Cléo était bien vivante, joyeuse, égale à elle-même!

Après avoir couru en rond quelques secondes avec son petit ami, Cléo s'immobilisa soudain et dressa les oreilles. Elle écarquilla les yeux d'un air d'abord incrédule puis ému: elle venait d'apercevoir son ancienne maîtresse. Cléo demeura un instant immobile, paralysée par l'émotion, puis ne tenant plus de joie, en aboyant joyeusement, elle courut à toute vitesse vers Patricia et lui sauta dans les bras.

— Oh ma belle fille, tu n'es pas morte, tu n'es pas morte! Je ne le crois pas. J'ai eu si peur de ne plus te revoir. Maintenant, on ne se séparera plus jamais. C'est promis!

Pour célébrer ces retrouvailles, elle repoussa gentiment Cléo, ouvrit en hâte sa valise et en tira les chocolats que lui avait offerts Jessica. Elle posa la boîte ouverte aux pieds de Cléo qui se précipita pour se régaler, rapidement rejointe par son petit ami le colley.

La vieille dame, le visage souriant, s'approcha et dit à Patricia:

— En lisant le journal ce matin, je me suis dit que vous auriez peut-être envie de reprendre Cléo...qui soit dit en passant a été très sage...

— Je vous...je vous remercie...Vous avez fait la bonne chose...je vais la garder maintenant...

La vieille dame ne dit rien et se contenta de sourire, visiblement heureuse du bonheur de Patricia. Puis elle dit:

— C'est bien, ce que vous avez fait pour ces femmes. C'est très bien.

— Merci, dit Patricia.

Il y eut un silence, puis la vieille dame ajouta:

— Il va falloir qu'on y aille, Rambo. Nous rentrons à la maison.

Le petit chien se tourna vers sa maîtresse, l'air désolé. Il n'avait pas fini son goûter. Ne pouvait-elle patienter encore quelques minutes, le temps de compléter son festin?

— Vous pouvez emporter les chocolats, dit Patricia. Cléo en a assez eu. N'est-ce pas ma belle fille?

Elle se pencha, ramassa la boîte, la referma et la remit à la vieille dame, à la déception évidente de Cléo.

— C'est gentil, dit la veuve millionnaire.

En guise de remerciement, elle retira à son petit chien son collier de diamants qu'elle passa au cou de Cléo qui se laissa faire sans protester.

— Mais non, protesta Patricia, ça doit coûter une fortune.

— Ce n'est rien, dit la vieille dame. Les pierres sont fausses.

Comme si elle connaissait la valeur et le prestige des diamants, même faux, Cléo dressa fièrement la tête.

— Orgueilleuse, va! dit Patricia.

Cléo prit un air boudeur et pencha la tête. Sa maîtresse venait de la prendre en flagrant délit de vanité.

Puis ce fut la séparation. La vieille dame serra la main de Patricia et s'éloigna avec Rambo. Il y eut un moment de tristesse, car Cléo comprit que, si elle avait enfin retrouvé sa maîtresse adorée, elle perdait son petit ami. Les deux chiens se regardèrent une dernière fois, juste avant que le petit colley ne monte dans la Rolls. Avant de s'y engouffrer, la vieille dame se tourna vers Patricia et lui cria:

— Venez nous voir quand vous voudrez.

82

— Mademoiselle Wood! entendit-elle alors crier.

Elle se tourna. Un rouquin assez jeune, vêtu avec une élégance raffinée, courait en sa direction en agitant la main. Elle ne le reconnut pas tout de suite. C'était Lester Herbert, un des éditeurs qu'elle avait rencontré plusieurs mois auparavant au cours de ses tentatives infructueuses pour se faire publier. Il s'était montré très aimable avec elle, lui avait expliqué qu'il aimait personnellement beaucoup son roman, mais que le comité de lecture n'en avait pas recommandé majoritairement la publication. Il s'arrêta devant elle, essoufflé, et lui dit de sa voix très féminine:

— Je suis content de vous avoir trouvée. Mais, excusez-moi... Vous ne me replacez peut-être pas...

— Vous êtes éditeur...?

— Oui, exactement. Lester Herbert. Ah, j'oubliais de vous demander... Vous allez bien?

— Très bien. Je vous remercie.

— Bon, tant mieux... Ecoutez, j'ai d'excellentes nouvelles pour vous. A la maison d'édition ce matin, on a beaucoup parlé de vous... A l'époque, vous vous souvenez, on était hésitant, parce que vous étiez un auteur débutant... En fait, je ne veux pas vous conter d'histoire... Ce sont des cons, mais maintenant que vous êtes célèbre, ils ne sont quand même pas assez cons pour vous laisser aller. Ils sont prêts à signer et à vous publier rapidement.

— C'est vrai?

— Oui. Mais j'ai besoin d'une réponse aujourd'hui même.

— Aujourd'hui?

— Oui, je sais que c'est un peu rapide, mais vous comprenez, les affaires sont les affaires. Je sais qu'il y a probablement d'autres éditeurs qui vous ont approchée ou qui vont le faire dans les prochains jours.

Il venait de le lui faire penser. En effet, elle aurait peut-être d'autres propositions, plus alléchantes. Le jeune éditeur comprit qu'il avait fait un faux pas, et plissa les lèvres.

— Mais moi, je crois vraiment en votre roman. Je l'ai adoré, je sais que vous avez du talent.

— Je ne sais pas, je... Il se passe tellement de choses dans ma vie actuellement. Ce n'est pas une décision facile à prendre, comme cela, à l'improviste...

— Les autres éditeurs n'auront pas nécessairement la même sensibilité que moi, ils ne comprendront pas nécessairement votre oeuvre... Tandis que moi, je la sens, je comprends vos intentions d'auteur, comme si j'avais moi-même écrit votre livre. Je ne devrais pas vous dire ça, mais... De toute façon vous l'avez peut-être déjà remarqué, je suis homosexuel... Et à mon avis, il n'y a qu'un homosexuel qui peut comprendre correctement une romancière... Ou une autre femme, bien entendu...

Décidément, pensa Patricia, il est honnête. Mais l'éditeur crut alors qu'il avait commis une autre bourde. Son aveu le desservait peut-être.

— Je n'aurais peut-être pas dû vous dire ça, non plus...Vous en avez peut-être contre les homosexuels...

— Non, non, pas du tout, mon père et mon grand-père l'étaient, alors...

— Votre...?

Il comprit qu'elle plaisantait.

— Vous avez failli m'avoir... Je... Euh... Ecoutez, si ça peut vous aider à prendre votre décision, nous sommes prêts à vous verser une avance de cent mille dollars à la signature!

— Cent mille!

Il interpréta incorrectement sa surprise et s'empressa de se reprendre:

— Ecoutez, ils sont prêts à aller jusqu'à cent cinquante mille. Si vous signez aujourd'hui.

— Et si je signe demain?

— Je sais, les cartes sont dans votre jeu. Je ne devrais pas vous dire ça... Il y a peut-être des éditeurs qui voudront aller jusqu'à cinq cent mille. Mais... Hum... Je n'aurais vraiment pas dû vous dire ça... Mais je vous le demande de manière personnelle... je... je sais que vous vous en foutez, mais c'est très important pour ma carrière... Je veux être considéré plus tard comme l'éditeur qui vous aura découverte...

C'était très élogieux! C'était même le plus extraordinaire compliment qu'elle eût jamais reçu! En tout cas, une chose était certaine, il croyait vraiment en elle. Et cent cinquante mille dollars, c'était quand même une somme. Cent cinquante mille! Plus qu'elle n'avait gagné depuis qu'elle avait commencé à travailler. Cette somme lui suffirait largement pour voir venir, pendant quelques années, et lui laisserait tout le temps nécessaire pour écrire son prochain roman. Quelle décision prendre, diable?

Que lui disait son coeur? Il lui disait que ce jeune homme, qui avait avoué son homosexualité, qui avait fait plein de gaffes qu'un homme d'affaires plus avisé n'aurait pas faites, que cet homme était extrêmement sympathique, et qu'il avait l'air de croire vraiment en elle. Ce n'était pas de la frime. L'éditeur, qui la voyait absorbée dans ses pensées, crut qu'il avait raté l'affaire, et fit une ultime tentative, les yeux écarquillés en un air implorant:

— Please?

Elle eut une dernière hésitation et dit:

— C'est d'accord, mais seulement si j'ai deux cent cinquante mille.

Le visage de l'éditeur s'éclaira:

— Marché conclu. On se serre la main?

Patricia parut surprise mais lui serra la main en disant cependant:

— Je croyais que vous n'aviez qu'une enveloppe de cent cinquante mille?

L'éditeur eut un sourire coupable et avoua:

— On se garde toujours une petite marge de manoeuvre...

— Ah, je vois...

Elle lui sourit. Il était peut-être un bien meilleur homme d'affaires qu'elle n'avait cru, et ses maladresses, ses erreurs étaient peut-être intentionnelles, pour la mettre en confiance, pour étouffer sa méfiance. Mais bon enfin, il ne fallait pas qu'elle fasse la fine bouche, qu'elle commence à se prendre pour une autre... Elle était tout excitée. Deux cent cinquante mille dollars! Un quart de million! Et surtout, son vieux rêve, auquel elle ne croyait plus, allait enfin se réaliser. Elle allait être publiée. Elle allait enfin devenir un auteur, un vrai!

Avant qu'elle ne changeât d'idée, ou ne demandât plus, l'éditeur s'empressa de lui tendre sa carte de visite et lui dit:

— Je vous attends à mon bureau aujourd'hui. Passez à n'importe quelle heure. Avant six heures. Je fais préparer les contrats et le chèque.

Il lui serra à nouveau la main et partit d'un pas joyeux.

83

Patricia regarda la carte de visite que lui avait laissée l'éditeur. C'était une preuve qu'elle n'avait pas rêvé. Elle allait devenir un auteur publié! Sa persévérance avait été récompensée. Evidemment, la vie avait pris des chemins un peu inattendus. C'est en acquérant une «célébrité» un peu particulière qu'elle avait finalement attiré l'attention d'un éditeur. Mais bon, ce qui comptait, c'était le résultat! Et quelle avance! Deux cent cinquante mille dollars! Ouf! Quand ses parents verraient le contrat... Ils n'en reviendraient pas... Elle serra la carte de l'éditeur dans sa poche et se pencha vers Cléo:

— Viens, ma belle fille, on va aller retrouver Jonathan. Il doit nous attendre au stationnement. Il a une surprise pour toi. Un autre ami...ajouta-t-elle en faisant allusion à Harry, le chien du jeune psychiatre.

Elle se fraya un chemin dans la foule en essayant le plus possible de passer inaperçue. Mais elle n'avait pas fait dix pas qu'elle tomba sur son mari. Il avait le bras en écharpe, mais à part cette blessure, il paraissait en pleine forme. Sa surprise passée, elle éprouva un vif soulagement. Il avait survécu au coup de feu reçu dans la chambre d'hôtel. Richard l'embrassa chaleureusement:

— Ma chérie, dit-il. Je suis si content que tout soit fini! J'étais mort d'angoisse! Tu aurais dû m'appeler...

— Je sais, je n'ai pas vraiment d'excuse... Je... Nous étions poursuivis, et j'avais peur que ta ligne soit sur écoute...

— Je comprends...De toute manière, l'important, c'est que tu sois vivante.

— Oui...dit-elle laconiquement.

— Tu as repris Cléo? dit-il en apercevant la brave bête qui le regardait avec un certain scepticisme, voire une sorte de méfiance à peine dissimulée.

— Oui, expliqua Patricia. La vieille dame chez qui je l'avais portée avant notre mariage vient juste de la ramener.

— C'est bien, c'est très bien, dit-il en flattant Cléo qui recula et émit un grognement.

— Doucement, ma belle fille, doucement... là, sermonna Patricia.

Cléo pencha la tête, boudeuse.

— Il y a longtemps qu'elle ne t'a pas vu, expliqua Patricia. C'est normal qu'elle soit un peu méfiante.

— Bien sûr...

Il y eut un bref silence, et un malaise s'installa entre les époux. Il y avait tant de choses qui n'avaient pas été dites entre eux, qui restaient en suspens, tant de questions capitales laissées sans réponse... Madame Darpel avait-elle dit vrai au sujet des motifs véritables de Richard pour l'épouser, c'est-à-dire que le mariage avait simplement été une manière d'étouffer les soupçons de Blackwell? Richard avait-il vraiment une liaison avec Julie? Et si oui, depuis combien de temps? Si c'était seulement depuis son internement, cela faisait toute la différence du monde. Son mari ayant appris sa «folie», sa mythomanie, disposait pour ainsi dire de circonstances atténuantes. Il était pardonnable. Bien d'autres hommes auraient eu une réaction similaire en apprenant la maladie mentale — peut-être incurable — de leur femme, et auraient cherché dans les bras d'une maîtresse une consolation à l'échec d'un mariage si récent.

Et puis il y avait aussi la question délicate — et très grave —, de la clinique. Son mari était-il au courant de l'horrible machination baptisée «Heaven Can't Wait»? Si oui, elle ne pourrait pas lui pardonner. Cela faisait de lui un criminel. Et le fait qu'il eût permis son internement à l'institut Williamson était encore plus accablant. Mais comment aborder ces questions? Et surtout, comment être sûre que son mari lui dirait la vérité? Son premier réflexe ne serait-il pas de tout nier?

Richard tira alors de la poche intérieure de sa veste une enveloppe, et la tendit à Patricia en lui disant:

— Ouvre. C'est une surprise.

C'était une surprise en effet: deux billets d'avion pour Venise avec départ le lendemain.

Patricia eut un sourire triste et laissa tomber:

— Venise...

— Nous allons enfin faire notre voyage de noces. Nous ferons escale à Rome, comme prévu, expliqua son mari avec un enthousiasme qui parut un peu faux à Patricia. Ensuite nous louerons une voiture et nous remonterons vers Venise en longeant la côte. Et on revient par Paris.

— Paris...se contenta-t-elle de dire.

Richard voyait qu'elle n'avait pas l'air très emballée. Il en ressentit une vive inquiétude, comme s'il perdait pied.

Certes, se disait Patricia, c'était le voyage de noces qu'il lui avait tant de fois promis, qui avait été tant de fois reporté. Mais maintenant qu'elle tenait les billets dans ses mains, cela lui faisait une drôle d'impression. C'était irréel, on aurait dit. Et ce n'était plus excitant. Comme si tout son enthousiasme s'était usé au fil de l'attente.

— Qu'est-ce que tu en penses? demanda Richard.

Elle ne répliqua pas tout de suite, mais lui remit les billets et dit enfin:

— Il faut que nous parlions, Richard. Viens, marchons.

Il remit les billets dans sa poche. Mais il y avait quand même de l'espoir, elle voulait discuter. Par politesse, et surtout en un geste d'appropriation, il s'empressa de prendre sa valise et marcha à ses côtés. Après s'être tue un instant, elle ralentit puis regarda son mari droit dans les yeux et lui demanda:

— Comment se fait-il que tu aies permis qu'on m'interne ici, dans cette clinique?

— Mais je ne savais pas ce qui s'y passait. Je n'étais pas au courant.

— Tu es vice-président de la Blackwell Corporation. Tu aurais dû normalement être au courant de ce qui se passait.

— Mais non, je t'assure. Blackwell ne me tenait pas au courant des activités de la clinique. Je comprends maintenant pourquoi. Il fallait que le moins de gens possible soient au courant. Il y avait seulement Waterman à la clinique, et les maris. Mais comme les maris devenaient automatiquement complices en passant leur contrat avec la clinique, il n'y avait pas de danger qu'ils trahissent Blackwell.

— Et l'argent?

— L'argent?

— Oui, l'argent qui était versé pour les meurtres. Tu étais quand même un administrateur de la compagnie. Tu ne t'es jamais posé de questions sur la provenance de ces montants, des sommes d'un million de dollars parfois...

— La compagnie a un chiffre d'affaires de plus de trois milliards, alors un million... Et puis, je n'étais pas vérificateur... D'ailleurs, j'ai l'impression que ces sommes étaient payées comptant, et que Blackwell les déposait dans des comptes spéciaux. J'ai d'ailleurs lu dans les journaux qu'ils partaient pour la Suisse au moment où Julie l'a... Enfin où il a été trouvé mort... Et qu'il avait plus de trois millions en cash dans sa serviette...

Il marquait un point, elle devait l'admettre.

— Il y a eu beaucoup d'innocentes victimes qui sont mortes...

— Je sais... Je suis aussi désolé que toi... Si j'avais découvert cette affaire avant, j'aurais immédiatement dénoncé Blackwell. Il m'a dupé sur toute la ligne. C'était un véritable escroc...

Elle le regarda droit dans les yeux. Comment savoir s'il disait la vérité? Il était si dissimulateur, si habile... Il y avait en lui tant de personnages différents, qu'elle ne connaissait pas, tant de strates...

— Pourquoi est-ce que je te croirais? lui demanda-t-elle.

— Parce que c'est la vérité.

— Mais tu n'as pas de preuves...

— Mais je suis ton mari! Pourquoi aurais-je voulu faire une chose pareille? Je ne t'aurais jamais envoyée à la clinique si j'avais su ce qui s'y passait. Nous venions de nous marier. Nous étions heureux. Pourquoi aurais-je voulu me débarrasser de toi?

— Parce que tu m'avais épousée uniquement pour calmer les soupçons de Blackwell...

— Les soupçons de Blackwell?

— Oui, dit Patricia. Parce que Julie était aussi ta maîtresse!

Richard parut ébranlé par cette accusation, — ou était-ce simplement la surprise? — mais reprit vite contenance.

— Mais c'est absurde...Où diable as-tu pris cette histoire abracadabrante?

— C'est madame Darpel qui m'a tout raconté à la clinique... Elle a été internée, comme tu le sais probablement...

— Mais c'est une folle... une intrigante...

— Elle m'a aussi dit que vous aviez été amants, et que tu l'avais quittée seulement quand nous nous sommes mariés... Elle te partageait avec Julie avant notre mariage...

— Mais c'est complètement...

— Complètement quoi?

— Complètement absurde! Madame Darpel a cinquante ans! C'est une folle et une menteuse...

— Admettons, mais Julie et toi, vous étiez quand même amants. Ca, tu ne peux le nier.

— Mais au contraire, je le nie. C'est absolument faux.

— Je vous ai vus, à la clinique, quand tu es venu me rendre visite. Tu avais oublié ton imperméable, et j'ai couru pour te rattraper. Elle t'attendait dans le hall. Ca, tu ne peux quand même pas le nier...

— Je ne comprends pas. Tu dois confondre. C'est vrai que j'étais avec une femme, mais c'était madame Rosenberg. La femme d'un associé. Il m'avait demandé de l'accompagner à l'aéroport. Nous avons volé ensemble jusqu'à New York où l'attendait son mari. Elle a une crainte maladive des avions...

Patricia eut un doute, même si cette explication lui paraissait cousue de fil blanc. Elle se rappela la scène. Etait-elle bien sûre qu'il s'agissait de Julie? La femme portait une chapeau et des verres fumés, et dans ces conditions elle n'était pas vraiment reconnaissable. Elle était personnellement dans un état de nervosité si grand, qu'elle avait pu se faire jouer des tours par son imagination.

— Si j'avais eu une liaison avec Julie, comme tu le prétends, je n'aurais quand même pas été assez stupide pour l'amener avec moi à la clinique où beaucoup de gens la connaissaient comme la compagne attitrée de Blackwell.

L'argument portait. Patricia ne savait pas quoi dire.

— Mais j'y pense, reprit son mari, je comprends que tu aies pu les confondre... C'est vrai que madame Rosenberg ressemble un peu à Julie Landstrom. Mais elle est mariée depuis un an à peine, elle est follement amoureuse de son mari et il m'a annoncé qu'elle était enceinte de trois mois, alors je ne crois vraiment pas qu'elle puisse s'intéresser à moi. Non vraiment, désolé...

— Je...je m'excuse, je... J'étais si certaine quand je vous ai vus... Elle...

— Ce n'est pas grave, ma chérie. Je comprends, tu étais nerveuse, tu étais à bout... Nous ne pouvions pas nous voir aussi souvent que je l'aurais voulu... C'est normal que tu aies développé des soupçons... Que tu te sois laissée influencer par les histoires d'une folle, que Madame Darpel est jalouse de notre bonheur... C'est vrai qu'elle me court après depuis des années et qu'elle est frustrée que je l'aie toujours envoyée promener, mais ça ne veut pas dire que ce qu'elle raconte est vrai... Pour la clinique, c'est la même chose...

Il s'arrêta un instant et parut très excité par l'idée nouvelle qui lui était venue à l'esprit.

— Si j'avais su ce qui s'y passait vraiment, crois-tu que je me serais rendu à ta chambre d'hôtel avec le tueur de Blackwell qui m'a tiré dessus et qui aurait pu me tuer?

Argument de poids! Cette fois, il avait fait mouche. Patricia était ébranlée. Richard lui disait peut-être la vérité, après tout. Il ne savait rien de ce qui se passait vraiment à la clinique, et il n'avait jamais eu de liaison, ni avec madame Darpel ni avec Julie...

— Je t'aime, dit Richard, qui sentait que les résistances de sa femme faiblissaient. Je t'ai aimé dès le premier instant. Pourquoi crois-tu que je t'aie demandé en mariage au bout de trois jours à peine?

C'était vrai. S'il avait tant aimé Julie — comme Madame Darpel le prétendait —, il n'aurait eu qu'à l'épouser. Elle n'aurait sûrement pas été difficile à convaincre puisqu'elle lui avait elle-même avoué que Blackwell la traitait de manière méprisante, et ne l'aimait plus depuis longtemps.

Richard lui caressa tendrement la joue, un geste qu'il n'avait pas fait depuis des semaines. Elle se laissa attendrir. Son mari n'était probablement pas le monstre qu'elle avait pensé, madame Darpel lui avait certainement menti. Il fallait qu'elle lui laissât le bénéfice du doute. Après tout, n'était-il pas le seul homme à l'avoir assez aimée pour lui demander sa main? Et puis, ils avaient la chance maintenant de tout recommencer, de faire ce merveilleux voyage de noces à Venise... Elle eut alors une pensée pour Jonathan. Il était si tendre, si romantique... Au fond, elle devait s'avouer qu'il correspondait davantage à ce qu'elle attendait d'un homme. Richard avait beau faire amende honorable, il avait beau avoir trouvé de bonnes explications, il n'en restait pas moins qu'il avait été froid et fermé pendant tout leur mariage. Pourquoi changerait-il brusquement? Elle avait l'impression qu'il ne l'avait jamais aimée. Il y avait quelque chose qui clochait... Une pièce du puzzle manquait, qui aurait permis de tout expliquer... A moins que tout simplement, elle n'eût pas encore appris à apprivoiser Richard, à le comprendre... Oui, il était son mari après tout...

Avec Jonathan, elle avait vécu des moments d'une intensité extra-ordinaire, il lui avait sauvé la vie à trois reprises, et elle avait passé avec lui une nuit inoubliable, qui sûrement brûlerait sa mémoire pendant des mois. Mais il fallait être réaliste... Elle était une femme mariée, et elle avait des devoirs d'épouse. Avec le temps, les choses se tasseraient probablement, elle aurait enfin avec son mari le genre de relation, d'amour qu'elle avait toujours souhaité, et elle oublierait Jonathan, le beau, le tendre, le passionné Jonathan...

— Viens, dit Patricia, allons-y. J'attendais quelqu'un, mais je crois qu'il est reparti sans moi.

Elle avait compris qu'elle n'aurait pas le courage d'affronter Jonathan, de lui dire que tout était fini entre eux. C'est pourtant ce qu'elle lui avait dit la veille. Mais ce n'était que pour gagner du temps. Elle voulait parler avec son mari, vérifier des choses. Et ce que son mari lui avait dit était convaincant... Lorsqu'il comprit qu'il avait gagné la partie, Richard éprouva un grand soulagement, une grande joie. Il prit Patricia dans ses bras en lui déclarant:

— Je t'aime tellement. Tu es la femme de ma vie!

Et il l'embrassa passionnément. C'est précisément le moment que choisit l'infortuné Jonathan pour sortir de la clinique avec, dans une grande boîte de carton, les effets personnels qu'il avait récupérés dans son bureau. Malgré la foule, par une sorte d'instinct, il aperçut tout de suite le couple enlacé. Malgré la distance, — et même s'il ne l'avait vu qu'une seule fois — il reconnut tout de suite Richard Stone. Et il comprit qu'il avait perdu. Patricia s'était tout à fait réconciliée avec son mari.

Il se détourna pour ne pas devoir subir plus longtemps le supplice de voir la femme qu'il aimait dans les bras d'un autre homme, et marcha d'un pas pressé vers la Jeep où son fidèle chien l'attendait.

84

Patricia se pressait contre son mari, qui portait fièrement sa valise vers le parking. Elle était préoccupée. Quelque chose la tracassait, lui revenait continuellement à l'esprit. Le sentiment que son mari ne lui avait pas dit la vérité, qu'il l'avait trompée. Avec Julie Landstrom. Mais comment le lui faire avouer? Comment le confondre?

Alors tout se passa très vite dans son esprit. L'idée d'un piège lui vint. Un piège qui lui permettrait de trancher les derniers doutes qui lui restaient au sujet de la sincérité de son mari. Elle retira discrètement une de ses boucles d'oreille et la tendit à son mari, en lui disant, de la voix la plus naturelle du monde:

— Ah oui, j'oubliais de te dire, lorsque Julie est venue à la clinique, elle a perdu cette boucle d'oreille dans le hall, et une infirmière me l'a remise au moment où j'essayais de vous rattraper...

— Je la lui remets, dit spontanément Richard, sans penser.

Dans l'assurance de son succès, il avait baissé la garde, il n'était plus méfiant. Et il venait de commettre une faute. Patricia s'arrêta alors de marcher, son mari aussi. Sans s'en apercevoir, Richard venait d'admettre qu'il était effectivement venu à la clinique avec Julie. Les vieux soupçons de Patricia étaient donc totalement justifiés.

Elle regarda son mari d'un air pénétrant, cependant que son visage se durcissait. Elle comprenait maintenant qu'il l'avait trompée depuis le début. Julie avait probablement été sa maîtresse avant son mariage. Madame Darpel avait dit vrai. Il s'était tout simplement moqué d'elle! Il l'avait utilisée, comme une petite dinde! Elle le détesta. Elle n'avait plus aucune raison de rester avec lui. Il était démasqué. D'ailleurs, la panique naissante qui se lisait sur son visage le trahissait.

Patricia jeta la boucle d'oreille au sol et dit:

— C'est fini, Richard! Je ne veux plus jamais te revoir!

— Attends, je peux tout expliquer! Je t'aime!

Elle lui arracha littéralement la valise des mains, et s'éloigna, suivie de Cléo qui maintenant battait de la queue, comme si elle comprenait que la supercherie avait enfin été dévoilée.

— Patricia! Attends! cria Richard.

Mais il comprit qu'il avait fait un faux pas fatal, qu'il avait perdu Patricia à tout jamais. Il abaissa la tête, puis, dans un élan de rage, il donna un coup de pied dans le bracelet d'or.

Dès qu'elle se fut perdue dans la foule, Patricia se retourna et regarda vers le perron de la clinique. Jonathan n'était toujours pas là. Ce qui ne fit que la confirmer dans sa conviction qu'il était sûrement allé retrouver son chien dans le stationnement et qu'il l'y attendait. Elle s'y dirigea d'un pas résolu. Mais elle eut un véritable coup au coeur lorsqu'elle aperçut la Jeep qui s'éloignait, avec à son bord Jonathan et Harry. Que se passait-il? Pourquoi Jonathan partait-il sans l'attendre? Elle pensa alors qu'il l'avait probablement vue avec Richard, peut-être même dans ses bras, et il avait compris... Comment lui expliquerait-elle qu'elle n'était resté avec son mari que par devoir, et que c'est vers lui, Jonathan, que son amour la portait? Comment lui expliquerait-elle qu'elle avait si brusquement changé d'idée? La prendrait-il au sérieux, lui qui, justement était si sérieux, si sincère dans ses sentiments?

«Merde! pensa-t-elle. Ce n'est pas possible!» Elle se retrouvait seule, comme au début. Elle venait de perdre deux hommes qui avaient voulu faire leur vie avec elle! Quelle curieuse ironie du sort? N'était-elle pas condamnée à être toujours seule?

85

Jonathan essayait de contenir son chagrin. Il savait depuis la veille que Patricia avait l'intention de retourner avec son mari, mais de la voir le serrer dans ses bras, l'embrasser, cela lui avait porté un coup supplémentaire. Dans le fond, pourtant, il n'était pas surpris outre mesure. Toujours cette malchance qui le poursuivait, qui l'avait cruellement remis sur le chemin de la femme de sa vie, et lui avait un instant donné l'espoir de se faire aimer d'elle... Mais au moins il avait une consolation. Il avait aidé Patricia à mettre à jour les activités criminelles de la clinique. Il avait ainsi sauvé la vie de nombreuses femmes. Et il en avait libéré d'autres d'un internement qui aurait pu durer toute la vie... Et puis, toutes charges contre lui seraient retirées... Il restait médecin... Il pourrait reprendre sa pratique, exercer à nouveau le métier qui le passionnait... Sans la femme de sa vie... Qui sait, peut-être était-ce son destin de faire le voyage de la vie sans la seule compagne qu'il eût jamais souhaitée? Peut-être ainsi, comme nombre de célibataires, atteindrait-il des sommets dans sa carrière, deviendrait-il célèbre... En y pensant quelques secondes, il se dit que ce n'était là que de la rationalisation... Il se foutait de la gloire! Son vrai rêve, au fond, était bien banal... C'était de pouvoir écouter la télé le soir, avec Patricia, en mangeant une pizza... D'élever une petite famille...

Mais il fallait qu'il se fasse une idée! La vie en avait décidé autrement! Il ne lui restait plus qu'à tenter d'oublier Patricia... Il se dit qu'il n'avait pas envie de se remettre à travailler tout de suite — d'ailleurs il n'avait plus de poste nulle part — et qu'un voyage lui ferait le plus grand bien. Pourquoi ne partait-il pas le jour même pour l'Europe? Il avait tout l'argent nécessaire. Il était libre de toute attache. Il n'avait été en Europe qu'une seule fois, avec son ex-femme, et avait passé tout son temps à se disputer avec elle. Mais ce voyage lui avait tout de même donné la piqûre pour les pays du vieux continent, pour l'Italie surtout, qu'il avait traversée à toute vitesse sans vraiment pouvoir l'apprécier.

En sautant dans la Jeep, il fut content de retrouver son brave Harry, qui n'avait jamais démérité. Qui avait toujours été son fidèle compagnon. Des bons et des mauvais jours. Il le flatta vigoureusement, l'embrassa. Il tenta de se tenir des propos optimistes, de se convaincre que ce qui venait de se passer n'était rien, une petite déception sentimentale parmi tant d'autres. Il referait sa vie. Il fallait qu'il le croie. Sinon, il se jetterait dans la première rivière. Ou du haut de son balcon. Patricia. Patricia. Patricia... Il avait eu un si grand, un si beau rêve.

Il démarra, se dirigea vers la sortie, appuya sur son klaxon avec impatience pour que les curieux s'écartent de son chemin. Mais son chien, qui avait été parfaitement tranquille jusque-là, se mit alors à aboyer.

— Du calme, Harry, du calme!

Contrairement à ses habitudes, Harry ne lui obéit pas. Au contraire, ses jappements redoublèrent d'ardeur, et il sauta même en dehors de la Jeep, à la grande surprise de Jonathan qui se tourna et lui cria:

— Harry, c'est un ordre! Reviens ici tout de suite!

Mais Harry courait à la rencontre d'un autre chien, qu'il avait trouvé spontanément sympathique: c'était nulle autre que Cléo, qui, elle aussi, avait échappé à la surveillance de Patricia. Jonathan immobilisa sa Jeep et en sortit en courant. Alors ceux qui croyaient s'être perdus à tout jamais se virent. Et ils comprirent en un seul regard que ce qui les avait séparés n'avait été qu'un malentendu, un long et terrible malentendu et que la vie maintenant les réunissait. Ils se jetèrent dans les bras l'un de l'autre tandis que Cléo et Harry faisaient gaiement connaissance.

— Je croyais... dit Jonathan. Je t'ai vue tout à l'heure avec ton mari...

— C'est fini, dit Patricia, légèrement honteuse.

— Vraiment?

— Oui, c'est toi...

Elle allait dire «c'est toi que j'aime», mais une pudeur la retint.

— Tu partais?

— Oui, pour l'Europe...

— Pour l'Europe?

— Il reste une petite place dans l'avion pour toi... Si tu as envie de venir...

— Nous irions où?

— J'avais pensé à Venise...

— Venise?

Quel hasard! Il était le deuxième homme qui, en l'espace de quelques minutes, lui proposait un voyage dans la ville des amoureux! Jonathan crut que cette ville lui déplaisait, ou qu'elle y était déjà allée assez souvent pour ne plus avoir le goût d'y retourner.

— On peut aller à Miami, si tu veux.

— Non, non, je préfère Venise. Nous partirions quand?

— Aujourd'hui même!

— C'est impossible...

— Ah... dit Jonathan avec un certain découragement comme si tout était perdu et qu'il n'avait eu qu'un rêve de plus, plus cruel encore que les précédents.

— J'ai un contrat à signer aujourd'hui. Mais c'est d'accord pour demain...

— C'est vrai?

— Oui. A moins qu'il n'y ait des objections... de leur part... ajouta-t-elle en se tournant vers les deux chiens qui paraissaient déjà être les meilleurs amis du monde.

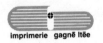

imprimerie   gagné ltée

IMPRIMÉ AU CANADA